ENWAU CYMRAEG AR BLANHIGION
WELSH NAMES OF PLANTS

I Arthur Owen Jones† (1889-1979)
a Joan

Cynllun y clawr yn corffori Pabi Cymreig gan Carl Glanville-Ellis
Cover design incorporating a Welsh Poppy by Carl Glanville-Ellis

ENWAU CYMRAEG AR BLANHIGION
WELSH NAMES OF PLANTS

Dafydd Davies ac Arthur Jones

AMGUEDDFA GENEDLAETHOL CYMRU
NATIONAL MUSEUM OF WALES

AMGUEDDFA GENEDLAETHOL CYMRU : ADRAN BOTANEG
NATIONAL MUSEUM OF WALES : DEPARTMENT OF BOTANY

CAERDYDD / CARDIFF 1995

Cyhoeddir gan

Adran Botaneg
Amgueddfa Genedlaethol Cymru
Parc Cathays
CAERDYDD
CF1 3NP
U.K.

Published by

Department of Botany
National Museum of Wales
Cathays Park
CARDIFF
CF1 3NP
U.K.

ISBN 0-7200-0418-7

Copi camera-parod a gynhyrchwyd gan
Adran Botaneg, Amgueddfa Genedlaethol
Cymru

Camera-ready copy produced in the
Department of Botany, National Museum of
Wales

Printed in Great Britain by
The Devonshire Press
Torquay

CYNNWYS – CONTENTS

RHAGAIR

Enwau Cymraeg ar Blanhigion yw'r diweddaraf mewn cyfres hir o lyfrau a gyhoeddwyd gan Adran Botaneg, Amgueddfa Genedlaethol Cymru. Ers ei ffurfio, bu'r Adran yn flaenllaw ym motaneg yng Nghymru a bu'r staff yn cyhoeddi llyfrau ar Redyn, Coed a Phlanhigion Blodeuog y Dywysogaeth. Rhoddwyd enwau Cymraeg bob amser ar blanhigion mewn arddangosfeydd yn orielau'r Amgueddfa Genedlaethol. Ymddangosodd yr ymdrechion cyntaf ar gynhyrchu rhestr o enwau cymeradwy yn *Flowering Plants of Wales* gan Mr R. Gwynn Ellis, a gyhoeddwyd ym 1983.

Roedd y rhodd o restrau a ffeiliau Mr Arthur O. Jones i'r Adran yn gynnar yn y 1980au wedi rhoi hwb i'r syniad o gyhoeddi llyfr ar Enwau Cymraeg ar Blanhigion. Bu hyn yn uchelgais gan yr Adran ers lawer dydd.

Mae'n bleser mawr gennyf fanteisio ar y cyfle hwn i ddatgan fy niolchiadau diffuant i deulu Mr A.O. Jones am wneud y prosiect yn bosibl ac yn enwedig i Mr Dafydd Davies a weithiodd yn galed iawn wrth baratoi'r llyfr hwn. Rhaid i mi ddiolch hefyd fy nghydweithiwr, Gwynn Ellis, am ei ymdrechion pan yn paratoi'r llyfr hwn ar gyfer ei gyhoeddi.

Barry A. Thomas, Ceidwad Botaneg
Rhagfyr 1994

FOREWORD

Welsh Names of Plants is the latest in a series of books to be published by the Department of Botany, National Museum of Wales. Since its formation, the Department has been at the forefront of botany in Wales and staff have published books on Ferns, Timber Trees and Flowering Plants of the Principality. Welsh names of plants have always been given for exhibits in the galleries of the National Museum. The first attempts at producing a list of recommended names appeared in *Flowering Plants of Wales* by R. Gwynn Ellis, published in 1983.

The donation of Mr Arthur O. Jones' lists and files to the Department in the early 1980s provided the stimulus for embarking on the production of a book on Welsh Names of Plants. This had long been an ambition of the Department.

I am delighted to have this opportunity of expressing my sincere thanks to the family of Mr A.O. Jones for making the project possible and especially to Mr Dafydd Davies who has put a tremendous amount of work into compiling this book. I must also thank my colleague Gwynn Ellis for his efforts in getting this book ready for publication.

Barry A. Thomas, Keeper of Botany
December 1994

RHAGYMADRODD

Mae adnabyddiaeth yn weithgarwch dynol sylfaenol yr ydym yn ymarfer bob tro y defnyddiwn unrhyw un o'n synhwyrau (pan yn gweld, clywed, cyffwrdd, arogli neu flasu) ac i adnabod rhywbeth rhoddwn enw arno. O ddechreuad gwareiddiad pan ddatblygodd pobl y gallu i gyfathrebu, maent wedi rhoi enwau ar wrthrychau a ddaethant ar eu traws gan gynnwys y planhigion o'u hamgylch. Ar y dechrau, yr unig blanhigion i dderbyn enwau byddai y rhai hynny a gawsai ddylanwad uniongyrchol ar eu bodolaeth, trwy ddarparu bwyd, tanwydd, dillad, cysgod neu feddyginiaeth.

Am ganrifoedd, os nad am filenia, bu dau gasgliad o enwau ochr yn ochr; y rhai hynny a ddefnyddir gan ysgolheigion yn eu hysgrifeniadau, yr enwau gwyddonol, a'r rhai hynny a ddefnyddir gan y werin bobl yn eu hiaith bob dydd, yr enwau cyffredin neu frodorol. Tra bod yr enw gwyddonol a roddwyd ar blanhigyn yn aml yn Lladin ac yr un peth drwy'r byd, efallai mai dim ond dros ardal fechan y defnyddid yr enw brodorol. Canrifoedd yn ôl, ni fyddai pobl yn symud rhyw lawer, tueddent i fyw, gweithio a marw yn yr un ardal. Byddai llawer heb deithio mwy na thaith diwrnod ar gefn ceffyl o'i man geni yn eu bywyd. Gallai'r enwau brodorol ar blanhigion mewn un gymuned bod yn wahanol iawn i'r rhai a roddwyd gan eu cymdogion ond 20-30 milltir i ffwrdd, ac fe fyddai enwau mewn gwahanol wledydd yn naturiol mewn ieithoedd gwahanol. Adeiladwyd felly cadwyn o wahanol enwau ar yr un planhigyn ac ambell waith defnyddid yr un enw ar blanhigion gwahanol. Dim ond yn gymharol ddiweddar gwnaethpwyd ymdrechion i ddod a threfn o'r anrhefn hwn.

Casglwyd y rhestr gyntaf o enwau Cymraeg ar blanhigion i'w cyhoeddi gan Robert Davyes o Sir Fflint ac ymddangosodd ym 1633 yn yr ail argraffiad o Lyfr Llysiau Gerarde a ddiwygiwyd gan Thomas Johnson. Hynafiaethydd oedd Davyes a chanddo fynediad i nifer fawr o hen lawysgrifau a'r tebygrwydd yw mai o'r rhain y lluniodd ei restr o thua 240 o enwau. Cyhoeddwyd y llyfr arwyddocaol nesaf i ddelio ag enwau Cymraeg ar blanhigion ym 1813. Hwn oedd *Welsh Botanology* gan Hugh Davies a cynhwysai nid yn unig y Fflora cyntaf i'w gyhoeddi ar unrhyw Sir Gymreig, sef Sir Fôn, ond hefyd rhestr hir o enwau Cymraeg. Ers hyn, cyhoeddwyd nifer o lyfrau eraill yn cynnwys enwau Cymraeg ar blanhigion a rhestrir rhai o'r rhain yn y Llyfryddiaeth.

Bu un o awduron y llyfr hwn, Arthur Owen Jones, yn casglu cymaint o enwau Cymraeg ar blanhigion ag y medrai trwy gydol ei oes. Ganwyd ef ym Mhenycae, Wrecsam, ym 1889, ond trigai am y rhan fwyaf o'i oes ym Mhontypridd, Morgannwg Ganol, lle bu'n gweithio fel postman. Roedd yn Gymro Cymraeg, yn gerddor dawnus ac yn gasglwr stampiau brwd; ymddiddorai ym motaneg a theithiodd yn bell ar gefn beic neu ar droed yn chwilio am blanhigion. Aeth â'r rhai hynny na fedrai eu henwi i Adran Botaneg, Amgueddfa Genedlaethol Cymru, i'w henwi. Cafodd ei ddiddordeb mewn enwau Cymraeg ei ennyn gan y gwahaniaethau y sylwodd a ddefnyddid am yr un planhigyn yng ngogledd a de Cymru. Holodd unrhyw Gymro Cymraeg a gwrddai am yr enwau Cymraeg ar flodau a ddefnyddiai ac hefyd byddai'n chwilota yn y cyhoeddiadau.

Bu'n uchelgais ganddo i gyhoeddi llyfr ar y testun ond yr oedd yn 86 cyn iddo ddechrau gweithio arno. Gwelwyd tipyn o gynnydd yn y gwaith ond yr oedd ymhell o'i orffen pan bu farw ym 1979.

Trosglwyddwyd ei lysieufa, rhestrau, copiau o'i Fflorae wedi'u annodi, etc., i Amgueddfa Genedlaethol Cymru gan ei deulu. Cytunodd y Ceidwad Botaneg bryd hynny, Mr S.G. Harrison a'i staff uwch i ystyried y posibilrwydd o drefnu a chyhoeddi llyfr ar enwau Cymraeg ar blanhigion gyda R. Gwynn Ellis, Dirprwy Geidwad a Phennaeth Planhigion Vascular yn gweithredu fel arolygwr.

Ymgymerodd Miss Ellen Roberts a'r dasg o baratoi cardiau mynegai, gan ddefnyddio rhestrau Arthur Jones fel man cychwyn ond hefyd yn ychwanegu enwau o darddiadau eraill.

Cysylltwyd wedyn â Mr Dafydd Davies, sefydlydd Cymdeithas Edward Llwyd, i weld a fyddai'n barod i ymgymryd â'r gwaith llafurus o ddod a'r prosiect i ffrwythloniad. Cytunodd ar wneud hyn. Cytunwyd hefyd y dylai'r llyfr gynnwys rhestr mor gyflawn a phosib o enwau Cymraeg ar blanhigion Prydeinig gan ddynodi un enw dethol ar gyfer defnydd cyffredinol. Nid oedd gan rai o'r planhigion enwau Cymraeg, yn enwedig y rhai hynny nas ceir yng Nghymru neu y rhai sydd yn fewnfudwyr diweddar o dramor, a rhaid oedd bathu y rhai hyn. Cytunwyd ymhellach y dylid hefyd rhoi yr enw Lladin (gwyddonol) derbyniol a'r enw Saesneg cymeradwyol. Golygai hyn drefniad o dair rhestr yn nhrefn yr wyddor o enwau Cymraeg, Saesneg a Lladin. Cafwyd bod llawer o'r enwau Cymraeg eraill (enwau cyfystyr) ar gyfer un rhywogaeth o blanhigyn yn gwahaniaethu ond ychydig yn eu sillafiad, yn enwedig ym mhresenoldeb neu absenoldeb treigladau neu acenion. Cafwyd eraill, yn enwedig y rhai mewn llenyddiaeth hŷn, ag iddynt sillafiad hynafaidd na ddefnyddir mwyach. Teimlwyd y byddai cynnwys y rhai hyn i gyd yn chwyddo'r rhestri ac heb fawr ddim o fudd i'r defnyddiwr ac felly torrwyd y rhan fwyaf ohonynt allan.

Gorffennwyd y rhestri drafft hyn erbyn 1988. Trwy gymwynasgarwch yr Athro Neil Garrod o Goleg Prifysgol Cymru, Aberystwyth, gosodwyd y rhestri hyn ar gyfrifiadur y Brifysgol a'u dosbarthu yn ôl trefn yr wyddor. Gwiriwyd y rhestri diwygiedig hyn am eu cywirdeb ieithyddol gan Mrs Ann Williams, gynt o Amgueddfa Werin Sain Ffagan, Caerdydd. Yn ddiweddarach, trosglwyddwyd y rhestri i system gyfrifiadurol yr Amgueddfa, lle cawsant eu gwirio a'u trefnu; paratowyd y drafft cyntaf o'r copi camera-parod gan Mr Paul A. Ellis.

Yn dilyn cyhoeddi'r *New Flora of the British Isles* gan yr Athro Clive Stace yn hwyr ym 1991 bu raid diwygio'n drwyadl yr enwau Lladin er mwyn sicrhau eu bod yn cytuno â'r enwau yn y llyfr hwnnw. Gwnaethpwyd adolygiad terfynol o'r enwau Saesneg a Lladin gan Gwynn Ellis ac o'r enwau Cymraeg gan nifer o fotanegwyr Cymraeg eu hiaith ac fe dynnwyd allan sawl un o'r enwau cyfystyr dianghenraid.

Roedd dewis enw dethol Cymraeg yn dasg anodd gan fod mwy nag un enw yn cael ei ddefnyddio'n helaeth trwy Gymru gyfan ar yr un planhigyn. Ein gobaith yw bydd siaradwyr Cymraeg ym mhob rhan o Gymru yn dal i ddefnyddio'u henwau lleol ar blanhigion; mae yna gyfoeth ohonynt, maent yn rhan werthfawr o'n hetifeddiaeth ieithyddol ac fe fyddai eu diflaniad yn tlodi'r iaith. Ond mae yna fanteision o gael un enw Cymraeg ar bob rhywogaeth o blanhigyn, enw a ddaw yn gyfarwydd i bawb efallai gyda threigl amser. Mae o bwys sylweddol mewn dogfennau swyddogol a chyfreithiol ac mewn ysgrifau ar amaethyddiaeth, cadwraeth, byd natur, etc., bod yr enw Cymraeg yn ddealladwy i'r holl ddarllenwyr fel un sydd yn cyfeirio at un planhigyn arbennig. Am y rhesymau hyn rhoddir enw dethol yma ar bob planhigyn Prydeinig brodorol ac ar lawer o blanhigion a gyflwynwyd.

Dafydd Davies, Rhandirmwyn
R. Gwynn Ellis, Adran Botaneg, Amgueddfa Genedlaethol Cymru

INTRODUCTION

Identification is a fundamental human activity that we practise every time we use any of our senses (when we see, hear, touch, smell or taste) and to identify something we give it a name. From the dawn of civilisation, when people first developed the ability to communicate, they have given names to the objects with which they came into contact including the plants that surround them. At first, the only plants to receive names were probably those that had a direct impact on their existence, through providing food, fuel, clothing, shelter or medicine.

For centuries, if not millennia, two sets of names have existed side by side; those used by scholars in their writings, the scientific names, and those used by ordinary people in everyday speech, the common or vernacular name. While the scientific name given to a plant was often in Latin and the same throughout the world, the vernacular name might only have been used over a very small area. Centuries ago, people were not very mobile, they tended to live, work and die in the same area. Many travelled no more than a day's horse ride from their birthplace in their lifetime. The vernacular names given to plants by one community could be very different from those given by their neighbours only 20-30 miles away, and names in different countries would naturally be in different languages. There was thus built up a range of different names for the same plant and sometimes the same name was used for different plants. It was not until comparatively recently that attempts were made to bring order out of this chaos.

The first published list of Welsh names of plants was compiled by Robert Davyes of Flintshire and appeared in 1633 in the second edition of Gerarde's Herbal revised by Thomas Johnson. Davyes was an antiquary who had access to a large number of old manuscripts from which he probably drew up his list of about 240 names. The next significant publication to deal with the Welsh names of plants was published in 1813. This was Hugh Davis' *Welsh Botanology* which not only contained the first Flora to be published of any Welsh county, that of Anglesey, but also a long list of Welsh names. A number of other books containing Welsh names of plants have since been published and some of these are listed in the Bibliography.

One of the authors of this book, Arthur Owen Jones, made it his life's work to gather together as many Welsh names of plants as he could. Born in Penycae, Wrexham in 1889, he lived for most of his life in Pontypridd, Mid Glamorgan, where he worked as a postman. Welsh speaking, an accomplished musician and a keen philatelist, he was a self-taught botanist who travelled widely on bike or on foot in his search for plants. Those he was unable to name he sent or took to the Department of Botany, National Museum of Wales for identification. His interest in the Welsh names of wild flowers was kindled by the differences he noticed in the names used for the same plant in North and South Wales. He questioned any Welsh speaker he encountered on the Welsh names they used for wild flowers and also made searches through published works.

It had always been an ambition of his to compile a book on the subject but it was not until he was 86 years old that he started work on it. Much progress was made but it was still far from complete on his death in 1979.

His herbarium, lists, annotated copies of Floras, etc., were passed to the National Museum of Wales by his family. The then Keeper of Botany, Mr S.G. Harrison and his senior staff agreed to explore the possibility of compiling and publishing a book on the Welsh names of plants with R. Gwynn Ellis, Assistant Keeper and Head of Vascular Plants acting in a supervisory capacity. Miss Ellen Roberts undertook the preparation of a card index, using Arthur Jones' lists as a starting point but also adding names from other sources.

Mr Dafydd Davies, a founder of Cymdeithas Edward Llwyd, was then approached to see if he would undertake the arduous task of bringing the project to fruition. This he readily agreed to do. It was also agreed at this stage that the book should provide as complete a list of published Welsh names of British plants as possible and indicate one name that was recommended for general use. Some plants, especially those not found in Wales or recent invaders from overseas, had no existing Welsh name and these have had to be specially coined. It was further agreed that for each recommended Welsh name, the accepted Latin (scientific) and recommended English name should also be given. This necessitated the compilation of three lists, in alphabetical order of Welsh, English and Latin names. Many of the alternative Welsh names (synonyms) available for the same species of plant were found to differ only very slightly in spelling, especially in the presence or absence of mutations or accents. Others, especially from the older literature, were found to have archaic spellings no longer in use. It was decided that to include all of these would increase the size of the lists with very little benefit to the user; most have therefore been omitted

These draft lists were completed by 1988. Through the good offices of Professor Neil Garrod of the University College of Wales, Aberystwyth, these lists were entered onto the University's mainframe computer and sorted alphabetically. These revised lists were then checked for linguistic accuracy by Anne Williams formerly of The Welsh Folk Museum, St Fagans, Cardiff. The lists were then more recently imported into the Museum's computer system, checked, sorted and the first drafts of camera-ready copy prepared, by Paul A. Ellis.

The publication of the *New Flora of the British Isles* by Professor Clive Stace in late 1991 necessitated a thorough revision of all Latin names to ensure that they agreed with those used in that book. A final check on the English and Latin names was carried out by Gwynn Ellis and on the Welsh names by several Welsh speaking botanists and many unnecessary synonyms removed.

Selecting a recommended Welsh name proved a difficult task since more than one name may be in use extensively throughout Wales for the same plant. We hope that Welsh speakers in all parts of Wales will continue to use their local names of plants; there is a wealth of them, they are a valuable part of our linguistic heritage and their disappearance would impoverish the language. But there are advantages in having one Welsh name for every species of plant, a name that will perhaps become familiar to all with the passage of time. It is of considerable importance in official and legal documents as well as in writings on agriculture, conservation, general natural history, etc., that a Welsh plant name is understood by all readers to refer to the same plant. It is for these reasons that a recommended name is given here for all native British and many introduced plants.

Dafydd Davies, Rhandirmwyn
R. Gwynn Ellis, Department of Botany, National Museum of Wales

CYNLLUN Y LLYFR

Trefnir y llyfr hwn mewn tair rhan sydd wedi'u seilio ar y tri enw a roddir i bob planhigyn, Cymraeg, Lladin a Saesneg. Ym mhob rhan, mae'r enw dethol Cymraeg mewn llythrennau bras a'r enw Lladin (gwyddonol) mewn llythrennau italaidd. Mae'r enwau eraill i gyd mewn llythrennau cyffredin. Cymeradwyir yr enwau Saesneg yn *English Names of Wild Flowers* (Dony, Jury a Perring 1986), *New Flora of the British Isles* (Stace 1991), ac *Alien Plants of the British Isles* (Clement a Foster 1994). Nid yw'r enwau Saesneg mewn cromfachau sgwar yn ymddangos mewn unrhyw un o'r cyfeiriadau hyn. Yr enwau Lladin yw'r rhai hynny yn *New Flora of the British Isles* (Stace 1991), ac *Alien Plants of the British Isles* (Clement a Foster 1994).

Rhan GYMRAEG – Lladin – Saesneg
Rhestrir yma y cyfan o'r enwau Cymraeg ar blanhigion yn ôl trefn yr wyddor sydd, ar gyfer y di-Gymraeg, yn brintiedig wrth droed pob tudalen yn y rhan hon. Os mai enw dethol yw'r enw Cymraeg, fe'i ddilynir gan enwau Lladin a Saesneg y planhigyn. Os mai enw cyfystyr yw mae wedi'i gysylltu â'r enw dethol gan y talfyriad *gw. (gweler)*. Yn y rhan hon gall y darllenydd leoli enw Cymraeg, darganfod ai enw cyfystyr yw neu beidio, a dod o hyd i'w enw cywerth Lladin a Saesneg.

Yn gyffredinol, mae'r geiriau yn y rhestr hon yn dilyn yr wyddor lle ystyrir pob llythyren yn ei thro, gan anwybyddu collnodau ac acennau. Ailadroddir hyn ym mhob gair hyd at ddiwedd yr enw. Serch hynny, ymdrinir pob cysylltnod fel bwlch fel bod enwau sydd wedi'u sillafu yr un fath, ar wahan i bresenoldeb neu absenoldeb cysylltnodau, yn ymddangos gyda'i gilydd yn y rhestr. Torrir ar y rheol hon ambell waith, pan fyddai glynu wrthi'n gwahanu geiriau tebyg iawn fel yn yr enghraifft ganlynol:

> Marchredynen Wrychog, *gw.* **Gwrychredynen Galed**
> March-redynen Wrychog, *gw.* **Gwrychredynen Feddal**
> Marchredynen Wryw, *gw.* **Marchredynen**

Rhan LADIN - Saesneg - Cymraeg
Mae hon yn rhestri'r cyfan o'r rhywogaethau o blanhigion yn ôl trefn yr wyddor o'u henwau Lladin. Dilynir hyn gan yr enw Saesneg (mewn cromfachau), yr enw dethol Cymraeg ac wedyn y cyfan o'r enwau cyfystyr yn ôl trefn yr wyddor Gymraeg. Yn y rhan hon gall y darllenydd ddod o hyd i enw Cymraeg ar rywogaeth o blanhigyn a gweld y gwahanol enwau Cymraeg a roddir i'r planhigyn gyda'i gilydd.

Rhan SAESNEG - Lladin - Cymraeg
Rhestrir yma y cyfan o'r rhywogaethau planhigol a gynhwysir yn nhrefn yr wyddor yr ail enw Saesneg. Felly, rhestrir *Eranthis hyemalis* fel Aconite, Winter nid Winter Aconite. Dilynir yr enw Saesneg gan yr enw Lladin (mewn cromfachau) ac enw dethol Cymraeg yn unig. Yn y rhan hon fe ddylai'r darllenwyr sydd yn fwy cyfarwydd â'r enw brodorol na'r enw gwyddonol ddarganfod arweiniad i mewn i un o'r rhestri eraill.

Efallai bydd o ddiddordeb i ddarllenwyr wybod bod y gosodiad i mewn i acennau ar bob llafariad Cymraeg wedi bod yn bosibl trwy ddefnyddio Teifryn, un o sawl wyneb-teip a gynhyrchir gan MEU Cymru o Drefforest yn arbennig ar gyfer prosesi geiriau yn yr iaith Gymraeg.

PLAN OF THE BOOK

The book is arranged in three sections based on the three names given for each plant, Welsh, Latin and English. In each section, the recommended Welsh name is in bold type and the Latin (scientific) name in *italics*. All other names are in ordinary type. The English names are those recommended in *English Names of Wild Flowers* (Dony, Jury & Perring 1986), *New Flora of the British Isles* (Stace 1991) and *Alien Plants of the British Isles* (Clement & Foster 1994). English names enclosed in square brackets do not occur in these references. The Latin names are those accepted in *New Flora of the British Isles* (Stace 1991) and *Alien Plants of the British Isles* (Clement & Foster 1994).

WELSH – Latin – English Section

This lists all Welsh plant names according to the Welsh alphabet which, for the benefit of non-Welsh speakers, is printed at the foot of each page of this section. If the Welsh name is a recommended name, it is followed by the Latin and English names of the plant. If it is a synonym it is linked to the recommended name by the abbreviation *gw.* (*gweler* = see). It is in this section that the reader can locate a Welsh name, discover if it is a synonym or not, and find its Latin and English equivalents.

In general, words in this list are alphabetised by considering each letter in turn, ignoring apostrophes and accents. This is repeated for each word in the name until the end of the name is reached. Hyphens, however, are treated as spaces so that names which are spelt the same, apart from the presence or absence of hyphens, nearly always appear together in the list. This rule has occasionally been broken, when to adhere to it strictly would have separated very similar words as in the following example:

Marchredynen Wrychog, *gw.* **Gwrychredynen Galed**
March-redynen Wrychog, *gw.* **Gwrychredynen Feddal**
Marchredynen Wryw, *gw.* **Marchredynen**

LATIN – English – Welsh Section

This lists all the plant species included in alphabetical order of their Latin name. This is followed by the English name (in parentheses), the recommended Welsh name and then all the Welsh synonyms in Welsh alphabet order. It is in this section that the reader can find a Welsh name for a known species of plant and can see the different Welsh names given for that plant grouped together.

ENGLISH – Latin – Welsh Section

This lists all the plant species included in alphabetical order of their second or substantive English name. Thus *Eranthis hyemalis* is listed as Aconite, Winter not Winter Aconite. The English name is followed by the Latin name (in parentheses) and recommended Welsh name only. It is in this section that readers more familiar with vernacular than scientific names should be able to find a lead to take them into one of the other lists.

It may be of interest to readers to know that the correct insertion of accents on all Welsh vowels was made possible by the use of Teifryn, one of the several typefaces produced by MEU Cymru of Treforest specifically for word-processing in the Welsh language.

CYDNABYDDIAETH

Yr wyf yn dymuno recordio fy ngwerthfawrogiad o'r cyfraniad enfawr a wnaed i'r llyfr hwn gan fy nghyd-awdur Arthur Owen Jones (1889-1979) ac i gydnabod hyn, cyflwynir *Enwau Cymraeg ar Blanhigion* er cof amdano. Mae diolchiadau yn ddyledus hefyd i'w deulu a fu mor garedig a chyflwyno ei lyfrau llysieuol, rhestrau, etc., i Amgueddfa Genedlaethol Cymru, ac yn enwedig i'w ferch, Mrs Young, a ddangosodd ddiddordeb bywiog yn y prosiect o'r cychwyn hyd at ei orffen.

Rhaid nodi hefyd y cyfraniad sylweddol a wnaed gan Miss Ellen Roberts tra'n gweithio yn Adran Botaneg, Amgueddfa Genedlaethol Cymru. Bu'n recordio enwau Cymraeg planhigion ar gardiau mynegai gan ddefnyddio nodiadau Arthur Jones ac adnoddau llyfrgell yr Adran.

Hoffwn ddiolch hefyd i'r Athro Neil Garrod a'i staff yng Ngholeg Prifysgol Cymru Aberystwyth am fewnosod yn gyntaf y cofnodion ar i brif-ffrâm cyfrifiadur; i Paul A. Ellis am drosglwyddo'r rhestrau hyn i mewn i Gyfrifiadur PC a chynhyrchu'r drafft cyntaf o'r copi camera-parod; i Carl R. Glanville-Ellis am ei ddyluniad ardderchog ar y clawr blaen; ac i R. Gwynn Ellis o'r Adran Botaneg, Amgueddfa Genedlaethol Cymru, am gynllunio gweddlun y llyfr, cynhyrchu'r copi camera-parod olaf, ysgrifennu'r penodau rhagarweiniol, golygu'r llyfr ar gyfer ei gyhoeddi a'i lywio drwy'r wasg.

Yn olaf, rhaid diolch Mrs Ann Williams, Dewi Jones, Arthur Chater a botanegwyr Cymraeg eu hiaith eraill a welodd y rhestrau. Mae eu sylwadau a'u cyngor wedi f'arwain o gwmpas y maglau ieithyddol ac o ganlyniad bu gwelliant sylweddol ar y llyfr. Er hynny, fy nghyfrifoldeb i, wrth gwrs, yw pob gwall, esgeulustra, etc., (ac mae'n siwr bod yna lawer).

Dafydd Davies
Rhagfyr 1994

ACKNOWLEDGEMENTS

It is my wish to place on record my appreciation of the enormous contribution made to this book by my co-author Arthur Owen Jones† (1889-1979) and in recognition of this, *Welsh Names of Plants* is dedicated to his memory. Thanks are also due to his family who so kindly donated his botanical books, lists, etc., to the National Museum of Wales, and especially to his daughter, Mrs Young, who has shown a lively interest in the project from its conception to eventual completion.

Special mention must also be made of the substantial contribution made by Miss Ellen Roberts who, while employed in the Botany Department, National Museum of Wales, recorded the Welsh names of plants on a card index using Arthur Jones' notes and the resources of the Department's library.

Thanks are also due to Professor Neil Garrod and his staff at University College of Wales Aberystwyth for the initial inputting of the records onto a mainframe computer; to Paul A. Ellis for importing these lists into a PC computer and producing the first draft of the camera-ready copy; to Carl R. Glanville-Ellis for his excellent design which graces the front cover; and to R. Gwynn Ellis of the Botany Department, National Museum of Wales, for designing the layout of the book, producing the final camera-ready copy, writing the introductory chapters, editing the book for publication and seeing it through the press.

Finally, thanks must be paid to Mrs Ann Williams, Dewi Jones, Arthur Chater and other Welsh speaking botanists who have seen the lists. Their comments, criticisms and advice have guided me around the many linguistic pitfalls and the book has been much improved as a result. However, all remaining errors, omissions, etc., (of which there must be many) are, of course, my responsibility.

Dafydd Davies
December 1994

LLYFRYDDIAETH – BIBLIOGRAPHY

Archwiliwyd llawer o lyfrau a chylchgronau yn ystod y paratoad o'r llyfr hwn. Nid yw'r rhestr ganlynol yn gynhwysfawr ond mae'n cynnwys y cyhoeddiadau hynny a ystyrir yn fwyaf defnyddiol.

Many books and periodicals were scanned for names during the compilation of this book. The following list is not intended to be comprehensive but includes those works considered to be the most useful.

Anon. (*c*.1972). *Enwau Planhigion*. Gwasg Prifysgol Cymru, Caerdydd.

Davies, H. (1813). *Welsh Botanology*. London.

Dony, J.G, Jury S.L. & Perring, F.H. (1986). *English Names of Wild Flowers*. 2nd Edition. Botanical Society of the British Isles, London.

Ellis, R.G. (1983). *Flowering Plants of Wales*. National Museum of Wales, Cardiff.

Evans, J. (1848). *Geirlyfr Seisonig a Chymreig; a New English and Welsh Dictionary with a Botanical Dictionary subjoined*. Llanrwst.

Evans, H.M. & Thomas, W.O. (1963). *Y Geiriadur Mawr*. 3rd Edition. Llyfrau'r Dryw, Llandybie & Gwasg Aberystwyth, Aberystwyth.

Griffith, J.E. (*c*.1895). *The Flora of Anglesey and Caernarvonshire*. Bangor

Harris, H. (1905). *The Flora of the Rhondda*. Rhondda Naturalists' Society. Burleigh Ltd, Bristol.

Harry, G.I. (1934). *Enwau Blodau Gwyllt*. W. Spurrel a'i Fab, Caerfyrddin.

Hyde, H.A., Wade, A.E. & Harrison, S.G. (1978). *Welsh Ferns*. 6th Edition. National Museum of Wales, Cardiff.

Jones, D.A. (1898). *A Handbook to the Botany of Merionethshire, North Wales*. Unpublished MSS in Library, National Museum of Wales, Cardiff.

Parry, M. (1971). *Enwau Blodau, Llysiau a Choed*. Gwasg Prifysgol Cymru, Caerdydd.

Stace, C.A. (1991). *New Flora of the British Isles*. Cambridge University Press, Cambridge.

Storrie, J. (1886). *The Flora of Cardiff*. Cardiff Naturalist's Society, Cardiff.

Trow, A.H. (ed.) (1911). *The Flora of Glamorgan*. Cardiff Naturalists' Society, Cardiff.

Williams, J. (1830). *Faunula Grustensis, being an outline of the Natural Contents of the Parish of Llanrwst*. Llanrwst.

Wynne, G. (1993). *Flora of Flintshire*. Gee & Son, Denbigh.

Rhan GYMRAEG – Lladin – Saesneg
WELSH – Latin – English Section

Aban, *gw.* **Melyn yr Ŷd**
Abraham-Isaac-Jacob .... *Trachystemon orientalis* (Abraham-Isaac-Jacob)
Adain y Llew, *gw.* **Dant y Llew**
Adainredyn Cyffredin, *gw.* **Rhedynen Gyffredin**
Adain-redynen Eryraidd, *gw.* **Rhedynen Gyffredin**
Adain-redynen y Chwarelau, *gw.* **Rhedynen Bersli**
Adda ac Efa, *gw.* **Cwcwll y Mynach**
Addurnwy .... *Salpichroa origanifolia* (Cock's-eggs)
Aedorw, *gw.* **Iorwg**
Aethnen .... *Populus tremula* (Aspen)
Aethnen Ddu, *gw.* **Poplysen Ddu**
Aethnen Lwyd, *gw.* **Poplysen Lwyd**
Aethnen Wen, *gw.* **Poplysen Wen**
Aethwydden, *gw.* **Aethnen**
Afal, *gw.* **Pren Afalau**
Afal Adda, *gw.* **Gwinwydden Ddu**
Afal Addaf, *gw.* **Gwinwydden Ddu**
Afal Agored, *gw.* **Merysbren**
Afal Daear .... *Aristolochia clematitis* (Birthwort)
Afal Dreiniog, *gw.* **Meiwyn**
Afal Gronynnog, *gw.* **Grawnafal**
Afal Periw .... *Nicandra physalodes* (Apple-of-Peru)
Afal Sur, *gw.* **Pren Afal Sur**
Afal Sur Bach, *gw.* **Pren Afal Sur**
Afal Tindwll, *gw.* **Merysbren**
Afal y Berwyn, *gw.* **Mwyaren y Berwyn**
Afalau Surion Bach, *gw.* **Pren Afal Sur**
Afalau'r Bwci, *gw.* **Drysen Bêr**
Afalen Wyllt, *gw.* **Pren Afal Sur**
Afalwydden, *gw.* **Pren Afal Sur**
Afallen, *gw.* **Pren Afal Sur**
Afallen Sur, *gw.* **Pren Afal Sur**
Afan, *gw.* **Afanen**
Afanen .... *Rubus idaeus* (Raspberry)
Afanllwyn, *gw.* **Afanen**
Afans, *gw.* **Mapgoll**
Afans, *gw.* **Mapgoll Glan y Dŵr**
Afanwydd, *gw.* **Afanen**
Afryn Coliog, *gw.* **Efrau**
Aith, *gw.* **Eithin**
Aith, *gw.* **Eithin Mân**
Ala y Dŵr, *gw.* **Lili Ddŵr Wen**
Alan, *gw.* **Carn yr Ebol**
Alan Bach .... *Petasites albus* (White Butterbur)
Alan Bychan, *gw.* **Carn yr Ebol**
Alan Gawr .... *Petasites japonicus* (Giant Butterbur)
Alan Lleiaf, *gw.* **Alaw Lleiaf**
Alan Mawr .... *Petasites hybridus* (Butterbur)
Alan Mis Bach .... *Petasites fragrans* (Winter Heliotrope)
Alannan, *gw.* **Carn Ebol y Gerddi**
Alaw, *gw.* **Lili Ddŵr Wen**
Alaw Canada .... *Elodea canadensis* (Canadian Waterweed)
Alaw Crewyll, *gw.* **Clych Enid**
Alaw De America .... *Elodea callitrichoides* (South American Waterweed)
Alaw Diosgo .... *Stratiotes aloides* (Water-soldier)
Alaw Ddiosgo, *gw.* **Alaw Diosgo**
Alaw Gwelw .... *Hydrilla verticillata* (Hydrilla)
Alaw Lleiaf .... *Hydrocharis morsus-ranae* (Frogbit)
Alaw Nuttall .... *Elodea nuttallii* (Nuttall's Waterweed)
Alaw Prin-flodeuog .... *Egeria densa* (Large-flowered Waterweed)
Alaw y Llyn, *gw.* **Lili Ddŵr Wen**
Alcanet .... *Anchusa officinalis* (Alkanet)
Aleliwia, *gw.* **Suran y Coed**
Aleluia, *gw.* **Suran y Coed**

---

a, b, c, ch, d, dd, e, f, ff, g, ng, h, i, j, l, ll, m, n, o, p, ph, r, rh, s, t, th, u, w, y

Aleluya, *gw.* **Suran y Coed**
Alisantr, *gw.* **Dulys**
Alisantr y Ddulys, *gw.* **Dulys**
Alisantri, *gw.* **Dulys**
Almonwydd .... *Prunus dulcis* (Almond)
Allweddau Pedr, *gw.* **Briallu Mair**
Amdowellt .... *Leymus arenarius* (Lyme-grass)
Amlaethai, *gw.* **Llysiau Crist**
Amlaethai, *gw.* **Llysiau'r Groes**
Amlaethai Cyffredin, *gw.* **Llysiau Crist**
Amlaethai'r Garreg Galch .... *Polygala calcarea* (Chalk Milkwort)
Amrain, *gw.* **Ceiniog y Gors**
Amrain Dyfrdrig, *gw.* **Dyfrforonen Leiaf**
Amranwen .... *Matricaria recutita* (Scented Mayweed)
Amranwen, *gw.* **Ffenigl y Cŵn**
Amranwen Cyffredin, *gw.* **Amranwen**
Amranwen Helen Lueddog, *gw.* **Ffenigl Helen Lueddog**
Amriwraeth Blewog, *gw.* **Grug**
Amrywiaeth Gwynflodeuog, *gw.* **Gludlys Gwyn**
Amrhydlwyd, *gw.* **Cedowydd Glas**
Amrhydlwyd Canada .... *Conyza canadensis* (Canadian Fleabane)
Amrhydlwyd Rhuddlas, *gw.* **Cedowydd Glas**
Amrhydlwyd **y Mynydd** .... *Erigeron borealis* (Alpine Fleabane)
Ancwyn .... *Artemisia dracunculus* (Tarragon)
Andromeda, *gw.* **Rhosmari Gwyllt**
Anfri, *gw.* **Mwsglys**
Angyles y Coed, *gw.* **Llys yr Angel**
Anhiliog .... *Epimedium alpinum* (Barren-wort)
Anwydlys, *gw.* **Marddanhadlen Ddu**
Anwywig .... *Crassula tillaea* (Mossy Stonecrop)
Arabis yr Ardd .... *Arabis caucasica* (Garden Arabis)
Archangel Fair, *gw.* **Marddanhadlen Wen**
Archmain, *gw.* **Clustog Fair**
Archoll yr Ŷd, *gw.* **Briwlys yr Ŷd**
Arel, *gw.* **Llawrwydden**
Arfeniaint, *gw.* **Ceiniog y Gors**
Arfog, *gw.* **Berwr y Fam**
Arfog, *gw.* **Cedw'r Berth**
Arfog Arllegog, *gw.* **Garlleg y Berth**
Arfog Meddygawl, *gw.* **Cedw'r Berth**
Arfog Meddygol, *gw.* **Cedw'r Berth**
Arfog Pumdalen, *gw.* **Berwr y Fam**
Arian Byw, *gw.* **Crydwellt**
Arian Cor, *gw.* **Cribell Felen**
Arian Gweirwyr, *gw.* **Cribell Felen**
Arian Gwion, *gw.* **Cribell Felen**
Arian Gwion Bach, *gw.* **Melog y Waun**
Arian Parod, *gw.* **Swllt Dyn Tlawd**
Arian y Bladurwr, *gw.* **Cribell Felen**
Arian y Meirch, *gw.* **Cribell Felen**
Arianllys .... *Thalictrum flavum* (Common Meadow-rue)
Arianllys, *gw.* **Arianllys y Mynydd**
Arianllys Bach .... *Thalictrum minus* (Lesser Meadow-rue)
Arianllys Bychan, *gw.* **Arianllys Bach**
Arianllys Cyffredin, *gw.* **Arianllys**
Arianllys Mawr .... *Thalictrum minus* subsp. *majus* (Great Meadow-rue)
Arianllys Mwyaf, *gw.* **Arianllys Mawr**
Arianllys y Mynydd .... *Thalictrum alpinum* (Alpine Meadow-rue)
Arlwys Beraidd y Coed, *gw.* **Briwydden Bêr**
Arlladlys, *gw.* **Canri Goch**
Artisiog Caersalem .... *Helianthus tuberosus* (Jerusalem Artichoke)
Artisiog Jerusalem, *gw.* **Artisiog Caersalem**
Aspygan, *gw.* **Llygad Llo Mawr**
Aspygan, *gw.* **Llygad y Dydd**
Astrantia .... *Astrantia major* (Astrantia)
Astyllenes, *gw.* **Llwynhidydd**
Astyllenlys, *gw.* **Llwynhidydd**
Astyllynes, *gw.* **Llwynhidydd**

---

a, b, c, ch, d, dd, e, f, ff, g, ng, h, i, j, l, ll, m, n, o, p, ph, r, rh, s, t, th, u, w, y

Aur Bach y Gwanwyn, *gw.* **Llygad Ebrill**
Aur y Gors, *gw.* **Melyn y Gors**
Aur y Tywydd, *gw.* **Gwlydd Melyn Mair**
Aur yr Ŷd, *gw.* **Cedw Gwyllt**
Aurddynadlen, *gw.* **Marddanhadlen Felen**
Aurfanadl, *gw.* **Melengu**
Aurfanadl, *gw.* **Melynog y Waun**
Aurfanadl Blewog .... *Genista pilosa* (Hairy Greenweed)
Awrlais y Dyn Tlawd, *gw.* **Llys y Cryman**
Bacsau Brain, *gw.* **Clychau'r Gog**
Bacsau'r Gog, *gw.* **Clychau'r Gog**
Bacser Brain, *gw.* **Clychau'r Gog**
Bacwn ac Wy, *gw.* **Pysen y Ceirw**
Bacwn ac Wyau, *gw.* **Pysen y Ceirw**
Bacwn ac Wyau, *gw.* **Pysen y Ceirw Fwyaf**
Bachgen Llwm .... *Leycesteria formosa* (Himalayan Honeysuckle)
Baddon y Coed, *gw.* **Chwerwlys yr Eithin**
Baladr Dwyddeiliog, *gw.* **Tegeirian Llydanwyrdd Bach**
Balchder Llundain .... *Saxifraga* × *urbium* (Londonpride)
Balm, *gw.* **Gwenynddail**
Balog y Waun, *gw.* **Melog y Waun**
Bambŵ .... *Sasa palmata* (Broad-leaved Bamboo)
Banadl .... *Cytisus scoparius* subsp. *scoparius* (Broom)
Banadl Blewog .... *Cytisus striatus* (Hairy-fruited Broom)
Banadl Cyffredin, *gw.* **Banadl**
Banadl Gorweddol .... *Cytisus scoparius* subsp. *maritimus* (Prostrate Broom)
Banadl Gwyn .... *Cytisus multiflorus* (White Broom)
Banadl Pigog, *gw.* **Celynnen Fair**
Banadl Sbaeneg .... *Spartium junceum* (Spanish Broom)
Banadlen, *gw.* **Banadl**
Banadlen Aur, *gw.* **Melynog y Waun**
Banadlen Ddu, *gw.* **Marddanhadlen Ddu**
Banadlen Ffrainc, *gw.* **Tresi Aur**
Banadlos, *gw.* **Melynog y Waun**
Baner y Gors, *gw.* **Iris Felen**
Banhadlen, *gw.* **Banadl**
Banhadlen Aur, *gw.* **Melynog y Waun**
Banhadlen Bigog, *gw.* **Celynnen Fair**
Banhadlos, *gw.* **Melynog y Waun**
Banhalen, *gw.* **Banadl**
Banhallen, *gw.* **Banadl**
Bara a Chaws y Gwcw, *gw.* **Suran y Coed**
Bara Can a Llaeth, *gw.* **Serenllys Mawr**
Bara-can y Defaid, *gw.* **Llwynhidydd Arfor**
Bara Can y Gog, *gw.* **Suran y Coed**
Bara Can y Gwcw, *gw.* **Suran y Coed**
Bara Caws, *gw.* **Blodyn y Gwynt**
Bara Caws a Llaeth, *gw.* **Serenllys Mawr**
Bara Caws y Defaid, *gw.* **Meillionen Wen**
Bara Ceiniogen, *gw.* **Deilen Gron**
Bara Gwenyn, *gw.* **Tafod y Fuwch**
Bara y Cythraul, *gw.* **Tamaid y Cythraul**
Bara'r Cythraul, *gw.* **Tamaid y Cythraul**
Bara'r Gog, *gw.* **Suran y Coed**
Bara'r Hwch .... *Cyclamen hederifolium* (Cyclamen)
Barf Aaron, *gw.* **Rhosyn Saron**
Barf y Bwch, *gw.* **Barf yr Afr Felen**
Barf y Bwch, *gw.* **Erwain**
Barf y Gŵr Hen, *gw.* **Barf yr Hen Ŵr**
Barf yr Afr, *gw.* **Barf yr Afr Felen**
Barf yr Afr Felen .... *Tragopogon pratensis* (Goat's-beard)
Barf yr Afr Felen Lleiaf, *gw.* **Barf yr Afr Felen**
Barf yr Afr Geninddail, *gw.* **Barf yr Afr Gochlas**
Barf yr Afr Gochlas .... *Tragopogon porrifolius* (Salsify)
Barf yr Hen Ŵr .... *Clematis vitalba* (Traveller's-joy)
Barfrwynen, *gw.* **Llymfrwynen**
Barfwellt Blynyddol .... *Polypogon monspeliensis* (Annual Beard-grass)
Barfwellt Bythol .... × *Agropogon littoralis* (Perennial Beard-grass)

---

a, b, c, ch, d, dd, e, f, ff, g, ng, h, i, j, l, ll, m, n, o, p, ph, r, rh, s, t, th, u, w, y

Barfwellt Diffaith .... *Polypogon viridis* (Water Bent)
Barlys, *gw.* **Haidd**
Barthlys, *gw.* **Murlys**
Basged Bysgota, *gw.* **Pysen y Ceirw**
Baw Mwci, *gw.* **Cyngaf Mawr**
Bawm, *gw.* **Gwenynddail**
Beatws, *gw.* **Betys Gwyllt**
Bedw Arian, *gw.* **Bedwen Arian**
Bedwen, *gw.* **Bedwen Arian**
Bedwen Arian .... *Betula pendula* (Silver Birch)
Bedwen Bluaidd, *gw.* **Bedwen Lwyd**
Bedwen Chwerw, *gw.* **Byddon Chwerw**
Bedwen Gyffredin, *gw.* **Bedwen Lwyd**
Bedwen Lwyd .... *Betula pubescens* (Downy Birch)
Beidiog Fain .... *Artemisia biennis* (Slender Mugwort)
Beidiog Ferlot .... *Artemisia verlotiorum* (Chinese Mugwort)
Beidiog Goch, *gw.* **Canwraidd Goch**
Beidiog Las, *gw.* **Eidral**
Beidiog Lwyd .... *Artemisia vulgaris* (Mugwort)
Beidiog Norwy .... *Artemisia norvegica* (Norwegian Mugwort)
Beidiog Rudd, *gw.* **Canwraidd Goch**
Beidiog Wen .... *Artemisia stelleriana* (Hoary Mugwort)
Beisdonell Merllyn, *gw.* **Beistonnell**
Beistonnell .... *Littorella uniflora* (Shoreweed)
Beistonnell Merllyn, *gw.* **Beistonnell**
Bela, *gw.* **Ffa'r Moch**
Bele Du, *gw.* **Ffa'r Moch**
Bendigeidlys, *gw.* **Mapgoll**
Bennlas, *gw.* **Clafrllys**
Berfain Cyffredin, *gw.* **Berwr y Fagwyr**
Berllys, *gw.* **Troed-y-cyw Clymog**
Berw, *gw.* **Berwr y Dŵr**
Berw Chwerw â Deilen Gul, *gw.* **Berwr Chwerw Culddail**
Berw Chwerw Mwyaf, *gw.* **Berwr Chwerw**
Berw Melyn Mwyaf y Dŵr, *gw.* **Berwr Melyn Mwyaf y Dŵr**
Berw Mwyaf y Dŵr, *gw.* **Berwr y Dŵr**
Berw Mwyaf y Ffynnon, *gw.* **Berwr y Dŵr**
Berwr, *gw.* **Berwr y Dŵr**
Berwr Blewog .... *Cardamine hirsuta* (Hairy Bitter-cress)
Berwr Bryste .... *Arabis scabra* (Bristol Rock-cress)
Berwr Caersalem .... *Sisymbrium irio* (London-rocket)
Berwr Caersalem, *gw.* **Berwr y Gaeaf**
Berwr Cam .... *Cardamine flexuosa* (Wavy Bitter-cress)
Berw'r Cerrig, *gw.* **Berwr y Fagwyr**
Berwr Coesnoeth .... *Teesdalia nudicaulis* (Shepherd's Cress)
Berwr Crychiog .... *Rapistrum rugosum* (Bastard Cabbage)
Berwr Cyfryngol .... *Barbarea intermedia* (Medium-flowered Winter-cress)
Berwr Chwerw .... *Cardamine amara* (Large Bitter-cress)
Berwr Chwerw Culddail .... *Cardamine impatiens* (Narrow-leaved Bitter-cress)
Berwr Dwfr, *gw.* **Berwr y Dŵr**
Berw'r Dwfr Lleiaf, *gw.* **Berwr Dŵr Lleiaf**
Berwr Dŵr Croesryw .... *Rorippa × sterilis* (Hybrid Water-cress)
Berwr Dŵr Lleiaf .... *Rorippa microphylla* (Narrow-fruited Water-cress)
Berwr Dwyreiniol .... *Sisymbrium orientale* (Eastern Rocket)
Berwr Ffrengig .... *Erucastrum gallicum* (Hairy Rocket)
Berwr Ffrengig, *gw.* **Berwr Gardd**
Berwr Gardd .... *Lepidium sativum* (Garden Cress)
Berwr Gwyllt .... *Lepidium latifolium* (Dittander)
Berw'r Gwyllt, *gw.* **Berwr Gwyllt**
Berw'r Iâ, *gw.* **Canclwm**
Berw'r Ieir, *gw.* **Canclwm**
Berwr Lundy .... *Coincya wrightii* (Lundy Cabbage)
Berwr Melyn Awstria .... *Rorippa austriaca* (Austrian Yellow-cress)
Berwr Melyn Blynyddol y Dŵr, *gw.* **Berwr Melyn y Gors**
Berwr Melyn Blynyddol y Dŵr, *gw.* **Berwr Melyn Ymlusgol y Dŵr**
Berwr Melyn Mwyaf y Dŵr .... *Rorippa amphibia* (Great Yellow-cress)
Berwr Melyn y Gaeaf, *gw.* **Berwr y Gaeaf**

a, b, c, ch, d, dd, e, f, ff, g, ng, h, i, j, l, ll, m, n, o, p, ph, r, rh, s, t, th, u, w, y

Berwr Melyn y Gogledd .... *Rorippa islandica* (Northern Yellow-cress)
Berwr Melyn y Gors .... *Rorippa palustris* (Marsh Yellow-cress)
Berwr Melyn Ymlusgol y Dŵr .... *Rorippa sylvestris* (Creeping Yellow-cress)
Berwr Môn, *gw.* **Berwr Môn a Manaw**
Berwr Môn a Manaw .... *Coincya monensis* subsp. *monensis* (Isle of Man
         Cabbage)
Berwr Murwyll y Môr .... *Coincya monensis* subsp. *recurvata* (Wallflower
         Cabbage)
Berwr Plygog, *gw.* **Berwr Cam**
Berwr Taliesin .... *Sedum telephium* (Orpine)
Berwr Talsyth .... *Barbarea stricta* (Small-flowered Winter-cress)
Berwr Tir .... *Barbarea verna* (American Winter-cress)
Berwr Treigledigol .... *Sisymbrium altissimum* (Tall Rocket)
Berwr Tribys .... *Cardamine trifolia* (Trefoil Cress)
Berwr Tyrrog .... *Arabis turrita* (Tower Cress)
Berwr y Cerrig .... *Arabis petraea* (Northern Rock-cress)
Berwr y Cerrig, *gw.* **Berwr y Graig**
Berwr y Creigiau Mynyddog, *gw.* **Berwr y Cerrig**
Berwr y Dŵr .... *Rorippa nasturtium-aquaticum* (Water-cress)
Berwr y Fagwyr .... *Arabidopsis thaliana* (Thale Cress)
Berwr y Fam .... *Descurainia sophia* (Flixweed)
Berwr y Ffynhonnau, *gw.* **Berwr y Dŵr**
Berwr y Ffynnon, *gw.* **Berwr y Dŵr**
Berwr y Gaeaf .... *Barbarea vulgaris* (Winter-cress)
Berwr y Gerddi, *gw.* **Berwr Blewog**
Berwr y Glinwst, *gw.* **Beryn Chwerw**
Berwr y Graig .... *Arabis hirsuta* (Hairy Rock-cress)
Berwr y Meysydd, *gw.* **Berwr Blewog**
Berwr y Moch, *gw.* **Olbrain**
Berwr y Mynydd .... *Arabis alpina* (Alpine Rock-cress)
Berwr y Nant Mwyaf, *gw.* **Berwr Cam**
Berwr y Rhos .... *Rapistrum perenne* (Steppe Cabbage)
Berwr y Torlennydd, *gw.* **Berwr Melyn Mwyaf y Dŵr**
Berwr y Tywod, *gw.* **Berwr y Graig**
Berwr yr Ardd, *gw.* **Berwr Gardd**
Berwr yr Iâr, *gw.* **Canclwm**
Berwr yr Iâr, *gw.* **Clymogyn Troellog**
Berwy Caersalem, *gw.* **Berwr Caersalem**
Berwy Melyn Ymlusgol y Dwfr, *gw.* **Berwr Melyn Ymlusgol y Dŵr**
Berwy y Fam, *gw.* **Berwr y Fam**
Berwy y Ffynnon, *gw.* **Berwr y Dŵr**
Berwy'r Dŵr, *gw.* **Berwr y Dŵr**
Berwyr Melyn Blynyddol y Dŵr, *gw.* **Berwr Melyn Ymlusgol y Dŵr**
Beryn, *gw.* **Beryn Chwerw**
Beryn Coesnoeth, *gw.* **Berwr Coesnoeth**
Beryn Creigiog .... *Hornungia petraea* (Hutchinsia)
Beryn Chwerw .... *Iberis amara* (Wild Candytuft)
Beryn y Bugail, *gw.* **Berwr Coesnoeth**
Beryn yr Ardd .... *Iberis umbellata* (Garden Candytuft)
Beryryn .... *Carrichtera annua* (Cress Rocket)
Beryw, *gw.* **Merywen**
Beryw y Wyddfa, *gw.* **Merywen Goraidd Fynyddig**
Berywydd, *gw.* **Merywen**
Betws Gwyllt .... *Beta vulgaris* subsp. *maritima* (Sea Beet)
Betys .... *Beta vulgaris* (Beet)
Betysen, *gw.* **Betys Gwyllt**
Betysen-y-môr, *gw.* **Betys Gwyllt**
Bidawglys, *gw.* **Bidoglys y Dŵr**
Bidawglys Dyfrdrig, *gw.* **Bidoglys y Dŵr**
Bidoglys, *gw.* **Bidoglys y Dŵr**
Bidoglys Chwerw .... *Lobelia urens* (Heath Lobelia)
Bidoglys Dyfrdrig, *gw.* **Bidoglys y Dŵr**
Bidoglys y Dŵr .... *Lobelia dortmanna* (Water Lobelia)
Bidoglys y Llynau, *gw.* **Bidoglys y Dŵr**
Birlli, *gw.* **Briallu**
Birllig, *gw.* **Briallu**
Biwlith, *gw.* **Gliniogai**
Biwlys, *gw.* **Gliniogai**

Bladurwellt y Fawnog, *gw.* **Llafn y Bladur**
Bladurwellt y Mynydd .... *Tofieldia pusilla* (Scottish Asphodel)
Blaen Gwayw, *gw.* **Serenllys y Gors**
Blaen y Conyn ar y Mêl, *gw.* **Llys y Dryw**
Blaen-y-gwayw Lleiaf, *gw.* **Llafnlys Bach**
Blaen y Gwayw Mwyaf, *gw.* **Llafnlys Mawr**
Blaen yr Iwrch, *gw.* **Bresych y Cŵn**
Blastlys, *gw.* **Llys y Llwynog**
Bleidd-dag, *gw.* **Cwcwll y Mynach**
Bleidd-dag y Gaeaf .... *Eranthis hyemalis* (Winter Aconite)
Bleidd-drem .... *Anchusa arvensis* (Bugloss)
Blewgeirch .... *Avena strigosa* (Bristle Oat)
Blewog, *gw.* **Pannog Melyn**
Blewynnog, *gw.* **Clust y Llygoden**
Blewynnog, *gw.* **Llys yr Hebog**
Bliw, *gw.* **Bliwlys**
Bliwlys .... *Daphne mezereum* (Mezereon)
Bliwyn, *gw.* **Bliwlys**
Blodau Bach Siriol, *gw.* **Effros**
Blodau Baill, *gw.* **Tafod y Fuwch**
Blodau Colomennod, *gw.* **Blodau'r Sipsi**
Blodau Dewi, *gw.* **Cenhinen Bedr**
Blodau Ebol Bach, *gw.* **Pysen y Ceirw**
Blodau Effros, *gw.* **Effros**
Blodau Gorffennaf, *gw.* **Blodyn y Fagwyr**
Blodau Mamgu, *gw.* **Blodyn y Fagwyr**
Blodau Mihangel, *gw.* **Crwynllys y Rhos**
Blodau Powdr, *gw.* **Llys y Neidr**
Blodau Santes Fair, *gw.* **Helyglys Hardd**
Blodau y Grug, *gw.* **Clychau'r Grug**
Blodau Ymenyn, *gw.* **Chwys Mair**
Blodau yr Eryr, *gw.* **Blodau'r Sipsi**
Blodau'r Brain, *gw.* **Carpiog y Gors**
Blodau'r Brain, *gw.* **Clychau'r Gog**
Blodau'r Brenin, *gw.* **Rhosyn Mynydd**
Blodau'r Cegid Bychain, *gw.* **Blodyn y Gog**
Blodau'r Domen, *gw.* **Tafod yr Oen**
Blodau'r Draen, *gw.* **Draenen Ddu**
Blodau'r Drindod, *gw.* **Suran y Coed**
Blodau'r Eira, *gw.* **Eirlys**
Blodau'r Gethlydd, *gw.* **Blodyn y Gog**
Blodau'r Gog, *gw.* **Blodyn y Gog**
Blodau'r Gwcw, *gw.* **Blodyn y Gog**
Blodau'r Gwenyn, *gw.* **Blodyn y Fagwyr**
Blodau'r Gwyddau Bach, *gw.* **Helygen Wiail**
Blodau'r Gwynt, *gw.* **Blodyn y Gwynt**
Blodau'r Haul .... *Helianthus annuus* (Sunflower)
Blodau'r Neidr, *gw.* **Serenllys Mawr**
Blodau'r Preseb, *gw.* **Codog**
Blodau'r Sipsi .... *Aquilegia vulgaris* (Columbine)
Blodeuyn Rhudd, *gw.* **Gludlys Coch**
Blodeuyn Wyneb Mair, *gw.* **Trilliw**
Blodeuyn y Frân, *gw.* **Carpiog y Gors**
Blodeuyn y Gog, *gw.* **Blodyn y Gog**
Blodeuyn y Gronnell, *gw.* **Cronnell**
Blodrwyog, *gw.* **Troellennog**
Blodyn Cap Nain, *gw.* **Blodyn y Mwnci**
Blodyn Crach, *gw.* **Dant y Llew**
Blodyn Crach, *gw.* **Gludlys Coch**
Blodyn Glas, *gw.* **Ysgorpionllys y Gors**
Blodyn Hen Ffasiwn, *gw.* **Briwydden Bêr**
Blodyn Iesu Grist, *gw.* **Tresgl y Moch**
Blodyn Llaeth, *gw.* **Blodyn y Gog**
Blodyn Llaw, *gw.* **Blodyn y Fagwyr**
Blodyn Llefrith, *gw.* **Blodyn y Gog**
Blodyn Llo Bach, *gw.* **Blodyn y Gog**
Blodyn Llyffant, *gw.* **Melog y Cŵn**
Blodyn Mawrth, *gw.* **Cenhinen Bedr**

a, b, c, ch, d, dd, e, f, ff, g, ng, h, i, j, l, ll, m, n, o, p, ph, r, rh, s, t, th, u, w, y

Blodyn Mihangel .... *Aster novi-belgii* (Michaelmas-daisy)
Blodyn Mihangel Blewog .... *Aster novi-angliae* (Hairy Michaelmas-daisy)
Blodyn Neidr, *gw.* **Gludlys Coch**
Blodyn Taranau, *gw.* **Gludlys Coch**
Blodyn Wyneb Mwnci, *gw.* **Ofergaru**
Blodyn y Fagwyr .... *Erysimum cheiri* (Wallflower)
Blodyn y Frân, *gw.* **Carpiog y Gors**
Blodyn y Gog .... *Cardamine pratensis* (Cuckooflower)
Blodyn y Gog, *gw.* **Carpiog y Gors**
Blodyn y Gwyll, *gw.* **Gludlys Nos-flodeuol**
Blodyn y Gwynt .... *Anemone nemorosa* (Wood Anemone)
Blodyn y Gwynt Glas .... *Anemone apennina* (Blue Anemone)
Blodyn y Gwynt Melyn .... *Anemone ranunculoides* (Yellow Anemone)
Blodyn y Llyffant, *gw.* **Melog y Waun**
Blodyn y Morwr, *gw.* **Clustog Fair**
Blodyn y Mwnci .... *Mimulus guttatus* (Monkeyflower)
Blodyn y Neidr, *gw.* **Gludlys Coch**
Blodyn y Pasg .... *Pulsatilla vulgaris* (Pasqueflower)
Blodyn Ymenyn .... *Ranunculus acris* (Meadow Buttercup)
Blodyn Ymenyn, *gw.* **Chwys Mair**
Blodyn Ymenyn Sant Martin .... *Ranunculus marginatus* (St Martin's Buttercup)
Blodyn yr Eira, *gw.* **Eirlys**
Blodyn yr Haul, *gw.* **Cor-rosyn Cyffredin**
Bloneg y Ddaear .... *Bryonia dioica* (White Bryony)
Bocys, *gw.* **Pren Bocs**
Bocys Ddrain, *gw.* **Ysbeinwydd**
Bocys Pigoglyn, *gw.* **Ysbeinwydd**
Bocyswydden, *gw.* **Pren Bocs**
Bochgoch, *gw.* **Drysen Bêr**
Bogail Gwener, *gw.* **Deilen Gron**
Bogail y Bugail, *gw.* **Deilen Gron**
Bogail y Forwyn, *gw.* **Deilen Gron**
Bogeil-lys, *gw.* **Deilen Gron**
Bogel Gwener, *gw.* **Deilen Gron**
Bogel y Forwyn, *gw.* **Deilen Gron**
Boglynnon, *gw.* **Celyn y Môr**
Boglynnon, *gw.* **Ysgallen Ganpen**
Boglynnon Arfor, *gw.* **Celyn y Môr**
Boglynnon y Môr, *gw.* **Celyn y Môr**
Boled Olwen, *gw.* **Taglys Mawr**
Bonet Nain, *gw.* **Blodau'r Sipsi**
Botas y Gog, *gw.* **Clychau'r Gog**
Botasen y Gog, *gw.* **Clychau'r Gog**
Botias y Gog, *gw.* **Clychau'r Gog**
Botwm Crys, *gw.* **Serenllys y Gors**
Botwm Mab Ieuanc, *gw.* **Gludlys Coch**
Brail Panog, *gw.* **Rhosyn Lledwlanog**
Bras Gawl, *gw.* **Efwr**
Bratlys .... *Ambrosia artemisiifolia* (Ragweed)
Bratlys Lluosflwydd .... *Ambrosia psilostachya* (Perennial Ragweed)
Bratlys Mawr .... *Ambrosia trifida* (Giant Ragweed)
Brathlys, *gw.* **Llys y Cryman**
Brathlys Benyw, *gw.* **Gwlyddyn Mair Benyw** .... *Anagallis arvensis* subsp. *coerulea* (Blue Pimpernel)
Brathlys Gwryw, *gw.* **Llys y Cryman**
Brathlys Wridog y Gors, *gw.* **Gwlyddyn Mair y Gors**
Brauwydd, *gw.* **Breuwydd**
Brechlys .... *Stellaria media* (Common Chickweed)
Brechlys Mwyaf .... *Stellaria neglecta* (Greater Chickweed)
Brefai, *gw.* **Brymlys**
Breflys, *gw.* **Brymlys**
Breichwellt y Coed .... *Brachypodium sylvaticum* (False Brome)
Breichwellt y Tŵr .... *Brachypodium pinnatum* (Tor-grass)
Breila, *gw.* **Rhosyn Coch Gwyllt**
Breilw, *gw.* **Rhosyn Coch Gwyllt**
Brelwg, *gw.* **Cegid y Dŵr**
Brenhines y Ddôl, *gw.* **Erwain**
Brenhines y Gors, *gw.* **Llafn y Bladur**
Brenhines y Meysydd, *gw.* **Erwain**

Brenhines y Waun, *gw.* **Erwain**
Brenhines y Weirglodd, *gw.* **Erwain**
Brenhinllys .... *Clinopodium acinos* (Basil Thyme)
Brenhinllys Clustog, *gw.* **Brenhinllys Gwyllt**
Brenhynllys Gwyllt .... *Clinopodium vulgare* (Wild Basil)
Breninllys Gwyllt, *gw.* **Brenhinllys Gwyllt**
Bresych, *gw.* **Bresych Gwyllt**
Bresych Arfor, *gw.* **Ysgedd**
Bresych Dafadennog .... *Bunias orientalis* (Warty-cabbage)
Bresych Dafadennog y De .... *Bunias erucago* (Southern Warty-cabbage)
Bresych Deiliog, *gw.* **Hegydd Arfor**
Bresych Gwyllt .... *Brassica oleracea* (Wild Cabbage)
Bresych Môn a Manaw, *gw.* **Berwr Môn a Manaw**
Bresych y Cŵn .... *Mercurialis perennis* (Dog's Mercury)
Bresych y Cŵn Blynyddol .... *Mercurialis annua* (Annual Mercury)
Bresych y Cŵn Parhaus, *gw.* **Bresych y Cŵn**
Bresych y Môr, *gw.* **Bresych Gwyllt**
Bresych y Môr, *gw.* **Ysgedd**
Bresych y Môr-greigiau, *gw.* **Bresych Gwyllt**
Bresych yr Ŷd, *gw.* **Rêp**
Breuwydden .... *Frangula alnus* (Alder Buckthorn)
Brial, *gw.* **Brial y Gors**
Brial y Gors .... *Parnassia palustris* (Grass-of-Parnassus)
Briallen, *gw.* **Briallu**
Briallen Gyffredin, *gw.* **Briallu**
Briallu .... *Primula vulgaris* (Primrose)
Briallu Albanaidd, *gw.* **Briallu'r Alban**
Briallu Blodiog .... *Primula farinosa* (Bird's-eye Primrose)
Briallu Cyffredin, *gw.* **Briallu**
Briallu Mair .... *Primula veris* (Cowslip)
Briallu Mair Di-sawr, *gw.* **Briallu Tal**
Briallu Mair Sawrus, *gw.* **Briallu Mair**
Briallu Tal .... *Primula elatior* (Oxlip)
Briallu Tal Ffug .... *Primula* × *polyantha* (False Oxlip)
Briallu yr Hwyr, *gw.* **Melyn yr Hwyr**
Briallu yr Hwyr Cymreig, *gw.* **Melyn yr Hwyr Cymreig**
Briallu yr Hwyr Mwyaf, *gw.* **Melyn yr Hwyr Mwyaf**
Briallu yr Hwyr Peraroglus, *gw.* **Melyn yr Hwyr Peraroglus**
Briallu'r Alban .... *Primula scotica* (Scottish Primrose)
Briallu'r Dydd, *gw.* **Llygad y Dydd**
Bricyllwydden .... *Prunus armeniaca* (Apricot)
Brigau'r Twynau, *gw.* **Briwydden Felen**
Briger Gwener .... *Adiantum capillus-veneris* (Maidenhair Fern)
Briger Gweno, *gw.* **Briger Gwener**
Briger y Twynau, *gw.* **Briwydden Felen**
Brigwellt, *gw.* **Brigwellt y Gwanwyn**
Brigwellt Alpaidd .... *Deschampsia cespitosa* susbp. *alpina* (Alpine
                                           Hair-grass)
Brigwellt Arian .... *Aira caryophyllea* (Silver Hair-grass)
Brigwellt Ariannaidd, *gw.* **Brigwellt Arian**
Brigwellt Bychan, *gw.* **Brigwellt Arian**
Brigwellt Cribog, *gw.* **Cribwellt**
Brigwellt Cudynnog .... *Deschampsia cespitosa* (Tufted Hair-grass)
Brigwellt Cynnar, *gw.* **Brigwellt y Gwanwyn**
Brigwellt Dyfrdrig .... *Catabrosa aquatica* (Whorl-grass)
Brigwellt Gwyrgam Mynyddol, *gw.* **Brigwellt Main**
Brigwellt Llwyd .... *Corynephorus canescens* (Grey Hair-grass)
Brigwellt Main .... *Deschampsia flexuosa* (Wavy Hair-grass)
Brigwellt Main y Waun, *gw.* **Brigwellt Main**
Brigwellt Mawnog, *gw.* **Brigwellt Cudynnog**
Brigwellt Tywarchaidd, *gw.* **Brigwellt Cudynnog**
Brigwellt y Gors .... *Deschampsia setacea* (Bog Hair-grass)
Brigwellt y Gwanwyn .... *Aira praecox* (Early Hair-grass)
Brigwellt y Mynydd, *gw.* **Brigwellt Main**
Brigwlydd, *gw.* **Brigwlydd Cynaeafol**
Brigwlydd, *gw.* **Llinesg y Dŵr**
Brigwlydd Byrddail .... *Callitriche truncata* (Short-leaved Water-starwort)
Brigwlydd Coesog .... *Callitriche brutia* (Pedunculate Water-starwort)

---

a, b, c, ch, d, dd, e, f, ff, g, ng, h, i, j, l, ll, m, n, o, p, ph, r, rh, s, t, th, u, w, y

Brigwlydd Cyfryngol .... *Callitriche hamulata* (Intermediate Water-starwort)
Brigwlydd Cynaeafol .... *Callitriche hermaphroditica* (Autumnal
      Water-starwort)
Brigwlydd Ffrwyth-aflem .... *Callitriche obtusangula* (Blunt-fruited Water-starwort)
Brigwlydd Gwanwynol, *gw.* Brigwlydd y Gwanwyn
Brigwlydd y Dŵr .... *Callitriche stagnalis* (Common Water-starwort)
Brigwlydd y Gwanwyn .... *Callitriche platycarpa* (Various-leaved
      Water-starwort)
Brigwlydd y Llynau, *gw.* Brigwlydd y Dŵr
Brigwydd Unionsyth, *gw.* Briwydden y Clawdd
Brigynog, *gw.* Tewbannog
Bril-lys, *gw.* Corfrilys
Bril-lys Bychan, *gw.* Corfrilys
Bril-lys Coraidd, *gw.* Corfrilys
Brilys, *gw.* Corfrilys
Britheg .... *Fritillaria meleagris* (Fritillary)
Brithlys, *gw.* Blodyn y Gwynt
Brithogen y Goedwig, *gw.* Blodyn y Gwynt
Briweg Blewog .... *Sedum villosum* (Hairy Stonecrop)
Briweg Cymreig .... *Sedum forsterianum* (Rock Stonecrop)
Briweg Diflas .... *Sedum sexangulare* (Tasteless Stonecrop)
Briweg Iar Fach yr Haf .... *Sedum spectabile* (Butterfly Stonecrop)
Briweg Llwyddail .... *Sedum spathulifolium* (Colorado Stonecrop)
Briweg Praffddail .... *Sedum dasyphyllum* (Thick-leaved Stonecrop)
Briweg Rwsieg .... *Sedum spurium* (Caucasian Stonecrop)
Briweg y Cerrig .... *Sedum anglicum* (English Stonecrop)
Briweg y Cerrig, *gw.* Pupur y Fagwyr
Briwlys Croesryw .... *Stachys × ambigua* (Hybrid Woundwort)
Briwlys-melyn Blynyddol .... *Stachys annua* (Annual Yellow-woundwort)
Briwlys-melyn Bythol .... *Stachys recta* (Perennial Yellow-woundwort)
Briwlys Tewbannog .... *Stachys germanica* (Downy Woundwort)
Briwlys y Calchfaen .... *Stachys alpina* (Limestone Woundwort)
Briwlys y Goedwig, *gw.* Briwlys y Gwrych
Briwlys y Gors .... *Stachys palustris* (Marsh Woundwort)
Briwlys y Gwrych .... *Stachys sylvatica* (Hedge Woundwort)
Briwlys y Taeog, *gw.* Briwlys y Gors
Briwlys yr Afon, *gw.* Briwlys y Gors
Briwlys yr Âr, *gw.* Briwlys yr Ŷd
Briwlys yr Ardd, *gw.* Briwlys yrŶd
Briwlys yr Ŷd .... *Stachys arvensis* (Field Woundwort)
Briw'r March .... *Verbena officinalis* (Vervain)
Briwydd, *gw.* Briwydden Fynyddig
Briwydd, *gw.* Briwydden y Gors
Briwydd Groes, *gw.* Croeslys
Briwydd Mynyddog-creigiog, *gw.* Briwydden Fynyddig
Briwydd Perarogl, *gw.* Briwydden Bêr
Briwydd Tair Gwythien, *gw.* Briwydden Fynyddig
Briwydd Wen, *gw.* Briwydden y Clawdd
Briwydden Arw .... *Galium tricornutum* (Corn Cleavers)
Briwydden Bêr .... *Galium odoratum* (Woodruff)
Briwydden Binc .... *Asperula taurina* (Pink Woodruff)
Briwydden Fain y Llyn .... *Galium constrictum* (Slender Marsh-bedstraw)
Briwydden Fawr y Llyn .... *Galium palustre* subsp. *elongatum* (Great
      Marsh-bedstraw)
Briwydden Feindwf .... *Galium pumilum* (Slender Bedstraw)
Briwydden Felen .... *Galium verum* (Lady's Bedstraw)
Briwydden Fynyddig .... *Galium boreale* (Northern Bedstraw)
Briwydden Groes, *gw.* Croeslys
Briwydden Las .... *Asperula arvensis* (Blue Woodruff)
Briwydden Syth .... *Galium mollugo* subsp. *erectum* (Upright
      Hedge-bedstraw)
Briwydden Wen, *gw.* Briwydden y Rhosdir
Briwydden y Clawdd .... *Galium mollugo* (Hedge-bedstraw)
Briwydden y Fign .... *Galium uliginosum* (Fen Bedstraw)
Briwydden y Garreg Galch .... *Galium sterneri* (Limestone Bedstraw)
Briwydden y Gors .... *Galium palustre* (Common Marsh-bedstraw)
Briwydden y Mur .... *Galium parisiense* (Wall Bedstraw)
Briwydden y Rhosdir .... *Galium saxatile* (Heath Bedstraw)

a, b, c, ch, d, dd, e, f, ff, g, ng, h, i, j, l, ll, m, n, o, p, ph, r, rh, s, t, th, u, w, y

Bromwellt Blewog, *gw.* **Pawrwellt Blewog**
Bromwellt Dwysedig, *gw.* **Pawrwellt Dwysedig**
Bromwellt Hysb, *gw.* **Pawrwellt Hysb**
Bromwellt Ller, *gw.* **Pawrwellt Ller**
Bromwellt Llyfn, *gw.* **Pawrwellt Llyfn**
Bromwellt Masw, *gw.* **Pawrwellt Masw**
Bromwellt Syth, *gw.* **Pawrwellt Unionsyth**
Bronwen, *gw.* **Amranwen**
Bronwerth, *gw.* **Tafod y Fuwch**
Bronwerth y Wiber, *gw.* **Glas y Graean**
Bronwst, *gw.* **Llygad Ebrill**
Bronwys, *gw.* **Llygad Ebrill**
Bronwys Melyn y Gwanwyn, *gw.* **Llygad Ebrill**
Bronwyst, *gw.* **Llygad Ebrill**
Bruesg, *gw.* **Celynnen Fair**
Brwyn Clwbfwsgol y Waun, *gw.* **Clwbfrwynen y Mawn**
Brwyn Du y Gors, *gw.* **Corsfrwynen Ddu**
Brwyn Nadd, *gw.* **Marchrawn yr Ardir**
Brwyn Sypiedig, *gw.* **Brwynen Bellennaidd**
Brwyn y Mwsogl, *gw.* **Brwynen Droellgorun**
Brwynddail y Mynydd, *gw.* **Lili'r Wyddfa**
Brwynen Alpaidd .... *Juncus alpinoarticulatus* (Alpine Rush)
Brwynen Arfor .... *Juncus maritimus* (Sea Rush)
Brwynen Babwyr .... *Juncus effusus* (Soft-rush)
Brwynen Babwyr Bellennaidd, *gw.* **Brwynen Bellennaidd**
Brwynen Bellennaidd .... *Juncus conglomeratus* (Compact Rush)
Brwynen Dalgron .... *Juncus compressus* (Round-fruited Rush)
Brwynen Deirdalen .... *Juncus trifidus* (Three-leaved Rush)
Brwynen Dri-flodeuog .... *Juncus triglumis* (Three-flowered Rush)
Brwynen Droellgorun .... *Juncus squarrosus* (Heath Rush)
Brwynen Dryledol .... *Juncus × diffusus* (Diffuse Rush)
Brwynen Dudley .... *Juncus tenuis* var *dudleyi* (Dudley's Rush)
Brwynen Ddeiliog .... *Juncus foliosus* (Leafy Rush)
Brwynen Ddeuflod .... *Juncus biglumis* (Two-flowered Rush)
Brwynen Edeuffurf .... *Juncus filiformis* (Thread Rush)
Brwynen Fain .... *Juncus tenuis* (Slender Rush)
Brwynen Fawr, *gw.* **Pabwynen Fawr**
Brwynen Flewog, *gw.* **Coedfrwynen Flewog**
Brwynen Flewog Lleiaf, *gw.* **Coedfrwynen Flewog**
Brwynen Flewog Lydanddail, *gw.* **Coedfrwynen Flewog**
Brwynen Flewog y Maes, *gw.* **Coedfrwynen y Maes**
Brwynen Flodbwl .... *Juncus subnodulosus* (Blunt-flowered Rush)
Brwynen Flodeuog, *gw.* **Coedfrwynen Luosben**
Brwynen Flodeuog, *gw.* **Engraff**
Brwynen Flodfain .... *Juncus acutiflorus* (Sharp-flowered Rush)
Brwynen Fwlbaidd, *gw.* **Brwynen Oddfog**
Brwynen Fwyaf y Coed, *gw.* **Coedfrwynen Fawr**
Brwynen Fychan .... *Juncus pygmaeus* (Pigmy Rush)
Brwynen Fynyddig, *gw.* **Coedfrwynen Sbigog**
Brwynen Galed .... *Juncus inflexus* (Hard Rush)
Brwynen Gastanliw .... *Juncus castaneus* (Chestnut Rush)
Brwynen Gerard .... *Juncus gerardii* (Saltmarsh Rush)
Brwynen Glymog â Blodau Blaendwn, *gw.* **Brwynen Flodbwl**
Brwynen Glymog â Blodau Blaenfain, *gw.* **Brwynen Flodfain**
Brwynen Glymog Glaergib, *gw.* **Brwynen Gymalog**
Brwynen Gulddail, *gw.* **Coedfrwynen Gulddail**
Brwynen Gwlad yr Haf .... *Juncus subulatus* (Somerset Rush)
Brwynen Gymalog .... *Juncus articulatus* (Jointed Rush)
Brwynen Lydanddail .... *Juncus planifolius* (Broad-leaved Rush)
Brwynen Marshall .... *Juncus nodulosus* (Marshall's Rush)
Brwynen Oddfog .... *Juncus bulbosus* (Bulbous Rush)
Brwynen Pen-trwchus, *gw.* **Brwynen Bellennaidd**
Brwynen Rannoch .... *Scheuchzeria palustris* (Rannoch-rush)
Brwynen Troellgorun, *gw.* **Brwynen Droellgorun**
Brwynen y Baltig .... *Juncus balticus* (Baltic Rush)
Brwynen y Broga .... *Juncus ambiguus* (Frog Rush)
Brwynen y Goedwig, *gw.* **Brwynen Flodfain**
Brwynen y Goedwig, *gw.* **Coedfrwynen Fawr**

a, b, c, ch, d, dd, e, f, ff, g, ng, h, i, j, l, ll, m, n, o, p, ph, r, rh, s, t, th, u, w, y

Brwynen y Goedwig Fwyaf, *gw.* **Coedfrwynen Fawr**
Brwynen y Llyffant ....*Juncus bufonius* (Toad Rush)
Brwynen y Maes, *gw.* **Coedfrwynen y Maes**
Brwynwellt Du, *gw.* **Corsfrwynen Ddu**
Brwysgedlys ....*Coriandrum sativum* (Coriander)
Brymlys ....*Mentha pulegium* (Pennyroyal)
Bryseg, *gw.* **Celynnen Fair**
Brytan, *gw.* **Llysiau'r Corff**
Brytwn, *gw.* **Llysiau'r Corff**
Bual, *gw.* **Glesyn y Coed**
Buchlaswellt, *gw.* **Meillionen Wyrgram**
Buchwellt, *gw.* **Meillionen Wyrgam**
Buelith, *gw.* **Gliniogai**
Bugeiles y Weirglodd, *gw.* **Erwain**
Buladd ....*Cicuta virosa* (Cowbane)
Bulith, *gw.* **Gliniogai**
Bulwg Ffrengig, *gw.* **Cwsglys**
Bulwg Rhufain, *gw.* **Bulwg yr Ŷd**
Bulwg yr Ŷd ....*Agrostemma githago* (Corncockle)
Burnet, *gw.* **Gwyddlwdn Cyffredin**
Burnet Mawr, *gw.* **Llysyrlys**
Bustl y Ddaear, *gw.* **Canri Goch**
Buwlys ....*Vaccaria hispanica* (Cowherb)
Bwdleia, *gw.* **Llwyn Iâr Fach**
Bwglos, *gw.* **Bleidd-drem**
Bwglos y Wiber, *gw.* **Glas y Graean**
Bwlaets, *gw.* **Eirinen Bulas**
Bwltis, *gw.* **Lili Ddŵr Felen**
Bwltis, *gw.* **Lili Ddŵr Wen**
Bwltis Lili Melyn y Dŵr, *gw.* **Lili Ddŵr Felen**
Bwltis Lleiaf, *gw.* **Bwltys Lleiaf**
Bwltys, *gw.* **Lili Ddŵr Felen**
Bwltys Lleiaf ....*Nuphar pumila* (Least Water-lily)
Bwrdd Ellyllon, *gw.* **Ceiniog y Gors**
Bwrli, *gw.* **Helygen Fair**
Bwrned, *gw.* **Gwyddlwdn Cyffredin**
Bwrned Mawr, *gw.* **Llysyrlys**
Bwtias y Gog, *gw.* **Clychau'r Gog**
Bwtsias y Gog, *gw.* **Clychau'r Gog**
Bwyd Gwyddau, *gw.* **Llau'r Offeiriad**
Bwyd Hwyaid, *gw.* **Llinad Eiddew**
Bwyd-hwyaid Bychan, *gw.* **Llinad**
Bwyd-hwyaid Mawr, *gw.* **Llinad Mawr**
Bwyd Sgwarnog, *gw.* **Llaeth Ysgyfarnog**
Bwyd y Gog, *gw.* **Serenllys Mawr**
Bwyd y Gwcw, *gw.* **Suran y Coed**
Bwyd y Gwyddau, *gw.* **Dail Arian**
Bwyd y Hwyaid, *gw.* **Llinad**
Bwyd y Moch, *gw.* **Cneuen Ddaear**
Bwyd y Neidr, *gw.* **Serenllys Mawr**
Bwyd y Tlawd, *gw.* **Berwr y Dŵr**
Bwyd yr Adar, *gw.* **Creulys Cyffredin**
Bwydlys y Mynachod, *gw.* **Dulys**
Bychan y Gors, *gw.* **Triaglog y Gors**
Bydiog, *gw.* **Eidral**
Bydiog Las, *gw.* **Eidral**
Bydiog Lwyd, *gw.* **Beidiog Lwyd**
Byddarllys, *gw.* **Llysiau Pen Tai**
Byddon, *gw.* **Byddon Chwerw**
Byddon Chwerw ....*Eupatorium cannabinum* (Hemp-agrimony)
Bysedd Cochion, *gw.* **Bysedd y Cŵn**
Bysedd Ellyllon, *gw.* **Bysedd y Cŵn**
Bysedd Traed y Frân, *gw.* **Pysen y Ceirw**
Bysedd y Cŵn ....*Digitalis purpurea* (Foxglove)
Bysedd y Diafol, *gw.* **Pysen y Ceirw**
Bysedd y Diafol, *gw.* **Pysen y Ceirw Fwyaf**
Bysedd yr Iâr, *gw.* **Rhuddygl Gwyllt**
Bysedd yr Iâr Arforol, *gw.* **Rhuddygl Glan y Môr**

a, b, c, ch, d, dd, e, f, ff, g, ng, h, i, j, l, ll, m, n, o, p, ph, r, rh, s, t, th, u, w, y

Bystwn Blewog .... *Erophila majuscula* (Hairy Whitlowgrass)
Bystwn Llyfn .... *Erophila glabrescens* (Glabrous Whitlowgrass)
Bystwn y Fagwyr .... *Draba muralis* (Wall Whitlowgrass)
Bystwn y Graig .... *Draba norvegica* (Rock Whitlowgrass)
Byswellt .... *Dactylis glomerata* (Cock's-foot)
Byswellt Blewog .... *Digitaria sanguinalis* (Hairy Finger-grass)
Byswellt Garwaidd, *gw.* **Byswellt**
Byswellt Llyfn .... *Digitaria ischaemum* (Smooth Finger-grass)
Bywfyth, *gw.* **Llysiau Pen Tai**
Bywfyth Leiaf, *gw.* **Pupur y Fagwyr**
Bywi, *gw.* **Cneuen Ddaear**
Bywien, *gw.* **Cneuen Ddaear**
Bywlys, *gw.* **Berwr Taliesin**
Bywlys, *gw.* **Crydwellt**
Bywlys, *gw.* **Llysiau Pen Tai**
Bywlys, *gw.* **Pupur y Fagwyr**
Bywlys Llydanddail, *gw.* **Berwr Taliesin**
Bywydog, *gw.* **Llwynau'r Fagwyr**
Bywydog Boeth, *gw.* **Pupur y Fagwyr**
Bywydog Cymreig, *gw.* **Briweg Cymreig**
Bywydog Llydanddail, *gw.* **Berwr Taliesin**
Cabaits y Llawr, *gw.* **Llwynhidydd Mawr**
Cabatsen, *gw.* **Bresych Gwyllt**
Cabets Gwyllt, *gw.* **Bresych Gwyllt**
Cacamwci, *gw.* **Cyngaf Mawr**
Cacamwci Lleiaf .... *Xanthium strumarium* (Rough Cocklebur)
Cacamwci Lleiaf, *gw.* **Cyngaf Bychan**
Cacamwci Pigog .... *Xanthium spinosum* (Spiny Cocklebur)
Cadafarch, *gw.* **Cedw Gwyllt**
Cadafarth, *gw.* **Cedw Gwyllt**
Cadowydd, *gw.* **Meddyg Mair**
Cadwen, *gw.* **Cleddlys Canghennog**
Caill y Ci, *gw.* **Tegeirian Coch**
Caineirian, *gw.* **Ceineirian**
Caineirian Bach, *gw.* **Ceineirian Bach**
Caineirian Gefell-lys, *gw.* **Ceineirian**
Caineirian Nydd-dro, *gw.* **Caineirian Troellog**
Caineirian Nydd-droedig, *gw.* **Caineirian Troellog**
Caineirian Troellog .... *Spiranthes spiralis* (Autumn Lady's-tresses)
Caineirian yr Ednogyn, *gw.* **Tegeirian Pryfyn**
Cala Mwnci, *gw.* **Pidyn y Gog**
Calaf, *gw.* **Corsen**
Cala'r Cethlydd, *gw.* **Pidyn y Gog**
Cala'r Gethlydd, *gw.* **Pidyn y Gog**
Cala'r Mynach, *gw.* **Pidyn y Gog**
Caldrist ar Eiddew, *gw.* **Gorfanc Eiddew**
Caldrist Coch .... *Cephalanthera rubra* (Red Helleborine)
Caldrist Coch, *gw.* **Caldrist Rhuddgoch**
Caldrist Culddail .... *Cephalanthera longifolia* (Narrow-leaved
                                     Helleborine)
Caldrist Dugoch, *gw.* **Caldrist Rhuddgoch**
Caldrist Gwefus-gul .... *Epipactis leptochila* (Narrow-lipped Helleborine)
Caldrist Gwyn .... *Cephalanthera damasonium* (White Helleborine)
Caldrist Llydanddail .... *Epipactis helleborine* (Broad-leaved Helleborine)
Caldrist Melynwyrdd .... *Epipactis phyllanthes* (Green-flowered Helleborine)
Caldrist Porffor .... *Epipactis purpurata* (Violet Helleborine)
Caldrist Rhudd, *gw.* **Caldrist Rhuddgoch**
Caldrist Rhuddgoch .... *Epipactis atrorubens* (Dark-red Helleborine)
Caldrist y Banadl, *gw.* **Gorfanc Hir**
Caldrist y Banadl, *gw.* **Gorfanc Mwyaf**
Caldrist y Gors .... *Epipactis palustris* (Marsh Helleborine)
Caledwraidd .... *Corydalis solida* (Bird-in-a-bush)
Caliwlyn y Mêl, *gw.* **Llys y Dryw**
Calon Afal, *gw.* **Tamaid y Cythraul**
Calwain Cala'r Gethlydd, *gw.* **Pidyn y Gog**
Camameil, *gw.* **Camri**
Camamil, *gw.* **Camri**
Cameiddwellt, *gw.* **Corwelltyn y Morfa**

Cameiddwellt y Morfa, *gw.* **Corwelltyn y Morfa**
Camined, *gw.* **Iris Felen**
Camined Melyn y Dŵr, *gw.* **Iris Felen**
Camined y Dŵr, *gw.* **Iris Felen**
Camomil Gwyllt, *gw.* **Camri'r Cŵn**
Camri .... *Chamaemelum nobile* (Chamomile)
Camri Arfor .... *Anthemis punctata* (Sicilian Chamomile)
Camri Cyffredin, *gw.* **Camri**
Camri Melyn .... *Anthemis tinctoria* (Yellow Chamomile)
Camri'r Cŵn .... *Anthemis cotula* (Stinking Chamomile)
Camri'r Ŷd .... *Anthemis arvensis* (Corn Chamomile)
Canclwm .... *Polygonum aviculare* (Knotgrass)
Canclwm Arfor .... *Polygonum maritimum* (Sea Knotgrass)
Canclwm Ray .... *Polygonum oxyspermum* subsp. *raii* (Ray's Knotgrass)
Canclwm Tir Âr .... *Polygonum rurivagum* (Cornfield Knotgrass)
Canclwm y Gogledd .... *Polygonum boreale* (Northern Knotgrass)
Canclwyf, *gw.* **Siani Lusg**
Canclymig, *gw.* **Corglymig**
Candoll, *gw.* **Eurinllys Trydwll**
Canewin, *gw.* **Berwr Taliesin**
Canewin y Fagwyr, *gw.* **Llwynau'r Fagwyr**
Canhauol, *gw.* **Murlys**
Canheuol, *gw.* **Murlys**
Canhwyllau'r Gors, *gw.* **Plu'r Gweunydd Unben**
Cannwyll Fair, *gw.* **Eurwialen**
Cannwyll Frwynen, *gw.* **Brwynen Babwyr**
Cannwyll yr Adar, *gw.* **Pannog Melyn**
Canri Byrdew, *gw.* **Canri Dywarchog**
Canri Byrfraisg, *gw.* **Canri Dywarchog**
Canri Dryflwyddol .... *Centaurium scilloides* (Perennial Centaury)
Canri Dywarchog .... *Centaurium erythraea* var. *capitatum* (Tufted Centaury)
Canri Fain .... *Centaurium tenuiflorum* (Slender Centaury)
Canri Felen .... *Blackstonia perfoliata* (Yellow-wort)
Canri Felen Eiddil .... *Cicendia filiformis* (Yellow Centaury)
Canri Goch .... *Centaurium erythraea* (Common Centaury)
Canri Goch Arfor .... *Centaurium littorale* (Seaside Centaury)
Canri Goch Lydanddail .... *Centaurium latifolium* (Broad-leaved Centaury)
Canri Guernsey .... *Exaculum pusillum* (Guernsey Centaury)
Canri Leiaf .... *Centaurium pulchellum* (Lesser Centaury)
Canrhi Goch, *gw.* **Canri Goch**
Cantafod, *gw.* **Murlys**
Cantafol, *gw.* **Murlys**
Cantwll, *gw.* **Eurinllys Trydwll**
Canwlyddyn, *gw.* **Clust Llygoden Arfor**
Canwraidd Bengoch, *gw.* **Canwraidd Goch**
Canwraidd Goch .... *Persicaria amphibia* (Amphibious Bistort)
Canwraidd Las, *gw.* **Eidral**
Canwraidd Lwyd, *gw.* **Beidiog Lwyd**
Canwraidd Lwyd, *gw.* **Wermod Lwyd**
Canwreid, *gw.* **Eidral**
Canwyllfrwynen, *gw.* **Brwynen Babwyr**
Cap Dur Heddwas, *gw.* **Jac y Neidiwr**
Cap Nos Mamgu, *gw.* **Blodau'r Sipsi**
Cap Nos Nain, *gw.* **Taglys Mawr**
Cap Nos Tadcu, *gw.* **Cwcwll**
Cap y Twrc .... *Lilium martagon* (Martagon Lily)
Cap y Twrc Melyn .... *Lilium pyrenaicum* (Pyrenean Lily)
Cardwy, *gw.* **Carwas**
Carddwy, *gw.* **Carwas**
Cariadwyr, *gw.* **Llau'r Offeiriad**
Carllys Mawr, *gw.* **Carwlys Mawr**
Carn Ebol y Gerddi .... *Asarum europaeum* (Asarabacca)
Carn y March, *gw.* **Pedol y March**
Carn yr Ebol .... *Tussilago farfara* (Colt's-foot)
Carn yr Ebol Porffor .... *Homogyne alpina* (Purple Colt's-foot)
Carn yr Ebol y Môr, *gw.* **Taglys Arfor**
Carnedd, *gw.* **Creulys Cyffredin**

a, b, c, ch, d, dd, e, f, ff, g, ng, h, i, j, l, ll, m, n, o, p, ph, r, rh, s, t, th, u, w, y

Carnedd Felen, *gw.* **Creulys Cyffredin**
Carnedd Felen Fenyw, *gw.* **Creulys Cyffredin**
Carnedd Felen Fenyw, *gw.* **Creulys y Rhosydd**
Carnedd Felen Wryw, *gw.* **Creulys Iago**
Carnedd Penfelen Fenyw, *gw.* **Creulys Cyffredin**
Carnedd y Gors, *gw.* **Creulys y Gors**
Caro .... *Pittosporum crassifolium* (Karo)
Carped y Duwiau, *gw.* **Brial y Gors**
Carpiog y Gors .... *Lychnis flos-cuculi* (Ragged-Robin)
Cartheig .... *Lapsana communis* (Nipplewort)
Cartheig Cyffredin, *gw.* **Cartheig**
Cartheig y Calch .... *Lapsana communis* subsp. *intermedia* [Limestone Nipplewort]
Cartheig y Coed .... *Lapsana communis* subsp. *communis* [Wood Nipplewort]
Caru'n Ofer, *gw.* **Trilliw**
Carwas .... *Carum carvi* (Caraway)
Carwas Troellog .... *Carum verticillatum* (Whorled Caraway)
Carwas yr Ŷd, *gw.* **Eilunberllys**
Carwbys Cyffredin, *gw.* **Pysen y Ceirw**
Carwbys Mwyaf, *gw.* **Pysen y Ceirw Fwyaf**
Carwlys, *gw.* **Carwlys Mawr**
Carwlys Mawr .... *Tordylium maximum* (Hartwort)
Carwy, *gw.* **Carwas**
Cas Gan Arddwr, *gw.* **Cracheithin**
Cas Gan Arddwr, *gw.* **Tagaradr**
Cas Gan Arddwr, *gw.* **Tagaradr Pigog**
Cas Gan Fladurwr, *gw.* **Cawnen Ddu**
Cas-gan-fursen, *gw.* **Cywarch**
Cas-gan-fuwch, *gw.* **Buladd**
Cas-gan-gythraul, *gw.* **Briw'r March**
Castanwydd, *gw.* **Castanwydden**
Castanwydden .... *Castanea sativa* (Sweet Chestnut)
Castanwydden Bêr, *gw.* **Castanwydden**
Castanwydden Geffyl, *gw.* **Castanwydden y Meirch**
Castanwydden y Meirch .... *Aesculus hippocastanum* (Horse-chestnut)
Caswenwyn, *gw.* **Tamaid y Cythraul**
Cawell Bysgota, *gw.* **Pysen y Ceirw**
Cawen, *gw.* **Cleddlys Canghennog**
Cawen Ganghennog, *gw.* **Cleddlys Canghennog**
Cawl, *gw.* **Bresych Gwyllt**
Cawl Gwyllt, *gw.* **Bresych Gwyllt**
Cawl y Cŵn, *gw.* **Bresych y Cŵn**
Cawl y Graig, *gw.* **Bresych Gwyllt**
Cawl y Gwyllt, *gw.* **Bresych Gwyllt**
Cawl y Môr, *gw.* **Bresych Gwyllt**
Cawlen, *gw.* **Bresych Gwyllt**
Cawn, *gw.* **Cleddlys Canghennog**
Cawn, *gw.* **Pefrwellt**
Cawn Pensidan, *gw.* **Maeswellt Cyffredin**
Cawnen, *gw.* **Corsen**
Cawnen Benwen, *gw.* **Maswellt**
Cawnen Ddu .... *Nardus stricta* (Mat-grass)
Cawnwellt, *gw.* **Pefrwellt**
Cecsen, *gw.* **Efwr**
Cecys, *gw.* **Cegiden**
Cecysen, *gw.* **Corsen**
Cecyt, *gw.* **Cegiden**
Cedor y Wrach, *gw.* **Cyngaf Mawr**
Cedor y Wrach, *gw.* **Troellig yr Ŷd**
Cedowrach, *gw.* **Cyngaf Bychan**
Cedowrach, *gw.* **Cyngaf Mawr**
Cedowrach Lleiaf, *gw.* **Cyngaf Bychan**
Cedowrach Mwyaf, *gw.* **Cyngaf Mawr**
Cedowrach y Coed, *gw.* **Cyngaf y Coed**
Cedowydd .... *Pulicaria dysenterica* (Common Fleabane)
Cedowydd, *gw.* **Meddyg Mair**
Cedowydd Bach .... *Pulicaria vulgaris* (Small Fleabane)

Cedowydd Cyffredin, *gw.* **Cedowydd**
Cedowydd Glas .... *Erigeron acer* (Blue Fleabane)
Cedowydd Gwyddelig .... *Inula salicina* (Irish Fleabane)
Cedowydd y Clogwyn .... *Erigeron karvinskianus* (Mexican Fleabane)
Cedowydd yr Ariannin .... *Conyza bonariensis* (Argentine Fleabane)
Cedowys Cyffredin, *gw.* **Cedowydd**
Cedowys Sugawl, *gw.* **Sampier y Geifr**
Cedowys Sugnol, *gw.* **Sampier y Geifr**
Cedrwydden, *gw.* **Cedrwydden Libanus**
Cedrwydden Goch .... *Thuja plicata* (Western Red-cedar)
Cedrwydden Goch Japan .... *Cryptomeria japonica* (Japanese Red-cedar)
Cedrwydden Libanus .... *Cedrus libani* (Cedar-of-Lebanon)
Cedrwydden Wen .... *Thuja occidentalis* (Northern White-cedar)
Cedu, *gw.* **Cedw Meindwf y Tywod**
Cedu Du, *gw.* **Cedw Du**
Cedu Gwyllt, *gw.* **Cedw Gwyllt**
Cedu Gwyn, *gw.* **Cedw Gwyn**
Cedu yr Ŷd, *gw.* **Cedw Gwyllt**
Cedu'r Tywod, *gw.* **Cedw y Tywod**
Cedw Bythol .... *Sisymbrium strictissimum* (Perennial Rocket)
Cedw Clustiog .... *Conringia orientalis* (Hare's-ear Mustard)
Cedw Crwn .... *Neslia paniculata* (Ball Mustard)
Cedw Du .... *Brassica nigra* (Black Mustard)
Cedw Gwyllt .... *Sinapis arvensis* (Charlock)
Cedw Gwyn .... *Sinapis alba* (White Mustard)
Cedw Gwyn yr Âr .... *Diplotaxis erucoides* (White Rocket)
Cedw Meindwf y Tywod .... *Diplotaxis tenuifolia* (Perennial Wall-rocket)
Cedw Penllwyd .... *Hirschfeldia incana* (Hoary Mustard)
Cedw y Tywod .... *Diplotaxis muralis* (Annual Wall-rocket)
Cedw yr Ŷd, *gw.* **Cedw Gwyllt**
Cedw'r Berth .... *Sisymbrium officinale* (Hedge Mustard)
Cedw'r Gwrych, *gw.* **Cedw'r Berth**
Ceddw'r Berth, *gw.* **Cedw'r Berth**
Ceddwys Sugol, *gw.* **Sampier y Geifr**
Ceg Nain, *gw.* **Safn y Llew**
Cegid, *gw.* **Cegiden**
Cegid Crogedyf, *gw.* **Cegid y Dŵr**
Cegid Culddail .... *Oenanthe silaifolia* (Narrow-leaved Water-dropwort)
Cegid Manddail y Dŵr .... *Oenanthe aquatica* (Fine-leaved Water-dropwort)
Cegid Mynwy .... *Oenanthe pimpinelloides* (Corky-fruited
                                                           Water-dropwort)
Cegid Tir Sych, *gw.* **Cegiden**
Cegid Wen, *gw.* **Cegiden Bêr**
Cegid y Dŵr .... *Oenanthe crocata* (Hemlock Water-dropwort)
Cegid y Nant .... *Oenanthe fluviatilis* (River Water-dropwort)
Cegiden .... *Conium maculatum* (Hemlock)
Cegiden Bêr .... *Myrrhis odorata* (Sweet Cicely)
Cegiden Fenyw, *gw.* **Gorthyfail**
Cegiden Gyffredin, *gw.* **Cegiden**
Cegiden Wen, *gw.* **Cegiden Bêr**
Cegiden y Dŵr, *gw.* **Cegid Manddail y Dŵr**
Ceginen Cyffredin, *gw.* **Cegiden**
Cegyr, *gw.* **Cegiden**
Ceian, *gw.* **Penigan Gwyryfaidd**
Ceidwad, *gw.* **Saets**
Ceiliog a'r Iâr, *gw.* **Llwynhidydd**
Ceiliog Coch, *gw.* **Gludlys Coch**
Ceilion, *gw.* **Briwydden Felen**
Ceilys, *gw.* **Penigan Gwyryfaidd**
Ceinan Gwyllt, *gw.* **Penigan Rhuddgoch**
Ceineirian .... *Listera ovata* (Common Twayblade)
Ceineirian Bach .... *Listera cordata* (Lesser Twayblade)
Ceineirian Troellog, *gw.* **Caineirian Troellog**
Ceiniog y Gors .... *Hydrocotyle vulgaris* (Marsh Pennywort)
Ceinioglys .... *Sibthorpia europaea* (Cornish Moneywort)
Ceinioglys, *gw.* **Siani Lusg**
Ceinioglys Blewog .... *Hydrocotyle moschata* (Hairy Pennywort)
Ceinioglys Cernyw, *gw.* **Siani Lusg**

a, b, c, ch, d, dd, e, f, ff, g, ng, h, i, j, l, ll, m, n, o, p, ph, r, rh, s, t, th, u, w, y

Ceiniogllys y Fagwyr, *gw.* **Deilen Gron**
Ceirch .... *Avena sativa* (Oat)
Ceirch Llwyd, *gw.* **Blewgeirch**
Ceirchwellt Blewog .... *Helictotrichon pubescens* (Downy Oat-grass)
Ceirchwellt Culddail .... *Helictotrichon pratense* (Meadow Oat-grass)
Ceirchwellt Gwyllt y Gwanwyn .... *Avena fatua* (Wild-oat)
Ceirchwellt Gwyllt yr Hydref .... *Avena sterilis* (Winter Wild-oat)
Ceirchwellt Manbluaidd, *gw.* **Ceirchwellt Blewog**
Ceirchwellt Melyn .... *Trisetum flavescens* (Yellow Oat-grass)
Ceirchwellt Melynaidd, *gw.* **Ceirchwellt Melyn**
Ceirchwellt Tal .... *Arrhenatherum elatius* (False Oat-grass)
Ceirchwellt y Ddôl, *gw.* **Ceirchwellt Culddail**
Ceirios, *gw.* **Ceiriosen**
Ceirios, *gw.* **Ceiriosen yr Adar**
Ceirios Coch, *gw.* **Ceiriosen**
Ceirios Ddu, *gw.* **Ceiriosen Ddu**
Ceirios Gwylltion, *gw.* **Ceiriosen yr Adar**
Ceirios y Gŵr Drwg .... *Atropa belladonna* (Deadly Nightshade)
Ceirios y Waun, *gw.* **Llygaeron**
Ceirios yr Adar, *gw.* **Ceiriosen yr Adar**
Ceiriosen .... *Prunus cerasus* (Dwarf Cherry)
Ceiriosen Ddu .... *Prunus avium* (Wild Cherry)
Ceiriosen Hwyrddail .... *Prunus serotina* (Rum Cherry)
Ceiriosen yr Adar .... *Prunus padus* (Bird Cherry)
Ceiriosen yr Aderyn, *gw.* **Ceiriosen yr Adar**
Celyn, *gw.* **Celynnen**
Celyn Cyffredin, *gw.* **Celynnen**
Celyn Redynen yr Wyddfa, *gw.* **Celynredynen**
Celyn y Môr .... *Eryngium maritimum* (Sea-holly)
Celynnen .... *Ilex aquifolium* (Holly)
Celynnen Fair .... *Ruscus aculeatus* (Butcher's-broom)
Celynnen Fair Diniwed .... *Ruscus hypoglossum* (Spineless Butcher's-broom)
Celynnen Ffrainc, *gw.* **Celynnen Fair**
Celynnen Mair, *gw.* **Celynnen Fair**
Celynredynen .... *Polystichum lonchitis* (Holly Fern)
Cellhesg, *gw.* **Iris Felen**
Ceneirian Bach, *gw.* **Ceineirian Bach**
Cenhinen .... *Allium porrum* (Leek)
Cenhinen Aran .... *Allium ampeloprasum* var. *babingtonii* (Babington's Leek)
Cenhinen Bedr .... *Narcissus pseudonarcissus* subsp. *pseudonarcissus* (Daffodil)
Cenhinen Bengrwn .... *Allium sphaerocephalon* (Round-headed Leek)
Cenhinen Brin-flodeuog .... *Allium paradoxum* (Few-flowered Leek)
Cenhinen Dinbych y Pysgod .... *Narcissus pseudonarcissus* subsp. *obvallaris* (Tenby Daffodil)
Cenhinen Dinbych, *gw.* **Cenhinen Dinbych y Pysgod**
Cenhinen Drichornel .... *Allium triquetrum* (Three-cornered Leek)
Cenhinen Ddinbych, *gw.* **Cenhinen Dinbych y Pysgod**
Cenhinen Gyffredin, *gw.* **Cenhinen**
Cenhinen Pedr, *gw.* **Cenhinen Bedr**
Cenhinen Sbaen .... *Narcissus pseudonarcissus* subsp. *major* (Spanish Daffodil)
Cenhinen Wyllt .... *Allium ampeloprasum* var. *ampeloprasum* (Wild Leek)
Cenhinen y Brain, *gw.* **Clychau'r Gog**
Cenhinen y Gwinwydd, *gw.* **Cenhinen Bedr**
Cenin Ewinog, *gw.* **Garlleg**
Cennin Dewi, *gw.* **Cenhinen Bedr**
Cennin Pedr, *gw.* **Cenhinen Bedr**
Cennin Syfi .... *Allium schoenoprasum* (Chives)
Cennin Trilliw, *gw.* **Ofergaru**
Cennin y Brain, *gw.* **Clychau'r Gog**
Cennin y Gog, *gw.* **Clychau'r Gog**
Cenninen Gwynydd, *gw.* **Cenhinen Bedr**
Cenninen y Gwynwydd, *gw.* **Cenhinen Bedr**
Cenrin Arfor, *gw.* **Clustog Fair**
Cerdin, *gw.* **Cerddinen**
Cerdin Craig y Cilau, *gw.* **Ceddinen Wen Leiaf**

Cerdin Darren Fach, *gw.* **Cerddinen Darren Fach**
Cerdin Wen, *gw.* **Cerddinen Wen**
Cerdin Wen Lleiaf, *gw.* **Cerddinen Wen Leiaf**
Cerddin, *gw.* **Cerddinen**
Cerddinen .... *Sorbus aucuparia* (Rowan)
Cerddinen Darren Fach .... *Sorbus leyana* [Ley's Whitebeam]
Cerddinen Dramor .... *Sorbus intermedia* (Swedish Whitebeam)
Cerddinen Ddof .... *Sorbus domestica* (Service-tree)
Cerddinen Folwst .... *Sorbus torminalis* (Wild Service-tree)
Cerddinen Gymreig .... *Sorbus leptophylla* [Welsh Whitebeam]
Cerddinen Lydanddail .... *Sorbus latifolia* [Broad-leaved Whitebeam]
Cerddinen Mynwy .... *Sorbus eminens* [Wye Valley Whitebeam]
Cerddinen Seisnig .... *Sorbus anglica* (English Whitebeam)
Cerddinen Wen .... *Sorbus aria* (Common Whitebeam)
Cerddinen Wen Leiaf .... *Sorbus minima* [Lesser Whitebeam]
Cerddinen Wyllt, *gw.* **Cerddinen Folwst**
Cerddinen y Graig .... *Sorbus rupicola* (Rock Whitebeam)
Cerddinen Ymledol .... *Sorbus porrigentiformis* [Spreading Whitebeam]
Ceri, *gw.* **Cerddinen**
Cethrw yr Ŷd, *gw.* **Cedw Gwyllt**
Cethw Du, *gw.* **Cedw Du**
Ceulion, *gw.* **Briwydden Felen**
Ceulon, *gw.* **Briwydden Felen**
Cibellyn, *gw.* **Cennin Syfi**
Cibellys, *gw.* **Cennin Syfi**
Cibog, *gw.* **Cibogwellt Troellog**
Cibogwellt Cynffonnog .... *Setaria italica* (Foxtail Bristle-grass)
Cibogwellt Gwyrddlas .... *Setaria viridis* (Green Bristle-grass)
Cibogwellt Melyn .... *Setaria pumila* (Yellow Bristle-grass)
Cibogwellt Rhydd .... *Echinochloa crusgalli* (Cockspur)
Cibogwellt Troellog .... *Setaria verticillata* (Rough Bristle-grass)
Cibyddlys, *gw.* **Cennin Syfi**
Cibyllyn, *gw.* **Cennin Syfi**
Cifresych, *gw.* **Bresych y Cŵn**
Ciog, *gw.* **Cyngaf Mawr**
Ciog, *gw.* **Cyngaf y Coed**
Ciros, *gw.* **Rhosyn Coch Gwyllt**
Ciros Gwyn, *gw.* **Rhosyn Gwyn Gwyllt**
Claearllys, *gw.* **Pupur y Fagwyr**
Claer, *gw.* **Saets Gwyllt**
Claerlys .... *Samolus valerandi* (Brookweed)
Claes Mair, *gw.* **Saets Gwyllt**
Clafrllys .... *Knautia arvensis* (Field Scabious)
Clafrllys Bychan .... *Scabiosa columbaria* (Small Scabious)
Clafrllys Gwreidd-don, *gw.* **Tamaid y Cythraul**
Clafrllys Lleiaf, *gw.* **Clafrllys Bychan**
Clafrllys Lleiaf, *gw.* **Clefryn**
Clafrllys Mawr, *gw.* **Marchalan**
Clafrllys Mwyaf, *gw.* **Clafrllys**
Clafrllys yr Ardd .... *Scabiosa atropurpurea* (Sweet Scabious)
Clafrllys yr Ŷd, *gw.* **Clafrllys**
Clairllysg, *gw.* **Claerlys**
Clais, *gw.* **Clafrllys**
Clais, *gw.* **Tamaid y Cythraul**
Clais Mair, *gw.* **Saets Gwyllt**
Clais y Moch, *gw.* **Saets Gwyllt**
Clais y Moch, *gw.* **Saets y Waun**
Clais yr Hydd, *gw.* **Bresych y Cŵn**
Clais yr Hydd Barhaus, *gw.* **Bresych y Cŵn**
Clais yr Hydd Blynyddol, *gw.* **Bresych y Cŵn Blynyddol**
Claiswenwyn, *gw.* **Tamaid y Cythraul**
Clapfrwynen Nofiadwy, *gw.* **Clwbfrwynen Nawf**
Clari Dwbl, *gw.* **Saets Gwyllt**
Clatsh y Cŵn, *gw.* **Bysedd y Cŵn**
Cleci Coch, *gw.* **Bysedd y Cŵn**
Cleddlys, *gw.* **Cleddlys Canghennog**
Cleddlys Bach .... *Sparganium natans* (Least Bur-reed)
Cleddlys Canghennog .... *Sparganium erectum* (Branched Bur-reed)

a, b, c, ch, d, dd, e, f, ff, g, ng, h, i, j, l, ll, m, n, o, p, ph, r, rh, s, t, th, u, w, y

Cleddlys Culddail .... *Sparganium angustifolium* (Floating Bur-reed)
Cleddlys Di-gainc .... *Sparganium emersum* (Unbranched Bur-reed)
Cleddlys Undwf Syth, *gw.* **Cleddlys Di-gainc**
Cleddyfhesg, *gw.* **Cleddlys Canghennog**
Cleddyflys, *gw.* **Cleddlys Canghennog**
Cleddyflys Canghennog, *gw.* **Cleddlys Canghennog**
Cleddyflys Lleiaf, *gw.* **Cleddlys Bach**
Cleddyflys Undwf Nofiadwy, *gw.* **Cleddlys Bach**
Cleddyflys Undwf Nofiadwy, *gw.* **Cleddlys Culddail**
Cleddyflys Undwf Syth, *gw.* **Cleddlys Di-gainc**
Clefryn .... *Jasione montana* (Sheep's-bit)
Clefryn Glas, *gw.* **Clefryn**
Clerllysg, *gw.* **Claerlys**
Cleyrllys, *gw.* **Claerlys**
Cloc Neuadd y Dref, *gw.* **Mwsglys**
Cloch Maban, *gw.* **Eirlys**
Cloch y Baban, *gw.* **Eirlys**
Cloch y Bugail .... *Campanula rotundifolia* (Harebell)
Cloch yr Eiriol, *gw.* **Eirlys**
Cloch yr Eos, *gw.* **Cloch y Bugail**
Clofer Coch, *gw.* **Meillionen Goch**
Clofer Hopys, *gw.* **Meillionen Hopys**
Cloffrwym y Cythraul, *gw.* **Taglys Mawr**
Cloffrwym y Mwci, *gw.* **Taglys Mawr**
Clôr, *gw.* **Cneuen Ddaear**
Clôr y Brain, *gw.* **Tormaen Gwyn y Gweunydd**
Clows, *gw.* **Penigan Rhuddgoch**
Cludogai, *gw.* **Gliniogai**
Clust Llygoden, *gw.* **Clust Llygoden Arfor**
Clust Llygoden Arfor .... *Cerastium diffusum* (Sea Mouse-ear)
Clust Llygoden Bitw .... *Cerastium pumilum* (Dwarf Mouse-ear)
Clust Llygoden Creigiau Mynyddig, *gw.* **Clust Llygoden Mynyddig**
Clust Llygoden Culddail .... *Cerastium fontanum* (Common Mouse-ear)
Clust Llygoden Bach .... *Cerastium semidecandrum* (Little Mouse-ear)
Clust Llygoden Llwyd .... *Cerastium brachypetalum* (Grey Mouse-ear)
Clust Llygoden Llydanddail .... *Cerastium glomeratum* (Sticky Mouse-ear)
Clust Llygoden Mynyddig .... *Cerastium alpinum* (Alpine Mouse-ear)
Clust Llygoden Mynyddig Llydanddail .... *Cerastium arcticum* (Arctic Mouse-ear)
Clust Llygoden Mynyddig y Wyddfa, *gw.* **Clust Llygoden Mynyddig Llydanddail**
Clust Llygoden Pedwar-gwryw, *gw.* **Clust Llygoden Arfor**
Clust Llygoden Shetland .... *Cerastium nigrescens* (Shetland Mouse-ear)
Clust Llygoden Tryloyw Deiliog, *gw.* **Clust Llygoden Bach**
Clust Llygoden y Caeau .... *Cerastium arvense* (Field Mouse-ear)
Clust Llygoden y Felin .... *Cerastium tomentosum* (Snow-in-summer)
Clust Llygoden y Tywod, *gw.* **Clust Llygoden y Caeau**
Clust y Fuwch, *gw.* **Pannog Melyn**
Clust y Gath, *gw.* **Melynydd**
Clust y Llygoden .... *Pilosella officinarum* (Mouse-ear Hawkweed)
Clust y Llygoden, *gw.* **Clust Llygoden Culddail**
Clust y Tarw, *gw.* **Pannog Melyn**
Clust yr Arth .... *Sanicula europaea* (Sanicle)
Clust yr Ewig .... *Daphne laureola* (Spurge-laurel)
Clust yr Oen .... *Stachys byzantina* (Lambsear)
Clust yr Oen, *gw.* **Pannog Melyn**
Clust yr Ysgyfarnog, *gw.* **Meillionen Gedenog**
Clustog Fair .... *Armeria maritima* subsp. *maritima* (Thrift)
Clustog Fair Hir .... *Armeria maritima* subsp. *elongata* (Tall Thrift)
Clustog Fair Jersey .... *Armeria arenaria* (Jersey Thrift)
Clustog Mair, *gw.* **Clustog Fair**
Clwb Frwynen y Morfa, *gw.* **Clwbfrwynen Arfor**
Clwbfrwynen Arfor .... *Bolboschoenus maritimus* (Sea Club-rush)
Clwbfrwynen Bengrwn .... *Scirpoides holoschoenus* (Round-headed Club-rush)
Clwbfrwynen Eiddil .... *Isolepis cernua* (Slender Club-rush)
Clwbfrwynen Fach .... *Isolepis setacea* (Bristle Club-rush)
Clwbfrwynen Fechan, *gw.* **Clwbfrwynen Fach**
Clwbfrwynen Glasbeilliog, *gw.* **Llafrwynen Arfor**

a, b, c, ch, d, dd, e, f, ff, g, ng, h, i, j, l, ll, m, n, o, p, ph, r, rh, s, t, th, u, w, y

Clwbfrwynen Gwrychog, *gw.* **Clwbfrwynen Fach**
Clwbfrwynen Gwrychog Eiddilaidd, *gw.* **Clwbfrwynen Eiddil**
Clwbfrwynen Llwydwyrdd, *gw.* **Llafrwynen Arfor**
Clwbfrwynen Nawf .... *Eleogiton fluitans* (Floating Club-rush)
Clwbfrwynen Nofiadwy, *gw.* **Clwbfrwynen Nawf**
Clwbfrwynen Oleulas, *gw.* **Llafrwynen Arfor**
Clwbfrwynen Sypynog, *gw.* **Clwbfrwynen Bengrwn**
Clwbfrwynen y Coed .... *Scirpus sylvaticus* (Wood Club-rush)
Clwbfrwynen y Fawnog, *gw.* **Clwbfrwynen y Mawn**
Clwbfrwynen y Goedwig, *gw.* **Clwbfrwynen y Coed**
Clwbfrwynen y Mawn .... *Trichophorum cespitosum* (Deergrass)
Clwm Eilun-Berllys, *gw.* **Troed-y-cyw Clymog**
Clwpfrwyn y Morfa, *gw.* **Clwbfrwynen Arfor**
Clwpfrwynen Arfor, *gw.* **Clwbfrwynen Arfor**
Clwpfrwynen Fach, *gw.* **Clwbfrwynen Fach**
Clwp-frwynen Fechan, *gw.* **Clwbfrwynen Fach**
Clwpfrwynen Galafog, *gw.* **Sbigfrwynen Gadeiriog**
Clwpfrwynen Goch-ddu, *gw.* **Sbigfrwynen Goch**
Clwpfrwynen Leiaf, *gw.* **Sbigfrwynen Leiaf**
Clwpfrwynen Leiaf, *gw.* **Sbigfrwynen Un Plisgyn**
Clwpfrwynen Nofiadwy, *gw.* **Clwbfrwynen Nawf**
Clwpfrwynen Un Plisgyn, *gw.* **Sbigfrwynen Un Plisgyn**
Clwpfrwynen y Fawnog, *gw.* **Clwbfrwynen y Mawn**
Clwpfrwynen y Gors, *gw.* **Sbigfrwynen y Gors**
Clych Duran, *gw.* **Saets Gwyllt**
Clych Dŵr yr Eos, *gw.* **Alaw Diosgo**
Clych Enid .... *Convallaria majalis* (Lily-of-the-valley)
Clych y Meirch, *gw.* **Cribell Felen**
Clych y Perthi, *gw.* **Taglys Mawr**
Clychau Babi, *gw.* **Cenhinen Bedr**
Clychau Babi, *gw.* **Cloch y Bugail**
Clychau Cog Sbaen .... *Hyacinthoides hispanica* (Spanish Bluebell)
Clychau Du-las .... *Muscari neglectum* (Grape-hyacinth)
Clychau Glas, *gw.* **Clychau'r Gog**
Clychau Glas yr Ardd .... *Muscari armeniacum* (Garden Grape-hyacinth)
Clychau Gleision, *gw.* **Clychau'r Gog**
Clychau Gleision, *gw.* **Cloch y Bugail**
Clychau Ilan, *gw.* **Clychlys Eiddew**
Clychau Llundain, *gw.* **Blodau'r Sipsi**
Clychau y Tylwyth Teg, *gw.* **Cloch y Bugail**
Clychau'r Cawr, *gw.* **Clychlys Mawr**
Clychau'r Cawr, *gw.* **Clychlys Eiddew**
Clychau'r Clawdd .... *Tellima grandiflora* (Fringe-cups)
Clychau'r Eos, *gw.* **Cloch y Bugail**
Clychau'r Eos, *gw.* **Clychau'r Gog**
Clychau'r Gog .... *Hyacinthoides non-scripta* (Bluebell)
Clychau'r Grug .... *Erica cinerea* (Bell Heather)
Clychau'r Haf, *gw.* **Clychau'r Gog**
Clychau'r Iorwg, *gw.* **Clychlys Eiddew**
Clychau'r Tylwyth Teg .... *Erinus alpinus* (Fairy Foxglove)
Clychau'r Tylwyth Teg, *gw.* **Suran y Coed**
Clychlys Adria .... *Campanula portenschlagiana* (Adria Bellflower)
Clychlys Amryddail, *gw.* **Cloch y Bugail**
Clychlys Bwytadwy, *gw.* **Clychlys Erfin**
Clychlys Bwytadwy, *gw.* **Clychlys Llusg**
Clychlys Caergaint .... *Campanula medium* (Canterbury-bells)
Clychlys Clwstwr .... *Campanula glomerata* (Clustered Bellflower)
Clychlys Crwnddail, *gw.* **Cloch y Bugail**
Clychlys Cyffredin, *gw.* **Cloch y Bugail**
Clychlys Danadl .... *Campanula trachelium* (Nettle-leaved Bellflower)
Clychlys Deilgrwn, *gw.* **Cloch y Bugail**
Clychlys Dynad-ddail, *gw.* **Clychlys Danadl**
Clychlys Eiddew .... *Wahlenbergia hederacea* (Ivy-leaved Bellflower)
Clychlys Eiddewddail, *gw.* **Clychlys Eiddew**
Clychlys Erfin .... *Campanula rapunculus* (Rampion Bellflower)
Clychlys Erfinwraidd, *gw.* **Clychlys Erfin**
Clychlys Erfinwraidd, *gw.* **Clychlys Llusg**
Clychlys Glasgoch, *gw.* **Clychlys Danadl**

a, b, c, ch, d, dd, e, f, ff, g, ng, h, i, j, l, ll, m, n, o, p, ph, r, rh, s, t, th, u, w, y

Clychlys Lledaenol .... *Campanula patula* (Spreading Bellflower)
Clychlys Llusg .... *Campanula rapunculoides* (Creeping Bellflower)
Clychlys Llydanddail, *gw.* **Clychlys Mawr**
Clychlys Mawr .... *Campanula latifolia* (Giant Bellflower)
Clychlys Peatws-ddail .... *Campanula persicifolia* (Peach-leaved Bellflower)
Clychlys Sypddail, *gw.* **Clychlys Clwstwr**
Clychlys Sypiog, *gw.* **Clychlys Clwstwr**
Clychlys y Cawr, *gw.* **Clychlys Mawr**
Clychlys Ymlusgol .... *Campanula poscharskyana* (Trailing Bellflower)
Clydogau, *gw.* **Gliniogai**
Clymlys, *gw.* **Canclwm**
Clymlys Alpaidd .... *Persicaria alpina* (Alpine Knotweed)
Clymlys Lleiaf .... *Persicaria campanulata* (Lesser Knotweed)
Clymog, *gw.* **Canclwm**
Clymog, *gw.* **Clymogyn Troellog**
Clymog â Dail Bach .... *Polygonum arenastrum* (Equal-leaved Knotgrass)
Clymog Bychan .... *Persicaria minor* (Small Water-pepper)
Clymog Eiddil Graean Garw, *gw.* **Canclwm Ray**
Clymog Sachalin .... *Fallopia sachalinensis* (Giant Knotweed)
Clymog yr Himalaya .... *Persicaria wallichii* (Himalayan Knotweed)
Clymogyn Troellog .... *Illecebrum verticillatum* (Coral-necklace)
Clyr-felog, *gw.* **Gwyddfid Syth**
Clyr-wyddfid, *gw.* **Gwyddfid Syth**
Clyr-wynwydd, *gw.* **Gwyddfid Syth**
Cnau Aur Onnenddail, *gw.* **Dagrau Addaf**
Cnau Castan, *gw.* **Castanwydden**
Cnau y Moch, *gw.* **Cneuen Ddaear**
Cnau'r Ddaear, *gw.* **Cneuen Ddaear**
Cneuen Bys .... *Arachis hypogaea* (Peanut)
Cneuen Ddaear .... *Conopodium majus* (Pignut)
Cneuen Ddaear Gron .... *Bunium bulbocastanum* (Great Pignut)
Cneuen Ffrengig, *gw.* **Coeden Gnau Ffrengig**
Cneuen y Ddaear Gyffredin, *gw.* **Cneuen Ddaear**
Cnwbfwsogl Alpinaidd, *gw.* **Cnwpfwsogl Alpaidd**
Cnwbfwsogl Bach, *gw.* **Cnwpfwsogl Bach**
Cnwbfwsogl Corn Carw, *gw.* **Cnwpfwsogl Corn Carw**
Cnwbfwsogl-y-graig, *gw.* **Cnwpfwsogl Alpaidd**
Cnwpfwsogl Alpaidd .... *Diphasiastrum alpinum* (Alpine-clubmoss)
Cnwpfwsogl Alpaidd Croesryw .... *Diphasiastrum complanatum* (Hybrid
                                                             Alpine-clubmoss)
Cnwpfwsogl Anhyblyg, *gw.* **Cnwpfwsogl Mawr**
Cnwpfwsogl Bach .... *Selaginella selaginoides* (Lesser Clubmoss)
Cnwpfwsogl Corn Carw .... *Lycopodium clavatum* (Stag's-horn Clubmoss)
Cnwpfwsogl Corn Hydd, *gw.* **Cnwpfwsogl Corn Carw**
Cnwpfwsogl Ffeinid, *gw.* **Cnwpfwsogl Mawr**
Cnwpfwsogl Kraus .... *Selaginella kraussiana* (Kraus's Clubmoss)
Cnwpfwsogl Mawr .... *Huperzia selago* (Fir Clubmoss)
Cnwpfwsogl Meinfannau .... *Lycopodium annotinum* (Interupted Clubmoss)
Cnwpfwsogl Siderog, *gw.* **Cnwpfwsogl Bach**
Cnwpfwsogl Syth Lleiaf, *gw.* **Cnwpfwsogl Bach**
Cnwpfwsogl Syth Mwyaf, *gw.* **Cnwpfwsogl Mawr**
Cnwpfwsogl y Gors .... *Lycopodiella inundata* (Marsh Clubmoss)
Coch y Llawr, *gw.* **Gorydd**
Coch y Llawr, *gw.* **Llanc Swil**
Coch y Taranau, *gw.* **Gludlys Coch**
Coch y Tywydd, *gw.* **Llys y Cryman**
Cochlys .... *Carthamus tinctorius* (Safflower)
Cochlys, *gw.* **Cochwraidd Gwyllt**
Cochlys Gwlanog .... *Carthamus lanatus* (Downy Safflower)
Cochwraidd, *gw.* **Cochwraidd Gwyllt**
Cochwraidd Gwyllt .... *Rubia peregrina* (Wild Madder)
Cochwraidd y Môr, *gw.* **Cochwraidd Gwyllt**
Cochwydden Arfor .... *Sequoia sempervirens* (Coastal Redwood)
Cochwydden Sierra .... *Sequoiadendron giganteum* (Wellingtonia)
Cochyn Bratiog, *gw.* **Carpiog y Gors**
Coden Fwg, *gw.* **Mwg y Ddaear**
Coden Grimp, *gw.* **Cribell Felen**
Coden Onglog .... *Tetragonolobus maritimus* (Dragon's-teeth)

a, b, c, ch, d, dd, e, f, ff, g, ng, h, i, j, l, ll, m, n, o, p, ph, r, rh, s, t, th, u, w, y

Codog .... *Onobrychis viciifolia* (Sainfoin)
Codrwth, *gw.* **Gludlys Codrwth**
Codrwth y Môr, *gw.* **Gludlys Arfor**
Codwarth, *gw.* **Ceirios y Gŵr Drwg**
Codwarth Caled .... *Solanum dulcamara* (Bittersweet)
Codwarth Caled, *gw.* **Codwarth Du**
Codwarth Du .... *Solanum nigrum* (Black Nightshade)
Codwarth Gwyrdd .... *Solanum sarrachoides* (Green Nightshade)
Codwarth Triblodeuog .... *Solanum triflorum* (Three-flowered Nightshade)
Codywasg .... *Thlaspi arvense* (Field Penny-cress)
Codywasg Caucasaidd .... *Thlaspi macrophyllum* (Caucasian Penny-cress)
Codywasg Craf .... *Thlaspi alliaceum* (Garlic Penny-cress)
Codywasg Creigiog Mynyddog, *gw.* **Codywasg y Mynydd**
Codywasg Trydwll .... *Thlaspi perfoliatum* (Perfoliate Penny-cress)
Codywasg y Maes .... *Lepidium campestre* (Field Pepperwort)
Codywasg y Maes, *gw.* **Codywasg**
Codywasg y Mynydd .... *Thlaspi caerulescens* (Alpine Penny-cress)
Coed Afalau Surion Bach, *gw.* **Pren Afal Sur**
Coed Bocs, *gw.* **Pren Bocs**
Coed Rwym, *gw.* **Gwinwydden Ddu**
Coeden Drops, *gw.* **Ffwsia**
Coeden Bys y Blaidd .... *Lupinus arboreus* (Tree Lupin)
Coeden Cnau Ffrengig .... *Juglans regia* (Walnut)
Coeden Gyrains, *gw.* **Rhyfon Duon**
Coeden Rocos, *gw.* **Hocyswydden**
Coedfrwynen Eirwen .... *Luzula nivea* (Snow-white Wood-rush)
Coedfrwynen Fawr .... *Luzula sylvatica* (Great Wood-rush)
Coedfrwynen Flewog .... *Luzula piloza* (Hairy Wood-rush)
Coedfrwynen Grom .... *Luzula arcuata* (Curved Wood-rush)
Coedfrwynen Gulddail .... *Luzula forsteri* (Southern Wood-rush)
Coedfrwynen Liosben, *gw.* **Coedfrwynen Luosben**
Coedfrwynen Liosben Grugog, *gw.* **Coedfrwynen Luosben**
Coedfrwynen Luosben .... *Luzula multiflora* (Heath Wood-rush)
Coedfrwynen Sbigog .... *Luzula spicata* (Spiked Wood-rush)
Coedfrwynen Welw .... *Luzula pallidula* (Fen Wood-rush)
Coedfrwynen Wen .... *Luzula luzuloides* (White Wood-rush)
Coedfrwynen y Maes .... *Luzula campestris* (Field Wood-rush)
Coedgwlwm, *gw.* **Gwinwydden Ddu**
Coedwyrdd, *gw.* **Coedwyrdd Bychan**
Coedwyrdd, *gw.* **Coedwyrdd Crynddail**
Coedwyrdd Bychan .... *Pyrola minor* (Common Wintergreen)
Coedwyrdd Bylchog .... *Orthilia secunda* (Serrated Wintergreen)
Coedwyrdd Crynddail .... *Pyrola rotundifolia* (Round-leaved Wintergreen)
Coedwyrdd Cyfryngol .... *Pyrola media* (Intermediate Wintergreen)
Coedwyrdd Lleiaf, *gw.* **Coedwyrdd Bychan**
Coedwyrdd Unblodeuyn .... *Moneses uniflora* (One-flowered Wintergreen)
Coegfefusen .... *Potentilla sterilis* (Barren Strawberry)
Coesau'r Brain, *gw.* **Clychau'r Gog**
Coesgoch .... *Persicaria maculosa* (Redshank)
Coesgoch, *gw.* **Llys y Llwynog**
Cogwrn, *gw.* **Pren Afal Sur**
Coluddion y Diawl, *gw.* **Barf yr Hen Ŵr**
Coluddlys, *gw.* **Brymlys**
Colwmbein, *gw.* **Blodau'r Sipsi**
Colyddlys, *gw.* **Brymlys**
Collen .... *Corylus avellana* (Hazel)
Collen Ffrengig, *gw.* **Coeden Gnau Ffrengig**
Coll-lwyn, *gw.* **Collen**
Collwyn, *gw.* **Collen**
Cônlys .... *Rudbeckia laciniata* (Coneflower)
Copa Cornicyll, *gw.* **Meri a Mari**
Cor Helygen, *gw.* **Corhelygen**
Cor-rosyn, *gw.* **Cor-rosyn Rhuddfannog**
Cor-rosyn Cyffredin .... *Helianthemum nummularium* (Common Rock-rose)
Cor-rosyn Gwyn y Mynydd .... *Helianthemum apenninum* (White Rock-rose)
Cor-rosyn Lledlwyd .... *Helianthemum canum* (Hoary Rock-rose)
Cor-rosyn Rhuddfannog .... *Tuberaria guttata* (Spotted Rock-rose)
Cor-wlyddyn, *gw.* **Clust Llygoden Fach**

a, b, c, ch, d, dd, e, f, ff, g, ng, h, i, j, l, ll, m, n, o, p, ph, r, rh, s, t, th, u, w, y

Cor y Gwyran, *gw.* **Corfeillionen Wen**
Corafal, *gw.* **Pren Afal Sur**
Coramlaethai .... *Polygala amarella* (Dwarf Milkwort)
Corbys Blewog, *gw.* **Corbysen Flewog**
Corbysen Fain .... *Vicia parviflora* (Slender Tare)
Corbysen Flewog .... *Vicia hirsuta* (Hairy Tare)
Corbysen Lefn Bedair-ronynnog, *gw.* **Corbysen Lefn Ronynnog**
Corbysen Lefn Bedwar-ronynnog, *gw.* **Corbysen Lefn Ronynnog**
Corbysen Lefn Ronynnog .... *Vicia tetrasperma* (Smooth Tare)
Corchwyn .... *Crassula aquatica* (Pigmyweed)
Corchwyn Jersey .... *Crassula pubescens* (Jersey Pigmyweed)
Corchwyn Scilly .... *Crassula decumbens* (Scilly Pigmyweed)
Corchwyn Seland Newydd .... *Crassula helmsii* (New Zealand Pigmyweed)
Cordegeirian .... *Orchis ustulata* (Burnt Orchid)
Cordwellt .... *Spartina anglica* (Common Cord-grass)
Cordwellt Bach .... *Spartina maritima* (Small Cord-grass)
Cordwellt Llyfn .... *Spartina alterniflora* (Smooth Cord-grass)
Cordwellt Townsend .... *Spartina × townsendii* (Townsend's Cord-grass)
Cordwellt y Paith .... *Spartina pectinata* (Prairie Cord-grass)
Coredynen Alpaidd .... *Woodsia alpina* (Alpine Woodsia)
Coredynen Hirgul .... *Woodsia ilvensis* (Oblong Woodsia)
Coreffros Cymreig .... *Euphrasia cambrica* [Welsh Eyebright]
Corfanadl, *gw.* **Melynog y Waun**
Corfanadl Melynllys, *gw.* **Melynog y Waun**
Corfanal, *gw.* **Melynog y Waun**
Corfedwen .... *Betula nana* (Dwarf Birch)
Corfeillion, *gw.* **Pysen y Ceirw**
Corfeillion Gwyn, *gw.* **Corfeillionen Wen**
Corfeillionen Wen .... *Trifolium ornithopodioides* (Bird's-foot Clover)
Corfrilys .... *Anagallis minima* (Chaffweed)
Corfrwynen .... *Juncus capitatus* (Dwarf Rush)
Corfwyaren .... *Rubus saxatilis* (Stone Bramble)
Corglymig .... *Corrigiola litoralis* (Strapwort)
Corhelygen .... *Salix repens* (Creeping Willow)
Corhesgen .... *Carex humilis* (Dwarf Sedge)
Coriander, *gw.* **Brwysgedlys**
Corlafant Penfro .... *Limonium parvum* [Pembroke Sea-lavender]
Corlinad .... *Lemna minuta* (Least Duckweed)
Corn Carw, *gw.* **Corn Carw'r Môr**
Corn Carw'r Môr .... *Crithmum maritimum* (Rock Samphire)
Corn Carw'r Môr, *gw.* **Llyrlys Bythol**
Corn Carw'r Môr, *gw.* **Llyrlys Canghennog**
Corn Carw'r Mynydd, *gw.* **Cnwpfwsogl Corn Carw**
Corn Glas, *gw.* **Glesyn y Coed**
Corn y Bwch, *gw.* **Gorfanc Mwyaf**
Corn y Carw, *gw.* **Llwynhidydd Corn Carw**
Corn yr Afr, *gw.* **Gorfanc Mwyaf**
Corn yr Hydd, *gw.* **Gorfanc Mwyaf**
Corn yr Iwrch, *gw.* **Gorfanc Mwyaf**
Cornel, *gw.* **Cwyros**
Cornwlydd Cyffredin, *gw.* **Clust Llygoden Culddail**
Cornwlydd Gludiog, *gw.* **Clust Llygoden Llydanddail**
Cornwlydd y Gors, *gw.* **Cornwlyddyn**
Cornwlydd yr Ŷd, *gw.* **Clust Llygoden y Caeau**
Cornwlyddyn .... *Zannichellia palustris* (Horned Pondweed)
Cornwlyddyn, *gw.* **Clust Llygoden Culddail**
Cornwlyddyn Clust Llygoden Corraidd â Blodeuddail Gwahanedig,
        gw. **Clust Llygoden Bach**
Cornwlyddyn Corraidd â Blodeuddail Gwahanedig, *gw.* **Clust
        Llygoden Bach**
Corn-wlyddyn Culddail, *gw.* **Clust Llygoden Culddail**
Cornwlyddyn Llydanddail, *gw.* **Clust Llygoden Llydanddail**
Cornwlyddyn Pedwar-gwryw, *gw.* **Clust Llygoden Arfor**
Cornwlyddyn Syth .... *Moenchia erecta* (Upright Chickweed)
Coromico .... *Hebe salicifolia* (Koromiko)
Coronllys, *gw.* **Rhosyn Mynydd**
Cors Helygen, *gw.* **Corhelygen**
Corsen .... *Phragmites australis* (Common Reed)

a, b, c, ch, d, dd, e, f, ff, g, ng, h, i, j, l, ll, m, n, o, p, ph, r, rh, s, t, th, u, w, y

Corsen Gyffredin, *gw.* **Corsen**
Corsen y Sychdir, *gw.* **Mawnwellt**
Corsen y Trofannau, *gw.* **Bambŵ**
Corsenau, *gw.* **Corsen**
Corsfrwynen .... *Cladium mariscus* (Great Fen-sedge)
Corsfrwynen, *gw.* **Corsfrwynen Ddu**
Corsfrwynen Arw .... *Blysmus compressus* (Flat-sedge)
Corsfrwynen Ddu .... *Schoenus nigricans* (Black Bog-rush)
Corsfrwynen Losg .... *Rhyncospora fusca* (Brown Beak-sedge)
Corsfrwynen Rudd .... *Schoenus ferrugineus* (Brown Bog-rush)
Corsfrwynen Rudd, *gw.* **Corsfrwynen y Morfa**
Corsfrwynen Rudd Hallt, *gw.* **Corsfrwynen y Morfa**
Corsfrwynen Rudd y Morfa, *gw.* **Corsfrwynen y Morfa**
Corsfrwynen Rudd y Morfeydd, *gw.* **Corsfrwynen y Morfa**
Corsfrwynen Wen .... *Rhyncospora alba* (White Beak-sedge)
Corsfrwynen y Morfa .... *Blysmus rufus* (Saltmarsh Flat-sedge)
Corsgudyn, *gw.* **Pumdalen y Gors**
Corswellt Amryliw, *gw.* **Pefrwellt**
Corswellt Anuddlas, *gw.* **Corswelltyn Rhuddlas**
Corswellt Cyffredin, *gw.* **Corsen**
Corswellt Llwydlas, *gw.* **Corswelltyn Rhuddlas**
Corswellt Rhuddlas, *gw.* **Corswelltyn Rhuddlas**
Corswellt y Tywod, *gw.* **Moresg**
Corswelltyn Rhuddlas .... *Sesleria caerulea* (Blue Moor-grass)
Corswigen .... *Viburnum opulus* (Guelder-rose)
Cortwellt, *gw.* **Cordwellt**
Corwellt y Gamlas .... *Zostera noltii* (Dwarf Eelgrass)
Corwellt y Morfa, *gw.* **Corwelltyn y Morfa**
Corwellt y Morfa, *gw.* **Corwelltyn Camaidd**
Corwelltyn Camaidd .... *Parapholis incurva* (Curved Hard-grass)
Corwelltyn y Morfa .... *Parapholis strigosa* (Hard-grass)
Corwenith-wellt y Morfin, *gw.* **Corwenithwellt y Morfa**
Corwenithwellt y Morfa .... *Catapodium marinum* (Sea Fern-grass)
Corwlydd Bychan, *gw.* **Clust Llygoden Bach**
Corwlydd Clymog, *gw.* **Corwlyddyn Clymog**
Corwlyddyn Alpaidd .... *Sagina saginoides* (Alpine Pearlwort)
Corwlyddyn Anaf-flodeuog .... *Sagina apetala* (Annual Pearlwort)
Corwlyddyn Arfor .... *Sagina maritima* (Sea Pearlwort)
Corwlyddyn Blynyddol, *gw.* **Corwlyddyn Anaf-flodeuog**
Corwlyddyn Clymog .... *Sagina nodosa* (Knotted Pearlwort)
Corwlyddyn Cyffredin, *gw.* **Corwlyddyn Gorweddol**
Corwlyddyn Diarlenog, *gw.* **Corwlyddyn Anaf-flodeuog**
Corwlyddyn Gorweddol .... *Sagina procumbens* (Procumbent Pearlwort)
Corwlyddyn Mynawydaidd .... *Sagina subulata* (Heath Pearlwort)
Corwlyddyn Syth, *gw.* **Cornwlyddyn Syth**
Corwlyddyn y Morgreigiau, *gw.* **Corwlyddyn Arfor**
Corwlyddyn yr Alban .... *Sagina* × *normaniana* (Scottish Pearlwort)
Corwlyddyn yr Eira .... *Sagina nivalis* (Snow Pearlwort)
Corwreiddrudd, *gw.* **Mandon Las yr Ŷd**
Corwynwyn, *gw.* **Cennin Syfi**
Corwyros .... *Cornus suecica* (Dwarf Cornel)
Corydalis Rhedynddail .... *Corydalis cheilanthifolia* (Fern-leaved Corydalis)
Coryn Afal, *gw.* **Tamaid y Cythraul**
Corysgaw, *gw.* **Ysgawen Fair**
Corysgawen, *gw.* **Ysgawen Fair**
Costog Bigog .... *Persicaria sagittata* (American Tear-thumb)
Costog y Dom, *gw.* **Costog y Domen**
Costog y Domen .... *Persicaria lapathifolium* (Pale Persicaria)
Cot-wlyddyn, *gw.* **Clust Llygoden Arfor**
Cotoneaster Dail Bach .... *Cotoneaster integrifolius* (Small-leaved Cotoneaster)
Cotoneaster Ddeilios, *gw.* **Cotoneaster Dail Bach**
Cotoneaster Llachar .... *Cotoneaster lucidus* (Shiny Cotoneaster)
Cotoneaster Llŷn .... *Cotoneaster villosulus* (Lleyn Cotoneaster)
Cotoneaster y Gogarth .... *Cotoneaster cambricus* (Wild Cotoneaster)
Cotoneaster y Graig .... *Cotoneaster simonsii* (Himalayan Cotoneaster)
Cotoneaster y Mur .... *Cotoneaster horizontalis* (Wall Cotoneaster)
'Cowmon' Bach Melyn, *gw.* **Creulys Iago**
Cra Dynion, *gw.* **Craf y Geifr**

a, b, c, ch, d, dd, e, f, ff, g, ng, h, i, j, l, ll, m, n, o, p, ph, r, rh, s, t, th, u, w, y

Crabosyn, *gw.* **Pren Afal Sur**
Crabotsen, *gw.* **Pren Afal Sur**
Crach Dderw, *gw.* **Derwen Ddigoesog**
Cracheithin .... *Genista anglica* (Petty Whin)
Cracheithinen, *gw.* **Cracheithin**
Crachlys, *gw.* **Marchalan**
Craf, *gw.* **Garlleg**
Craf Cranc, *gw.* **Alaw Diosgo**
Craf Crancod, *gw.* **Alaw Diosgo**
Craf Eurinog, *gw.* **Garlleg**
Craf Gwyllt, *gw.* **Garlleg Gwyllt**
Craf y Borfa, *gw.* **Garlleg Gwyllt**
Craf y Geifr .... *Allium ursinum* (Ramsons)
Craf y Geifr Llydan-ddail, *gw.* **Craf y Geifr**
Craf y Gerddi, *gw.* **Garlleg**
Craf y Nadroedd .... *Allium scorodoprasum* (Sand Leek)
Craf y Natred, *gw.* **Craf y Nadroedd**
Crafanc-frân yr Ŷd, *gw.* **Crafanc yr Ŷd**
Crafanc Hirddail .... *Ranunculus fluitans* (River Water-crowfoot)
Crafanc Jersey .... *Ranunculus paludosus* (Jersey Buttercup)
Crafanc Orweddol, *gw.* **Crafanc y Frân**
Crafanc Pigffrwyth .... *Ranunculus muricatus* (Rough-fruited Buttercup)
Crafanc Trillob .... *Ranunculus tripartitus* (Three-lobed Crowfoot)
Crafanc y Dŵr .... *Ranunculus aquatilis* (Common Water-crowfoot)
Crafanc y Frân .... *Ranunculus repens* (Creeping Buttercup)
Crafanc y Frân Afonol, *gw.* **Crafanc Hirddail**
Crafanc y Frân Blewog .... *Ranunculus sardous* (Hairy Buttercup)
Crafanc-y-frân Buethus y Gweunydd, *gw.* **Blodyn Ymenyn**
Crafanc y Frân Dyfrle, *gw.* **Crafanc y Dŵr**
Crafanc y Frân Eiddewddail .... *Ranunculus hederaceus* (Ivy-leaved Crowfoot)
Crafanc y Frân Manflodeuog .... *Ranunculus parviflorus* (Small-flowered Buttercup)
Crafanc-y-frân Syth-boeth, *gw.* **Blodyn Ymenyn**
Crafanc-y-frân Syth-boeth y Gweunydd, *gw.* **Blodyn Ymenyn**
Crafanc-y-frân Syth-boethus y Gweunydd, *gw.* **Blodyn Ymenyn**
Crafanc y Frân Ymlusgaidd, *gw.* **Crafanc y Frân**
Crafanc y Frân Ymlusgedd, *gw.* **Crafanc y Frân**
Crafanc y Gŵr Drwg, *gw.* **Marchwellt**
Crafanc y Llyn .... *Ranunculus peltatus* (Pond Water-crowfoot)
Crafanc y Nant .... *Ranunculus penicillatus* (Stream Water-crowfoot)
Crafanc yr Arth, *gw.* **Palf yr Arth Ddrewedig**
Crafanc yr Arth, *gw.* **Pelydr Gwyrdd**
Crafanc yr Arth Ddrewedig, *gw.* **Palf yr Arth Ddrewedig**
Crafanc yr Eryr .... *Ranunculus sceleratus* (Celery-leaved Buttercup)
Crafanc yr Ŷd .... *Ranunculus arvensis* (Corn Buttercup)
Crafanc Ysol, *gw.* **Blodyn Ymenyn**
Craith Unnos .... *Prunella vulgaris* (Selfheal)
Craith Unnos, *gw.* **Fioled Bêr**
Craith Unnos, *gw.* **Llygad Doli**
Craith Unnos Torddail .... *Prunella laciniata* (Cut-leaved Selfheal)
Craith-un-nos, *gw.* **Craith Unnos**
Cramennog, *gw.* **Pengaled**
Cramennog Fwyaf, *gw.* **Pengaled Mawr**
Cramennog yr Ŷd, *gw.* **Pengaled Mawr**
Crawcwellt Cwrs, *gw.* **Cawnen Ddu**
Crawel y Moch, *gw.* **Draenen Wen**
Crawol y Moch, *gw.* **Draenen Wen**
Creigberllys, *gw.* **Githran**
Creiglys .... *Empetrum nigrum* subsp. *nigrum* (Crowberry)
Creiglys Du, *gw.* **Creiglys**
Creiglys y Mynydd .... *Empetrum nigrum* subsp. *hermaphroditum* (Mountain
                         Crowberry)
Creigros Cyffredin, *gw.* **Cor-rosyn Cyffredin**
Creig-rosyn Cyffredin, *gw.* **Cor-rosyn Cyffredin**
Creigrosyn Lledlwyd, *gw.* **Cor-rosyn Lledlwyd**
Creithig, *gw.* **Cegiden Bêr**
Creithig, *gw.* **Crib Gwener**
Creithig Bêr, *gw.* **Cegiden Bêr**
Creithig Gwrychog, *gw.* **Gorthyfail Cyffredin**

Creulif Mair, *gw.* **Ysgawen Fair**
Creulys Aur .... *Senecio doria* (Golden Ragwort)
Creulys Bendigad, *gw.* **Dail y Beiblau**
Creulys Bendigaid, *gw.* **Dail y Beiblau**
Creulys Bendiged, *gw.* **Dail y Beiblau**
Creulys Benddiged, *gw.* **Dail y Beiblau**
Creulys Cyffredin .... *Senecio vulgaris* (Groundsel)
Creulys Cymreig .... *Senecio cambrensis* (Welsh Groundsel)
Creulys Gludiog .... *Senecio viscosus* (Sticky Groundsel)
Creulys Iago .... *Senecio jacobaea* (Common Ragwort)
Creulys Ludiog, *gw.* **Creulys Gludiog**
Creulys Llwyd .... *Senecio erucifolius* (Hoary Ragwort)
Creulys Llydanddail .... *Senecio fluviatilis* (Broad-leaved Ragwort)
Creulys Mawr, *gw.* **Ysgawen Fair**
Creulys Penfelen Fenyw, *gw.* **Creulys Cyffredin**
Creulys Rhydychen .... *Senecio squalidus* (Oxford Ragwort)
Creulys y Coed, *gw.* **Creulys y Rhosydd**
Creulys y Ffos .... *Senecio paludosus* (Fen Ragwort)
Creulys y Gors .... *Senecio aquaticus* (Marsh Ragwort)
Creulys y Rhosydd .... *Senecio sylvaticus* (Heath Groundsel)
Creulys y Wladfa .... *Senecio smithii* (Magellan Ragwort)
Criafallen, *gw.* **Cerddinen**
Criafallen Gyffredin, *gw.* **Cerddinen Wen**
Criafallen Wen, *gw.* **Cerddinen Wen**
Criafallen Wyllt, *gw.* **Cerddinen Folwst**
Criafol, *gw.* **Cerddinen**
Criafol Wen, *gw.* **Cerddinen Wen**
Criafol y Moch, *gw.* **Draenen Wen**
Criafolen, *gw.* **Cerddinen**
Criafolen, *gw.* **Cerddinen Folwst**
Criafolen Wen, *gw.* **Cerddinen Wen**
Criafolen Wyllt, *gw.* **Cerddinen Folwst**
Crib Bachog .... *Dipsacus sativus* (Fuller's Teasel)
Crib Gwener .... *Scandix pecten-veneris* (Shepherd's-needle)
Crib Mair, *gw.* **Crib Gwener**
Crib Melyn .... *Dipsacus strigosus* (Yellow-flowered Teasel)
Crib y Ceiliog, *gw.* **Lloerlys**
Crib y Pannwr .... *Dipsacus fullonum* (Teasel)
Cribau Mair, *gw.* **Ysgallen Fair**
Cribau San Ffraid .... *Stachys officinalis* (Betony)
Cribau Shôn Ffred, *gw.* **Cribau San Ffraid**
Cribau'r Bleiddiau, *gw.* **Cyngaf Mawr**
Cribau'r Bleiddiau Lleiaf, *gw.* **Cyngaf Bychan**
Cribau'r Pannwr, *gw.* **Crib y Pannwr**
Cribell Ceiliog, *gw.* **Cribell Felen**
Cribell Goch, *gw.* **Melog y Cŵn**
Cribell Felen .... *Rhinanthus minor* (Yellow-rattle)
Cribell Felen Fawr .... *Rhinanthus angustifolius* (Greater Yellow-rattle)
Cribellau Cochion, *gw.* **Melog y Cŵn**
Cribwellt .... *Koeleria macrantha* (Crested Hair-grass)
Cribwellt Oddfog .... *Koeleria vallesiana* (Somerset Hair-grass)
Crinllys, *gw.* **Fioled Bêr**
Crinllys Aroglys, *gw.* **Fioled Bêr**
Crinllys Melyn Mynyddog, *gw.* **Fioled y Mynydd**
Crinllys Pêr, *gw.* **Fioled Bêr**
Crinllys Perarogl, *gw.* **Fioled Bêr**
Crinllys y Gors, *gw.* **Tafod y Gors**
Croeslys .... *Cruciata laevipes* (Crosswort)
Croeslys, *gw.* **Cwlwm Cariad**
Croeso Gwanwyn, *gw.* **Cenhinen Bedr**
Croeso Haf, *gw.* **Cloch y Bugail**
Croeso Haf, *gw.* **Clychau'r Gog**
Croesoglys Felen, *gw.* **Croeslys**
Croesoglys Wen, *gw.* **Briwydden Fynyddig**
Croeswerdd, *gw.* **Cwlwm Cariad**
Crogedyf .... *Filipendula vulgaris* (Dropwort)
Cron, *gw.* **Efwr**
Cron y Gweunydd, *gw.* **Ceiniog y Gors**

Cron y Waun, *gw.* **Ceiniog y Gors**
Crondoddaidd, *gw.* **Deilen Gron**
Cronnell .... *Trollius europaeus* (Globeflower)
Cronnell yr Afon, *gw.* **Cronnell**
Crudlys .... *Tolmiea menziesii* (Pick-a-back-plant)
Crwynllys Barfog .... *Gentianella ciliata* (Fringed Gentian)
Crwynllys Cymreig .... *Gentianella uliginosa* (Dune Gentian)
Crwynllys Cynnar .... *Gentianella anglica* (Early Gentian)
Crwynllys Chwerw .... *Gentianella amarella* (Autumn Gentian)
Crwynllys Hydref, *gw.* **Crwynllys Chwerw**
Crwynllys y Gwanwyn .... *Gentiana verna* (Spring Gentian)
Crwynllys y Maes .... *Gentianella campestris* (Field Gentian)
Crwynllys y Morfa, *gw.* **Crwynllys y Rhos**
Crwynllys y Mynydd .... *Gentiana nivalis* (Alpine Gentian)
Crwynllys y Rhos .... *Gentiana pneumonanthe* (Marsh Gentian)
Crwynllys y Sialc .... *Gentianella germanica* (Chiltern Gentian)
Crwynllys y Tywod, *gw.* **Crwynllys Cymreig**
Crydaethnen, *gw.* **Aethnen**
Crydnydd, *gw.* **Gwyddfid**
Crydwellt .... *Briza media* (Quaking-grass)
Crydwellt Bychan .... *Briza minor* (Lesser Quaking-grass)
Crydwellt Mwyaf .... *Briza maxima* (Great Quaking-grass)
Cryddnydd, *gw.* **Gwyddfid**
Crynllys Blewog, *gw.* **Gwiolydd Flewog**
Crys y Brenin, *gw.* **Ffa'r Moch**
Cucumer .... *Cucumis sativus* (Cucumber)
Cudd y Coed, *gw.* **Barf yr Hen Ŵr**
Cuddlin .... *Lobularia maritima* (Sweet Alison)
Cuddlin Bach .... *Alyssum alyssoides* (Small Alison)
Cuddlin Llwyd .... *Berteroa incana* (Hoary Alison)
Cwcwll .... *Scutellaria galericulata* (Skullcap)
Cwcwll Bach .... *Scutellaria minor* (Lesser Skullcap)
Cwcwll Gwlad yr Haf .... *Scutellaria altissima* (Somerset Skullcap)
Cwcwll y Coed .... *Scutellaria hastifolia* (Norfolk Skullcap)
Cwcwll y Mynach .... *Aconitum napellus* (Monk's-hood)
Cwd y Mwg, *gw.* **Mwg y Ddaear**
Cwfl y Mynach, *gw.* **Cwcwll y Mynach**
Cwinswydden .... *Cydonia oblonga* (Quince)
Cwlwm Cariad .... *Paris quadrifolia* (Herb-Paris)
Cwlwm Eilun, *gw.* **Troed-y-cyw Clymog**
Cwlwm y Coed, *gw.* **Gwinwydden Ddu**
Cwlwm y Coed, *gw.* **Llindag Mwyaf**
Cwlwm y Coed, *gw.* **Taglys Mawr**
Cwlwm y Cythraul .... *Convolvulus arvensis* (Field Bindweed)
Cwlwm y Gwŷdd, *gw.* **Llindag Mwyaf**
Cwlwm y Gwŷdd, *gw.* **Gwinwydden Ddu**
Cwlwm y To, *gw.* **Llysiau Pen Tai**
Cwlwm yr Asgwrn, *gw.* **Bresych y Cŵn**
Cwlyn y Felysig, *gw.* **Llys y Dryw**
Cwlyn y Mêl, *gw.* **Llys y Dryw**
Cwmffri, *gw.* **Llysiau'r Cwlwm**
Cwpanau'r Brenin, *gw.* **Melyn y Gors**
Cwrli, *gw.* **Helygen Fair**
Cwsglys .... *Papaver somniferum* (Opium Poppy)
Cwsglys Felen, *gw.* **Pabi'r Môr**
Cwt Ysgyfarnog .... *Lagurus ovatus* (Hare's-tail)
Cwyrol, *gw.* **Cwyros**
Cwyros .... *Cornus sanguinea* (Dogwood)
Cwyros Coch .... *Cornus sericea* (Red-osier Dogwood)
Cwyrwialen, *gw.* **Cwyros**
Cybyddlys, *gw.* **Cennin Syfi**
Cycyll-lys, *gw.* **Cwcwll**
Cycyll-lys Lleiaf, *gw.* **Cwcwll Bach**
Cycyll-lys Mwyaf, *gw.* **Cwcwll**
Cycyllog, *gw.* **Cwcwll**
Cycyllog Bach, *gw.* **Cwcwll Bach**
Cycyllog Gwlad yr Haf, *gw.* **Cwcwll Gwlad yr Haf**
Cycyllog Lleiaf, *gw.* **Cwcwll Bach**

---

a, b, c, ch, d, dd, e, f, ff, g, ng, h, i, j, l, ll, m, n, o, p, ph, r, rh, s, t, th, u, w, y

Cycyllog Mwyaf, *gw.* **Cwcwll**
Cycyllog y Coed, *gw.* **Cwcwll y Coed**
Cychiwlyn y Mêl, *gw.* **Llys y Dryw**
Cyd-dwf, *gw.* **Cytwf**
Cydlyn, *gw.* **Cuddlin**
Cydllin .... *Camelina sativa* (Gold-of-pleasure)
Cyddlin, *gw.* **Cuddlin**
Cyfagwy, *gw.* **Llysiau Pen Tai**
Cyfardwf, *gw.* **Llysiau'r Cwlwm**
Cyfardwf Crwn .... *Symphytum bulbosum* (Bulbous Comfrey)
Cyfardwf Garw .... *Symphytum asperum* (Rough Comfrey)
Cyfardwf Gaucasaidd, *gw.* **Cyfardwf y Crimea**
Cyfardwf Glas .... *Symphytum* × *uplandicum* (Russian Comfrey)
Cyfardwf Gwyn .... *Symphytum orientale* (White Comfrey)
Cyfardwf Llusg .... *Symphytum grandiflorum* (Creeping Comfrey)
Cyfardwf Oddfynog .... *Symphytum tuberosum* (Tuberous Comfrey)
Cyfardwf y Caucasus .... *Symphytum caucasicum* (Caucasian Comfrey)
Cyfardwf y Crimea .... *Symphytum tauricum* (Crimean Comfrey)
Cyfardwy, *gw.* **Llysiau'r Cwlwm**
Cyfnydd, *gw.* **Llindag Lleiaf**
Cyfnydd, *gw.* **Llindag Mwyaf**
Cyfoglys, *gw.* **Carn Ebol y Gerddi**
Cyfrdwy, *gw.* **Rhedynen Gyfrdwy**
Cyfrdwy Breiniawl, *gw.* **Rhedynen Gyfrdwy**
Cynga, *gw.* **Llau'r Offeiriad**
Cyngaean, *gw.* **Llau'r Offeiriad**
Cyngaf, *gw.* **Cyngaf Mawr**
Cyngaf, *gw.* **Llau'r Offeiriad**
Cyngaf Bychan .... *Arctium minus* (Lesser Burdock)
Cyngaf Lleiaf, *gw.* **Cyngaf Bychan**
Cyngaf Mawr .... *Arctium lappa* (Greater Burdock)
Cyngaf Piripiri .... *Acaena novae-zelandiae* (Pirri-pirri-bur)
Cyngaf y Coed .... *Arctium minus* subsp. *nemorosum* (Intermediate Burdock)
Cyngaf Min y Ffordd .... *Arctium minus* subsp. *pubens* [Wayside Burdock]
Cynga'r Coed, *gw.* **Cyngaf y Coed**
Cynga'r Coed, *gw.* **Llau'r Offeiriad**
Cyngaw Mwyaf, *gw.* **Cyngaf Mawr**
Cynghafan, *gw.* **Llau'r Offeiriad**
Cynghafan Mwyaf .... *Asperugo procumbens* (Madwort)
Cynghafog Arfor, *gw.* **Taglys Arfor**
Cynghafog Fawr, *gw.* **Taglys Estron**
Cynghafog Fechan, *gw.* **Cwlwm y Cythraul**
Cynghafog Lleiaf, *gw.* **Cwlwm y Cythraul**
Cynghafog y Maes, *gw.* **Cwlwm y Cythraul**
Cynghafog y Môr, *gw.* **Taglys Arfor**
Cylor, *gw.* **Cneuen Ddaear**
Cymalau'r Diafol, *gw.* **Penboeth**
Cynffon Llygoden .... *Myosurus minimus* (Mousetail)
Cynffon Titw, *gw.* **Melengu**
Cynffon y Cabwllt, *gw.* **Triaglog**
Cynffon y Cadno, *gw.* **Cynffonwellt y Maes**
Cynffon y Capwllt, *gw.* **Triaglog**
Cynffon y Ceiliog, *gw.* **Triaglog**
Cynffon y Gath .... *Typha latifolia* (Bulrush)
Cynffon y Gath, *gw.* **Rhonwellt**
Cynffon y Gath Gulddail .... *Typha angustifolia* (Lesser Bulrush)
Cynffon y Gath Leiaf, *gw.* **Cynffon y Gath Gulddail**
Cynffon y Llygoden, *gw.* **Cynffon Llygoden**
Cynffon y Llygoden, *gw.* **Llysiau Pen Tai**
Cynffonwellt Alpaidd .... *Alopecurus borealis* (Alpine Foxtail)
Cynffonwellt Du .... *Alopecurus myosuroides* (Black-grass)
Cynffonwellt Ddu, *gw.* **Cynffonwellt Du**
Cynffonwellt Elinog .... *Alopecurus geniculatus* (Marsh Foxtail)
Cynffonwellt Oddfog .... *Alopecurus bulbosus* (Bulbous Foxtail)
Cynffonwellt y Llyn .... *Alopecurus aequalis* (Orange Foxtail)
Cynffonwellt y Maes .... *Alopecurus pratensis* (Meadow Foxtail)
Cynhowlen, *gw.* **Masarnen Leiaf**

---

a, b, c, ch, d, dd, e, f, ff, g, ng, h, i, j, l, ll, m, n, o, p, ph, r, rh, s, t, th, u, w, y

Cynhowlen, *gw.* **Tanclys**
Cynna, *gw.* **Llau'r Offeiriad**
Cynwreiddiog, *gw.* **Cynffonwellt Oddfog**
Cypreswydden Lawson .... *Chamaecyparis lawsoniana* (Lawson's Cypress)
Cypreswydden Leyland .... × *Cupressocyparis leylandii* (Leyland Cypress)
Cypreswydden Macrocarpa, *gw.* **Cypreswydden Monterey**
Cypreswydden Monterey .... *Cupressus macrocarpa* (Monterey Cypress)
Cypreswydden Nootka .... *Chamaecyparis nootkatensis* (Nootka Cypress)
Cypreswydden Sawara .... *Chamaecyparis pisifera* (Sawara Cypress)
Cyrains Cochion, *gw.* **Rhyfon Coch**
Cyrains Duon, *gw.* **Rhyfon Duon**
Cyrawel, *gw.* **Cerddinen**
Cyriawol, *gw.* **Cerddinen**
Cyrnddail .... *Ceratophyllum demersum* (Rigid Hornwort)
Cyrnddail Trifforch .... *Ceratophyllum submersum* (Soft Hornwort)
Cyrnogyn Crynben .... *Phyteuma orbiculare* (Round-headed Rampion)
Cyrnogyn Pigfain .... *Phyteuma spicatum* (Spiked Rampion)
Cyrs, *gw.* **Corsen**
Cysgadur, *gw.* **Codwarth Du**
Cysgiadur, *gw.* **Codwarth Du**
Cytwf .... *Monotropa hypopitys* (Yellow Bird's-nest)
Cyw, *gw.* **Gwylaeth Chwerwaidd**
Cywarch .... *Cannabis sativa* (Hemp)
Cywarch Dŵr, *gw.* **Byddon Chwerw**
Cywarch Gwyllt, *gw.* **Byddon Chwerw**
Cywer y Llaeth, *gw.* **Briwydden Felen**
Cywion Gwyddau, *gw.* **Helygen Wiail**
Chwegwellt, *gw.* **Perwellt**
Chwein-hesgen .... *Carex pulicaris* (Flea Sedge)
Chweinlys, *gw.* **Cedowydd**
Chweinllys, *gw.* **Llys y Lludw**
Chweinllys Arfor .... *Terephroseris integrifolia* (Field Fleawort)
Chweinllys y Maes, *gw.* **Chweinllys Arfor**
Chweinllys y Morfa .... *Senecio palustris* (Marsh Fleawort)
Chwerbys y Coed, *gw.* **Pysen y Coed**
Chwerfwr, *gw.* **Cucumer**
Chwerlys Arfor, *gw.* **Wermod y Môr**
Chwermwd, *gw.* **Wermod Lwyd**
Chwerw Blewog, *gw.* **Berwr Blewog**
Chwerw Culddail, *gw.* **Berwr Chwerw Culddail**
Chwerw Mawr, *gw.* **Berwr Chwerw**
Chwerw-melys, *gw.* **Codwarth Caled**
Chwerwddwr, *gw.* **Cucumer**
Chwerwddwr, *gw.* **Wermod Lwyd**
Chwerwlys, *gw.* **Chwerwlys yr Eithin**
Chwerwlys, *gw.* **Wermod Lwyd**
Chwerwlys Arfor, *gw.* **Wermod y Môr**
Chwerwlys Cyffredin, *gw.* **Wermod Lwyd**
Chwerwlys Torddail .... *Teucrium botrys* (Cut-leaved Germander)
Chwerwlys y Dŵr .... *Teucrium scordium* (Water Germander)
Chwerwlys y Môr, *gw.* **Wermod y Môr**
Chwerwlys y Môr Ogwyddflodeuog, *gw.* **Wermod y Môr**
Chwerwlys y Mur .... *Teucrium chamaedrys* (Wall Germander)
Chwerwlys y Muriau, *gw.* **Chwerwlys y Mur**
Chwerwlys y Twyn, *gw.* **Chwerwlys y Dŵr**
Chwerwlys y Twyn, *gw.* **Chwerwlys yr Eithin**
Chwerwlys yr Eithin .... *Teucrium scorodonia* (Wood Sage)
Chwerw'r Coed, *gw.* **Berwr Cam**
Chwerwylaeth Garw, *gw.* **Tafod y Llew**
Chwerwyn, *gw.* **Wermod Lwyd**
Chwerwyn Llwyd, *gw.* **Wermod Lwyd**
Chwerwyn y Twyn, *gw.* **Chwerwlys yr Eithin**
Chwerwyn yr Ardd, *gw.* **Wermod Wen**
Chweryn Gwyn, *gw.* **Wermod Wen**
Chwilotwr Llogell, *gw.* **Pwrs y Bugail**
Chwilys yr Eithin, *gw.* **Chwerwlys yr Eithin**
Chwrlas yr Eithin, *gw.* **Chwerwlys yr Eithin**
Chwyddhad .... *Physospermum cornubiense* (Bladderseed)

a, b, c, ch, d, dd, e, f, ff, g, ng, h, i, j, l, ll, m, n, o, p, ph, r, rh, s, t, th, u, w, y

Chwyn Afal Pinwydd .... *Matricaria discoidea* (Pineappleweed)
Chwyn Drewllyd y Tywod, *gw.* **Cedw y Tywod**
Chwyn Ffagl, *gw.* **Pannog Melyn**
Chwyn Hallt, *gw.* **Llyrlys**
Chwyn Moch .... *Amaranthus retroflexus* (Common Amaranth)
Chwyn Moch Gwyn .... *Amaranthus albus* (White Amaranth)
Chwyn Moch Gwyrdd .... *Amaranthus hybridus* (Green Amaranth)
Chwyn Moch Rwsia .... *Axyris amaranthoides* (Russian Pigweed)
Chwyn Newynog, *gw.* **Cynffonwellt Du**
Chwyn yr Ŷd, *gw.* **Troellig yr Ŷd**
Chwynfotwm .... *Cotula coronopifolia* (Buttonweed)
Chwys Arthur, *gw.* **Erwain**
Chwys Mair .... *Ranunculus bulbosus* (Bulbous Buttercup)
Chwys yr Haul, *gw.* **Gwlithlys**
Chwys yr Haul, *gw.* **Gwlithlys Mawr**
Chwys yr Huan, *gw.* **Gwlithlys**
Chwysig-wraidd, *gw.* **Swigenddail**
Chwysigenddail Lleiaf, *gw.* **Swigenddail Lleiaf**
Chwysigenddail Mwyaf, *gw.* **Swigenddail Mwyaf**
Chwysigenwraidd Cyffredin, *gw.* **Swigenddail**
Chwysigenwraidd Lleiaf, *gw.* **Swigenddail Lleiaf**
Chwysigenwraidd Mwyaf, *gw.* **Swigenddail Mwyaf**
Chwyslys Cilgannog .... *Lampranthus falciformis* (Sickle-leaved Dew-plant)
Chwyslys Gwelw .... *Drosanthemum floribundum* (Pale Dew-plant)
Chwyslys Gwridog .... *Lampranthus roseus* (Rosy Dew-plant)
Chwyslys Porffor .... *Disphyma crassifolium* (Purple Dew-plant)
Chwyslys Trionglog .... *Oscularia deltoides* (Deltoid-leaved Dew-plant)
Chwysoglen, *gw.* **Tafol Blaen**
Chwyth yr Ŵydd, *gw.* **Perwellt y Gwanwyn**
Daear Gnau, *gw.* **Cneuen Ddaear**
Daearllys, *gw.* **Rhosyn Mynydd**
Dafadlys, *gw.* **Llaeth Ysgyfarnog**
Dafnau Gwaed .... *Mimulus luteus* (Blood-drop-emlets)
Dagr Sbaen .... *Yucca gloriosa* (Spanish-dagger)
Dagr Sbaen Dailardro .... *Yucca recurvifolia* (Curved-leaved Spanish-dagger)
Dagrau Addaf .... *Staphylea pinnata* (Bladdernut)
Dagrau Iesu, *gw.* **Ysgawen**
Dagrau Job .... *Polygonatum multiflorum* (Solomon's-seal)
Dagrau Mair, *gw.* **Briallu Mair**
Dagrau Mair, *gw.* **Ffwsia**
Dail Anon, *gw.* **Alan Mawr**
Dail Arian .... *Potentilla anserina* (Silverweed)
Dail Baco, *gw.* **Carn yr Ebol**
Dail Bacw, *gw.* **Carn yr Ebol**
Dail Bysedd Cochion, *gw.* **Bysedd y Cŵn**
Dail Carn yr Ebol, *gw.* **Carn yr Ebol**
Dail Ceiliog, *gw.* **Llwynhidydd**
Dail Ceiniog, *gw.* **Deilen Gron**
Dail Clais, *gw.* **Dant y Llew**
Dail Crach, *gw.* **Bysedd y Cŵn**
Dail Crynu, *gw.* **Crydwellt**
Dail Cwlwm yr Asgwrn, *gw.* **Bresych y Cŵn**
Dail Cwlwm yr Asgwrn, *gw.* **Llysiau'r Cwlwm**
Dail Cwmffri, *gw.* **Llysiau'r Cwlwm**
Dail Duon Bach, *gw.* **Gornerth**
Dail Duon Da, *gw.* **Gornerth**
Dail Ffion-ffrwyth, *gw.* **Bysedd y Cŵn**
Dail Llosg y Tân, *gw.* **Tafod yr Hydd**
Dail Llwyn y Neidr, *gw.* **Llwynhidydd**
Dail Llwynhidl, *gw.* **Llwynhidydd Corn Carw**
Dail Llwynog, *gw.* **Bysedd y Cŵn**
Dail Llydan y Ffordd, *gw.* **Llwynhidydd Mawr**
Dail Llygaid, *gw.* **Llys Pen Tai**
Dail Llyriad, *gw.* **Llwynhidydd Mawr**
Dail Meillion y Dwfr, *gw.* **Llinad Eiddew**
Dail Melfed, *gw.* **Pannog Melyn**
Dail Pen Neidr, *gw.* **Fioled y Cŵn**
Dail Penddiged, *gw.* **Dail y Beiblau**

a, b, c, ch, d, dd, e, f, ff, g, ng, h, i, j, l, ll, m, n, o, p, ph, r, rh, s, t, th, u, w, y

Dail Poethion, *gw.* **Danhadlen**
Dail Robin, *gw.* **Eidral**
Dail Robin, *gw.* **Llys y Llwynog**
Dail Robin, *gw.* **Pidyn y Gog**
Dail Saeds, *gw.* **Troellennog**
Dail Solomon, *gw.* **Dagrau Job**
Dail St Pedr, *gw.* **Corn Carw'r Môr**
Dail Surion Bach, *gw.* **Suran yr Ŷd**
Dail Tafol .... *Rumex obtusifolius* (Broad-leaved Dock)
Dail Troed yr Ebol, *gw.* **Carn yr Ebol**
Dail Trwst, *gw.* **Alan Mawr**
Dail y Beiblau .... *Hypericum androsaemum* (Tutsan)
Dail y Clwy, *gw.* **Ceiniog y Gors**
Dail y Cwrw, *gw.* **Llawrwydden**
Dail y Dargod, *gw.* **Pannog Melyn**
Dail y Fendigaid, *gw.* **Dail y Beiblau**
Dail y Geiniog, *gw.* **Ceiniog y Gors**
Dail y Groes, *gw.* **Coesgoch**
Dail y Gron Lleiaf, *gw.* **Ceiniog y Gors**
Dail y Peils, *gw.* **Llygad Ebrill**
Dail y Pumbys, *gw.* **Pumdalen Ymlusgol**
Dail y Pumbys, *gw.* **Tresgl Ymlusgol**
Dail y Tryfan, *gw.* **Alan Mawr**
Dail y Twrch, *gw.* **Dail y Beiblau**
Dail yr Ebol, *gw.* **Carn yr Ebol**
Dail yr Esgob, *gw.* **Llys y Gymalwst**
Dail yr Hocys, *gw.* **Hocys y Morfa**
Dail Ysgyrfi, *gw.* **Llwylys Cyffredin**
Dailfam, *gw.* **Camri**
Dalen Dda, *gw.* **Llaeth Ysgyfarnog**
Dalen Gryman, *gw.* **Llwynhidydd**
Dalen Meiwyn, *gw.* **Meiwyn**
Danad Lleiaf, *gw.* **Danhadlen Leiaf**
Danadl Bach Blynyddol, *gw.* **Danhadlen Leiaf**
Danadl Cyffredin, *gw.* **Danhadlen**
Danadl Poethion, *gw.* **Danhadlen**
Danadl Ysgar, *gw.* **Danhadlen**
Danadlen, *gw.* **Danhadlen**
Danadlen, *gw.* **Danhadlen Leiaf**
Danadlen Belaidd, *gw.* **Danhadlen Belaidd**
Danadlen Farw Goch, *gw.* **Marddanhadlen Goch**
Danadlen Fud Gwyn, *gw.* **Marddanhadlen Wen**
Danadlen Fwyaf, *gw.* **Danhadlen**
Danadlen Goch, *gw.* **Marddanhadlen Goch**
Danadlen Gwyn, *gw.* **Marddanhadlen Wen**
Danadlen Leiaf, *gw.* **Danhadlen Leiaf**
Danadlen y Sipsi, *gw.* **Llys y Sipsiwn**
Danadlen Ysgar, *gw.* **Danhadlen**
Danat Melyn, *gw.* **Marddanhadlen Felen**
Danhadlen .... *Urtica dioica* (Common Nettle)
Danhadlen Belaidd .... *Urtica pilulifera* (Roman Nettle)
Danhadlen Ddail, *gw.* **Marddanhadlen Felen**
Danhadlen Ddall, *gw.* **Marddanhadlen Wen**
Danhadlen Ddu, *gw.* **Marddanhadlen Ddu**
Danhadlen Farw Goch, *gw.* **Marddanhadlen Goch**
Danhadlen Leiaf .... *Urtica urens* (Small Nettle)
Danhadlen Wen, *gw.* **Marddanhadlen Wen**
Danhadlen y Cywarch, *gw.* **Penboeth**
Danhogen, *gw.* **Cribau San Ffraid**
Danhogen y Dŵr, *gw.* **Craith Unnos**
Danhogen y Dŵr, *gw.* **Gornerth y Dŵr**
Dannedd y Gath, *gw.* **Tagaradr**
Dannogen y Coed, *gw.* **Cribau San Ffraid**
Dannogen y Dŵr, *gw.* **Gornerth y Dŵr**
Danogen y Dwfr, *gw.* **Gornerth y Dŵr**
Dant y Ci, *gw.* **Byswellt**
Dant y Ci, *gw.* **Dant y Llew**
Dant y Llew .... *Taraxacum* sect. *Ruderalia* (Common Dandelion)

a, b, c, ch, d, dd, e, f, ff, g, ng, h, i, j, l, ll, m, n, o, p, ph, r, rh, s, t, th, u, w, y

Dant y Llew Cochwythien .... *Taraxacum* sect. *Spectabilia* (Red-veined Dandelion)
Dant y Llew Cyffredin, *gw.* **Dant y Llew**
Dant y Llew Lleiaf .... *Taraxacum* sect. *Erythrosperma* (Lesser Dandelion)
Dant y Llew Lleiaf, *gw.* **Peradyl Garw**
Dant y Llew y Ddôl, *gw.* **Dant y Llew y Gors**
Dant y Llew y Gors .... *Taraxacum* sect. *Palustre* (Narrow-leaved
                                          Marsh-dandelion
Dant y Pysgodyn .... *Serratula tinctoria* (Saw-wort)
Dant y Pysgodyn Mynyddig, *gw.* **Lliflys Mynyddig**
Dant y Pysgodyn Mynyddog, *gw.* **Lliflys Mynyddig**
Dantlys .... *Lathraea squamaria* (Toothwort)
Dantlys Porffor .... *Lathraea clandestina* (Purple Toothwort)
Dâr, *gw.* **Derwen Goesog**
Darllys Awelfar, *gw.* **Uchelwydd**
Dat, *gw.* **Carn Ebol y Gerddi**
Deilen Dda, *gw.* **Clust yr Arth**
Deilen Ddu Dda, *gw.* **Gornerth**
Deilen Gron .... *Umbilicus rupestris* (Navelwort)
Deintlys, *gw.* **Deintwraidd**
Deintlys Cennog, *gw.* **Dantlys**
Deintwraidd .... *Cardamine bulbifera* (Coralroot)
Derig .... *Dryas octopetala* (Mountain Avens)
Derlys, *gw.* **Chwerwlys y Dŵr**
Derlys, *gw.* **Chwerwlys y Mur**
Derlys Gwyllt, *gw.* **Llygad Doli**
Derlys y Dŵr, *gw.* **Chwerwlys y Dŵr**
Derlys y Dŵr, *gw.* **Chwerwlys yr Eithin**
Derlys y Fagwyr, *gw.* **Chwerwlys y Mur**
Derlys y Goedwig, *gw.* **Chwerwlys yr Eithin**
Derwen Anwyw, *gw.* **Derwen Fythwyrdd**
Derwen Bytholwyrdd, *gw.* **Derwen Fythwyrdd**
Derwen Caersalem, *gw.* **Troed yr Ŵydd Dderw-ddeiliog**
Derwen Ddigoes .... *Quercus petraea* (Sessile Oak)
Derwen Fawr Ganghennog, *gw.* **Derwen Ddigoes**
Derwen Fendigaid, *gw.* **Briw'r March**
Derwen Fythddeiliog, *gw.* **Derwen Fythwyrdd**
Derwen Fythwyrdd .... *Quercus ilex* (Evergreen Oak)
Derwen Goch .... *Quercus borealis* var. *maxima* (Red Oak)
Derwen Goesog .... *Quercus robur* (Pendunculate Oak)
Derwen Gyffredin, *gw.* **Derwen Goesog**
Derwen Twrci .... *Quercus cerris* (Turkey Oak)
Derwen y Ddaear, *gw.* **Briw'r March**
Derwen y Ddaear, *gw.* **Chwerwlys y Dŵr**
Derwen y Ddaear, *gw.* **Chwerwlys yr Eithin**
Derwlys, *gw.* **Chwerwlys y Dŵr**
Derwlys, *gw.* **Chwerwlys y Mur**
Derwlys y Dŵr, *gw.* **Chwerwlys y Dŵr**
Derwlys y Dŵr, *gw.* **Chwerwlys yr Eithin**
Deulafn, *gw.* **Ceineirian**
Diadwyth, *gw.* **Llysiau'r Oen**
Diaddurn, *gw.* **Mwsglys**
Diapensia .... *Diapensia lapponica* (Diapensia)
Diawdwydd, *gw.* **Llawrwydden**
Dibedoliad y Meirch, *gw.* **Lloerlys**
Dibynlor, *gw.* **Cegiden**
Dibynlor, *gw.* **Tanclys**
Dibynlor Cegidaidd, *gw.* **Cegid y Dŵr**
Dibynlor Chwibog, *gw.* **Dibynlor Pibellaidd**
Dibynlor Perllys Ddail, *gw.* **Dibynlor Perllysddail**
Dibynlor Perllysddail .... *Oenanthe lachenalii* (Parsley Water-dropwort)
Dibynlor Pibellaidd .... *Oenanthe fistulosa* (Tubular Water-dropwort)
Didol, *gw.* **Bara'r Hwch**
Didrist, *gw.* **Tafod y Fuwch**
Diflas, *gw.* **Llygwyn Arfor**
Digoll Lwyd, *gw.* **Edafeddog Lleiaf**
Dilosg, *gw.* **Llys Pen Tai**
Dilwydd .... *Chelidonium majus* (Greater Celandine)
Dilwydd Felen, *gw.* **Dilwydd**

---

a, b, c, ch, d, dd, e, f, ff, g, ng, h, i, j, l, ll, m, n, o, p, ph, r, rh, s, t, th, u, w, y

Dindoll, *gw.* **Merysbren**
Dinllwyd, *gw.* **Dail Arian**
Dinodd Barhaol, *gw.* **Dinodd Parhaol**
Dinodd Blynyddol .... *Scleranthus annuus* (Annual Knawel)
Dinodd Flynyddol, *gw.* **Dinodd Blynyddol**
Dinodd Parhaol .... *Scleranthus perennis* (Perennial Knawel)
Dinodd y Flwyddyn, *gw.* **Dinodd Blynyddol**
Diodwyd, *gw.* **Llawrwydden**
Diodwyth, *gw.* **Llysiau'r Oen**
Diosglys Merllyn, *gw.* **Gwair Merllyn**
Dis, *gw.* **Disawr**
Disawr .... *Hesperis matronalis* (Dame's-violet)
Distrewlys .... *Achillea ptarmica* (Sneezewort)
Diwlith, *gw.* **Briger Gwener**
Diwlydd, *gw.* **Briger Gwener**
Diwythl Fedi, *gw.* **Llys y Cryman**
Dorllwyd, *gw.* **Dail Arian**
Draen Mieri, *gw.* **Mwyaren Ddu**
Draenen Berber, *gw.* **Eurdrain**
Draenen Ddu .... *Prunus spinosa* (Blackthorn)
Draenen Wen .... *Crataegus monogyna* (Hawthorn)
Draenen Wen, *gw.* **Draenen Ysbyddaden**
Draenen Wen Dwy Golofn, *gw.* **Draenen Ysbyddaden**
Draenen Wen Un Golofn, *gw.* **Draenen Wen**
Draenen y Bwch, *gw.* **Rhafnwydden**
Draenen Ysbinys, *gw.* **Eurdrain**
Draenen Ysbyddaden .... *Crataegus laevigata* (Midland Hawthorn)
Drain Morddyon, *gw.* **Mwyaren Ddu**
Drain Ysbyddaid, *gw.* **Draenen Wen**
Drainllys .... *Acanthus mollis* (Bear's-breech)
Drainllys Pigog .... *Acanthus spinosus* (Spiny Bear's-breech)
Drewg Cyffredin, *gw.* **Pabi Coch**
Drewg Gwyn, *gw.* **Cwsglys**
Drewg Hirben-llyfn, *gw.* **Pabi Hirben**
Drewg Hirben Gwrychog, *gw.* **Pabi Gwrychog**
Drewg Melyn, *gw.* **Pabi Cymreig**
Drewsawr, *gw.* **Marddanhadlen Ddu**
Driacloc, *gw.* **Triaglog y Gors**
Drigon, *gw.* **Suran yr Ŷd**
Dringiedydd, *gw.* **Barf yr Hen Ŵr**
Dringol, *gw.* **Suran yr Ŷd**
Dringwr Fflamgoch .... *Parthenocissus quinquefolia* (Virginia-creeper)
Dringwr Fflamgoch Ffug .... *Parthenocissus inserta* (False Virginia-creeper)
Dringwr Fflamgoch Triphigyn .... *Parthenocissus tricuspidata* (Boston-ivy)
Dropsan, *gw.* **Ffwsia**
Drych Gwener .... *Legousia hybrida* (Venus's-looking-glass)
Dryned, *gw.* **Danhadlen**
Dryned, *gw.* **Danhadlen Leiaf**
Dryned Marw Coch, *gw.* **Marddanhadlen Goch**
Dryned Marw Gwyn, *gw.* **Marddanhadlen Wen**
Dryned Marw Melyn, *gw.* **Marddanhadlen Felen**
Drysen Bêr .... *Rosa rubiginosa* (Sweet-briar)
Drysien, *gw.* **Corfwyran**
Drysien, *gw.* **Mwyaren Ddu**
Drysien Bêr, *gw.* **Drysen Bêr**
Drysni Pêr, *gw.* **Rhoslwyn Pêr**
Duegredynen, *gw.* **Duegredynen Gwallt y Forwyn**
Duegredynen â Dail Bob yn Ail .... *Asplenium* × *alternifolium* (Alternate-leaved Spleenwort)
Duegredynen Arfor .... *Asplenium marinum* (Sea Spleenwort)
Duegredynen Ddu .... *Asplenium adiantum-nigrum* (Black Spleenwort)
Duegredynen Feddygol, *gw.* **Tafod yr Hydd**
Dueg-redynen Feddygol, *gw.* **Rhedynen Gefngoch**
Duegredynen Fforchog .... *Asplenium septentrionale* (Forked Spleenwort)
Duegredynen Gwallt y Forwyn .... *Asplenium trichomanes* (Maidenhair Spleenwort)
Duegredynen Gwyrdd Mynyddog, *gw.* **Duegredynen Werdd**
Duegredynen Las, *gw.* **Duegredynen Werdd**
Duegredynen Reiniolaidd .... *Asplenium obovatum* (Lanceolate Spleenwort)

---

a, b, c, ch, d, dd, e, f, ff, g, ng, h, i, j, l, ll, m, n, o, p, ph, r, rh, s, t, th, u, w, y

Duegredynen Werdd .... *Asplenium trichomanes-ramosum* (Green Spleenwort)
Duegredynen Wyddelig .... *Asplenium onopteris* (Irish Spleenwort)
Duegredynen y Muriau .... *Asplenium ruta-muraria* (Wall-rue)
Duglwyd, *gw.* **Tagaradr**
Duglwyd y Twynau, *gw.* **Tagaradr**
Dugoesog, *gw.* **Duegredynen Ddu**
Dulys .... *Smyrnium olusatrum* (Alexanders)
Dulys, *gw.* **Llwfach Albanaidd**
Dulys Cyffredin, *gw.* **Dulys**
Dulys Trydwll .... *Smyrnium perfoliatum* (Perfoliate Alexanders)
Duwallt y Forwyn, *gw.* **Duegredynen Ddu**
Dwarfor, *gw.* **Eithin y Mynydd**
Dwfr-foronen Mwyaf, *gw.* **Pannas y Dŵr Llydanddail**
Dwfr Llyriad Culddail, *gw.* **Dŵr-lyriad Culddail**
Dwfr Llyriad Mwyaf, *gw.* **Dŵr-lyriad**
Dwfr Llyriad Nofiadwy, *gw.* **Dŵr-lyriad Nofiadwy**
Dwfrllys Gwelltog, *gw.* **Dyfrllys Gwelltog**
Dŵr-lyriad .... *Alisma plantago-aquatica* (Water-plantain)
Dŵr-lyriad Bychan, *gw.* **Llyren Fechan**
Dŵr-lyriad Culddail .... *Alisma lanceolatum* (Narrow-leaved Water-plantain)
Dŵr-lyriad Hirfain .... *Alisma gramineum* (Ribbon-leaved Water-plantain)
Dŵr-lyriad Nofiadwy .... *Luronium natans* (Floating Water-plantain)
Dwrforonen Lusg .... *Apium repens* (Creeping Marshwort)
Dwyddalen, *gw.* **Ceineirian**
Dwyfog, *gw.* **Cribau San Ffraid**
Dwygeinioglys, *gw.* **Siani Lusg**
Dyfr Fwsogl Triochrog, *gw.* **Dwrfwsogl Triochrog**
Dyfr-foronen, *gw.* **Pannas y Dŵr Llydanddail**
Dyfr-foronen Llydanddail, *gw.* **Pannas y Dŵr Llydanddail**
Dyfrforonen Gulddail, *gw.* **Pannas y Dŵr**
Dyfrforonen Leiaf .... *Apium inundatum* (Lesser Marshwort)
Dyfrforonen Nofiadwy, *gw.* **Dyfrforonen Leiaf**
Dyfrforonen Sypflodeuog .... *Apium nodiflorum* (Fool's Water-cress)
Dyfrforonen Sypflodeuog, *gw.* **Llysiau'r Ddannoedd**
Dyfr-lyriad Bychan, *gw.* **Llyren Fechan**
Dyfr-lyriad Mwyaf, *gw.* **Dŵr-lyriad**
Dyfr-lyriad Nofiadwy, *gw.* **Dŵr-lyriad Nofiadwy**
Dyfrlyriad Cyffredin, *gw.* **Dŵr-lyriad**
Dyfrllys America .... *Potamogeton epihydrus* (American Pondweed)
Dyfrllys Amryddail .... *Potamogeton gramineus* (Various-leaved Pondweed)
Dyfrllys Amryddull, *gw.* **Dyfrllys Amryddail**
Dyfrllys Arfor .... *Potamogeton filiformis* (Slender-leaved Pondweed)
Dyfrllys Camlaswellt .... *Potamogeton compressus* (Grass-wrack Pondweed)
Dyfrllys Coch .... *Potamogeton alpinus* (Red Pondweed)
Dyfrllys Crych .... *Potamogeton crispus* (Curled Pondweed)
Dyfrllys Crychlyd, *gw.* **Dyfrllys Crych**
Dyfrllys Culddail .... *Potamogeton pusillus* (Lesser Pondweed)
Dyfrllys Cyferbynol, *gw.* **Dyfrllys Tewdws**
Dyfrllys Danheddog .... *Potamogeton pectinatus* (Fennel Pondweed)
Dyfrllys Danheddog, *gw.* **Dyfrllys Crych**
Dyfrllys Disglair .... *Potamogeton lucens* (Shining Pondweed)
Dyfrllys Eiddil .... *Potamogeton berchtoldii* (Small Pondweed)
Dyfrllys Gwalltog .... *Potamogeton trichoides* (Hairlike Pondweed)
Dyfrllys Gwastatgoes .... *Potamogeton friesii* (Flat-stalked Pondweed)
Dyfrllys Gwelltog .... *Potamogeton obtusifolius* (Blunt-leaved Pondweed)
Dyfrllys Gwrychddail, *gw.* **Dyfrllys Danheddog**
Dyfrllys Hirgoes .... *Potamogeton praelongus* (Long-stalked Pondweed)
Dyfrllys Llydanddail .... *Potamogeton natans* (Broad-leaved Pondweed)
Dyfrllys Meinddail .... *Potamogeton acutifolius* (Sharp-leaved Pondweed)
Dyfrllys Nofiadwy, *gw.* **Dyfrllys Llydanddail**
Dyfrllys Rhwydog .... *Potamogeton nodosus* (Loddon Pondweed)
Dyfrllys Tewdws .... *Groenlandia densa* (Opposite-leaved Pondweed)
Dyfrllys Tramor .... *Aponogeton distachyos* (Cape-pondweed)
Dyfrllys Trydwll .... *Potamogeton perfoliatus* (Perfoliate Pondweed)
Dyfrllys y Gors .... *Potamogeton polygonifolius* (Bog Pondweed)
Dyfrllys y Fignen .... *Potamogeton coloratus* (Fen Pondweed)
Dyfrllys yr Ynysoedd .... *Potamogeton rutilus* (Shetland Pondweed)
Dyfrwlydd y Ffynnon, *gw.* **Gwlyddyn y Ffynnon**

a, b, c, ch, d, dd, e, f, ff, g, ng, h, i, j, l, ll, m, n, o, p, ph, r, rh, s, t, th, u, w, y

Dyfrwlyddyn, *gw.* **Gwlyddyn y Ffynnon**
Dyfrwlyddyn, *gw.* **Llinesg y Dŵr**
Dyfrwlyddyn y Ffynnon, *gw.* **Gwlyddyn y Ffynnon**
Dynad, *gw.* **Marddanhadlen Goch**
Dynad Coch, *gw.* **Marddanhadlen Goch**
Dynad Cwsg, *gw.* **Marddanhadlen Goch**
Dynaid, *gw.* **Danhadlen**
Dynaid Blodeuwyn, *gw.* **Marddanhadlen Wen**
Dynaid Cochion, *gw.* **Marddanhadlen Goch**
Dynat, *gw.* **Danhadlen**
Dynat Coch, *gw.* **Marddanhadlen Goch**
Dyned, *gw.* **Danhadlen**
Dyned, *gw.* **Marddanhadlen Goch**
Dynent, *gw.* **Danhadlen**
Dynent, *gw.* **Marddanhadlen Goch**
Dynhaden, *gw.* **Danhadlen**
Dynhaden, *gw.* **Danhadlen Leiaf**
Dynhaden Belaidd, *gw.* **Danhadlen Belaidd**
Dynhaden Fwyaf, *gw.* **Danhadlen**
Dynhaden Lleiaf, *gw.* **Danhadlen Leiaf**
Dynhaden Ysgar, *gw.* **Danhadlen**
Dyrysien, *gw.* **Mwyaren Ddu**
Dyrysien Bêr, *gw.* **Drysen Bêr**
Dyrysien Bêr Lleiaf, *gw.* **Rhoslwyn Pêr**
Dyryslwyn, *gw.* **Drysen Bêr**
Dyryslwyn, *gw.* **Mwyaren Ddu**
Ebolgarn, *gw.* **Carn yr Ebol**
Ebolgarn y Gerddi, *gw.* **Carn Ebol y Gerddi**
Ebolgarn y Môr, *gw.* **Taglys Arfor**
Ebolgarn y Tywod, *gw.* **Taglys Arfor**
Echryshaint, *gw.* **Arianllys**
Edafeddog .... *Filago vulgaris* (Common Cudweed)
Edafeddog Alpaidd .... *Gnaphalium norvegicum* (Highland Cudweed)
Edafeddog Benddu, *gw.* **Edafeddog Canghennog**
Edafeddog Berlaidd, *gw.* **Edafeddog Tlysog**
Edafeddog Blaengoch .... *Filagfo lutescens* (Red-tipped Cudweed)
Edafeddog Canghennog .... *Gnaphalium uliginosum* (Marsh Cudweed)
Edafeddog Coraidd y Mynydd .... *Gnaphalium supinum* (Dwarf Cudweed)
Edafeddog Culddail .... *Filago gallica* (Narrow-leaved Cudweed)
Edafeddog Fynyddig, *gw.* **Edafeddog y Mynydd**
Edafeddog Lwyd, *gw.* **Edafeddog**
Edafeddog Lwyd, *gw.* **Edafeddog Canghennog**
Edafeddog Lleiaf .... *Filago minima* (Small Cudweed)
Edafeddog Llydanddail .... *Filago pyramidata* (Broad-leaved Cudweed)
Edafeddog Melynwyn .... *Gnaphalium luteo-album* (Jersey Cudweed)
Edafeddog Tlysog .... *Anaphalis margaritacea* (Pearly Everlasting)
Edafeddog Unionsyth y Goedwig, *gw.* **Edafeddog y Rhosdir**
Edafeddog y Fawnog, *gw.* **Edafeddog Canghennog**
Edafeddog y Goedwig, *gw.* **Edafeddog y Rhosdir**
Edafeddog y Gors, *gw.* **Edafeddog Canghennog**
Edafeddog y Môr .... *Otanthus maritimus* (Cottonweed)
Edafeddog y Mynydd .... *Antennaria dioica* (Mountain Everlasting)
Edafeddog y Rhosdir .... *Gnaphalium sylvaticum* (Heath Cudweed)
Edafeddog Ysgaredig, *gw.* **Edafeddog y Mynydd**
Edelweiss Gwyddelig, *gw.* **Edafeddog y Mynydd**
Efa, *gw.* **Llwynhidydd Corn Carw**
Efrau .... *Lolium temulentum* (Darnel)
Efre, *gw.* **Efrau**
Efrwellt Parhaus, *gw.* **Rhygwellt Lluosflwydd**
Efryn, *gw.* **Rhygwellt Lluosflwydd**
Efryn Coliog, *gw.* **Efrau**
Efryn Cyffredin, *gw.* **Rhygwellt Lluosflwydd**
Efryn Parhaus, *gw.* **Rhygwellt Lluosflwydd**
Efwr .... *Heracleum sphondylium* (Hogweed)
Efwr Cyffredin, *gw.* **Efwr**
Efwr Enfawr .... *Heracleum mantegazzianum* (Giant Hogweed)
Efyrllys, *gw.* **Efwr**
Effros â Dail Blewog .... *Euphrasia ostenfeldii* [Northern Eyebright]

a, b, c, ch, d, dd, e, f, ff, g, ng, h, i, j, l, ll, m, n, o, p, ph, r, rh, s, t, th, u, w, y

Effros â Gwallt Byr .... *Euphrasia arctica* [Arctic Eyebright]
Effros Bach Gliniog .... *Euphrasia confusa* [Dwarf Eyebright]
Effros Blodau Bach Gludiog .... *Euphrasia rostkoviana* subsp. *rostkoviana* [Common
                                                                                    Eyebright]
Effros Culddail .... *Euphrasia salisburgensis* (Irish Eyebright)
Effros Chwareog Gwalltog .... *Euphrasia anglica* [English Eyebright]
Effros Eiddil y Fignen Fynyddig .... *Euphrasia scottica* [Scottish Eyebright]
Effros Gymraeg Cor, *gw.* **Coreffros Cymreig**
Effros yr Wyddfa .... *Euphrasia rivularis* [Snowdon Eyebright]
Egel, *gw.* **Bara'r Hwch**
Egfaenwydd, *gw.* **Draenen Wen**
Egfaenwydd, *gw.* **Draenen Ysbyddaden**
Eglyn, *gw.* **Eglyn Cyferbynddail**
Eglyn Bob yn Ail Ddail, *gw.* **Eglyn Cylchddail**
Eglyn Cyferbynddail .... *Chrysosplenium oppositifolium* (Opposite-leaved
                                                                                    Golden-saxifrage)
Eglyn Cylchddail .... *Chrysosplenium alternifolium* (Alternate-leaved
                                                                                    Golden-saxifrage)
Eglyn Melyn Cyffredin, *gw.* **Eglyn Cyferbynddail**
Egroes, *gw.* **Drysen Bêr**
Egroes, *gw.* **Rhosyn Coch Gwyllt**
Egroeswydd, *gw.* **Rhosyn Coch Gwyllt**
Egyllt, *gw.* **Blodyn Ymenyn**
Egyllt Balloglys, *gw.* **Crafanc yr Ŷd**
Egyllt Blewog, *gw.* **Crafanc y Frân Blewog**
Egyllt Cnapwreiddiog, *gw.* **Chwys Mair**
Egyllt Cochwyn, *gw.* **Crafanc Trillob**
Egyllt Cylchol-ddail .... *Ranunculus circinatus* (Fan-leaved Water-crowfoot)
Egyllt Dail Edafaidd .... *Ranunculus trichophyllus* (Thread-leaved
                                                                                    Water-crowfoot)
Egyllt Draenoglys, *gw.* **Crafanc yr Ŷd**
Egyllt Dwfrdrig, *gw.* **Egyllt y Rhosdir**
Egyllt Eiddewddail, *gw.* **Crafanc y Frân Eiddweddail**
Egyllt Eurdusw, *gw.* **Peneuraidd**
Egyllt Halltaidd, *gw.* **Egyllt y Mordir**
Egyllt Hirddail Afonaidd, *gw.* **Crafanc Hirddail**
Egyllt Newynog, *gw.* **Crafanc yr Ŷd**
Egyllt Nofiadol, *gw.* **Crafanc y Dŵr**
Egyllt y Coed, *gw.* **Peneuraidd**
Egyllt y Dŵr, *gw.* **Crafanc y Dŵr**
Egyllt y Frân Manflodeuog, *gw.* **Crafanc y Frân Manflodeuog**
Egyllt y Frân Syth-boethus y Gweunydd, *gw.* **Blodyn Ymenyn**
Egyllt y Gweunydd, *gw.* **Blodyn Ymenyn**
Egyllt y Llynnoedd, *gw.* **Crafanc Trillob**
Egyllt y Mordir .... *Ranunculus baudotii* (Brackish Water-crowfoot)
Egyllt y Rhosdir .... *Ranunculus omiophyllus* (Round-leaved Crowfoot)
Egyllt Ymlusgol, *gw.* **Crafanc y Frân**
Egyllt yr Ŷd, *gw.* **Crafanc yr Ŷd**
Eidral .... *Glechoma hederacea* (Ground-ivy)
Eidral Cyffredin, *gw.* **Eidral**
Eiddew, *gw.* **Iorwg**
Eiddew Cyffredin, *gw.* **Iorwg**
Eiddew y Llawr, *gw.* **Rhwyddlwyn Eiddewddail**
Eiddew'r Ddaear, *gw.* **Eidral**
Eiddiar, *gw.* **Grug**
Eiddil-welltyn Cynnar .... *Mibora minima* (Early Sand-grass)
Eiddiorwg, *gw.* **Iorwg**
Eigryn, *gw.* **Crydwellt**
Eilgorros .... *Loiseleuria procumbens* (Trailing Azalea)
Eilun, *gw.* **Troed-y-cyw Clymog**
Eilun Briweg .... *Minuartia sedoides* (Cyphel)
Eilunberllys .... *Petroselinum segetum* (Corn Parsley)
Eilunberllys, *gw.* **Troed-y-cyw Syth**
Eilunberllys, *gw.* **Troed-y-cyw Ymdaenol**
Eilunberllys Bychan .... *Caucalis platycarpos* (Small Bur-parsley)
Eilunberllys Mawr .... *Turgenia latifolia* (Greater Bur-parsley)
Eilunberllys Unionsyth, *gw.* **Troed-y-cyw Syth**
Eira'r Gors, *gw.* **Plu'r Gweunydd**

a, b, c, ch, d, dd, e, f, ff, g, ng, h, i, j, l, ll, m, n, o, p, ph, r, rh, s, t, th, u, w, y

Eirdlws, *gw.* **Eirlys**
Eiriaidd . . . . *Leucojum aestivum* (Summer Snowflake)
Eiriaidd y Gwanwyn . . . . *Leucojum vernum* (Spring Snowflake)
Eiriawl, *gw.* **Eirlys**
Eirin Berthi, *gw.* **Draenen Ddu**
Eirin Bwlaits, *gw.* **Eirinen Bulas**
Eirin Bwlas, *gw.* **Eirinen Bulas**
Eirin Duon Bach, *gw.* **Draenen Ddu**
Eirin Duon Tag, *gw.* **Draenen Ddu**
Eirin Ddu Fach, *gw.* **Draenen Ddu**
Eirin Gwion, *gw.* **Bloneg y Ddaear**
Eirin Gwion, *gw.* **Gwinwydden Ddu**
Eirin Gwlanog, *gw.* **Eirinen Wlanog**
Eirin Gwyllt, *gw.* **Eirinen**
Eirin Gwylltion, *gw.* **Eirinen Bulas**
Eirin Mair, *gw.* **Gwsberis**
Eirin Mân y Llwyni Gwylltion, *gw.* **Draenen Ddu**
Eirin Moch, *gw.* **Draenen Wen**
Eirin Sur Fach, *gw.* **Draenen Ddu**
Eirin Surion, *gw.* **Draenen Ddu**
Eirin Tagu, *gw.* **Draenen Ddu**
Eirin y Ci, *gw.* **Creulys Iago**
Eirin y Perthi, *gw.* **Draenen Ddu**
Eirinberth, *gw.* **Draenen Ddu**
Eirinbren Cyffredin, *gw.* **Eirinen**
Eirinen . . . . *Prunus domestica* (Wild Plum)
Eirinen-bêr, *gw.* **Eirinen**
Eirinen-bren, *gw.* **Eirinen**
Eirinen Fair, *gw.* **Gwsberis**
Eirinen Fulas . . . . *Prunus domestica* subsp. *insititia* (Bullace)
Eirinen Wlanog . . . . *Prunus persica* (Peach)
Eiriol, *gw.* **Eirlys**
Eirlys . . . . *Galanthus nivalis* (Snowdrop)
Eiryaid, *gw.* **Eiriaidd**
Eiryaidd, *gw.* **Eiriaidd**
Eiryfedig, *gw.* **Tafod y Gors**
Eiryfedig Wen, *gw.* **Tafod y Gors**
Eirynllys y Mynydd, *gw.* **Eurinllys Gwelw**
Eithin . . . . *Ulex europaeus* (Gorse)
Eithin Bêr, *gw.***Merywen**
Eithin Bigog, *gw.* **Eithin**
Eithin Bychan, *gw.* **Eithin Mân**
Eithin Ffreinig, *gw.* **Eithin**
Eithin Ffreinig, *gw.* **Eithin y Mynydd**
Eithin Mân . . . . *Ulex minor* (Dwarf Gorse)
Eithin Sbaen . . . . *Genista hispanica* (Spanish Gorse)
Eithin y Cwrw, *gw.* **Merywen**
Eithin y Fro, *gw.* **Eithin**
Eithin y Gath, *gw.* **Cracheithin**
Eithin y Mynydd . . . . *Ulex gallii* (Western Gorse)
Eithin yr Iâr, *gw.* **Cracheithin**
Eithin yr Ieir, *gw.* **Cracheithin**
Eithin yr Ieir, *gw.* **Tagaradr**
Eithinen, *gw.* **Eithin**
Eithinen Bêr, *gw.* **Merywen**
Eithinen Ffrengig, *gw.* **Eithin**
Eithinen Goraidd, *gw.* **Eithin Mân**
Eithinen y Cwrw, *gw.* **Merywen**
Eithinen yr Iâr, *gw.* **Cracheithin**
Elebwr, *gw.* **Palf yr Arth Ddrewedig**
Elestr, *gw.* **Iris Felen**
Elestr y Maes, *gw.* **Clych Enid**
Elinog, *gw.* **Codwarth Caled**
Elinog Goch, *gw.* **Coesgoch**
Elisandyr, *gw.* **Dulys**
Ellast, *gw.* **Ysgallen Siarl**
Ellast Cyffredin, *gw.* **Ysgallen Siarl**
Ellast y Bryniau, *gw.* **Ysgallen Siarl**

Enfys y Gors, *gw.* **Iris Felen**
Engraff .... *Butomus umbellatus* (Flowering-rush)
Erbin Bach .... *Clinopodium calamintha* (Lesser Calamint)
Erbin Cyffredin .... *Clinopodium ascendens* (Common Calamint)
Erbin y Coed .... *Clinopodium menthifolium* (Wood Calamint)
Erchwaint, *gw.* **Erwain**
Erchwraid, *gw.* **Erwain**
Erchwreid, *gw.* **Erwain**
Erfin, *gw.* **Erfinen Wyllt**
Erfinen, *gw.* **Erfinen Wyllt**
Erfinen Fair, *gw.* **Gwinwydden Ddu**
Erfinen Wyllt .... *Brassica rapa* (Wild Turnip)
Erfinen y Coed, *gw.* **Gwinwydden Ddu**
Erfinen yr Ŷd, *gw.* **Rêp**
Erinllis, *gw.* **Eurinllys Gwelw**
Erinllys, *gw.* **Eurinllys Gwelw**
Erinllys Gorweddol, *gw.* **Eurinllys Mân Ymdaenol**
Erinllys Mân Syth, *gw.* **Eurinllys Tlws**
Erinllys Mân Ymdaenol, *gw.* **Eurinllys Mân Ymdaenol**
Erinllys Mawr, *gw.* **Eurinllys Mawr**
Erinllys Pedrongl, *gw.* **Eurinllys Pedronglog**
Erllyriad, *gw.* **Llwynhidydd Corn Carw**
Erllysg, *gw.* **Perfagl Mwyaf**
Erllysg Fwyaf, *gw.* **Perfagl Mwyaf**
Erllysg Lleiaf, *gw.* **Perfagl**
Erwain .... *Filipendula ulmaria* (Meadowsweet)
Erwain Helygddail .... *Spiraea salicifolia* (Bridewort)
Erwaint, *gw.* **Erwain**
Esgalonia .... *Escallonia macrantha* (Escallonia)
Esgid Fair .... *Cypripedium calceolus* (Lady's-slipper)
Esgid Mair, *gw.* **Cwcwll y Mynach**
Esgid y Gog, *gw.* **Fioled y Cŵn**
Esgidiau a Hosanau'r Gog, *gw.* **Blodyn y Gog**
Esgidiau a Sanau, *gw.* **Pysen y Ceirw**
Esgidiau a Sanau y Gog, *gw.* **Gwiolydd Gyffredin**
Esgidiau'r Gog, *gw.* **Fioled Bêr**
Esgoblys .... *Ammi majus* (Bullwort)
Esgorllys Bychan, *gw.* **Afal Daear**
Esgorllys Crwn, *gw.* **Afal Daear**
Esgynnydd, *gw.* **Cedw Gwyllt**
Estyllenlys, *gw.* **Llwynhidydd**
Euad, *gw.* **Penigan Gwyryfaidd**
Eurberth, *gw.* **Gwsberis**
Eurbys, *gw.* **Ffugbysen Felen Arw-godog**
Eurdrain .... *Berberis vulgaris* (Barberry)
Eurdrain Mwyaf .... *Berberis glaucocarpa* (Great Barberry)
Eurddanadl Felen, *gw.* **Marddanhadlen Felen**
Eurddanadlen, *gw.* **Marddanhadlen Felen**
Eurddraen, *gw.* **Gwsberis**
Eurddraenen, *gw.* **Gwsberis**
Eurddraenen Ddu, *gw.* **Rhyfon Duon**
Eurddynadlen, *gw.* **Marddanhadlen Felen**
Eurfanadl, *gw.* **Melynog y Waun**
Eurinlys Bendigaid, *gw.* **Dail y Beiblau**
Eurinlys-mân-syth, *gw.* **Eurinllys Tlws**
Eurinllys Blewog .... *Hypericum hirsutum* (Hairy St John's-wort)
Eurinllys Blodaufawr, *gw.* **Rhosyn Saron**
Eurinllys Blodeufawr, *gw.* **Rhosyn Saron**
Eurinllys Culddeiliog .... *Hypericum linarifolium* (Toadflax-leaved St
                                                  John's-wort)
Eurinllys Drewllyd .... *Hypericum hircinum* (Stinking Tutsan)
Eurinllys Gwelw .... *Hypericum montanum* (Pale St John's-wort)
Eurinllys Gwyddelig .... *Hypericum canadense* (Irish St John's-wort)
Eurinllys Mân Syth, *gw.* **Eurinllys Tlws**
Eurinllys Mân Ymdaenol .... *Hypericum humifusum* (Trailing St Johns-wort)
Eurinllys Mawr .... *Hypericum maculatum* (Imperforate St John's-wort)
Eurinllys Mynyddig, *gw.* **Eurinllys Gwelw**
Eurinllys Mynyddol, *gw.* **Eurinllys Gwelw**

Eurinllys Panog, *gw.* **Eurinllys Blewog**
Eurinllys Pedrongl, *gw.* **Eurinllys Pedronglog**
Eurinllys Pedronglog .... *Hypericum tetrapterum* (Square-stalked St
                                       John's-wort)
Eurinllys Syth, *gw.* **Eurinllys Tlws**
Eurinllys Tal .... *Hypericum × inodorum* (Tall Tutsan)
Eurinllys Tlws .... *Hypericum pulchrum* (Slender St John's-wort)
Eurinllys Tonnog-ddail .... *Hypericum undulatum* (Wavy St John's-wort)
Eurinllys Trydwll .... *Hypericum perforatum* (Perforate St John's-wort)
Eurinllys Tyllog, *gw.* **Eurinllys Trydwll**
Eurinllys y Gors .... *Hypericum elodes* (Marsh St John's-wort)
Eurinllys y Mynydd, *gw.* **Eurinllys Gwelw**
Eurinllys Ymdaenol, *gw.* **Eurinllys Mân Ymdaenol**
Eurlys, *gw.* **Ffugbysen Felen Arw-godog**
Eurllys, *gw.* **Helys Can**
Euron, *gw.* **Tresi Aur**
Eurwellt, *gw.* **Perwellt y Gwanwyn**
Eurwernen, *gw.* **Pisgwydden**
Eurwernen, *gw.* **Pisgwydden Deilen Fawr**
Eurwialen .... *Solidago virgaurea* (Goldenrod)
Eurwialen Canada .... *Solidago canadensis* (Canadian Goldenrod)
Eurwialen Gyffredin, *gw.* **Eurwialen**
Eurwialen Gynnar .... *Solidago gigantea* (Early Goldenrod)
Eurwialen Melyneuraidd, *gw.* **Eurwialen**
Eurwialen yr Ardd .... *Solidago rugosa* (Rough-stemmed Goldenrod)
Ewffrus, *gw.* **Effros**
Ewinedd y Gath, *gw.* **Llwynau'r Fagwyr**
Ewinedd y Gath, *gw.* **Pysen y Ceirw**
Ewinedd yr Aderyn, *gw.* **Troed yr Aderyn**
Ewnof, *gw.* **Pedol y March**
Ewnof Gwyllt, *gw.* **Pedol y March**
Ewnofiau Gwyllt, *gw.* **Pedol y March**
Ewnofiau Gwylltion, *gw.* **Pedol y March**
Ewr, *gw.* **Efwr**
F'anwylyd, *gw.* **Mapgoll**
Falerian, *gw.* **Triaglog**
Farfyg, *gw.* **Ffa'r Moch**
Ferfaen, *gw.* **Briw'r March**
Feronica Cyffredin, *gw.* **Rhwyddlwyn Meddygol**
Fioled Bêr .... *Viola odorata* (Sweet Violet)
Fioled Dauwynebog, *gw.* **Trilliw**
Fioled Fechan .... *Viola kitaibeliana* (Dwarf Pansy)
Fioled Felen, *gw.* **Fioled y Mynydd**
Fioled Felen Aeaf, *gw.* **Blodyn y Fagwyr**
Fioled Flewog, *gw.* **Gwiolydd Flewog**
Fioled Fraith, *gw.* **Trilliw**
Fioled Gorniog .... *Viola cornuta* (Horned Pansy)
Fioled Trilliw, *gw.* **Trilliw**
Fioled y Cŵn .... *Viola canina* (Heath Dog-violet)
Fioled y Dŵr, *gw.* **Pluddalen**
Fioled y Fignen .... *Viola persicifolia* (Fen Violet)
Fioled y Gors .... *Viola palustris* (Marsh Violet)
Fioled y Graig .... *Viola rupestris* (Teesdale Violet)
Fioled y Mynydd .... *Viola lutea* (Mountain Pansy)
Fiolet y Gwrych, *gw.* **Fioled y Cŵn**
Fiolydd y Cŵn, *gw.* **Fioled y Cŵn**
Fiolydd y Neidr, *gw.* **Fioled y Cŵn**
Ffacbys, *gw.* **Ffugbysen y Wig**
Ffacbys Chwerw, *gw.* **Pysen y Coed**
Ffacbys y Gwanwyn, *gw.* **Ffugbysen y Gwanwyn**
Ffacbys y Wig, *gw.* **Ffugbysen y Wig**
Ffacbysen y Berth, *gw.* **Tagwyg Bysen**
Ffacbysen y Weirglodd, *gw.* **Ytbysen y Ddôl**
Ffacbysen y Wig, *gw.* **Ffugbysen y Wig**
Ffaen .... *Vicia faba* (Broad Bean)
Ffaen Ddringo .... *Phaseolus coccineus* (Runner Bean)
Ffaen Ffrengig .... *Phaseolus vulgaris* (French Bean)
Ffaen Gors Eddiog .... *Nymphoides peltata* (Fringed Water-lily)

Ffaen Soya .... *Glycine max* (Soya-bean)
Ffaen Taliesin, *gw.* **Berwr Taliesin**
Ffaen y Gors, *gw.* **Ffa'r Gors**
Ffaen y Gors Teirdalen, *gw.* **Ffa'r Gors**
Ffaen y Moch, *gw.* **Ffa'r Moch**
Ffaflys, *gw.* **Ffa'r Moch**
Ffagbysen y Wig, *gw.* **Ffugbysen y Wig**
Ffanigl, *gw.* **Ffenigl**
Ffa'r Corsydd, *gw.* **Ffa'r Gors**
Ffa'r Gors .... *Menyanthes trifoliata* (Bogbean)
Ffa'r Gors Teirdalen, *gw.* **Ffa'r Gors**
Ffa'r Ieir, *gw.* **Pysen y Ceirw Fwyaf**
Ffa'r Moch .... *Hyoscyamus niger* (Henbane)
Ffarwel Haf, *gw.* **Blodyn Mihangel**
Ffarwel Haf, *gw.* **Blodyn y Fagwyr**
Ffarwel Haf, *gw.* **Seren y Morfa**
Ffawydden .... *Fagus sylvatica* (Beech)
Ffedog y Forwyn, *gw.* **Blodyn y Gog**
Ffenigl .... *Foeniculum vulgare* (Fennel)
Ffenigl Arfor .... *Tripleurospermum maritimum* (Sea Mayweed)
Ffenigl Cochion, *gw.* **Ffenigl y Cŵn**
Ffenigl Cyffredin, *gw.* **Ffenigl**
Ffenigl Helen Lueddog .... *Meum athamanticum* (Spignel)
Ffenigl Rhuddion, *gw.* **Ffenigl y Cŵn**
Ffenigl Trymsawr, *gw.* **Ffenigl**
Ffenigl Trymsawr, *gw.* **Llys y Gwewyr**
Ffenigl y Cŵn .... *Tripleurospermum inodorum* (Scentless Mayweed)
Ffenigl y Cŵn, *gw.* **Amranwen**
Ffenigl y Moch, *gw.* **Fffenigl yr Hwch**
Ffenigl y Moch, *gw.* **Pyglys**
Ffenigl y Môr, *gw.* **Corn Carw'r Môr**
Ffenigl yr Hwch .... *Silaum silaus* (Pepper-saxifrage)
Ffenigl yr Hwch, *gw.* **Pyglys**
Ffetur, *gw.* **Ceirchwellt Gwyllt y Gwanwyn**
Ffidilwar .... *Amsinckia micrantha* (Common Fiddleneck)
Ffidilwar Blewog .... *Amsinckia lycopsoides* (Scarce Fiddleneck)
Ffigysbren .... *Ficus carica* (Fig)
Ffigysen Binc .... *Carpobrotus acinaciformis* (Sally-my-handsome)
Ffigysen Felen .... *Carpobrotus edulis* (Hottentot-fig)
Ffiol-redynen Ddeintiog, *gw.* **Rhedynen Frau**
Ffiol y Ffridd, *gw.* **Bysedd y Cŵn**
Ffiolredynen Arfor .... *Cystopteris dickieana* (Dickie's Bladder-fern)
Ffiolredynen y Mynydd .... *Cystopteris montana* (Mountain Bladder-fern)
Ffiolys .... *Sarracenia purpurea* (Pitcherplant)
Ffiolys Melyn .... *Sarracenia flava* (Trumpets)
Ffion Ffrith, *gw.* **Bysedd y Cŵn**
Ffion y Ffridd, *gw.* **Bysedd y Cŵn**
Ffiwsia, *gw.* **Ffwsia**
Fflam yr Haul, *gw.* **Llaeth Ysgyfarnog**
Fflamgoed, *gw.* **Llaeth Ysgyfarnog**
Fflamgoed Eiddil Flaenfain, *gw.* **Fflamgoed Fach yr Ŷd**
Fflamgoed Fach yr Ŷd .... *Euphorbia exigua* (Dwarf Spurge)
Fflamgoed Fechan, *gw.* **Llaeth y Cythraul**
Fflamgoed Ganghenddail, *gw.* **Llaeth Blaidd**
Fflamgoed Gaperol, *gw.* **Llysiau y Cyfog**
Fflamgoed Gedrol, *gw.* **Fflamgoed Gyprysol**
Fflamgoed Gwigoedd, *gw.* **Llaethlys y Coed**
Fflamgoed Gwrel .... *Euphorbia corallioides* (Coral Spurge)
Fflamgoed Gyprysol .... *Euphorbia cyparissias* (Cypress Spurge)
Fflamgoed Lydanddail .... *Euphorbia platyphyllos* (Broad-leaved Spurge)
Fflamgoed Ruddlas .... *Euphorbia peplis* (Purple Spurge)
Fflamgoed Wyddelig .... *Euphorbia hyberna* (Irish Spurge)
Fflamgoed y Coed, *gw.* **Llaethlys y Coed**
Fflamgoed y Morgreigiau, *gw.* **Llaethlys Portland**
Fflamgoed y Tywod, *gw.* **Llaethlys Portland**
Ffon y Bugail .... *Dipsacus pilosus* (Small Teasel)
Ffon y Bugail, *gw.* **Ffa'r Moch**
Ffon y Plant, *gw.* **Cynffon y Gath Gulddail**

Ffon y Plant, *gw.* **Cynffon y Gath**
Ffrils y Merched, *gw.* **Carpiog y Gors**
Ffromlys .... *Impatiens noli-tangere* (Touch-me-not Balsam)
Ffromlys Bach .... *Impatiens parviflora* (Small Balsam)
Ffromlys Chwarennog, *gw.* **Jac y Neidiwr**
Ffromlys Melyn Bychanflodeuog, *gw.* **Ffromlys Bach**
Ffromlys Melyn Gwyllt, *gw.* **Ffromlys**
Ffromlys Oren .... *Impatiens capensis* (Orange Balsam)
Ffrwyth Beiliaid, *gw.* **Cyngaf Mawr**
Ffrydlys, *gw.* **Claerlys**
Ffucbysen y Cloddiau, *gw.* **Ffugbysen y Cloddiau**
Ffug-acesia .... *Robinia pseudoacacia* (False-acacia)
Ffug-hesgen .... *Kobresia simpliciuscula* (False Sedge)
Ffugbaladr Trwyddo .... *Bupleurum subovatum* (False Thorow-wax)
Ffugbys Cyffredin, *gw.* **Ffugbysen Faethol**
Ffugbys y Clawdd, *gw.* **Ffugbysen y Cloddiau**
Ffugbysen Cymysgryw, *gw.* **Ffugbysen Felen Flewog**
Ffugbysen Faethol .... *Vicia sativa* subsp. *sativa* (Common Vetch)
Ffugbysen Faethol Gyffredin, *gw.* **Ffugbysen Gulddail Ruddog**
Ffugbysen Feinddail .... *Vicia tenuifolia* (Fine-leaved Vetch)
Ffugbysen Felen Arw-godog .... *Vicia lutea* (Yellow-vetch)
Ffugbysen Felen Flewog .... *Vicia hybrida* (Hairy Yellow-vetch)
Ffugbysen Fer-godog .... *Vicia cassubica* (Danzig Vetch)
Ffugbysen Goronog .... *Coronilla varia* (Crown Vetch)
Ffugbysen Gulddail Ruddog .... *Vicia sativa* subsp. *nigra* (Narrow-leaved Vetch)
Ffugbysen Ruddlas Arw-godog .... *Vicia bithynica* (Bithynian Vetch)
Ffugbysen Wyllt, *gw.* **Ffugbysen Gulddail Ruddog**
Ffugbysen y Cloddiau .... *Vicia sepium* (Bush Vetch)
Ffugbysen y Gwanwyn .... *Vicia lathyroides* (Spring Vetch)
Ffugbysen y Wig .... *Vicia sylvatica* (Wood Vetch)
Ffugbysen yr Âr .... *Vicia villosa* (Fodder Vetch)
Ffuglys y Dryw .... *Aremonia agrimonioides* (Bastard Agrimony)
Ffugwlyddyn .... *Galium spurium* (False Cleavers)
Ffunell, *gw.* **Ffenigl**
Ffuon Cochaf, *gw.* **Bysedd y Cŵn**
Ffwgws, *gw.* **Mwglys**
Ffwsia .... *Fuchsia magellanica* (Fuchsia)
Ffynidwydd, *gw.* **Pinwydden yr Alban**
Ffynidwydd-fwsogl, *gw.* **Cnwpfwsogl Mawr**
Ffynidwydden, *gw.* **Pinwydden yr Alban**
Ffynidwydden Arian .... *Abies alba* (European Silver-fir)
Ffynidwydden Douglas .... *Pseudotsuga menziesii* (Douglas Fir)
Ffynidwydden Fawr .... *Abies grandis* (Giant Fir)
Ffynidwydden Gaucasaidd .... *Abies nordmanniana* (Caucasian Fir)
Ffynidwydden Urddasol .... *Abies procera* (Noble Fir)
Ffynwewyr Ellyllon, *gw.* **Cynffon y Gath**
Ffynwewyr Ellyllon, *gw.* **Cynffon y Gath Gulddail**
Ffynwewyr y Plant, *gw.* **Cynffon y Gath**
Ffynwewyr y Plant, *gw.* **Cynffon y Gath Gulddail**
Galinsoga .... *Galinsoga parviflora* (Gallant Soldier)
Galinsoga Blewog .... *Galinsoga quadriradiata* (Shaggy Soldier)
Gannwreid, *gw.* **Wermod Lwyd**
Garanbig Bychan, *gw.* **Pig yr Aran Mânflodeuog**
Garanbig Dorredig, *gw.* **Pig yr Aran Llarpiog**
Garanbig Llachar, *gw.* **Pig yr Aran Disglair**
Garanbig Maswaidd, *gw.* **Troed y Golomen**
Garanbig y Weirglodd, *gw.* **Pig yr Aran y Weirglodd**
Garlleg .... *Allium sativum* (Garlic)
Garlleg Ferwr, *gw.* **Garlleg y Berth**
Garlleg Ferwy, *gw.* **Garlleg y Berth**
Garlleg Gwridog .... *Allium roseum* (Rosy Garlic)
Garlleg Gwyllt .... *Allium vineale* (Wild Onion)
Garlleg Mawr Pengrwn, *gw.* **Cenhinen Wyllt**
Garlleg Mynyddig .... *Allium carinatum* (Keeled Garlic)
Garlleg Rhesog y Maes .... *Allium oleraceum* (Field Garlic)
Garlleg y Berth .... *Alliaria petiolata* (Garlic Mustard)
Garlleg y Brain, *gw.* **Garlleg Gwyllt**
Garlleg y Geifr, *gw.* **Craf y Geifr**

Garllegog, *gw.* **Garlleg y Berth**
Gauberllys .... *Aethusa cynapium* (Fool's Parsley)
Gauferwr .... *Sisymbrium loeselii* (False London-rocket)
Gaugamri .... *Boltonia asteroides* (False Chamomile)
Gaugeiriosen .... *Prunus cerasifera* (Cherry Plum)
Gauhelogan, *gw.* **Dulys**
Gedawrach, *gw.* **Codwarth Du**
Gedor-wrach, *gw.* **Llysiau Steffan**
Gedor-wrach Wenwynllyd, *gw.* **Ceirios y Gŵr Drwg**
Gedorwrach, *gw.* **Codwarth Du**
Gefell-lys Dwy-ddalenog, *gw.* **Gefell-lys y Fignen**
Gefell-lys y Fignen .... *Liparis loeselii* (Fen Orchid)
Gefell-lys y Gors .... *Hammarbya paludosa* (Bog Orchid)
Gefellas Wyawg, *gw.* **Ceineirian**
Gefellflodyn .... *Linnaea borealis* (Twinflower)
Gelaets, *gw.* **Iris Felen**
Gelyn y Cler, *gw.* **Gludlys Nos-flodeuol**
Gelyn yr Og, *gw.* **Tagaradr**
Gelyst, *gw.* **Iris Felen**
Gellaig, *gw.* **Gellygen**
Gelleigen, *gw.* **Gellygen**
Gellesgen, *gw.* **Iris Felen**
Gellesgen Bêr .... *Acorus calamus* (Sweet-flag)
Gellesgen Beraroglaidd, *gw.* **Gellesgen Bêr**
Gellesgen Gyffredin, *gw.* **Iris Felen**
Gellhesgen, *gw.* **Iris Felen**
Gellhesgen Beraroglaidd, *gw.* **Gellesgen Bêr**
Gellhesgen Perarogl, *gw.* **Gellesgen Bêr**
Gellygbren, *gw.* **Gellygen**
Gellygen .... *Pyrus communis* (Pear)
Gellygen Plymouth .... *Pyrus cordata* (Plymouth Pear)
Gellygen Wyllt .... *Pyrus pyraster* (Wild Pear)
Geuberllys, *gw.* **Gauberllys**
Geulin y Forwyn .... *Thesium humifusum* (Bastard-toadflax)
Geuperwraidd, *gw.* **Llaethwyg**
Gewynllys, *gw.* **Celynnen Fair**
Gieulys, *gw.* **Celynnen Fair**
Gingroen, *gw.* **Pidyn Drewllyd**
Gingroen Bychan .... *Chaenorhinum minus* (Small Toadflax)
Gingroen Cochlas .... *Linaria purpurea* (Purple Toadflax)
Gingroen Fechan, *gw.* **Llin y Llyffant**
Gingroen Glasgoch, *gw.* **Gingroen Cochlas**
Gingroen Gorweddol .... *Linaria supina* (Prostrate Toadflax)
Gingroen Gwelw .... *Linaria repens* (Pale Toadlfax)
Gingroen Hirsbardun .... *Linaria pelisseriana* (Jersey Toadflax)
Gingroen Melyn, *gw.* **Llin y Llyffant**
Gingroen Porffor Gwelw, *gw.* **Gingroen Gwelw**
Gingroen y Tywod .... *Linaria arenaria* (Sand Toadflax)
Gith, *gw.* **Bulwg yr Ŷd**
Githran .... *Sison amomum* (Stone Parsley)
Githran, *gw.* **Githrog**
Githrog .... *Trinia glauca* (Honewort)
Githrog, *gw.* **Githran**
Gladiolus .... *Gladiolus illyricus* (Wild Gladiolus)
Glas, *gw.* **Llysiau'r Lliw**
Glas y Ffrwd, *gw.* **Ysgorpionllys y Gors**
Glas y Gaeaf, *gw.* **Clust yr Ewig**
Glas y Gors, *gw.* **Ysgorpionllys y Gors**
Glas y Gors Ymlusgol, *gw.* **Ysgorpionllys Ymlusgaidd**
Glas y Graean .... *Echium vulgare* (Viper's-bugloss)
Glas y Llwyn, *gw.* **Clychau'r Gog**
Glas yr Heli .... *Glaux maritima* (Sea-milkwort)
Glasdonen, *gw.* **Derwen Fythwyrdd**
Glasddu, *gw.* **Llysiau'r Lliw**
Glaslys, *gw.* **Llysiau'r Lliw**
Glasnoden y Môr, *gw.* **Gwellt y Gamlas**
Glastonnen, *gw.* **Derwen Fythwyrdd**
Glaswellt Llygatlas .... *Sisyrinchium bermudiana* (Blue-eyed-grass)

Glaswellt Main y Waun, *gw.* **Brigwellt Cudynnog**
Glaswellt Melynlygad .... *Sisyrinchium californicum* (Yellow-eyed-grass)
Glaswellt y Bwla, *gw.* **Glaswellt y Gweunydd**
Glaswellt y Cŵn, *gw.* **Marchwellt**
Glaswellt y Dŵr .... *Glyceria fluitans* (Floating Sweet-grass)
Glaswellt y Gweunydd .... *Molinia caerulea* (Purple Moor-grass)
Glaswellt y Rhos .... *Danthonia decumbens* (Heath-grass)
Glaswellt y Tywod, *gw.* **Moresg**
Glaswenwyn, *gw.* **Tamaid y Cythraul**
Glaswydd, *gw.* **Llwyfen Lydanddail**
Glesin y Clawdd, *gw.* **Llys y Gwrid**
Glesyn Cernyw .... *Ajuga genevensis* (Cornish Bugle)
Glesyn Cyffredin, *gw.* **Tafod y Fuwch**
Glesyn Cyffredin y Gaeaf, *gw.* **Coedwyrdd Bychan**
Glesyn Gwelw .... *Ajuga pyramidalis* (Pyramidal Bugle)
Glesyn y Coed .... *Ajuga reptans* (Bugle)
Glesyn y Gaeaf, *gw.* **Coedwyrdd Bychan**
Glesyn y Morlan, *gw.* **Llys y Llymarch**
Glesyn y Mynydd, *gw.* **Glesyn y Coed**
Glesyn y Wiber, *gw.* **Glas y Graean**
Gliniogai .... *Melampyrum pratense* (Common Cow-wheat)
Gliniogai Cribog .... *Melampyrum cristatum* (Crested Cow-wheat)
Gliniogai Cyffredin, *gw.* **Gliniogai**
Gliniogai Melyn, *gw.* **Gliniogai**
Gliniogai Melyn y Coed, *gw.* **Gliniogai'r Coed**
Gliniogai'r Coed .... *Melampyrum sylvaticum* (Small Cow-wheat)
Gliniogai'r Maes .... *Melampyrum arvense* (Field Cow-wheat)
Gloria, *gw.* **Iris Ddrewllyd**
Glöyn Byw y Rhos, *gw.* **Tegeirian Llydanwyrdd**
Gloywlys, *gw.* **Effros**
Gloywlys Eiddil Cyffredin .... *Euphrasia micrantha* (Common Slender Eyebright)
Gludiog, *gw.* **Clust Llygoden Llydanddail**
Gludiog Coch, *gw.* **Lluglys Gludiog**
Gludlys Amryliw .... *Silene gallica* (Small-flowered Catchfly)
Gludlys Arfor .... *Silene uniflora* (Sea Campion)
Gludlys Brutanaidd, *gw.* **Gludlys Amryliw**
Gludlys Coch .... *Silene dioica* (Red Campion)
Gludlys Codrwth .... *Silene vulgaris* (Bladder Campion)
Gludlys Crynswth .... *Silene armeria* (Sweet-William Catchfly)
Gludlys Cyffredin, *gw.* **Gludlys Codrwth**
Gludlys Cyffredin, *gw.* **Gludlys Crynswth**
Gludlys Fforchog .... *Silene dichotoma* (Forked Catchfly)
Gludlys Gogwyddol .... *Silene nutans* (Nottingham Catchfly)
Gludlys Gwyn .... *Silene latifolia* (White Campion)
Gludlys Hwyrol, *gw.* **Gludlys Gwyn**
Gludlys Mwsogl, *gw.* **Gludlys Mwsoglyd**
Gludlys Mwsoglyd .... *Silene acaulis* (Moss Campion)
Gludlys Nos-flodeuol .... *Silene noctiflora* (Night-flowering Catchfly)
Gludlys Nos-flodeuol Peraroglaidd, *gw.* **Gludlys Nos flodeuol**
Gludlys Pengogwyddawl, *gw.* **Gludlys Gogwyddol**
Gludlys Rheianog, *gw.* **Gludlys Rhesog**
Gludlys Rhesenog, *gw.* **Gludlys Rhesog**
Gludlys Rhesog .... *Silene conica* (Sand Catchfly)
Gludlys yr Eidal .... *Silene italica* (Italian Catchfly)
Gludlys Ysbaenaidd .... *Silene otites* (Spanish Catchfly)
Glyf Gyffredin, *gw.* **Hocysen Gyffredin**
Glyf Mwsgaidd, *gw.* **Hocysen Fŵs**
Glys, *gw.* **Llwynau'r Fagwyr**
Glyserin, *gw.* **Llwynau'r Fagwyr**
Godowydd, *gw.* **Lili Ddŵr Felen**
Godrwth, *gw.* **Meillionen y Ceirw**
Godwallon Fawr, *gw.* **Eurinllys Mawr**
Godwllon, *gw.* **Eurinllys Mawr**
Godwllon Mawr, *gw.* **Eurinllys Mawr**
Godwyllon, *gw.* **Eurinllys Mawr**
Godwyllon Fawr, *gw.* **Eurinllys Mawr**
Godywydd, *gw.* **Lili Ddŵr Wen**

Goegberllys, *gw.* **Gauberllys**
Goferini, *gw.* **Llysiau Taliesyn**
Goferwlydd yr Ŷd, *gw.* **Ysgorpionllys y Meysydd**
Golaeth, *gw.* **Gwylaeth**
Golaeth, *gw.* **Gwylaeth Bigog**
Golaeth, *gw.* **Gwylaeth Chwerwaidd**
Golchenid, *gw.* **Glesyn y Coed**
Golchenid Cyffredin, *gw.* **Glesyn y Coed**
Golcheuraid, *gw.* **Clust yr Arth**
Golcheuraid y Coed, *gw.* **Clust yr Arth**
Golchwraidd, *gw.* **Clust yr Arth**
Golchwraidd, *gw.* **Tafod y Gors**
Golchyddes, *gw.* **Clust yr Arth**
Gold, *gw.* **Melyn yr Ŷd**
Gold Mair, *gw.* **Melyn Mair**
Gold Mair, *gw.* **Melyn y Gors**
Gold Mair, *gw.* **Melyn yr Ŷd**
Gold y Gors, *gw.* **Melyn y Gors**
Gold y Môr .... *Aster linosyris* (Goldilocks Aster)
Gold yr Ŷd, *gw.* **Melyn yr Ŷd**
Goleudrem, *gw.* **Effros**
Golt, *gw.* **Melyn yr Ŷd**
Golwg Crist, *gw.* **Saets Gwyllt**
Golyglys, *gw.* **Effros**
Gorchwraidd, *gw.* **Saets Gwyllt**
Gorchwyraid, *gw.* **Saets Gwyllt**
Gorchwyrydd, *gw.* **Saets Gwyllt**
Gorddawn, *gw.* **Rhutain**
Gorddawn y Muriau, *gw.* **Duegredynen y Muriau**
Gorddon, *gw.* **Rhutain**
Goreunerth, *gw.* **Gornerth**
Goreunerth y Dŵr, *gw.* **Gornerth y Dŵr**
Gorfanadl, *gw.* **Gorfanc Mwyaf**
Gorfanc ar Eiddew, *gw.* **Gorfanc Eiddew**
Gorfanc Briwydd .... *Orobanche caryophyllacea* (Bedstraw Broomrape)
Gorfanc Canghennog .... *Orobanche ramosa* (Hemp Broomrape)
Gorfanc Coch .... *Orobanche alba* (Thyme Broomrape)
Gorfanc Eiddew .... *Orobanche hederae* (Ivy Broomrape)
Gorfanc Glasgoch .... *Orobanche purpurea* (Yarrow Broomrape)
Gorfanc Gwalchlys .... *Orobanche artemisiae-campestris* (Oxtongue Broomrape)
Gorfanc Hir .... *Orobanche elatior* (Knapweed Broomrape)
Gorfanc Lleiaf .... *Orobanche minor* (Common Broomrape)
Gorfanc Moron .... *Orobanche minor* var. *maritima* (Carrot Broomrape)
Gorfanc Mwyaf .... *Orobanche rapum-genistae* (Greater Broomrape)
Gorfanc Ysgall .... *Orobanche reticulata* (Thistle Broomrape)
Gorferini, *gw.* **Llysiau Taliesyn**
Gorhadog .... *Polycarpon tetraphyllum* (Four-leaved Allseed)
Gorhadog, *gw.* **Gorhilig**
Gorhilig .... *Radiola linoides* (Allseed)
Gorhilig, *gw.* **Gorhadog**
Gornerth .... *Scrophularia nodosa* (Common Figwort)
Gornerth Felen, *gw.* **Gornerth Melyn**
Gornerth Ffrengig .... *Scrophularia canina* (French Figwort)
Gornerth Gorllewinol .... *Scrophularia umbrosa* (Green Figwort)
Gornerth Gwenynddail .... *Scrophularia scorodonia* (Balm-leaved Figwort)
Gornerth Melyn .... *Scrophularia vernalis* (Yellow Figwort)
Gornerth y Dŵr .... *Scrophularia auriculata* (Water Figwort)
Gorthyfail .... *Anthriscus sylvestris* (Cow Parsley)
Gorthyfail Cyffredin .... *Anthriscus caucalis* (Bur Chervil)
Gorthyfail Garw, *gw.* **Perllys y Perthi**
Gorthyfail Llyfn, *gw.* **Gorthyfail**
Gorthyfail y Gerddi .... *Anthriscus cerefolium* (Garden Chervil)
Gorudd .... *Odontites vernus* (Red Bartsia)
Gorudd Cyffredin, *gw.* **Gorudd**
Gorudd Melyn .... *Parentucellia viscosa* (Yellow Bartsia)
Graban Deir-rhan, *gw.* **Graban Deiran**
Graban Deiran .... *Bidens tripartita* (Trifid Bur-marigold)

---

a, b, c, ch, d, dd, e, f, ff, g, ng, h, i, j, l, ll, m, n, o, p, ph, r, rh, s, t, th, u, w, y

Graban Ogwydd .... *Bidens cernua* (Nodding Bur-marigold)
Graban Palfogddail, *gw.* **Graban Deiran**
Graban yr Ŷd, *gw.* **Melyn yr Ŷd**
Graeanllys y Dŵr .... *Veronica anagallis-aquatica* (Blue Water-speedwell)
Graeanllys y Dŵr Glaswelw, *gw.* **Graeanllys y Dŵr**
Graeanllys y Dŵr Rhuddgoch .... *Veronica catenata* (Pink Water-speedwell)
Gramedog Fwyaf, *gw.* **Pengaled Mawr**
Grawn y Llew, *gw.* **Maenhad yr Âr**
Grawn y Perthi, *gw.* **Bloneg y Ddaear**
Grawn y Perthi, *gw.* **Gwinwydden Ddu**
Grawn yr Haul, *gw.* **Maenhad Meddygol**
Grawn yr Ŷd, *gw.* **Maenhad yr Âr**
Grawn yr Ysbyddad, *gw.* **Draenen Wen**
Grawnafal .... *Punica granatum* (Pomegranate)
Grawnwin Rhad, *gw.* **Pupur y Fagwyr**
Greigros y Gors, *gw.* **Rhosmari Gwyllt**
Greithwar, *gw.* **Crib Gwener**
Greol, *gw.* **Bloneg y Ddaear**
Greol y Cŵn, *gw.* **Bloneg y Ddaear**
Greol Ysbin, *gw.* **Eurdrain**
Greolen, *gw.* **Bloneg y Ddaear**
Greulys, *gw.* **Creulys Cyffredin**
Greulys, *gw.* **Creulys Iago**
Greulys, *gw.* **Creulys y Rhosydd**
Greulys Felen Wryw, *gw.* **Creulys Iago**
Greulys Fynyddol, *gw.* **Creulys y Rhosydd**
Greulys Lledlwyd, *gw.* **Creulys Llwyd**
Greulys Lledlwyd Culddail, *gw.* **Creulys Llwyd**
Greulys y Coed, *gw.* **Creulys y Rhosydd**
Greulys y Gors, *gw.* **Creulys y Gors**
Greulys y Mynydd, *gw.* **Creulys y Rhosydd**
Greulys y Rhosydd, *gw.* **Creulys y Rhosydd**
Gromandi, *gw.* **Maenhad Meddygol**
Gromandi Gwyrddlas, *gw.* **Maenhad Gwyrddlas**
Gromil, *gw.* **Maenhad Meddygol**
Gromwel, *gw.* **Maenhad Meddygol**
Grug .... *Calluna vulgaris* (Heather)
Grug, *gw.* **Clychau'r Grug**
Grug Cernyw .... *Erica vagans* (Cornish Heath)
Grug Cochlas, *gw.* **Clychau'r Grug**
Grug Corsica .... *Erica terminalis* (Corsican Heath)
Grug Croesddeiliog, *gw.* **Grug Deilgroes**
Grug Cyffredin, *gw.* **Grug**
Grug Deilgroes .... *Erica tetralix* (Cross-leaved Heath)
Grug Dorset .... *Erica ciliaris* (Dorset Heath)
Grug Gwyddelig .... *Erica erigena* (Irish Heath)
Grug Lusitanaidd .... *Erica lusitanica* (Portuguese Heath)
Grug Lled Ledlwyd, *gw.* **Clychau'r Grug**
Grug Lledlwyd, *gw.* **Clychau'r Grug**
Grug Llwydlas, *gw.* **Clychau'r Grug**
Grug Mackay .... *Erica mackaiana* (Mackay's Heath)
Grug Sant Dabeoc .... *Daboecia cantabrica* (St Dabeoc's Heath)
Grug St Dabeoc, *gw.* **Grug Sant Dabeoc**
Grug y Mêl, *gw.* **Grug**
Grug y Mynydd, *gw.* **Grug**
Grug Ysgub, *gw.* **Grug**
Grugbren .... *Tamarix gallica* (Tamarisk)
Grugbren Affrica .... *Tamarix africana* (African Tamarisk)
Grugeilyn Llyfn .... *Frankenia laevis* (Sea-heath)
Gruglas .... *Phyllodoce caerulea* (Blue Heath)
Gruglys, *gw.* **Creiglys**
Grugwellt, *gw.* **Byswellt**
Grugwellt, *gw.* **Glaswellt y Rhos**
Gruw .... *Thymus vulgaris* (Thyme)
Gruw Breckland .... *Thymus serpyllum* (Breckland Thyme)
Gruw Gwyllt .... *Thymus polytrichus* (Wild Thyme)
Gruw Lemwn .... *Thymus × citriodorus* (Lemon Thyme)
Gruwlys Gwyllt, *gw.* **Gruw Gwyllt**

a, b, c, ch, d, dd, e, f, ff, g, ng, h, i, j, l, ll, m, n, o, p, ph, r, rh, s, t, th, u, w, y

Gruwlys Gwyllt Lleiaf, *gw.* **Gruw Gwyllt**
Gruwlys Gwyllt Mwyaf .... *Thymus pulegioides* (Large Thyme)
Gruwlys Mwyaf, *gw.* **Gruwlys Gwyllt Mwyaf**
Grwmil, *gw.* **Maenhad Meddygol**
Grwml, *gw.* **Maenhad Meddygol**
Grwmsyl, *gw.* **Creulys Cyffredin**
Grwysen, *gw.* **Gwsberis**
Grwyswydd, *gw.* **Gwsberis**
Grwyswydden, *gw.* **Gwsberis**
Gryglys, *gw.* **Creiglys**
Grygon, *gw.* **Creiglys**
Grygyon, *gw.* **Creiglys**
Gwaed y Gwŷr, *gw.* **Dail y Beiblau**
Gwaed y Gwŷr, *gw.* **Ysgawen Fair**
Gwaedlys, *gw.* **Canclwm**
Gwaedlys, *gw.* **Llys y Milwr**
Gwaedlys Bychan, *gw.* **Gorudd**
Gwaedlys Gwyn, *gw.* **Briw'r March**
Gwaedlys Mawr, *gw.* **Llys y Milwr**
Gwaedllys, *gw.* **Tafol y Dŵr**
Gwaedllys Mawr, *gw.* **Llys y Milwr**
Gwaenblu Gweiniog, *gw.* **Plu'r Gweunydd Unben**
Gwaenblu Llydanddail, *gw.* **Plu'r Gweunydd Llydanddail**
Gwaenblu Tusŵog, *gw.* **Plu'r Gweunydd Llydanddail**
Gwaew Crist, *gw.* **Tafod y Neidr**
Gwaglwyfen, *gw.* **Pisgwydden**
Gwaglwyfen, *gw.* **Pisgwydden Deilen Fawr**
Gwagwraidd .... *Corydalis cava* (Hollow-root)
Gwain-hesgen .... *Carex vaginata* (Sheathed Sedge)
Gwair Bermuda .... *Cynodon dactylon* (Bermuda-grass)
Gwair Merllyn .... *Isoetes lacustris* (Quillwort)
Gwair Merllyn Bach, *gw.* **Gwair Merllyn Bychan**
Gwair Merllyn Bychan .... *Isoetes echinospora* (Spring Quillwort)
Gwair Merllyn y Tir .... *Isoetes histrix* (Land Quillwort)
Gwalchlys Culddail .... *Crepis tectorum* (Narrow-leaved Hawk's-beard)
Gwalchlys Drewllyd .... *Crepis foetida* (Stinking Hawk's-beard)
Gwalchlys Garw .... *Crepis biennis* (Rough Hawk's-beard)
Gwalchlys Garwaidd, *gw.* **Gwalchlys Garw**
Gwalchlys Garwaidd Mwyaf, *gw.* **Gwalchlys Garw**
Gwalchlys Gylfinhir .... *Crepis vesicaria* (Beaked Hawk's-Beard)
Gwalchlys Llyfn .... *Crepis capillaris* (Smooth Hawk's-beard)
Gwalchlys Mwyaf, *gw.* **Gwalchlys Garw**
Gwalchlys Pigog .... *Crepis setosa* (Bristly Hawk's-beard)
Gwalchlys y Gogledd .... *Crepis mollis* (Northern Hawk's-beard)
Gwalchlys y Gors .... *Crepis paludosa* (Marsh Hawk's-beard)
Gwallt Gwener, *gw.* **Briger Gwener**
Gwallt y Forwyn, *gw.* **Duegredynen Gwallt y Forwyn**
Gwanwden Lleiaf, *gw.* **Perfagl**
Gwanwdon, *gw.* **Perfagl Mwyaf**
Gwanwdon Mwyaf, *gw.* **Perfagl Mwyaf**
Gwarllys, *gw.* **Llys y Milwr**
Gwaunblu Culddail, *gw.* **Plu'r Gweunydd**
Gwaunlwyn Pigog .... *Gaultheria mucronata* (Prickly Heath)
Gwayw Crist, *gw.* **Tafod y Neidr**
Gwayw'r Brain, *gw.* **Llafn y Bladur**
Gwayw'r Brenin, *gw.* **Llafn y Bladur**
Gwayw'r Brenin, *gw.* **Cenhinen Bedr**
Gwddf-lys, *gw.* **Clychlys Mawr**
Gwe Felen, *gw.* **Meillionen Felen Fechan**
Gwe Felen Eiddil, *gw.* **Meillionen Felen Eiddil**
Gwe Felen Leiaf, *gw.* **Meillionen Felen Eiddil**
Gweddlys, *gw.* **Llysiau'r Lliw**
Gweddw Galarus .... *Geranium phaeum* (Dusky Crane's-bill)
Gwell na'r Aur, *gw.* **Triaglog**
Gwellfrwynen, *gw.* **Coedfrwynen y Maes**
Gwellt Frwynen, *gw.* **Coedfrwynen y Maes**
Gwellt y Bwla, *gw.* **Glaswellt y Gweunydd**
Gwellt y Gamlas .... *Zostera marina* (Eelgrass)

a, b, c, ch, d, dd, e, f, ff, g, ng, h, i, j, l, ll, m, n, o, p, ph, r, rh, s, t, th, u, w, y

Gwellt y Gamlas Culddail .... *Zostera angustifolia* (Narrow-leaved Eelgrass)
Gwellt y Gweunydd, *gw.* **Gweunwellt Llyfn**
Gwellt y Gweunydd, *gw.* **Gweunwellt Unflwydd**
Gwelltfrwyn Blewog, *gw.* **Coedfrwynen Flewog**
Gwelltfrwyn y Caeau, *gw.* **Coedfrwynen y Maes**
Gwelltfrwyn y Coed, *gw.* **Coedfrwynen Fawr**
Gwendon, *gw.* **Briwydden Fynyddig**
Gwendon, *gw.* **Briwydden y Gors**
Gwendon Arw y Fign, *gw.* **Briwyddyn y Fign**
Gwendon Lefn, *gw.* **Briwydden y Rhosdir**
Gwendon y Gors, *gw.* **Briwydden y Gors**
Gwendon Ymlusgol ar Gloddiau, *gw.* **Briwydden y Clawdd**
Gwengraith, *gw.* **Clust yr Arth**
Gwenith .... *Triticum aestivum* (Bread Wheat)
Gwenith Barfog .... *Triticum turgidum* (Rivet Wheat)
Gwenith y Brain, *gw.* **Briweg y Cerrig**
Gwenith y Bwch, *gw.* **Gwenith yr Hydd**
Gwenith y Ddaear, *gw.* **Llygad Ebrill**
Gwenith y Gog, *gw.* **Gornerth**
Gwenith y Gog, *gw.* **Llygad Ebrill**
Gwenith y Gwylanod .... *Sedum album* (White Stonecrop)
Gwenith yr Hydd .... *Fagopyrum esculentum* (Buckwheat)
Gwenith yr Hydd y Bwch, *gw.* **Taglys y Berth**
Gwenith yr Ysgyfarnog, *gw.* **Crydwellt**
Gwenithen, *gw.* **Gwenith**
Gwenithwellt, *gw.* **Marchwellt**
Gwenithwellt Brwynaidd, *gw.* **Marchwellt Tywyn**
Gwenithwellt Brwynaidd y Forlan, *gw.* **Marchwellt Tywyn**
Gwenithwellt Caled .... *Catapodium rigidum* (Fern-grass)
Gwenithwellt Rhedegog, *gw.* **Marchwellt**
Gwenithwellt Sypwraidd Coliog, *gw.* **Marchwellt y Coed**
Gwenithwellt y Ci, *gw.* **Marchwellt y Coed**
Gwenithwellt Ymdaenol, *gw.* **Marchwellt**
Gwenwialen, *gw.* **Masarnen Leiaf**
Gwenwialen, *gw.* **Tanclys**
Gwenwlydd Lefn, *gw.* **Briwydden y Rhosdir**
Gwenwlydd y Gors, *gw.* **Briwydden y Gors**
Gwenwydden Wen, *gw.* **Bloneg y Ddaear**
Gwenynddail .... *Melissa officinalis* (Balm)
Gwenynlys, *gw.* **Gwenynddail**
Gwenynllys, *gw.* **Gwenynddail**
Gwenynllys Cyffredin, *gw.* **Gwenynddail**
Gwenynog .... *Melittis melissophyllum* (Bastard Balm)
Gwenynog Lasgoch a Gwyn, *gw.* **Gwenynog**
Gwenynog Wen-goch, *gw.* **Gwenynog**
Gwerdonell, *gw.* **Troellennog**
Gwerddig .... *Trientalis europaea* (Chickweed Wintergreen)
Gwerddonell, *gw.* **Saets Gwyllt**
Gwerddonell y Waun, *gw.* **Saets y Waun**
Gwernen .... *Alnus glutinosa* (Alder)
Gwernen Lwyd .... *Alnus incana* (Grey Alder)
Gwerog, *gw.* **Llwynhidydd Arfor**
Gweunblu, *gw.* **Plu'r Gweunydd**
Gweunwellt, *gw.* **Gweunwellt Llyfn**
Gweunwellt Alpaidd .... *Poa alpina* (Alpine Meadow-grass)
Gweunwellt Anhyblyg .... *Puccinellia rupestris* (Stiff Saltmarsh-grass)
Gweunwellt Anhyblyg, *gw.* **Gwenithwellt Caled**
Gweunwellt Arfor .... *Puccinellia maritima* (Common Saltmarsh-grass)
Gweunwellt Arfor, *gw.* **Corwenithwellt y Morfa**
Gweunwellt Arfor Borrer .... *Puccinellia fasciculata* (Borrer's Saltmarsh-grass)
Gweunwellt Blynyddol, *gw.* **Gweunwellt Unflwydd**
Gweunwellt Crychog .... *Poa flexuosa* (Wavy Meadow-grass)
Gweunwellt Culddail .... *Poa angustifolia* (Narrow-leaved Meadow-grass)
Gweunwellt Cyngwasgedig, *gw.* **Gweunwellt Cywasg**
Gweunwellt Cynnar .... *Poa infirma* (Early Meadow-grass)
Gweunwellt Cywasg .... *Poa compressa* (Flattened Meadow-grass)
Gweunwellt Gorweiddiog, *gw.* **Glaswellt y Rhos**
Gweunwellt Gorwreiddiog, *gw.* **Glaswellt y Rhos**

Gweunwellt Gwrthblygedigaidd .... *Puccinellia distans* subsp. *distans* (Reflexed
                                                Saltmarsh-grass)
Gweunwellt Helaeth .... *Poa humilis* (Spreading Meadow-grass)
Gweunwellt Lledarw .... *Poa trivialis* (Rough Meadow-grass)
Gweunwellt Llwydwyrdd .... *Poa glauca* (Glaucous Meadow-grass)
Gweunwellt Llydanddail .... *Poa chaixii* (Broad-leaved Meadow-grass)
Gweunwellt Llyfn .... *Poa pratensis* (Smooth Meadow-grass)
Gweunwellt Nawf, *gw.* **Glaswellt y Dŵr**
Gweunwellt Nof, *gw.* **Glaswellt y Dŵr**
Gweunwellt Nofiadawl, *gw.* **Glaswellt y Dŵr**
Gweunwellt Oddfog .... *Poa bulbosa* (Bulbous Meadow-grass)
Gweunwellt Twmpathog .... *Poa flabellata* (Tussac-grass)
Gweunwellt Unflwydd .... *Poa annua* (Annual Meadow-grass)
Gweun-wellt Wybrliw, *gw.* **Gweunwellt Helaeth**
Gweunwellt y Coed .... *Poa nemoralis* (Wood Meadow-grass)
Gweunwellt y Dŵr, *gw.* **Perwellt**
Gweunwellt y Fagwyr, *gw.* **Gweunwellt Cywasg**
Gweunwellt y Goedwig, *gw.* **Gweunwellt y Coed**
Gweunwellt y Gogledd .... *Puccinellia distans* subsp. *borealis* (Northern
                                                Saltmarsh-grass)
Gweunwellt yr Afon .... *Poa palustris* (Swamp Meadow-grass)
Gwewydd, *gw.* **Pryfet**
Gwewyrllys, *gw.* **Ffenigl**
Gwewyrllys, *gw.* **Llys y Gwewyr**
Gwialen Aur, *gw.* **Eurwialen**
Gwialen Eilio, *gw.* **Helgyen Wiail**
Gwialen Euraid, *gw.* **Eurwialen**
Gwialen y Bugail, *gw.* **Ffon y Bugail**
Gwialen y Gŵr Ifanc, *gw.* **Tegeirian Brych**
Gwiberlys, *gw.* **Glas y Graean**
Gwiberlys Cyffredin, *gw.* **Glas y Graean**
Gwiberlys Porffor .... *Echium plantagineum* (Purple Viper's-bugloss)
Gwibredyn, *gw.* **Gwibredynen**
Gwibredynen .... *Blechnum spicant* (Hard Fern)
Gwifwrnwydd, *gw.* **Gwifwrnwydden**
Gwifwrnwydd Blawdog, *gw.* **Gwifwrnwydden**
Gwifwrnwydd Crychog, *gw.* **Gwifwrnwydden Grychog**
Gwifwrnwydd y Gors, *gw.* **Corswigen**
Gwifwrnwydden .... *Viburnum lantana* (Wayfaring-tree)
Gwifwrnwydden Grychog .... *Viburnum rhytidophyllum* (Wrinkled Viburnum)
Gwilffrai, *gw.* **Milddail**
Gwilffrai Melyn Gwlanog .... *Achillea tomentosa* (Yellow Milfoil)
Gwillion, *gw.* **Merllys**
Gwillon, *gw.* **Merllys**
Gwinien, *gw.* **Gwinwydden**
Gwiniolen, *gw.* **Tanclys**
Gwiniolwydd, *gw.* **Masarnen Leiaf**
Gwiniolwydd, *gw.* **Tanclys**
Gwiniowlen, *gw.* **Masarnen Leiaf**
Gwinolen, *gw.* **Masarnen Leiaf**
Gwinwydden .... *Vitis vinifera* (Grape-vine)
Gwinwydden Ddu .... *Tamus communis* (Black Bryony)
Gwinwydden Wyllt, *gw.* **Gwyddfid**
Gwiolydd, *gw.* **Fioled Bêr**
Gwiolydd, *gw.* **Gwiolydd y Goedwig**
Gwiolydd Flewog .... *Viola hirta* (Hairy Violet)
Gwiolydd Gyffredin .... *Viola riviniana* (Common Dog-violet)
Gwiolydd y Goedwig .... *Viola reichenbachiana* (Early Dog-violet)
Gwiolydd y Gors, *gw.* **Fioled y Gors**
Gwion y Perthi, *gw.* **Bloneg y Ddaear**
Gwion y Perthi, *gw.* **Gwinwydden Ddu**
Gwir Gariad, *gw.* **Cwlwm Cariad**
Gwirgariad, *gw.* **Cwlwm Cariad**
Gwiwydd, *gw.* **Aethnen**
Gwiwydd Llwyd, *gw.* **Poplysen Lwyd**
Gwiwydden, *gw.* **Aethnen**
Gwiwydden, *gw.* **Poplysen Wen**
Gwlanwair, *gw.* **Plu'r Gweunydd Llydanddail**

Gwlanwair Cyffredin, *gw.* **Plu'r Gweunydd**
Gwlanwair Gweiniog, *gw.* **Plu'r Gweunydd Unben**
Gwlanwair Tuswôg, *gw.* **Plu'r Gweunydd Llydanddail**
Gwlith yr Haul, *gw.* **Gwlithlys**
Gwlithlys .... *Drosera rotundifolia* (Round-leaved Sundew)
Gwlithlys, *gw.* **Gwlithlys Mawr**
Gwlithlys Crynddail, *gw.* **Gwlithlys**
Gwlithlys Hirddail .... *Drosera intermedia* (Oblong-leaved Sundew)
Gwlithlys Mawr .... *Drosera longifolia* (Great Sundew)
Gwlithlys Mwyaf, *gw.* **Gwlithlys Mawr**
Gwlydd Conynnog .... *Cucubalus baccifer* (Berry Catchfly)
Gwlydd Llydanfrig .... *Holosteum umbellatum* (Jagged Chickweed)
Gwlydd Mair, *gw.* **Llys y Cryman**
Gwlydd Mair y Gors, *gw.* **Gwlyddyn Mair y Gors**
Gwlydd Melyn Mair .... *Lysimachia nemorum* (Yellow Pimpernel)
Gwlydd Pyngog, *gw.* **Clust Llygoden Llydanddail**
Gwlydd y Cywion, *gw.* **Brechlys**
Gwlydd y Dom, *gw.* **Brechlys**
Gwlydd y Dom, *gw.* **Clust Llygoden Culddail**
Gwlydd y Dom, *gw.* **Costog y Domen**
Gwlydd y Geifr, *gw.* **Gludlys Arfor**
Gwlydd y Gwyddau, *gw.* **Brechlys**
Gwlydd y Mur, *gw.* **Tywodwlydd Gruwddail**
Gwlydd y Perthi, *gw.* **Llau'r Offeiriad**
Gwlydd y Tywod .... *Stellaria pallida* (Lesser Chickweed)
Gwlydd yn y Mynydd, *gw.* **Tywodlys y Gwanwyn**
Gwlydd yr Ieir, *gw.* **Brechlys**
Gwlydd yr Ieir, *gw.* **Clust Llygoden Culddail**
Gwlyddyn Blewog, *gw.* **Clust Llygoden Culddail**
Gwlyddyn Cyffredin .... *Portulaca oleracea* (Common Purslane)
Gwlyddyn Dŵr Sur .... *Ludwigia palustris* (Hampshire-purslane)
Gwlyddyn Garw, *gw.* **Llau'r Offeiriad**
Gwlyddyn Gruwddail, *gw.* **Tywodwlydd Gruwddail**
Gwlyddyn Gwlad yr Iâ .... *Koenigia islandica* (Iceland-purslane)
Gwlyddyn Mair Benyw .... *Anagallis arvensis* subsp. *caerulea* (Blue Pimpernel)
Gwlyddyn Mair Gwryw, *gw.* **Llys y Cryman**
Gwlyddyn Mair y Gors .... *Anagallis tenella* (Bog Pimpernel)
Gwlyddyn Rhudd .... *Claytonia sibirica* (Pink Purslane)
Gwlyddyn Tair-giau, *gw.* **Tywodlys Trinerf**
Gwlyddyn Tri Gewynog, *gw.* **Tywodlys Trinerf**
Gwlyddyn Dŵr, *gw.* **Gwlyddyn y Ffynnon**
Gwlyddyn Dŵr, *gw.* **Llinesg y Dŵr**
Gwlyddyn y Ffynnon .... *Montia fontana* (Blinks)
Gwlyddyn y Gwanwyn, *gw.* **Tywodlys y Gwanwyn**
Gwlyddyn y Perthi, *gw.* **Llau'r Offeiriad**
Gwniadur Mair, *gw.* **Bysedd y Cŵn**
Gwniadur y Wrach, *gw.* **Gludlys Arfor**
Gwraiddiriog Cyffredin, *gw.* **Gwreiddiriog**
Gwraiddiriog Mawr, *gw.* **Gwreiddiriog Mawr**
Gwrddling, *gw.* **Helygen Fair**
Gwreidd-don, *gw.* **Tamaid y Cythraul**
Gwreidd-dwn, *gw.* **Tamaid y Cythraul**
Gwreiddber, *gw.* **Llaethwyg**
Gwreiddiriog .... *Pimpinella saxifraga* (Burnet-saxifrage)
Gwreiddiriog Cyffredin, *gw.* **Gwreiddiriog**
Gwreiddiriog Mawr .... *Pimpinella major* (Greater Burnet-saxifrage)
Gwreiddrudd, *gw.* **Cochwraidd Gwyllt**
Gwreiddrudd Gwyllt, *gw.* **Cochwraidd Gwyllt**
Gwreiddrudd y Môr, *gw.* **Cochwraidd Gwyllt**
Gwreiddrudd y Perthi, *gw.* **Llau'r Offeiriad**
Gwrling, *gw.* **Helygen Fair**
Gwrnerth, *gw.* **Llin y Llyffant**
Gwrnerth, *gw.* **Rhwyddlwyn Meddygol**
Gwroeth, *gw.* **Tanclys**
Gwroith, *gw.* **Tanclys**
Gwrthbwys, *gw.* **Carn Ebol y Gerddi**
Gwrthbwys, *gw.* **Palmwydden**
Gwrthlys, *gw.* **Carn Ebol y Gerddi**

Gwrwgawn, *gw.* **Peisgwellt Tal**
Gwrychredynen Feddal .... *Polystichum setiferum* (Soft Shield-fern)
Gwrychredynen Galed .... *Polystichum aculeatum* (Hard Shield-fern)
Gwrysgen Lwyd, *gw.* **Beidiog Lwyd**
Gwsberins, *gw.* **Gwsberis**
Gwsberis .... *Ribes uva-crispa* (Gooseberry)
Gwyarllys, *gw.* **Llys y Milwr**
Gwyarllys Isopddail .... *Lythrum hyssopifolia* (Grass-poly)
Gwyarllys Pigog, *gw.* **Llys y Milwr**
Gwybybyr Chwe Brigerog .... *Elatine hexandra* (Six-stamened Waterwort)
Gwybybyr Chweochrol, *gw.* **Gwybybyr Chwe Brigerog**
Gwybybyr Wyth Brigerog .... *Elatine hydropiper* (Eight-stamened Waterwort)
Gwybybyr Wythochrog, *gw.* **Gwybybyr Wyth Brigerog**
Gwydro, *gw.* **Gwydro Rhesog**
Gwydro, *gw.* **Meillionen y Ceirw**
Gwydro Blodau Bach .... *Melilotus indicus* (Small Melilot)
Gwydro Rhesog .... *Melilotus officinalis* (Ribbed Melilot)
Gwydro Rhychog .... *Melilotus sulcatus* (Furrowed Melilot)
Gŵydd-droed, *gw.* **Troed yr Ŵydd Ddynad-ddail**
Gŵydd-droed Amlhadog, *gw.* **Troed yr Ŵydd Luos-hadog**
Gŵydd-droed Arfor, *gw.* **Helys Unflwydd**
Gŵydd-droed Bwytadwy, *gw.* **Tafod yr Oen**
Gŵydd-droed Gwyn, *gw.* **Tafod yr Oen**
Gŵydd-droed Gwynaidd, *gw.* **Tafod yr Oen**
Gŵydd-droed Ruddog, *gw.* **Troed yr Ŵydd Ruddog**
Gŵydd-droed Syth, *gw.* **Troed yr Ŵydd Syth-ddail**
Gŵydd-droed y Fagwyr, *gw.* **Troed yr Ŵydd Ddynad-ddail**
Gŵydd y Pilcoes, *gw.* **Pilcoes**
Gwyddfid .... *Lonicera periclymenum* (Honeysuckle)
Gwyddfid California .... *Lonicera involucrata* (Californian Honeysuckle)
Gwyddfid Syth .... *Lonicera xylosteum* (Fly Honeysuckle)
Gwyddfid Trydwll .... *Lonicera caprifolium* (Perfoliate Honeysuckle)
Gwyddfid Wilson .... *Lonicera nitida* (Wilson's Honeysuckle)
Gwyddlwdn Cyffredin .... *Sanguisorba minor* subsp. *minor* (Salad Burnet)
Gwyddlwdn Gwyn .... *Sanguisorba canadensis* (White Burnet)
Gwyddlwdn Lleiaf, *gw.* **Gwyddlwdn Cyffredin**
Gwyddlwdn Tramor .... *Sanguisorba minor* subsp. *muricata* (Fodder Burnet)
Gwyddlwyn Cyffredin, *gw.* **Gwyddlwdn Cyffredin**
Gwyddwydd, *gw.* **Gwyddfid**
Gwyfon, *gw.* **Gwsberis**
Gwyfonwydd, *gw.* **Gwsberis**
Gwyfynnog, *gw.* **Tewbannog**
Gwyfynog .... *Verbascum blattaria* (Moth Mullein)
Gwyg, *gw.* **Tagwyg Bysen**
Gwygbysen, *gw.* **Tagwyg Bysen**
Gwygyrnddail Cyffredin, *gw.* **Cyrnddail**
Gwylaeth .... *Lactuca sativa* (Garden Lettuce)
Gwylaeth Bigog .... *Lactuca serriola* (Prickly Lettuce)
Gwylaeth Chwerw, *gw.* **Tafod y Llew**
Gwylaeth Chwerw, *gw.* **Gwylaeth yr Hebog**
Gwylaeth Chwerwaidd .... *Lactuca virosa* (Great Lettuce)
Gwylaeth Drewgaidd, *gw.* **Gwylaeth Chwerwaidd**
Gwylaeth Eiddil, *gw.* **Gwylaeth Leiaf**
Gwylaeth Gryf-arogl, *gw.* **Gwylaeth Chwerwaidd**
Gwylaeth Las, ... *Lactuca tatarica* (Blue Lettuce)
Gwylaeth Leiaf .... *Lactuca saligna* (Least Lettuce)
Gwylaeth Lleiaf, *gw.* **Gwylaeth Leiaf**
Gwylaeth Wyllt, *gw.* **Llysiau'r Oen**
Gwylaeth y Fagwyr .... *Mycelis muralis* (Wall Lettuce)
Gwylaeth y Moch .... *Arnoseris minima* (Lamb's Succory)
Gwylaeth yr Hebog .... *Picris hieracioides* (Hawkweed Oxtongue)
Gwylaeth yr Oen, *gw.* **Llysiau'r Oen**
Gwylaeth yr Oen Deintiog .... *Valerianella dentata* (Narrow-fruited Cornsalad)
Gwylaeth yr Oen Gwlanog .... *Valerianella eriocarpa* (Hairy-fruited Cornsalad)
Gwylaeth yr Oen Llyfn .... *Valerianella rimosa* (Broad-fruited Cornsalad)
Gwylaeth yr Ŵyn, *gw.* **Llysiau'r Oen**
Gwylaeth yr Ŷd, *gw.* **Llysiau'r Oen**
Gwylltgeirch, *gw.* **Ceirchwellt Gwyllt y Gwanwyn**

---

a, b, c, ch, d, dd, e, f, ff, g, ng, h, i, j, l, ll, m, n, o, p, ph, r, rh, s, t, th, u, w, y

Gwyn y Dillad, *gw.* **Cegiden**
Gwyn y Dillad, *gw.* **Cegiden Bêr**
Gwyn y Dillad, *gw.* **Cerddinen Wen**
Gwyn y Merched, *gw.* **Dail Arian**
Gwyn y Merched, *gw.* **Pumdalen Ymlusgol**
Gwyn y Merched, *gw.* **Tanclys**
Gwynlys Mynydd-dir .... *Circaea* × *intermedia* (Upland Enchanter's-nightshade)
Gwyntai, *gw.* **Blodyn y Gwynt**
Gwyntai y Coed, *gw.* **Blodyn y Gwynt**
Gwynwydd, *gw.* **Gwyddfid**
Gwynwydd Aroglus, *gw.* **Gwyddfid**
Gwyran, *gw.* **Pefrwellt**
Gwyran Fendigaid, *gw.* **Codog**
Gwyraws Yswydden, *gw.* **Pryfet**
Gwyrdd y Coed, *gw.* **Coedwyrdd Crynddail**
Gwyrdd y Gaeaf, *gw.* **Coedwyrdd Crynddail**
Gwyrddling, *gw.* **Helygen Fair**
Gwyriaws Rhyswydd, *gw.* **Pryfet**
Gwyrios, *gw.* **Pryfet**
Gwyros, *gw.* **Pryfet**
Gwysglys, *gw.* **Uchelwydd**
Gwysonllys, *gw.* **Uchelwydd**
Gwythdydd, *gw.* **Fioled y Gors**
Gwythdydd, *gw.* **Pluddalen**
Gwythdydd y Gors, *gw.* **Pluddalen**
Gyblys, *gw.* **Cegid y Dŵr**
Gylfinog, *gw.* **Cenhinen Bedr**
Gylfinog Barddol .... *Narcissus poeticus* (Pheasant's-eye Daffodil)
Gylfinog Cyffredin, *gw.* **Cenhinen Bedr**
Gylfinog Dauflodeuog .... *Narcissus* × *medioluteus* (Primrose-peerless)
Gylfinog Pwysi .... *Narcissus tazetta* (Bunch-flowered Daffodil)
Gylfinog Welw, *gw.* **Gylfinog Dauflodeuog**
Gyrthlys, *gw.* **Carn Ebol y Gerddi**
Gysblys, *gw.* **Cegiden**
Gyslys, *gw.* **Tanclys**
Gysplys, *gw.* **Cegid y Dŵr**
Gystlys, *gw.* **Tanclys**
Gystlys Cyffredin, *gw.* **Tanclys**
Had Llin, *gw.* **Gorhilig**
Had y Gramandi, *gw.* **Maenhad Meddygol**
Had y Llygaid, *gw.* **Saets Gwyllt**
Hadau Sgwarnog, *gw.* **Crydwellt**
Haidd .... *Hordeum vulgare* (Six-rowed Barley)
Haidd Dwy-resog .... *Hordeum distichon* (Two-rowed Barley)
Haiddwellt y Coed, *gw.* **Heiddwellt y Coed**
Haiddwellt y Fagwyr, *gw.* **Heiddwellt y Mur**
Haiddwellt y Gweunydd, *gw.* **Heiddwellt y Maes**
Haiddwellt y Maes, *gw.* **Heiddwellt y Maes**
Haidd-wellt y Môr, *gw.* **Heiddwellt y Morfa**
Haiddwellt y Morfa, *gw.* **Heiddwellt y Morfa**
Haiddwellt y Muriau, *gw.* **Heiddwellt y Mur**
Haiddwellt y Traeth, *gw.* **Heiddwellt y Morfa**
Hanner Pan *gw.* **Pannog Gwyn**
Hanner Pan, *gw.* **Pannog Melyn**
Hebe Barker .... *Hebe barkeri* (Barker's Hebe)
Hebe Dieffenbach .... *Hebe dieffenbachi* (Dieffenbach's Hebe)
Hebe Hooker .... *Hebe brachysiphon* (Hooker's Hebe)
Hebe Lewis .... *Hebe* × *lewisii* (Lewis's Hebe)
Hebe'r Gwrych .... *Hebe* × *franciscana* (Hedge Veronica)
Heboglys, *gw.* **Clust y Llygoden**
Heboglys Arian .... *Hieracium argenteum* [Silver Hawkweed]
Heboglys Aurafalog, *gw.* **Heboglys Euraid**
Heboglys Blewynnog, *gw.* **Clust y Llygoden**
Heboglys Brith .... *Hieracium maculatum* (Spotted Hawkweed)
Heboglys Culddail .... *Hieracium umbellatum* [Narrow-leaved Hawkweed]
Heboglys Euraid .... *Pilosella aurantiaca* (Fox-and-cubs)
Heboglys Hardd .... *Hieracium holosericeum* [Beautiful Hawkweed]

a, b, c, ch, d, dd, e, f, ff, g, ng, h, i, j, l, ll, m, n, o, p, ph, r, rh, s, t, th, u, w, y

Heboglys Mynyddig .... *Hieracium alpinum* [Alpine Hawkweed]
Heboglys Torllwyd, *gw.* **Clust y Llygoden**
Heboglys y Gors, *gw.* **Gwalchlys y Gors**
Heddig, *gw.* **Rhuddygl**
Heddig Gwyllt, *gw.* **Rhuddygl Gwyllt**
Hefinwydden .... *Amelanchier lamarckii* (Juneberry)
Hegydd Arfor .... *Cakile maritima* (Sea Rocket)
Hegydd y Forlan, *gw.* **Hegydd Arfor**
Heiddwellt Cribog .... *Hordeum jubatum* (Foxtail Barley)
Heiddwellt y Coed .... *Hordelymus europaeus* (Wood Barley)
Heiddwellt y Gweunydd, *gw.* **Heiddwellt y Maes**
Heiddwellt y Maes .... *Hordeum secalinum* (Meadow Barley)
Heiddwellt y Morfa .... *Hordeum marinum* (Sea Barley)
Heiddwellt y Mur .... *Hordeum murinum* (Wall Barley)
Heiddwellt y Muriau, *gw.* **Heiddwellt y Mur**
Hel-las, *gw.* **Glas yr Heli**
Helas, *gw.* **Glas yr Heli**
Helesg, *gw.* **Iris Ddrewllyd**
Helesg Gloria, *gw.* **Iris Ddrewllyd**
Helogan, *gw.* **Perllys y Morfa**
Helyg Gwiail, *gw.* **Helygen Wiail**
Helyg Gwialog, *gw.* **Helygen Wiail**
Helyg Rhedegog, *gw.* **Corhelygen**
Helyg Tribrigerog, *gw.* **Helygen Drigwryw**
Helygen Afonol, *gw.* **Helygen Wiail**
Helygen Aur .... *Salix alba* var. *vitellina* (Golden Willow)
Helygen Beraroglaidd .... *Salix pentandra* (Bay Willow)
Helygen Borffor .... *Salix daphnoides* (European Violet-willow)
Helygen Crynddail, *gw.* **Helygen Grynddail Fwyaf**
Helygen Dail-te .... *Salix phylicifolia* (Tea-leaved Willow)
Helygen Deir-gwryw Hirddail, *gw.* **Helygen Drigwryw**
Helygen Dri-gwryw Hirddail, *gw.* **Helygen Drigwryw**
Helygen Drigwryw .... *Salix triandra* (Almond Willow)
Helygen Dywyll .... *Salix myrsinifolia* (Dark-leaved Willow)
Helygen Fach y Mynydd .... *Salix arbuscula* (Mountain Willow)
Helygen Fair .... *Myrica gale* (Bog-myrtle)
Helygen Felen, *gw.* **Helygen Wiail**
Helygen Frau .... *Salix fragilis* var. *fragilis* (Crack Willow)
Helygen Fwyaf, *gw.* **Helygen Grynddail Fwyaf**
Helygen Fyrtwydd .... *Salix myrsinites* (Whortle-leaved Willow)
Helygen Gelltydd Mynyddog, *gw.* **Helygen Leiaf**
Helygen Glustennog .... *Salix × stipularis* (Eared Osier)
Helygen Glustennog, *gw.* **Helygen Grynglystiog**
Helygen Gochlas .... *Salix purpurea* (Purple Willow)
Helygen Grych Grynddail, *gw.* **Helygen Grynglystiog**
Helygen Grynddail Fwyaf .... *Salix caprea* (Goat Willow)
Helygen Grynglustiog .... *Salix aurita* (Eared Willow)
Helygen Gyffredin, *gw.* **Helygen Olewydd-ddail**
Helygen Gyffredin Afonol, *gw.* **Helygen Wiail**
Helygen Gymreig .... *Salix fragilis* var. *decipiens* (Welsh Willow)
Helygen Las .... *Salix alba* var. *caerulea* (Cricket-bat Willow)
Helygen Leiaf .... *Salix herbacea* (Dwarf Willow)
Helygen Lwyd .... *Salix cinerea* subsp. *cinerea* (Grey Willow)
Helygen Lwyd Gyffredin, *gw.* **Helygen Olewydd-ddail**
Helygen Olewydd-ddail .... *Salix cinerea* subsp. *oleifolia* (Rusty Willow)
Helygen Rwydog .... *Salix reticulata* (Net-leaved Willow)
Helygen Sidanddail .... *Salix × smithiana* (Silky-leaved Osier)
Helygen Smith, *gw.* **Helygen Sidanddail**
Helygen Wen .... *Salix alba*(White Willow)
Helygen Werdd .... *Salix × rubra* (Green-leaved Willow)
Helygen Wiail .... *Salix viminalis* (Osier)
Helygen Wlanog .... *Salix lanata* (Woolly Willow)
Helygen Wlanog Hirddail .... *Salix lapponum* (Downy Willow)
Helygen y Cŵn, *gw.* **Corhelygen**
Helygen y Dug .... *Salix fragilis* var. *russelliana* (Bedford Willow)
Helygen y Geifr, *gw.* **Helygen Grynddail Fwyaf**
Helyglys Americanaidd .... *Epilobium ciliatum* (American Willowherb)
Helyglys Blewog Mawr, *gw.* **Helyglys Pêr**

Helyglys Blodeugoes, *gw.* **Helyglys Coesig**
Helyglys Coesig .... *Epilobium roseum* (Pale Willowherb)
Helyglys Culddail .... *Epilobium palustre* (Marsh Willowherb)
Helyglys Culddail y Fawnog, *gw.* **Helyglys Culddail**
Helyglys Gorweddol .... *Epilobium brunnescens* (New Zealand Willowherb)
Helyglys Gwayw-ddail .... *Epilobium lanceolatum* (Spear-leaved Willowherb)
Helyglys Gwlanog Lleiaf, *gw.* **Helyglys Lledlwyd**
Helyglys Gwlyddyn-ddail .... *Epilobium alsinifolium* (Chickweed Willowherb)
Helyglys Hardd .... *Chamerion angustifolium* (Rosebay Willowherb)
Helyglys Lledlwyd .... *Epilobium parviflorum* (Hoary Willowherb)
Helyglys Lledlwyd Mânflodeuog, *gw.* **Helyglys Lledlwyd**
Helyglys Llwydwyn, *gw.* **Helyglys Lledlwyd**
Helyglys Llydan Llyfnddail, *gw.* **Helyglys Llydanddail**
Helyglys Llydanddail ....: *Epilobium montanum* (Broad-leaved Willowherb)
Helyglys Llyfn Llydanddail, *gw.* **Helyglys Llydanddail**
Helyglys Mynyddig .... *Epilobium anagallidifolium* (Alpine Willowherb)
Helyglys Paladr Pedrongl, *gw.* **Helygys Pedronglog**
Helyglys Pannog, *gw.* **Helyglys Pêr**
Helyglys Pedrongl *gw.* **Helyglys Pedronglog**
Helyglys Pedronglog .... *Epilobium tetragonum* (Square-stalked Willowherb)
Helyglys Pêr .... *Epilobium hirsutum* (Great Willowherb)
Helyglys Pêr Blewog Mwyaf, *gw.* **Helyglys Pêr**
Helyglys Rhedegydd Tenau .... *Epilobium obscurum* (Short-fruited Willowherb)
Helyglys Rhosynnaidd, *gw.* **Helyglys Lledlwyd**
Helyglys y Coed, *gw.* **Helyglys Hardd**
Helyglys y Fawnog, *gw.* **Helyglys Culddail**
Helyglys y Waedlys, *gw.* **Helyglys Llydanddail**
Helyglys Ysgeth, *gw.* **Helyglys Gwayw-ddail**
Helys Can .... *Atriplex portulacoides* (Sea-purslane)
Helys Dibigog .... *Salsola kali* subsp. *ruthenica* (Spineless Saltwort)
Helys Unflwydd .... *Suaeda maritima* (Annual Sea-blite)
Helys Ysbigog .... *Salsola kali* subsp. *kali* (Prickly Saltwort)
Hemlog y Dwyrain .... *Tsuga canadensis* (Eastern Hemlock-spruce)
Hemlog y Gorllewin .... *Tsuga heterophylla* (Western Hemlock-spruce)
Hen Ŵr Barfhir, *gw.* **Barf yr Hen Ŵr**
Henffras, *gw.* **Effros**
Henllydan, *gw.* **Afal Daear**
Henllydan, *gw.* **Llwynhidydd Corn Carw**
Henllydan y Ffordd, *gw.* **Llwynhidydd Mawr**
Henwr, *gw.* **Llysiau'r Corff**
Heonllys, *gw.* **Uchelwydd**
Hesg Anghysbell, *gw.* **Hesgen Anghyfagos**
Hesg Drewllyd, *gw.* **Iris Ddrewllyd**
Hesg Melynaidd, *gw.* **Hesgen Felen Fawr**
Hesg y Chwain, *gw.* **Chwein-hesgen**
Hesgen Anghyfagos .... *Carex remota* (Remote Sedge)
Hesgen Anghysbell, *gw.* **Hesgen Bell**
Hesgen Alpaidd .... *Carex norvegica* (Close-headed Alpine-sedge)
Hesgen Alpaidd Losg .... *Carex atrofusca* (Scorched Alpine-sedge)
Hesgen Arfor .... *Carex arenaria* (Sand Sedge)
Hesgen Bell .... *Carex distans* (Distant Sedge)
Hesgen Bendrymus .... *Carex pendula* (Pendulous Sedge)
Hesgen Bengron .... *Carex pilulifera* (Pill Sedge)
Hesgen Benigen-ddail .... *Carex panicea* (Carnation Sedge)
Hesgen Benwen .... *Carex curta* (White Sedge)
Hesgen Bigiad .... *Carex punctata* (Dotted Sedge)
Hesgen Bigog Gynnar .... *Carex muricata* subsp. *muricata* (Large-fruited Prickly-sedge)
Hesgen Bigog Hwyr .... *Carex muricata* subsp. *lamprocarpa* (Small-fruited Prickly-sedge)
Hesgen Bigog Leiaf, *gw.* **Hesgen Seraidd**
Hesgen Braff-dywysennog .... *Carex riparia* (Greater Pond-sedge)
Hesgen Brin-flodeuog .... *Carex pauciflora* (Few-flowered Sedge)
Hesgen Buxbaum .... *Carex buxbaumii* (Club Sedge)
Hesgen Chwysigennaidd .... *Carex vesicaria* (Bladder-sedge)
Hesgen Chwysigennaidd Berdywysennog, *gw.* **Hesgen Chwysigennaidd**
Hesgen Chwysigennaidd y Mynydd .... *Carex* × *grahamii* (Mountain Bladder-sedge)

Hesgen Chwysigennaidd Ylfinfain, *gw.* **Hesgen Ylfinfain**
Hesgen Dailsyth, *gw.* **Hesgen y Dŵr**
Hesgen Droediar .... *Carex ornithopoda* (Bird's-foot Sedge)
Hesgen Droed-sgwarnog .... *Carex lachenalii* (Hare's-foot Sedge)
Hesgen Dwyaneddol, *gw.* **Hesgen Ysgar**
Hesgen Dwybrigerog, *gw.* **Hesgen Rafunog Leiaf**
Hesgen Dywell-felen, *gw.* **Hesgen Dywyll-felen**
Hesgen Dywyll-felen .... *Carex hostiana* (Tawny Sedge)
Hesgen Dywysennog .... *Carex otrubae* (False Fox-sedge)
Hesgen Dywysennog Borffor .... *Carex spicata* (Spiked Sedge)
Hesgen Dywysennog Fwyaf .... *Carex vulpina* (True Fox-sedge)
Hesgen Dywysennog Fwyaf, *gw.* **Hesgen Dywysennog**
Hesgen Ddeilgrwm .... *Carex maritima* (Curved Sedge)
Hesgen Ddeiligol Hirian, *gw.* **Hesgen Hirian**
Hesgen Ddeulasnod .... *Carex binervis* (Green-ribbed Sedge)
Hesgen Ddibynnaidd y Goedwig, *gw.* **Hesgen y Coed**
Hesgen Ddibynnaidd Fwyaf, *gw.* **Hesgen Bendrymus**
Hesgen Ddu .... *Carex bigelowii* (Stiff Sedge)
Hesgen Ddu Alpaidd .... *Carex atrata* (Black Alpine-sedge)
Hesgen Eiddil Dywysennog .... *Carex acuta* (Slender Tufted-sedge)
Hesgen Eiddil Dywysennog, *gw.* **Hesgen Leiaf Dywysennog**
Hesgen Eurwerdd .... *Carex limosa* (Bog-sedge)
Hesgen Eurwerdd Lefn .... *Carex magellanica* (Tall Bog-sedge)
Hesgen Eurwerdd y Mynydd .... *Carex rariflora* (Mountain Bog-sedge)
Hesgen Fain .... *Carex lasiocarpa* (Slender Sedge)
Hesgen Fanedafedd .... *Carex appropinquata* (Fibrous Tussock-sedge)
Hesgen Feddal .... *Carex montana* (Soft-leaved Sedge)
Hesgen Feindwf .... *Carex filiformis* (Downy-fruited Sedge)
Hesgen Felen .... *Carex viridula* subsp. *oedocarpa* (Common
                                                           Yellow-sedge)
Hesgen Felen Baladr Hir .... *Carex viridula* subsp. *brachyrrhyncha* (Long-stalked
                                                           Yellow-sedge)
Hesgen Felen Fawr .... *Carex flava* (Large Yellow-sedge)
Hesgen Felen Gorraidd .... *Carex viridula* subsp. *viridula* (Small-fruited
                                                           Yellow-sedge)
Hesgen Felen-werdd y Calch .... *Carex divulsa* subsp. *leersii* [Many-leaved Sedge]
Hesgen Felfedog, *gw.* **Cynffon y Gath Gulddail**
Hesgen Felfedog Fwyaf, *gw.* **Cynffon y Gath**
Hesgen Felfedog Goraidd, *gw.* **Cynffon y Gath Gulddail**
Hesgen Felfedog Leiaf, *gw.* **Cynffon y Gath Gulddail**
Hesgen Flewog .... *Carex hirta* (Hairy Sedge)
Hesgen Flodeulog, *gw.* **Hesgen Ranedig**
Hesgen Fyseddog .... *Carex digitata* (Fingered Sedge)
Hesgen Ganolig-dywysennog .... *Carex acutiformis* (Lesser Pond-sedge)
Hesgen Gynnar .... *Carex caryophyllea* (Spring-sedge)
Hesgen Gynnar Brin .... *Carex ericetorum* (Rare Spring-sedge)
Hesgen Hir .... *Carex elongata* (Elongated Sedge)
Hesgen Hirfain, *gw.* **Hesgen Hirian**
Hesgen Hirgrwn .... *Carex ovalis* (Oval Sedge)
Hesgen Hirgylchaidd, *gw.* **Hesgen Hirgrwn**
Hesgen Hirian .... *Carex extensa* (Long-bracted Sedge)
Hesgen Hopysaidd .... *Carex pseudocyperus* (Cyperus Sedge)
Hesgen Lechwedd y Mynydd .... *Carex capillaris* (Hair Sedge)
Hesgen Leiaf Dywysennog, *gw.* **Hesgen Bigog Hwyr**
Hesgen Linynnog .... *Carex chordorrhiza* (String Sedge)
Hesgen Lom .... *Carex depauperata* (Starved Wood-sedge)
Hesgen Lwydlas .... *Carex divulsa* subsp. *divulsa* (Grey Sedge)
Hesgen Lwytgoch .... *Carex saxatilis* (Russet Sedge)
Hesgen Lygliw Benblydd .... *Carex disticha* (Brown Sedge)
Hesgen Llaid, *gw.* **Hesgen Eurwerdd**
Hesgen Morfa-hallt, *gw.* **Hesgen Hirian**
Hesgen Mynydd-dir, *gw.* **Hesgen Feddal**
Hesgen Oder, *gw.* **Hesgen Felen Gorraidd**
Hesgen Oeder, *gw.* **Hesgen Felen Gorraidd**
Hesgen Oleulas .... *Carex flacca* (Glaucous Sedge)
Hesgen Oleulas Sythddail .... *Carex elata* (Tufted-sedge)
Hesgen Oleulas Wyrgamddail, *gw.* **Hesgen Oleulas**
Hesgen Paladr Triochrog, *gw.* **Hesgen Dywysennog**

a, b, c, ch, d, dd, e, f, ff, g, ng, h, i, j, l, ll, m, n, o, p, ph, r, rh, s, t, th, u, w, y

Hesgen Rafunog Fwyaf .... *Carex paniculata* (Greater Tussock-sedge)
Hesgen Rafunog Leiaf .... *Carex diandra* (Lesser Tussock-sedge)
Hesgen Ranedig .... *Carex divisa* (Divided Sedge)
Hesgen Seraidd .... *Carex echinata* (Star Sedge)
Hesgen Welwlas .... *Carex pallescens* (Pale Sedge)
Hesgen Wrychog .... *Carex microglochin* (Bristle Sedge)
Hesgen y Coed .... *Carex sylvatica* (Wood-sedge)
Hesgen y Dŵr .... *Carex aquatilis* (Water Sedge)
Hesgen y Gors, *gw.* **Corsfrwynen**
Hesgen y Graig .... *Carex rupestris* (Rock Sedge)
Hesgen y Tywod, *gw.* **Hesgen Arfor**
Hesgen Ylfinfain .... *Carex rostrata* (Bottle Sedge)
Hesgen Ylfinog Lefn .... *Carex laevigata* (Smooth-stalked Sedge)
Hesgen yr Aber .... *Carex recta* (Estuarine Sedge)
Hesgen Ysbigog Denau .... *Carex strigosa* (Thin-spiked Wood-sedge)
Hesgen Ysgar .... *Carex dioica* (Dioecious Sedge)
Heulros, *gw.* **Cor-rosyn Cyffredin**
Hiawl, *gw.* **Bloneg y Ddaear**
Hir ei Hoedl, *gw.* **Edafeddog Tlysog**
Hirddail .... *Falcaria vulgaris* (Longleaf)
Hocos, *gw.* **Hocys y Morfa**
Hocys, *gw.* **Hocys y Morfa**
Hocys Blodau Bychan .... *Malva pusilla* (Small Mallow)
Hocys Bychan .... *Malva neglecta* (Dwarf Mallow)
Hocys Crwnddail, *gw.* **Hocys Bychan**
Hocys Crynddail, *gw.* **Hocys Bychan**
Hocys Cyffredin, *gw.* **Hocysen Gyffredin**
Hocys Dinodys, *gw.* **Hocys Bychan**
Hocys Gwyllt, *gw.* **Hocysen Fŵs**
Hocys-mws, *gw.* **Hocysen Fŵs**
Hocys Mwsg, *gw.* **Hocysen Fŵs**
Hocys Simwnt, *gw.* **Hocysen Fŵs**
Hocys y Dwfr, *gw.* **Hocys y Morfa**
Hocys y Gors, *gw.* **Hocys y Morfa**
Hocys y Morfa .... *Althaea officinalis* (Marsh-mallow)
Hocysen Droellog .... *Malva verticillata* (Chinese Mallow)
Hocysen Fendigaid .... *Alcea rosea* (Hollyhock)
Hocysen Flewog .... *Althaea hirsuta* (Rough Marsh-mallow)
Hocysen Fwsg .... *Malva moschata* (Musk Mallow)
Hocysen Gyffredin .... *Malva sylvestris* (Common Mallow)
Hocysen Leiaf .... *Malva parviflora* (Least Mallow)
Hocysen Wyllt, *gw.* **Hocysen Fwsg**
Hocysen y Môr, *gw.* **Hocyswydden**
Hocysenfws, *gw.* **Hocysen Fwsg**
Hocyswydden .... *Lavatera arborea* (Tree-mallow)
Holliach, *gw.* **Uchelwydd**
Hopen Goeg, *gw.* **Meillionen Hopys**
Hopys, *gw.* **Hopysen**
Hopysen .... *Humulus lupulus* (Hop)
Hopysen Japaneaidd .... *Humulus japonicus* (Japanese Hop)
Hosanau'r Gog, *gw.* **Blodyn y Gog**
Hosanau'r Gog, *gw.* **Tegeirian Coch**
Huch-redyn, *gw.* **Rhedynach Teneuwe**
Huch-redyn Unochrog, *gw.* **Rhedynach Teneuwe Wilson**
Huch-redyn Untuog, *gw.* **Rhedynach Teneuwe Wilson**
Hudlys, *gw.* **Briw'r March**
Huddygl Poeth, *gw.* **Rhuddygl Poeth**
Huddygl-y-Meirch, *gw.* **Rhuddygl Poeth**
Hwl, *gw.* **Bloneg y Ddaear**
Hwp yr Ychain, *gw.* **Tagaradr**
Hwp yr Ychen, *gw.* **Tagaradr**
Hwp yr Ychen, *gw.* **Tagaradr Pigog**
Hwyr Friallen Lleiaf, *gw.* **Melyn yr Hwyr**
Hydwf y Waun, *gw.* **Blodyn y Gog**
Hydyf, *gw.* **Blodyn y Gog**
Hydyf Blewog, *gw.* **Berwr Blewog**
Hydyf Blewog y Maes, *gw.* **Berwr Blewog**
Hydyf Blewog yr Ardd, *gw.* **Berwr Blewog**

Hydyf Chwerw, *gw.* **Berwr Cam**
Hydyf Mawr, *gw.* **Berwr Chwerw**
Hydyf y Waun, *gw.* **Blodyn y Gog**
Hyddgwyr, *gw.* **Ceiriosen Ddu**
Hyddwenith Gwyrdd .... *Fagopyrum tataricum* (Green Buckwheat)
Hylithe, *gw.* **Palf yr Arth Ddrewedig**
Hylyf, *gw.* **Palf yr Arth Ddrewedig**
Hyllgrug, *gw.* **Iris Ddrewllyd**
Hyllgryg, *gw.* **Iris Ddrewllyd**
Hysop, *gw.* **Isop**
Ieuawdd, *gw.* **Rhwyddlwyn Meddygol**
Ieudawdd, *gw.* **Rhwyddlwyn Meddygol**
Ieutawd, *gw.* **Rhwyddlwyn Meddygol**
Ieutawdd, *gw.* **Rhwyddlwyn Meddygol**
Indrawn .... *Zea mays* (Maize)
Ioan Mawr, *gw.* **Eurinllys Mawr**
Iorwg .... *Hedera helix* (Ivy)
Iorwg Gwyddelig .... *Hedera hibernica* (Irish Ivy)
Iorwg Llesg, *gw.* **Eidral**
Irddail, *gw.* **Llysiau Pen Tai**
Iris Balfaidd .... *Hermodactylus tuberosus* (Snake's-head Iris)
Iris Borffor .... *Iris versicolor* (Purple Iris)
Iris Ddrewllyd .... *Iris foetidissima* (Stinking Iris)
Iris Farfog .... *Iris germanica* (Flag Iris)
Iris Felen .... *Iris pseudacorus* (Yellow Iris)
Iris Las .... *Iris spuria* (Blue Iris)
Isob, *gw.* **Isop**
Isobl, *gw.* **Isop**
Isop .... *Hyssopus officinalis* (Hyssop)
Ithrog, *gw.* **Githrog**
Iwrwg, *gw.* **Iorwg**
Jac y Neidiwr .... *Impatiens glandulifera* (Indian Balsam)
Jacan Jacmor, *gw.* **Masarnen**
Joncwil .... *Narcissus jonquilla* (Jonquil)
Ladi Wen, *gw.* **Taglys Mawr**
Lafant .... *Lavandula × intermedia* (Garden Lavender)
Lafant Alderney .... *Limonium normannicum* (Alderney Sea-lavender)
Lafant Blodau Rhydd .... *Limonium humile* (Lax-flowered Sea-lavender)
Lafant Jersey .... *Limonium auriculae-ursifolium* (Jersey Sea-Lavender)
Lafant Matiog .... *Limonium bellidifolium* (Matted Sea-lavender)
Lafant Penfro .... *Limonium transwallianum* [Tenby Sea-lavender]
Lafant Prydeinig .... *Limonium britannicum* [British Sea-lavender]
Lafant Tyddewi .... *Limonium paradoxum* [St David's Sea Lavender]
Lafant y Môr .... *Limonium vulgare* (Common Sea-lavender)
Lafant y Morgreigiau .... *Limonium binervosum* (Rock Sea-lavender)
Lamp y Wig, *gw.* **Cronnell**
Leilac .... *Syringa vulgaris* (Lilac)
Lelog, *gw.* **Leilac**
Lili Bengam, *gw.* **Cenhinen Bedr**
Lili Ddŵr Felen .... *Nuphar lutea* (Yellow Water-lily)
Lili Ddŵr Groesryw .... *Nuphar × spenneriana* (Hybrid Water-lily)
Lili Ddŵr Wen .... *Nymphaea alba* (White Water-lily)
Lili-ddŵr Wen, *gw.* **Lili Ddŵr Wen**
Lili Fai .... *Maianthemum bifolium* (May Lily)
Lili Felen y Dŵr, *gw.* **Lili Ddŵr Felen**
Lili Gwyn y Dŵr, *gw.* **Lili Ddŵr Wen**
Lili Kerry .... *Simethis planifolia* (Kerry Lily)
Lili Mawrth, *gw.* **Cenhinen Bedr**
Lili Melyn y Dŵr, *gw.* **Lili Ddŵr Felen**
Lili Melyn y Dŵr Lleiaf, *gw.* **Bwltys Lleiaf**
Lili Wen Fach, *gw.* **Eirlys**
Lili'r Dyffryn, *gw.* **Clych Enid**
Lili'r Dyffrynoedd, *gw.* **Clych Enid**
Lili'r Maes, *gw.* **Clych Enid**
Lili'r Pasg, *gw.* **Pidyn y Gog**
Lili'r Wyddfa .... *Lloydia serotina* (Snowdon Lily)
Lily Grawys, *gw.* **Cenhinen Bedr**
Ling, *gw.* **Grug**

Linnaea, *gw.* **Gefellflodyn**
Lobelia, *gw.* **Bidoglys Chwerw**
Lobelia'r Dŵr, *gw.* **Bidoglys y Dŵr**
Locsyn Taid, *gw.* **Barf yr Hen Ŵr**
Lwsern, *gw.* **Maglys Rhuddlas**
Lymwellt, *gw.* **Amdowellt**
Lysogen, *gw.* **Llwynau'r Fagwyr**
Lladdfrwyn, *gw.* **Brwynen Gymalog**
Llaeth Blaidd .... *Euphorbia esula* (Leafy Spurge)
Llaeth Bron Mair, *gw.* **Llys yr Ysgyfaint**
Llaeth Cwningen, *gw.* **Llaeth Ysgyfarnog**
Llaeth y Cythraul .... *Euphorbia peplus* (Petty Spurge)
Llaeth y Famaeth, *gw.* **Llaethlys y Môr**
Llaeth y Gaseg, *gw.* **Gwyddfid**
Llaeth y Geifr, *gw.* **Gwyddfid**
Llaeth Ysgallen yr Âr, *gw.* **Llaethysgallen yr Ŷd**
Llaeth Ysgallen yr Ŷd, *gw.* **Llaethysgallen yr Ŷd**
Llaeth Ysgyfarnog .... *Euphorbia helioscopia* (Sun Spurge)
Llaethferch, *gw.* **Blodyn y Gog**
Llaethlys, *gw.* **Blodyn y Gog**
Llaethlys, *gw.* **Llysiau Crist**
Llaethlys Arfor, *gw.* **Glas yr Heli**
Llaethlys Blewog .... *Euphorbia villosa* (Hairy Spurge)
Llaethlys Melys .... *Euphorbia dulcis* (Sweet Spurge)
Llaethlys Mynwy .... *Euphorbia serrulata* (Upright Spurge)
Llaethlys Portland .... *Euphorbia portlandica* (Portland Spurge)
Llaethlys y Coed .... *Euphorbia amygdaloides* (Wood Spurge)
Llaethlys y Môr .... *Euphorbia paralias* (Sea Spurge)
Llaethwraig, *gw.* **Blodyn y Gog**
Llaethwyg .... *Astragalus glycophyllos* (Wild Liquorice)
Llaethwyg Mynyddig .... *Astragalus alpinus* (Alpine Milk-vetch)
Llaethwyg Pêr, *gw.* **Llaethwyg**
Llaethwyg Rhuddlas .... *Astragalus danicus* (Purple Milk-vetch)
Llaethygen, *gw.* **Gwylaeth**
Llaethygen, *gw.* **Gwylaeth Chwerwaidd**
Llaethysgallen .... *Sonchus oleraceus* (Smooth Sow-thistle)
Llaethysgallen, *gw.* **Llaethysgallen Arw**
Llaethysgallen Arw .... *Sonchus asper* (Prickly Sow-thistle)
Llaethysgallen Halog, *gw.* **Llaethysgallen-las**
Llaethysgallen Gyffredin, *gw.* **Llaethysgallen**
Llaethysgallen-las .... *Cicerbita macrophylla* (Common Blue-sow-thistle)
Llaethysgallen-las Alpaidd .... *Cicerbita alpina* (Alpine Blue-sow-thistle)
Llaethysgallen-las Foel .... *Cicerbita plumieri* (Hairless Blue-sow-thistle)
Llaethysgallen-las Georgia .... *Cicerbita bourgaei* (Pontic Blue-sow-thistle)
Llaethysgallen y Dŵr .... *Sonchus palustris* (Marsh Sow-thistle)
Llaethysgallen yr Ŷd .... *Sonchus arvensis* (Perennial Sow-thistle)
Llafn Ffagl, *gw.* **Pannog Melyn**
Llafn y Bladur .... *Narthecium ossifragum* (Bog Asphodel)
Llafnlys Bach .... *Ranunculus flammula* (Lesser Spearwort)
Llafnlys Llusg .... *Ranunculus reptans* (Creeping Spearwort)
Llafnlys Mawr .... *Ranunculus lingua* (Greater Spearwort)
Llafnlys Tafod y Neidr .... *Ranunculus ophioglossifolius* (Adder's-tongue
                                                            Spearwort)
Llafrwyn, *gw.* **Llafrwynen**
Llafrwynen .... *Schoenoplectus lacustris* (Common Club-rush)
Llafrwynen, *gw.* **Brwynen Gymalog**
Llafrwynen, *gw.* **Cynffon y Gath**
Llafrwynen Arfor .... *Schoenoplectus tabernaemontani* (Grey Club-rush)
Llafrwynen Drichornel .... *Schoenoplectus triqueter* (Triangular Club-rush)
Llafrwynen Finiog .... *Schoenoplectus pungens* (Sharp Club-rush)
Llanc Swil .... *Bartsia alpina* (Alpine Bartsia)
Llanc Swil, *gw.* **Gorudd**
Llarwydden Ewrop .... *Larix decidua* (European Larch)
Llarwydden Groesryw .... *Larix × marschlinsii* (Hybrid Larch)
Llarwydden Hybrid, *gw.* **Llarwydden Groesryw**
Llarwydden Japan .... *Larix kaempferi* (Japanese Larch)
Llarwydden Siapan, *gw.* **Llarwydden Japan**
Llasarllys, *gw.* **Llysiau'r Lliw**

a, b, c, ch, d, dd, e, f, ff, g, ng, h, i, j, l, ll, m, n, o, p, ph, r, rh, s, t, th, u, w, y

Lluswydden, *gw.* **Llus**
Lluswydden Fawr .... *Vaccinium uliginosum* (Bog Bilberry)
Lluswydden y Geifr, *gw.* **Llus Coch**
Llwfach .... *Levisticum officinale* (Lovage)
Llwfach Albanaidd .... *Ligusticum scoticum* (Scots Lovage)
Llwglys, *gw.* **Llwylys Cyffredin**
Llwgr y Tewlaeth, *gw.* **Pannog Melyn**
Llwyd Troed, *gw.* **Carn yr Ebol**
Llwyd y Cŵn .... *Marrubium vulgare* (White Horehound)
Llwyd y Din, *gw.* **Dail Arian**
Llwyd y Ffordd, *gw.* **Edafeddog**
Llwyd y Ffordd, *gw.* **Edafeddog Canghennog**
Llwyd yr Eithin, *gw.* **Chwerwlys yr Eithin**
Llwyd yr Eithin, *gw.* **Wermod Lwyd**
Llwydlas, *gw.* **Pabi'r Môr**
Llwydlas Melyn, *gw.* **Pabi'r Môr**
Llwydlys, *gw.* **Beidiog Lwyd**
Llwydlys y Bystwn .... *Draba incana* (Hoary Whitlowgrass)
Llwydwen Fach, *gw.* **Dail Arian**
Llwyf Cyffredin, *gw.* **Llwyfen Gyffredin**
Llwyfain Rhufain, *gw.* **Llwyfen Gyffredin**
Llwyfanen â Dail Llyfnion, *gw.* **Llwyfen Lydanddail**
Llwyfanen Britanaidd, *gw.* **Llwyfen Gyffredin**
Llwyfanen Gyffredin, *gw.* **Llwyfen Gyffredin**
Llwyfanen Lydanddail, *gw.* **Llwyfen Lydanddail**
Llwyfen, *gw.* **Llwyfen Lydanddail**
Llwyfen a Dail Gwalltog, *gw.* **Llwyfen Gyffredin**
Llwyfen Gyffredin .... *Ulmus procera* (English Elm)
Llwyfen Lydanddail .... *Ulmus glabra* (Wych Elm)
Llwyfen Plot .... *Ulmus plotii* (Plot's Elm)
Llwyglys, *gw.* **Marchalan**
Llwylys Cyffredin .... *Cochlearia officinalis* (Common Scurvygrass)
Llwylys Denmarc .... *Cochlearia danica* (Danish Scurvygrass)
Llwylys Gwryw, *gw.* **Helys Can**
Llwylys Lloegr .... *Cochlearia anglica* (English Scurvygrass)
Llwylys Llychlyn, *gw.* **Llwylys Denmarc**
Llwylys Meddygol, *gw.* **Llwylys Cyffredin**
Llwylys Mynyddig .... *Cochlearia micacea* (Mountain Scurvygrass)
Llwylys Pyreneaidd .... *Cochlearia pyrenaica* (Pyrenean Scurvygrass)
Llwyllys, *gw.* **Llwylys Cyffredin**
Llwyn Addurnol, *gw.* **Piswydden**
Llwyn Bonheddig, *gw.* **Edafeddog y Môr**
Llwyn Cotymog .... *Santolina chamaecyparissus* (Lavender-cotton)
Llwyn Hidl, *gw.* **Llwynhidydd**
Llwyn Iâr Fach .... *Buddleja davidii* (Butterfly-bush)
Llwyn Llygwyn .... *Atriplex halimus* (Shrubby Orache)
Llwyn Oregon Croesryw .... *Mahonia* × *decumbens* (Newmarket Oregon-grape)
Llwyn Oregon .... *Mahonia aquifolium* (Oregon-grape)
Llwyn Paladr Trwyddo .... *Bupleurum fruticosum* (Shrubby Hare's-ear)
Llwyn Pumbys .... *Potentilla fruticosa* (Shrubby Cinquefoil)
Llwyn Senna .... *Colutea arborescens* (Bladder-senna)
Llwyn y Cythraul, *gw.* **Pabi Coch**
Llwyn y Gors .... *Ledum palustre* (Labrador-tea)
Llwyn y Gyfagwy, *gw.* **Llwynau'r Fagwyr**
Llwyn y Neidr, *gw.* **Llwynhidydd**
Llwyn y Neidr, *gw.* **Llwynhidydd Corn Carw**
Llwyn y Tewlaeth, *gw.* **Bysedd y Cŵn**
Llwyn y Tewlaeth, *gw.* **Pannog Melyn**
Llwynau'r Fagwyr .... *Sedum rupestre* (Reflexed Stonecrop)
Llwyndidill, *gw.* **Llwynhidydd**
Llwynhelys .... *Suaeda vera* (Shrubby Sea-blite)
Llwynhidydd .... *Plantago lanceolata* (Ribwort Plantain)
Llwynhidydd, *gw.* **Pumdalen Ymlusgol**
Llwynhidydd Arfor .... *Plantago maritima* (Sea Plantain)
Llwynhidydd Blewog, *gw.* **Llwynhidydd Llwyd**
Llwynhidydd Corn Carw .... *Plantago coronopus* (Buck's-horn Plantain)
Llwynhidydd Llwyd .... *Plantago media* (Hoary Plantain)
Llwynhidydd Mawr .... *Plantago major* (Greater Plantain)

---

a, b, c, ch, d, dd, e, f, ff, g, ng, h, i, j, l, ll, m, n, o, p, ph, r, rh, s, t, th, u, w, y

Llwynhidydd yr Aderyn .... *Plantago afra* (Glandular Plantain)
Llwyth y Clymlys, *gw.* **Cwlwm y Cythraul**
Llychlyn y Dŵr, *gw.* **Llysiau Taliesyn**
Llydan y Ffordd, *gw.* **Llwynhidydd Corn Carw**
Llydan y Ffordd, *gw.* **Llwynhidydd Mawr**
Llydanddail, *gw.* **Berwr Taliesin**
Llyfenwy, *gw.* **Tormaen Gwyn y Gweunydd**
Llyfenwy Bach Tribys, *gw.* **Tormaen Tribys**
Llyfenwy y Goferau, *gw.* **Tormaen Serennog**
Llyfenwy yr Eira, *gw.* **Tormaen yr Eira**
Llyfn-ddail, *gw.* **Gauberllys**
Llyffeiriad, *gw.* **Llau'r Offeiriad**
Llyg Aeron, *gw.* **Llygaeron**
Llyg Eirinen, *gw.* **Llygaeron**
Llygad Aeron, *gw.* **Llygaeron**
Llygad Crist, *gw.* **Effros**
Llygad Crist, *gw.* **Saets Gwyllt**
Llygad Disglair, *gw.* **Effros**
Llygad Doli .... *Veronica chamaedrys* (Germander Speedwell)
Llygad Dyniawed, *gw.* **Llygad Ebrill**
Llygad Ebrill .... *Ranunculus ficaria* (Lesser Celandine)
Llygad Effros .... *Euphrasia nemorosa* [Common Eyebright]
Llygad Eirian, *gw.* **Llygaeron**
Llygad Eirin, *gw.* **Llygaeron**
Llygad Glas, *gw.* **Llygad Doli**
Llygad Llo, *gw.* **Llygad Llo Mawr**
Llygad Llo Mawr .... *Leucanthemum vulgare* (Oxeye Daisy)
Llygad Llo Melyn .... *Telekia speciosa* (Yellow Oxeye)
Llygad Madfall, *gw.* **Serenllys y Gors**
Llygad Robin, *gw.* **Llys y Llwynog**
Llygad Siriol, *gw.* **Effros**
Llygad Siriol Cyffredin, *gw.* **Llygad Effros**
Llygad y Bwgan, *gw.* **Pabi Coch**
Llygad y Ci, *gw.* **Marchwellt**
Llygad y Cythraul, *gw.* **Pabi Coch**
Llygad y Deryn Bach, *gw.* **Llygad Doli**
Llygad y Dydd .... *Bellis perennis* (Daisy)
Llygad y Dydd Cyffredin, *gw.* **Llygad y Dydd**
Llygad y Dydd Mawr, *gw.* **Llygad Llo Mawr**
Llygad y Gath, *gw.* **Llygad Doli**
Llygad y Goediar .... *Adonis annua* (Pheasant's-eye)
Llygad y Goediar, *gw.* **Penigan Cyffredin**
Llygad y Goediar Hafaidd .... *Adonis aestivalis* (Summer Pheasant's-eye)
Llygad y Goediar Gwanwynol, *gw.* **Llygad y Goediar**
Llygad y Tarw, *gw.* **Llygad Doli**
Llygad Ych Mawr .... *Leucanthemum × superbum* (Shasta Daisy)
Llygad yr Aeron, *gw.* **Llygaeron**
Llygad yr Angel, *gw.* **Llygad Doli**
Llygad yr Ych, *gw.* **Camri'r Cŵn**
Llygad Ysgyfarnog, *gw.* **Pumdalen y Gors**
Llygadlym, *gw.* **Dilwydd**
Llygadlys, *gw.* **Dilwydd**
Llygaeron .... *Vaccinium oxycoccus* (Cranberry)
Llygaeron America .... *Vaccinium macrocarpon* (American Cranberry)
Llygaeron Bach .... *Vaccinium microcarpum* (Small Cranberry)
Llygaid y Diniwed, *gw.* **Llygad Ebrill**
Llygatlas America .... *Sisyrinchium montanum* (American Blue-eyed-grass)
Llygwyn Arfor .... *Atriplex littoralis* (Grass-leaved Orache)
Llygwyn Ariannaidd .... *Atriplex laciniata* (Frosted Orache)
Llygwyn Babington, *gw.* **Llygwyn y Tywod**
Llygwyn Culddail .... *Atriplex patula* (Common Orache)
Llygwyn Culddail Ymledol, *gw.* **Llygwyn Culddail**
Llygwyn Cynnar .... *Atriplex praecox* (Early Orache)
Llygwyn Drewllyd, *gw.* **Llysgwyn Drewllyd**
Llygwyn Hirgoes .... *Atriplex longipes* (Long-stalked Orache)
Llygwyn Llyswyddaidd, *gw.* **Helys Can**
Llygwyn Trionglog, *gw.* **Llygwyn Tryfal**
Llygwyn Tryfal .... *Atriplex prostrata* (Spear-leaved Orache)

Llygwyn Tryferddail Syth, *gw.* **Llygwyn Culddail**
Llygwyn y Morfa, *gw.* **Llygwyn Arfor**
Llygwyn y Tywod .... *Atriplex glabriuscula* (Babington's Orache)
Llygwyn yr Ardd .... *Atriplex hortensis* (Garden Orache)
Llyngwern, *gw.* **Ceiriosen yr Adar**
Llym y Llygad, *gw.* **Dilwydd**
Llymdreiniog, *gw.* **Corsfrwynen**
Llymddreiniog, *gw.* **Corsfrwynen Ddu**
Llymeidfwyd, *gw.* **Llaethysgallen**
Llymfrwynen .... *Juncus acutus* (Sharp Rush)
Llynddail Corniog, *gw.* **Cornwlyddyn**
Llynorlys, *gw.* **Brechlys**
Llynwlyddyn Corniog, *gw.* **Cornwlyddyn**
Llyrcadlys, *gw.* **Brymlys**
Llyren Fechan .... *Baldellia ranunculoides* (Lesser Water-plantain)
Llyren Nofiadwy, *gw.* **Dŵr-lyriad Nofiadwy**
Llyrfresych, *gw.* **Bresych Gwyllt**
Llyrgawl, *gw.* **Bresych Gwyllt**
Llyriad Corn y Carw, *gw.* **Llwynhidydd Corn Carw**
Llyriad Cynffon Llygoden, *gw.* **Llwynhidydd Mawr**
Llyriad Llwyd, *gw.* **Llwynhidydd Llwyd**
Llyriad Llwynhidydd, *gw.* **Llwynhidydd**
Llyriad Llymion, *gw.* **Dŵr-lyriad**
Llyriad Mwyaf, *gw.* **Llwynhidydd Mawr**
Llyriad y Defaid, *gw.* **Llwynhidydd Arfor**
Llyriad y Dŵr, *gw.* **Dŵr-lyriad**
Llyriad y Llynnau, *gw.* **Dŵr-lyriad**
Llyriad y Llynnoedd, *gw.* **Dŵr-lyriad**
Llyriad y Môr, *gw.* **Llwynhidydd Arfor**
Llyriad y Môr, *gw.* **Rhafnwydd y Môr**
Llyriaid y Môr, *gw.* **Llwynhidydd Arfor**
Llyrlys .... *Salicornia europaea* (Common Glasswort)
Llyrlys, *gw.* **Llyrlys Bythol**
Llyrlys Brau .... *Salicornia fragilis* [Yellow Glasswort]
Llyrlys Bythol .... *Sarcocornia perennis* (Perennial Glasswort)
Llyrlys Canghennog .... *Salicornia dolichostachya* [Long-spiked Glasswort]
Llyrlys Gorweddol .... *Salicornia ramosissima* [Purple Glasswort]
Llyrlys Llysieuol, *gw.* **Llyrlys**
Llys Bened, *gw.* **Mapgoll**
Llys Benet, *gw.* **Mapgoll**
Llys Cadwaladr, *gw.* **Chwerewlys y Mur**
Llys Cadwgan, *gw.* **Triaglog**
Llys Cariad, *gw.* **Ysgorpionllys y Gors**
Llys-coffa Amryliw, *gw.* **Ysgorpionllys Amryliw**
Llys-coffa'r Coed, *gw.* **Ysgorpionllys y Coed**
Llys Coffa'r Gors, *gw.* **Ysgorpionllys y Gors**
Llys-coffa'r Maes, *gw.* **Ysgorpionllys y Meysydd**
Llys Copyn y Dwfr, *gw.* **Llys y Sipsiwn**
Llys Crist, *gw.* **Llysiau Crist**
Llys Dwyfog, *gw.* **Cribau San Ffraid**
Llys Efa, *gw.* **Llwynhidydd Corn Carw**
Llys Effros, *gw.* **Effros**
Llys Eira, *gw.* **Llus Eira**
Llys F'anwylyd, *gw.* **Mapgoll**
Llys F'anwylyd, *gw.* **Mapgoll Glan y Dŵr**
Llys Fedd, *gw.* **Melynog y Waun**
Llys Gerwyn, *gw.* **Eidral**
Llys Iago, *gw.* **Creulys Iago**
Llys Ieuan, *gw.* **Beidiog Lwyd**
Llys Ifan, *gw.* **Beidiog Lwyd**
Llys Jacob, *gw.* **Creulys Iago**
Llys Llaeth .... *Galega officinalis* (Goat's-rue)
Llys Llewelyn, *gw.* **Rhwyddlwyn Meddygol**
Llys Mair, *gw.* **Glesyn y Coed**
Llys Mair Fadlen, *gw.* **Mintys Mair**
Llys Meddyglyn, *gw.* **Moronen y Maes**
Llys Melyn, *gw.* **Melynog y Waun**
Llys Meudwy, *gw.* **Sawdl y Crydd**

Llys Pedr, *gw.* **Eurinllys Pedrongl**
Llys Pen Tai, *gw.* **Llysiau Pen Tai**
Llys Perfigedd, *gw.* **Dail y Beiblau**
Llys Robert Bychan .... *Geranium purpureum* (Little-Robin)
Llys Silin .... *Plantago arenaria* (Branched Plantain)
Llys Steffan, *gw.* **Llysiau Steffan**
Llys Steffan Cyffredin, *gw.* **Llysiau Steffan**
Llys Te, *gw.* **Briwydden Bêr**
Llys y Bara, *gw.* **Haidd**
Llys y Blaidd, *gw.* **Cwcwll y Mynach**
Llys y Bronnau, *gw.* **Llygad Ebrill**
Llys y Bystwn .... *Erophila verna* (Common Whitlowgrass)
Llys y Clochdy, *gw.* **Helyglys Hardd**
Llys y Coludd, *gw.* **Brymlys**
Llys y Corff, *gw.* **Llysiau'r Corff**
Llys y Cryman .... *Anagallis arvensis* subsp. *arvensis* (Scarlet Pimpernel)
Llys y Cŵn, *gw.* **Melog y Cŵn**
Llys y Cwsg, *gw.* **Cwsglys**
Llys y Cyfog, *gw.* **Carn Ebol y Gerddi**
Llys y Cywer, *gw.* **Briwydden Felen**
Llys y Din, *gw.* **Tinboeth**
Llys y Dom, *gw.* **Costog y Domen**
Llys y Dryw .... *Agrimonia eupatoria* (Agrimony)
Llys y Dryw Peraroglus .... *Agrimonia procera* (Fragrant Agrimony)
Llys y Dyfrglwyf, *gw.* **Merllys**
Llys y Famaeth, *gw.* **Llaethlys y Môr**
Llys y Famog, *gw.* **Mamlys**
Llys y Fors .... *Herniaria glabra* (Smooth Rupturewort)
Llys y Fors Blewog .... *Herniaria hirsuta* (Hairy Rupturewort)
Llys y Fors Eddïog .... *Herniaria ciliolata* (Fringed Rupturewort)
Llys y Fuddai, *gw.* **Llys y Dryw**
Llys y Ffynnon, *gw.* **Siani Lusg**
Llys y Geiniog, *gw.* **Ceiniog y Gors**
Llys y Giau, *gw.* **Celynnen Fair**
Llys y Gingroen, *gw.* **Creulys Iago**
Llys y Gors, *gw.* **Ysgorpionllys y Gors**
Llys y Gwaed, *gw.* **Brymlys**
Llys y Gwaedlif, *gw.* **Milddail**
Llys y Gwewyr .... *Anethum graveolens* (Dill)
Llys y Gwifrau .... *Muehlenbeckia complexa* (Wireplant)
Llys y Gwrda, *gw.* **Sawdl y Crydd**
Llys y Gwrid .... *Pentaglottis sempervirens* (Green Alkanet)
Llys y Gwynt, *gw.* **Blodyn y Gwynt**
Llys y Gymalwst .... *Aegopodium podagraria* (Ground-elder)
Llys y Gynddaredd, *gw.* **Edafeddog**
Llys y Gynddaredd, *gw.* **Edafeddog Canghennog**
Llys y Lludw .... *Senecio cineraria* (Silver Ragwort)
Llys y Llwy, *gw.* **Llwylys Cyffredin**
Llys y Llwynog .... *Geranium robertianum* (Herb-Robert)
Llys y Llwynog, *gw.* **Pig yr Aran Llarpiog**
Llys y Llymarch .... *Mertensia maritima* (Oysterplant)
Llys y Meheryn, *gw.* **Maglys Amrywedd**
Llys y Meheryn, *gw.* **Maglys Eiddiog**
Llys y Milwr .... *Lythrum salicaria* (Purple-loosestrife)
Llys y Milwr Coch, *gw.* **Llys y Milwr**
Llys y Neidr .... *Persicaria bistorta* (Common Bistort)
Llys y Neidr Fynyddig, *gw.* **Neidrlys Mynyddig**
Llys y Penddigaid, *gw.* **Dail y Beiblau**
Llys y Pla, *gw.* **Arianllys**
Llys y Poer, *gw.* **Gludlys Codrwth**
Llys y Sipsi, *gw.* **Llys y Sipsiwn**
Llys y Sipsiwn .... *Lycopus europaeus* (Gipsywort)
Llys y Tanewyn, *gw.* **Seren y Morfa**
Llys y Tarw, *gw.* **Pengaled Mawr**
Llys y Tryfal, *gw.* **Pwrs y Bugail**
Llys y Twrch, *gw.* **Bloneg y Ddaear**
Llys y Wennol, *gw.* **Dilwydd**
Llys y Wiber .... *Scorzonera humilis* (Viper's-grass)

a, b, c, ch, d, dd, e, f, ff, g, ng, h, i, j, l, ll, m, n, o, p, ph, r, rh, s, t, th, u, w, y

Llys yr Angel .... *Angelica sylvestris* (Wild Angelica)
Llys yr Angel Peraroglaidd, *gw.* **Talfedel**
Llys yr Angel y Goedwig, *gw.* **Llys yr Angel**
Llys yr Archoll, *gw.* **Briwlys y Gors**
Llys yr Eryr Perarogl, *gw.* **Briwydden Bêr**
Llys yr Hebog .... *Hieracium vulgatum* (Common Hawkweed)
Llys yr Hidl, *gw.* **Llau'r Offeiriad**
Llys yr Hudol, *gw.* **Briw'r March**
Llys yr Hudolesau, *gw.* **Llys y Sipsiwn**
Llys yr Ychain, *gw.* **Gludlys Coch**
Llys yr Ychen, *gw.* **Gludlys Coch**
Llys yr Ysgyfaint .... *Pulmonaria officinalis* (Lungwort)
Llys yr Ysgyfaint Arfor, *gw.* **Llys y Llymarch**
Llys yr Ysgyfaint Culddail .... *Pulmonaria longifolia* (Narrow-leaved Lungwort)
Llys Ysgyfarnog .... *Coeloglossum viride* (Frog Orchid)
Llysarllys, *gw.* **Llysiaur' Lliw**
Llysau Duon Bach, *gw.* **Llus**
Llysgawl, *gw.* **Bresych Gwyllt**
Llysgwyn Drewllyd .... *Chenopodium vulvaria* (Stinking Goosefoot)
Llyshedydd .... *Consolida ajacis* (Larkspur)
Llyshedydd y Dwyrain .... *Consolida orientalis* (Eastern Larkspur)
Llysiau Blaen Gwayw, *gw.* **Serenllys y Gors**
Llysiau Blodau'r Mêl, *gw.* **Erwain**
Llysiau Cadwaladr, *gw.* **Chwerwlys y Mur**
Llysiau Cadwgan, *gw.* **Triaglog**
Llysiau Ceg Nain, *gw.* **Blodyn y Mwnci**
Llysiau Ceiniog, *gw.* **Deilen Gron**
Llysiau Clee, *gw.* **Serenllys Mawr**
Llysiau Coludd, *gw.* **Brymlys**
Llysiau Crist .... *Polygala vulgaris* (Common Milkwort)
Llysiau Cristoffis .... *Actaea spicata* (Baneberry)
Llysiau Crochan Ddu, *gw.* **Dulys**
Llysiau F'anwylyd, *gw.* **Mapgoll**
Llysiau Gwanwynol, *gw.* **Llys y Bystwn**
Llysiau Gwyddelig, *gw.* **Panasen Wyllt**
Llysiau Gwynion y Gerddi, *gw.* **Panasen Wyllt**
Llysiau Helgorn, *gw.* **Gwyddfid**
Llysiau Iago, *gw.* **Creulys Iago**
Llysiau Ieuan, *gw.* **Beidiog Lwyd**
Llysiau Ifan, *gw.* **Beidiog Lwyd**
Llysiau Ioan, *gw.* **Eurinllys Trydwll**
Llysiau Llwyd, *gw.* **Beidiog Lwyd**
Llysiau Llwydion, *gw.* **Beidiog Lwyd**
Llysiau Llywelyn .... *Kickxia elatine* (Sharp-leaved Fluellen)
Llysiau Llywelyn, *gw.* **Llygad Doli**
Llysiau Llywelyn, *gw.* **Llysiau Llywelyn Crwnddail**
Llysiau Llywelyn Crwnddail .... *Kickxia spuria* (Round-leaved Fluellen)
Llysiau Mair, *gw.* **Melyn y Gors**
Llysiau Martagon, *gw.* **Cap y Twrc**
Llysiau Marwolaeth, *gw.* **Milddail**
Llysiau Melyn, *gw.* **Melynog y Waun**
Llysiau Melyn y Bystwn .... *Draba aizoides* (Yellow Whitlowgrass)
Llysiau Paul, *gw.* **Briallu**
Llysiau Pen Tai .... *Sempervivum tectorum* (House-leek)
Llysiau Penfelen, *gw.* **Melynog y Waun**
Llysiau Pumbys, *gw.* **Pumdalen Ymlusgol**
Llysiau Robert, *gw.* **Llys y Llwynog**
Llysiau Robin, *gw.* **Gludlys Coch**
Llysiau Saith Gwlwm Synnwyr, *gw.* **Gludlys Codrwth**
Llysiau St Mair, *gw.* **Helyglys Hardd**
Llysiau Simwnt, *gw.* **Hocysen Fwsg**
Llysiau Solomon, *gw.* **Dagrau Job**
Llysiau Solomon Persawrus .... *Polygonatum odoratum* (Angular Solomon's-seal)
Llysiau Steffan .... *Circaea lutetiana* (Enchanter's-nightshade)
Llysiau Steffan Mynyddig .... *Circaea alpina* (Alpine Enchanter's-nightshade)
Llysiau Taliesin, *gw.* **Berwr Taliesin**
Llysiau Taliesyn .... *Veronica beccabunga* (Brooklime)
Llysiau Tryfal, *gw.* **Pwrs y Bugail**

a, b, c, ch, d, dd, e, f, ff, g, ng, h, i, j, l, ll, m, n, o, p, ph, r, rh, s, t, th, u, w, y

Llysiau Ungronyn, *gw.* **Cwlwm Cariad**
Llysiau y Bumpys, *gw.* **Pumdalen Ymlusgol**
Llysiau y Crach, *gw.* **Marchalan**
Llysiau y Cyfog .... *Euphorbia lathyris* (Caper Spurge)
Llysiau y Dom, *gw.* **Clust Llygoden Culddail**
Llysiau y Drindod, *gw.* **Ofergaru**
Llysiau y Fagwyr, *gw.* **Llwynau'r Fagwyr**
Llysiau y Fogel, *gw.* **Deilen Gron**
Llysiau y Gwaew, *gw.* **Llysiau Pen Tai**
Llysiau y Gwayw, *gw.* **Llysiau Pen Tai**
Llysiau y Gwiblu, *gw.* **Llys y Sipsiwn**
Llysiau y Llewpard .... *Doronicum pardalianches* (Leopard's-bane)
Llysiau y Milwr, *gw.* **Canclwm**
Llysiau yr Ais, *gw.* **Llwynhidydd**
Llysiau yr Archangel, *gw.* **Marddanhadlen Felen**
Llysiau yr Hyllgrug, *gw.* **Iris Ddrewllyd**
Llysiau Ystyffan, *gw.* **Llysiau Steffan**
Llysiau'r Angel, *gw.* **Llys yr Angel**
Llysiau'r Angel y Goedwig, *gw.* **Llys yr Angel**
Llysiau'r Archoll, *gw.* **Brymlys**
Llysiau'r Bara, *gw.* **Brwysgedlys**
Llysiau'r Blaidd, *gw.* **Cwcwll y Mynach**
Llysiau'r Bleurwg, *gw.* **Canri Goch**
Llysiau'r Brenin Hari, *gw.* **Sawdl y Crydd**
Llysiau'r Bronnau, *gw.* **Llygad Ebrill**
Llysiau'r Bystwn, *gw.* **Llwydlys y Bystwn**
Llysiau'r Bystwn Cyffredin, *gw.* **Llys y Bystwn**
Llysiau'r Bystwn Nyddgodog, *gw.* **Llwydlys y Bystwn**
Llysiau'r Bystwn y Fagwyr, *gw.* **Bystwn y Fagwyr**
Llysiau'r Bystwn y Muriau, *gw.* **Bystwn y Fagwyr**
Llysiau'r Clefyd Melyn, *gw.* **Dilwydd**
Llysiau'r Corff .... *Artemisia campestris* (Field Wormwood)
Llysiau'r Cribau, *gw.* **Crib y Pannwr**
Llysiau'r Cryman, *gw.* **Llys y Cryman**
Llysiau'r Cwlwm .... *Symphytum officinale* (Common Comfrey)
Llysiau'r Cwlwm, *gw.* **Cyfardwf Oddfynog**
Llysiau'r Cŵn, *gw.* **Melog y Cŵn**
Llysiau'r Cwsg, *gw.* **Cwsglys**
Llysiau'r Cyfog, *gw.* **Carn Ebol y Gerddi**
Llysiau'r Cyrff, *gw.* **Llysiau'r Corff**
Llysiau'r Din, *gw.* **Tinboeth**
Llysiau'r Dom, *gw.* **Brechlys**
Llysiau'r Dom, *gw.* **Costog y Domen**
Llysiau'r Domen, *gw.* **Costog y Domen**
Llysiau'r Drindod, *gw.* **Trilliw**
Llysiau'r Drindod Trilliw, *gw.* **Trilliw**
Llysiau'r Droedwst, *gw.* **Llys y Gymalwst**
Llysiau'r Ddannodd, *gw.* **Llysiau'r Ddannoedd**
Llysiau'r Ddannoedd .... *Peucedanum ostruthium* (Masterwort)
Llysiau'r Ddidol, *gw.* **Bara'r Hwch**
Llysiau'r Eglwys, *gw.* **Melog y Cŵn**
Llysiau'r Epa, *gw.* **Blodyn y Mwnci**
Llysiau'r Esgyrn, *gw.* **Eidral**
Llysiau'r Ewinor, *gw.* **Llys y Bystwn**
Llysiau'r Fagwyr, *gw.* **Blodyn y Fagwyr**
Llysiau'r Fam, *gw.* **Amranwen**
Llysiau'r Fam, *gw.* **Mamlys**
Llysiau'r Fam, *gw.* **Wermod Wen**
Llysiau'r Famaeth, *gw.* **Llaethlys y Môr**
Llysiau'r Forwyn, *gw.* **Erwain**
Llysiau'r Galon, *gw.* **Mamlys**
Llysiau'r Geiniog, *gw.* **Ceiniog y Gors**
Llysiau'r Gerwyn, *gw.* **Eidral**
Llysiau'r Giau, *gw.* **Celynnen Fair**
Llysiau'r Gingroen, *gw.* **Creulys Iago**
Llysiau'r Glust, *gw.* **Serenllys Mawr**
Llysiau'r Groes .... *Polygala serpyllifolia* (Heath Milkwort)
Llysiau'r Groes, *gw.* **Croeslys**

---

a, b, c, ch, d, dd, e, f, ff, g, ng, h, i, j, l, ll, m, n, o, p, ph, r, rh, s, t, th, u, w, y

Llysiau'r Gwaed, *gw.* **Brymlys**
Llysiau'r Gwaedlif, *gw.* **Milddail**
Llysiau'r Gwaedlin, *gw.* **Milddail**
Llysiau'r Gwayw, *gw.* **Llysiau Pen Tai**
Llysiau'r Gwayw Mwyaf, *gw.* **Llafnlys Mawr**
Llysiau'r Gwenyn, *gw.* **Gwenynddail**
Llysiau'r Gwewyr, *gw.* **Ffenigl**
Llysiau'r Gwynwydd, *gw.* **Gwyddfid**
Llysiau'r Gymalwst, *gw.* **Llys y Gymalwst**
Llysiau'r Hidl, *gw.* **Llau'r Offeiriad**
Llysiau'r Hudol, *gw.* **Briw'r March**
Llysiau'r Hychgryg, *gw.* **Iris Ddrewllyd**
Llysiau'r Lawlwm, *gw.* **Llysiau'r Cwlwm**
Llysiau'r Llaeth, *gw.* **Llysiau Crist**
Llysiau'r Llaw, *gw.* **Blodyn y Fagwyr**
Llysiau'r Lleurwg, *gw.* **Canri Goch**
Llysiau'r Llew, *gw.* **Dilwydd**
Llysiau'r Llewpard Llwynhidydd-ddail .... *Doronicum plantagineum* (Plantain-leaved Leopard's-bane)
Llysiau'r Lliw .... *Isatis tinctoria* (Woad)
Llysiau'r Llwg, *gw.* **Llwylys Cyffredin**
Llysiau'r Llwy, *gw.* **Llwylys Cyffredin**
Llysiau'r Llwynog, *gw.* **Llys y Llwynog**
Llysiau'r Llygad, *gw.* **Dilwydd**
Llysiau'r Llygaid, *gw.* **Effros**
Llysiau'r Milwr Coch, *gw.* **Llys y Milwr**
Llysiau'r Milwr Melynion, *gw.* **Trewynyn**
Llysiau'r Moch, *gw.* **Codwarth Du**
Llysiau'r Oen .... *Valerianella locusta* (Common Cornsalad)
Llysiau'r Oen Rhychiog .... *Valerianella carinata* (Keeled-fruited Cornsalad)
Llysiau'r Pannwr, *gw.* **Crib y Pannwr**
Llysiau'r Pared, *gw.* **Murlys**
Llysiau'r Parlys, *gw.* **Briallu Mair**
Llysiau'r Pwdin, *gw.* **Brymlys**
Llysiau'r Sein, *gw.* **Hocysen Fwsg**
Llysiau'r Swynwr, *gw.* **Llysiau Steffan**
Llysiau'r Tarw, *gw.* **Pengaled Mawr**
Llysiau'r Twrch, *gw.* **Bloneg y Ddaear**
Llysiau'r Tywyrch, *gw.* **Bloneg y Ddaear**
Llysiau'r Wennol, *gw.* **Dilwydd**
Llysiau'r Ysgyfaint, *gw.* **Llys yr Ysgyfaint**
Llysiau'r Ysgyfaint, *gw.* **Llys yr Ysgyfaint Culddail**
Llysiau'r Ysgyfaint Arfor, *gw.* **Llys y Llymarch**
Llysiau'r Ysgyfarnog, *gw.* **Creulys Iago**
Llysieuyn y Drindod, *gw.* **Trilliw**
Llysuawg, *gw.* **Llysyrlys**
Llysuog, *gw.* **Llysyrlys**
Llysyr Echryshaint, *gw.* **Rhutain**
Llysyrawt, *gw.* **Llysyrlys**
Llysyrlys .... *Sanguisorba officinalis* (Great Burnet)
Llysyrllys, *gw.* **Llysyrlys**
Llywelyn, *gw.* **Llysiau Llywelyn**
Mabcoll, *gw.* **Mapgoll Glan y Dŵr**
Mabgoll, *gw.* **Mapgoll**
Mabgoll Bendigeidlys, *gw.* **Mapgoll**
Mabgoll Glan y Dŵr, *gw.* **Mapgoll Glan y Dŵr**
Mabgoll yr Afon, *gw.* **Mapgoll Glan y Dŵr**
Madfelen, *gw.* **Pengaled**
Madr, *gw.* **Cochwraidd Gwyllt**
Madrwydd, *gw.* **Helygen Fair**
Madwysg, *gw.* **Blodau'r Sipsi**
Madwysg Cyffredin, *gw.* **Blodau'r Sipsi**
Madwysg Pyreneaidd .... *Aquilegia pyrenaica* (Pyrenean Columbine)
Madyr, *gw.* **Cochwraidd Gwyllt**
Madywydd, *gw.* **Helygen Fair**
Madywydd Bêr, *gw.* **Helygen Fair**
Maenhad Cochlas y Mordir, *gw.* **Maenhad Gwyrddlas**
Maenhad Gwyrddlas .... *Lithospermum purpurocaeruleum* (Purple Gromwell)

---

a, b, c, ch, d, dd, e, f, ff, g, ng, h, i, j, l, ll, m, n, o, p, ph, r, rh, s, t, th, u, w, y

Maenhad Meddygol .... *Lithospermum officinale* (Common Gromwell)
Maenhad y Wridolch, *gw.* **Maenhad yr Âr**
Maenhad yr Âr .... *Lithospermum arvense* (Field Gromwell)
Maeswellt, *gw.* **Maswellt Rhedegog**
Maeswellt Addfain, *gw.* **Maeswellt Cyffredin**
Maeswellt Cyffredin .... *Agrostis capillaris* (Common Bent)
Maeswellt Du Mwyaf, *gw.* **Maeswellt Mawr**
Maeswellt Gwrychog .... *Agrostis curtisii* (Bristle Bent)
Maeswellt Gwyn y Coed, *gw.* **Maeswellt y Gwlypdir**
Maeswellt Gwyn y Maes, *gw.* **Maeswellt y Gwlypdir**
Maeswellt Gwyn y Waun, *gw.* **Maeswellt y Gwlypdir**
Maeswellt Mawr .... *Agrostis gigantea* (Black Bent)
Maeswellt Rhedegog, *gw.* **Maswellt y Gwlypdir**
Maeswellt Sidanaidd .... *Apera spica-venti* (Loose Silky-bent)
Maeswellt Sidanaidd Trwchus .... *Apera interrupta* (Dense Silky-bent)
Maeswellt Sypwraidd, *gw.* **Maswellt**
Maeswellt y Bryniau, *gw.* **Maeswellt Gwrychog**
Maeswellt y Ci, *gw.* **Maeswellt y Cŵn**
Maeswellt y Cŵn .... *Agrostis vinealis* (Brown Bent)
Maeswellt y Gwlypdir .... *Agrostis stolonifera* (Creeping Bent)
Maeswellt y Rhos .... *Agrostis canina* (Velvet Bent)
Mafon Cochion, *gw.* **Afanen**
Mafon Duon, *gw.* **Mwyaren Ddu**
Mafon Gwylltion, *gw.* **Afanen**
Mafonen, *gw.* **Afanen**
Mafonen Flewgoch .... *Rubus phoenicolasius* (Japanese Wineberry)
Mafonllwyn, *gw.* **Afanen**
Mafonwydd, *gw.* **Afanen**
Magl Chwannen, *gw.* **Llys y Lludw**
Maglys .... *Medicago lupulina* (Black Medick)
Maglys Amrywedd .... *Medicago arabica* (Spotted Medick)
Maglys Bach .... *Medicago minima* (Bur Medick)
Maglys Eiddiog .... *Medicago polymorpha* (Toothed Medick)
Maglys Gwineuddu, *gw.* **Maglys**
Maglys Masgl-ddu, *gw.* **Maglys**
Maglys Rhuddlas .... *Medicago sativa* subsp. *sativa* (Lucerne)
Magwyr Wen, *gw.* **Lili Ddŵr Wen**
Magwyrlys y Bystwn, *gw.* **Bystwn y Fagwyr**
Maill Coch, *gw.* **Meillionen Goch**
Maill Corniog, *gw.* **Meillionen Gorniog**
Maill Gwyrgam, *gw.* **Meillionen Wyrgam**
Maill y Gors, *gw.* **Ffa'r Gors**
Maillgwyn, *gw.* **Meillionen Wen**
Main Suran, *gw.* **Suran y Cŵn**
Maip, *gw.* **Erfinen Wyllt**
Maip Adda, *gw.* **Gwinwydden Ddu**
Maip Gwylltion, *gw.* **Cedw Gwyllt**
Maip Mair, *gw.* **Gwinwydden Ddu**
Maip yr Ŷd, *gw.* **Rêp**
Malu Bendigaid, *gw.* **Hocys y Morfa**
Malu'r Hel, *gw.* **Hocys y Morfa**
Malw yr Heli, *gw.* **Hocyswydden**
Mam Miloedd .... *Soleirolia soleirolii* (Mind-your-own-business)
Mam Miloedd, *gw.* **Llin y Fagwyr**
Mam yng Nghyfraith, *gw.* **Trilliw**
Mamlys .... *Leonurus cardiaca* (Motherwort)
Mamog Ddrewllyd, *gw.* **Llysgwyn Drewllyd**
Mamoglys, *gw.* **Mamlys**
Man y Don, *gw.* **Llwynhidydd Arfor**
Mân y Don, *gw.* **Llwynhidydd Arfor**
Manal, *gw.* **Banadl**
Mandon, *gw.* **Briwydden Bêr**
Mandon Fechan .... *Asperula cynanchica* (Squinancywort)
Mandon Fechan y Garreg Galch .... *Asperula cynanchica* subsp. *cynanchica* (Field Squinancywort)
Mandon Fechan y Twyni .... *Asperula cynanchica* subsp. *occidentalis* (Dune Squinancywort)
Mandon Las yr Ŷd .... *Sherardia arvensis* (Field Madder)

---

a, b, c, ch, d, dd, e, f, ff, g, ng, h, i, j, l, ll, m, n, o, p, ph, r, rh, s, t, th, u, w, y

Mandon Lleiaf, *gw.* **Mandon Fechan**
Maneg y Forwyn, *gw.* **Bysedd y Cŵn**
Manion y Cerrig, *gw.* **Pupur y Fagwyr**
Manllys y Neidr, *gw.* **Serenllys Gwelltog**
Mantell Fair .... *Alchemilla vulgaris* (Lady's-mantle)
Mantell Fair Flewog .... *Alchemilla filicaulis* (Hairy Lady's-mantle)
Mantell Fair Fynyddig, *gw.* **Mantell Fair y Mynydd**
Mantell Fair Gyfryngol .... *Alchemilla xanthochlora* (Intermediate
                                                                          Lady's-mantle)
Mantell Fair Gyffredin, *gw.* **Mantell Fair**
Mantell Fair y Mynydd .... *Alchemilla alpina* (Alpine Lady's-mantle)
Mantell Fair y Nant .... *Alchemilla glabra* (Smooth Lady's-mantle)
Mantell y Cor, *gw.* **Eidral**
Mantell y Côr, *gw.* **Mantell Fair**
Manyglog, *gw.* **Codwarth Caled**
Mapgoll .... *Geum urbanum* (Wood Avens)
Mapgoll Bendigeidlyn Cyffredin, *gw.* **Mapgoll**
Mapgoll Bendigeidlys, *gw.* **Mapgoll**
Mapgoll Croesryw .... *Geum* × *intermedium* (Hybrid Avens)
Mapgoll Glan y Dŵr .... *Geum rivale* (Water Avens)
March y Mieri, *gw.* **Rhosyn Coch Gwyllt**
March Ysgall, *gw.* **Marchysgallen**
March Ysgallen, *gw.* **Marchysgallen**
Marchalan .... *Inula helenium* (Elecampane)
Marchfeillionen, *gw.* **Meillionen Goch**
Marchfiaren, *gw.* **Rhosyn Coch Gwyllt**
Marchfiaren Ymlusgol, *gw.* **Rhosyn Gwyn Gwyllt**
Marchrawn Amrywiol .... *Equisetum variegatum* (Variegated Horsetail)
Marchrawn Glannant, *gw.* **Marchrawn y Cysgod**
Marchrawn Mawr .... *Equisetum telmateia* (Great Horsetail)
Marchrawn Mwyaf, *gw.* **Marchrawn Mawr**
Marchrawn y Coed .... *Equisetum sylvaticum* (Wood Horsetail)
Marchrawn y Cysgod .... *Equisetum pratense* (Shady Horsetail)
Marchrawn y Gaeaf .... *Equisetum hyemale* (Rough Horsetail)
Marchrawn y Gors .... *Equisetum palustre* (Marsh Horsetail)
Marchrawn yr Afon .... *Equisetum fluviatile* (Water Horsetail)
Marchrawn yr Ardir .... *Equisetum arvense* (Field Horsetail)
Marchredyn, *gw.* **Marchredynen**
Marchredyn y Derw, *gw.* **Llawredynen y Fagwyr**
Marchredyn y Fagwyr, *gw.* **Llawredynen y Fagwyr**
Marchredynen .... *Dryopteris filix-mas* (Male-fern)
Marchredynen Anhyblyg .... *Dryopteris submontana* (Rigid Buckler-fern)
Marchredynen Aroglus .... *Dryopteris aemula* (Hay-scented Buckler-fern)
Marchredynen Eang, *gw.* **Marchredynen Lydan**
Marchredynen Eddïog, *gw.* **Marchredynen Gul**
Marchredynen Euraid .... *Dryopteris affinis* (Scaly Male-fern)
Marchredynen Fach y Mynydd .... *Dryopteris oreades* (Mountain Male-fern)
Marchredynen Feddal .... *Dryopteris affinis* subsp. *borreri* [Borrer's Male-fern]
Marchredynen Fenyw, *gw.* **Rhedynen Fair**
Marchredynen Fenyw Alpaidd, *gw.* **Rhedynen Fair Alpaidd**
March-redynen Glustiog, *gw.* **Gwrychredynen Galed**
Marchredynen Gribog .... *Dryopteris cristata* (Crested Buckler-fern)
Marchredynen Gul .... *Dryopteris carthusiana* (Narrow Buckler-fern)
Marchredynen Gwair-aroglus, *gw.* **Marchredynen Aroglus**
Marchredynen Gwisg-euraid, *gw.* **Marchredynen Euraid**
Marchredynen Lydan .... *Dryopteris dilatata* (Broad Buckler-fern)
Marchredynen Wrychog, *gw.* **Gwrychredynen Galed**
March-redynen Wrychog, *gw.* **Gwrychredynen Feddal**
.Marchredynen Wryw, *gw.* **Marchredynen**
Marchredynen y Gogledd .... *Dryopteris expansa* (Northern Buckler-fern)
Marchredynen y Gors .... *Thelypteris palustris* (Marsh Fern)
Marchredynen y Mynydd .... *Oreopteris limbosperma* (Lemon-scented Fern)
Marchronell Afonol, *gw.* **Marchrawn Mawr**
Marchronell y Gors, *gw.* **Marchrawn y Gors**
Marchruddygl, *gw.* **Rhuddygl Poeth**
Marchwellt .... *Elytrigia repens* (Common Couch)
Marchwellt Arfor .... *Elytrigia atherica* (Sea Couch)
Marchwellt Tywyn .... *Elytrigia juncea* (Sand Couch)

a, b, c, ch, d, dd, e, f, ff, g, ng, h, i, j, l, ll, m, n, o, p, ph, r, rh, s, t, th, u, w, y

Marchwellt y Coed .... *Elymus caninus* (Bearded Couch)
Marchysgall Berog, *gw.* **Marchysgallen**
Marchysgall y Gors, *gw.* **Ysgallen y Gors**
Marchysgallen .... *Cirsium vulgare* (Spear Thistle)
Marchysgallen y Gerddi .... *Cynara scolymus* (Globe Artichoke)
Marddanadl Cyffredin, *gw.* **Marddanhadlen Goch**
Marddanadl Pêr, *gw.* **Llwyd y Cŵn**
Marddanadlen Ddrewsawr, *gw.* **Marddanhadlen Ddu**
Marddanadlen Goch Gron, *gw.* **Marddanhadlen Goch Gron**
Marddanadlen Goch Gylchddail, *gw.* **Marddanhadlen Goch Gron**
Marddanadlen Wen, *gw.* **Llwyd y Cŵn**
Marddanhadlen, *gw.* **Marddanhadlen Goch**
Marddanhadlen Bêr, *gw.* **Llwyd y Cŵn**
Marddanhadlen Ddu .... *Ballota nigra* (Black Horehound)
Marddanhadlen Felen .... *Lamiastrum galeobdolon* (Yellow Archangel)
Marddanhadlen Felen Arianddail .... *Lamiastrum galeobdolon* subsp. *argentatum*
(Variegated Yellow Archangel)
Marddanhadlen Fraith .... *Lamium maculatum* (Spotted Dead-nettle)
Marddanhadlen Goch .... *Lamium purpureum* (Red Dead-nettle)
Marddanhadlen Goch a Dail Gwahanedig, *gw.* **Marddanhadlen Rwygddail**
Marddanhadlen Goch Cylchddail, *gw.* **Marddanhadlen Goch Gron**
Marddanhadlen Goch Gron .... *Lamium amplexicaule* (Henbit Dead-nettle)
Marddanhadlen Goch-frech, *gw.* **Marddanhadlen Fraith**
Marddanhadlen Gwyn, *gw.* **Marddanhadlen Wen**
Marddanhadlen Rwygddail .... *Lamium hybridum* (Cut-leaved Dead-nettle)
Marddanhadlen Wen .... *Lamium album* (White Dead-nettle)
Marddanhadlen Wen, *gw.* **Llwyd y Cŵn**
Marddanhadlen y Gogledd .... *Lamium confertum* (Northern Dead-nettle)
Marddynad, *gw.* **Marddanhadlen Ddu**
Marddynad Ddrewsawr, *gw.* **Marddanhadlen Ddu**
Marddynad Ddu, *gw.* **Marddanhadlen Ddu**
Marddynad Pêr, *gw.* **Llwyd y Cŵn**
Marddynadlen Felen, *gw.* **Marddanhadlen Felen**
Mari Lygatlas .... *Omphalodes verna* (Blue-eyed-Mary)
Marwddanhadlen, *gw.* **Marddanhadlen Ddu**
Mas, *gw.* **Tanclys**
Masarn Cyffredin, *gw.* **Masarnen**
Masarn Lleiaf, *gw.* **Masarnen Leiaf**
Masarn Mwyaf, *gw.* **Masarnen**
Masarnen .... *Acer pseudoplatanus* (Sycamore)
Masarnen Leiaf .... *Acer campestre* (Field Maple)
Masarnen Norwy .... *Acer platanoides* (Norway Maple)
Masarnwydd, *gw.* **Masarnen**
Masarnwydd Lleiaf, *gw.* **Masarnen Leiaf**
Masarnwydd Mwyaf, *gw.* **Masarnen**
Masarnwydden Leiaf, *gw.* **Tanclys**
Maswellt .... *Holcus lanatus* (Yorkshire-fog)
Maswellt Ceirchaidd, *gw.* **Ceirchwellt Tal**
Maswellt Rhedegog .... *Holcus mollis* (Creeping Soft-grass)
Maswellt Sypwraidd, *gw.* **Maswellt**
Maswellt Sypwreiddiog, *gw.* **Maswellt**
Mawnwellt .... *Calamagrostis epigejos* (Wood Small-reed)
Mawnwellt Blewog .... *Calamagrostis canescens* (Purple Small-reed)
Mawnwellt Cul .... *Calamagrostis stricta* (Narrow Small-reed)
Mawnwellt yr Alban .... *Calamagrostis scotica* (Scottish Small-reed)
Meddalai y Gors, *gw.* **Hocys y Morfa**
Meddalai y Morfa, *gw.* **Hocys y Morfa**
Meddalon, *gw.* **Hocysen Gyffredin**
Meddalon Gyffredin, *gw.* **Hocysen Gyffredin**
Meddlys, *gw.* **Erwain**
Meddyg Mair .... *Inula conyza* (Ploughman's-spikenard)
Meddyg y Bugail, *gw.* **Meddyg Mair**
Meddyg y Medwr, *gw.* **Craith Unnos**
Meddyges Benlas, *gw.* **Craith Unnos**
Meddyges Dda, *gw.* **Gornerth**
Meddyges Felen, *gw.* **Saffrwm y Gweunydd**
Meddyges Felen, *gw.* **Saffyr Meddygol**

Meddyges Las, *gw.* **Craith Unnos**
Meddyges Lwyd, *gw.* **Cribau San Ffraid**
Meddyges Lwydlas, *gw.* **Craith Unnos**
Meddyges Wen, *gw.* **Fioled Bêr**
Meddyglyn, *gw.* **Moronen y Maes**
Meddygon Menyw, *gw.* **Wermod Lwyd**
Meddygon Menyw, *gw.* **Wermod Wen**
Meddygyn, *gw.* **Fioled Bêr**
Mefus, *gw.* **Mefusen**
Mefus Anffrwythlon, *gw.* **Coegfefusen**
Mefus Gwyllt, *gw.* **Mefusen y Goedwig**
Mefus Rhuddion, *gw.* **Mefusen y Goedwig**
Mefusbren .... *Arbutus unedo* (Strawberry-tree)
Mefusen .... *Fragaria* × *ananassa* (Garden Strawberry)
Mefusen, *gw.* **Mefusen y Goedwig**
Mefusen Fawr .... *Fragaria muricata* (Hautbois Strawberry)
Mefusen Felen .... *Duchesnea indica* (Yellow-flowered Strawberry)
Mefusen y Goedwig .... *Fragaria vesca* (Wild Strawberry)
Meifon, *gw.* **Afanen**
Meifonen, *gw.* **Afanen**
Meingil Gwelw .... *Oxytropis campestris* (Yellow Oxytropis)
Meingil Porffor .... *Oxytropis halleri* (Purple Oxytropis)
Meillion Calfari, *gw.* **Maglys Amrywedd**
Meillion Cedenog, *gw.* **Meillionen Gedenog**
Meillion Cedenog yr Ŷd, *gw.* **Meillionen Gedenog**
Meillion Coch, *gw.* **Meillionen Goch**
Meillion Corniog, *gw.* **Meillionen Gorniog**
Meillion Eiddil, *gw.* **Meillionen Felen Eiddil**
Meillion Fygiedig, *gw.* **Meillionen Fygiedig**
Meillion Gragenog, *gw.* **Maglys Amrywedd**
Meillion Gwyn, *gw.* **Meillionen Wen**
Meillion Gwyrgam, *gw.* **Meillionen Wyrgam**
Meillion Hopys, *gw.* **Meillionen Hopys**
Meillion Melyn y Ceirw, *gw.* **Meillionen y Ceirw**
Meillion Rhedegog, *gw.* **Meillionen Wen**
Meillion Tair Dalen Gwyn, *gw.* **Meillionen Tair Dalen Wen**
Meillion Tair Dalen Melyn, *gw.* **Meillionen y Ceirw**
Meillion y Gors, *gw.* **Ffa'r Gors**
Meillionen Alsike .... *Trifolium hybridum* subsp. *hybridum* (Alsike Clover)
Meillionen Ben-wastad .... *Trifolium glomeratum* (Clustered Clover)
Meillionen Dinlan .... *Trifolium resupinatum* (Reversed Clover)
Meillionen Ddeuben .... *Trifolium bocconei* (Twin-headed Clover)
Meillionen Fawr .... *Trifolium aureum* (Large Trefoil)
Meillionen Fawr-orweddol .... *Trifolium hybridum* subsp. *elegans* (Lesser Alsike Clover)
Meillionen Fefusaidd .... *Trifolium fragiferum* (Strawberry Clover)
Meillionen Felen, *gw.* **Plucen Felen**
Meillionen Felen Eiddil .... *Trifolium micranthum* (Slender Trefoil)
Meillionen Felen Fechan .... *Trifolium dubium* (Lesser Trefoil)
Meillionen Felen Fychan, *gw.* **Meillionen Felen Eiddil**
Meillionen Felen Fychan, *gw.* **Meillionen Felen Fechan**
Meillionen Felenwelw .... *Trifolium ochroleucon* (Sulphur Clover)
Meillionen Felynbach, *gw.* **Meillionen Hopys**
Meillionen Fygiedig .... *Trifolium suffocatum* (Suffocated Clover)
Meillionen Gedenog .... *Trifolium arvense* (Hare's-foot Clover)
Meillionen Ger y Môr .... *Trifolium scabrum* (Rough Clover)
Meillionen Goch .... *Trifolium pratense* (Red Clover)
Meillionen Gorniog .... *Medicago sativa* subsp. *falcata* (Sickle Medick)
Meillionen Gragenog, *gw.* **Maglys Eiddiog**
Meillionen Gwastadwedd, *gw.* **Meillionen Ben-wastad**
Meillionen Gwe Felen, *gw.* **Meillionen Felen Fechan**
Meillionen Hirben .... *Trifolium incarnatum* subsp. *molinerii* (Long-headed Clover)
Meillionen Hopys .... *Trifolium campestre* (Hop Trefoil)
Meillionen Hopysaidd, *gw.* **Meillionen Hopys**
Meillionen Olwen, *gw.* **Meillionen Wen**
Meillionen Pen-Mefusaidd, *gw.* **Meillionen Fefusaidd**
Meillionen Pencribau, *gw.* **Meillionen y Morfa**

---

a, b, c, ch, d, dd, e, f, ff, g, ng, h, i, j, l, ll, m, n, o, p, ph, r, rh, s, t, th, u, w, y

Meillionen Pensag, *gw.* **Meillionen Hopys**
Meillionen Pumbys, *gw.* **Pumdalen Ymlusgol**
Meillionen Rychog .... *Trifolium striatum* (Knotted Clover)
Meillionen Serennog .... *Trifolium stellatum* (Starry Clover)
Meillionen Tair Dalen Wen .... *Melilotus albus* (White Melilot)
Meillionen Unionsyth .... *Trifolium strictum* (Upright Clover)
Meillionen Wen .... *Trifolium repens* (White Clover)
Meillionen Wen y Waun, *gw.* **Meillionen Wen**
Meillionen Wen Ymgudd .... *Trifolium subterraneum* (Subterranean Clover)
Meillionen Wlanog .... *Trifolium tomentosum* (Woolly Clover)
Meillionen Wyrgam .... *Trifolium medium* (Zigzag Clover)
Meillionen y Ceirw .... *Melilotus altissimus* (Tall Melilot)
Meillionen y Ceirw, *gw.* **Gwydro Rhesog**
Meillionen y Gorllewin .... *Trifolium occidentale* (Western Clover)
Meillionen y Morfa .... *Trifolium squamosum* (Sea Clover)
Meillionen Ysgarlad .... *Trifolium incarnatum* subsp. *incarnatum* (Crimson Clover)
Meipen, *gw.* **Erfinen Wyllt**
Meipen Fair, *gw.* **Bloneg y Ddaear**
Meipen Fair, *gw.* **Gwinwydden Ddu**
Meipen Fendigaid, *gw.* **Bloneg y Ddaear**
Meipen Wyllt, *gw.* **Erfinen Wyllt**
Meipen Wyllt, *gw.* **Rêp**
Meipen Ŷd, *gw.* **Erfinen Wyllt**
Meipen yr Ŷd, *gw.* **Rêp**
Meipwn Fair, *gw.* **Bloneg y Ddaear**
Meirion, *gw.* **Cywarch**
Meiwyn .... *Datura stramonium* (Thorn-apple)
Mêl-flodyn, *gw.* **Gwyddfid**
Mêl y Ceirw, *gw.* **Gwydro Rhesog**
Mêl y Ceirw, *gw.* **Meillionen y Ceirw**
Mêl-y-Cŵn, *gw.* **Melog y Cŵn**
Mêl y Gweunydd, *gw.* **Melog y Waun**
Melen-gu, *gw.* **Melengu**
Melengu .... *Reseda luteola* (Weld)
Melengu Berarogl, *gw.* **Melengu Bersawr**
Melengu Bersawr .... *Reseda odorata* (Garden Mignonette)
Melengu Gwyn Unionsyth, *gw.* **Melengu Wen Unionsyth**
Melengu Wen Unionsyth .... *Reseda alba* (White Mignonette)
Melengu Wyllt Diarogl, *gw.* **Melengu Wyllt Ddisawr**
Melengu Wyllt Ddisawr .... *Reseda lutea* (Wild Mignonette)
Melengu'r Ŷd .... *Reseda phyteuma* (Corn Mignonette)
Melfedog, *gw.* **Pannog Melyn**
Melged, *gw.* **Betys Gwyllt**
Melged Arfor, *gw.* **Betys Gwyllt**
Melic-wellt Rhuddlas, *gw.* **Glaswellt y Gweunydd**
Melic-wellt Rhuddlas, *gw.* **Meligwellt Gogwydd**
Melic-wellt y Coed, *gw.* **Meligwellt**
Melic-wellt y Goedwig, *gw.* **Meligwellt**
Melicwellt Gogwydd, *gw.* **Meligwellt Gogwydd**
Melicwellt Rhuddlas, *gw.* **Meligwellt Gogwydd**
Meligwellt .... *Melica uniflora* (Wood Melick)
Meligwellt Gogwydd .... *Melica nutans* (Mountain Melick)
Meligwellt Rhuddlas, *gw.* **Glaswellt y Gweunydd**
Meligwellt y Goedwig, *gw.* **Meligwellt**
Melog, *gw.* **Gwyddfid**
Melog y Borfa, *gw.* **Melog y Cŵn**
Melog y Cŵn .... *Pedicularis sylvatica* (Lousewort)
Melog y Gors, *gw.* **Melog y Waun**
Melog y Gweunydd, *gw.* **Melog y Waun**
Melog y Waun .... *Pedicularis palustris* (Marsh Lousewort)
Melotai, *gw.* **Hocysen Gyffredin**
Melotai Gyffredin, *gw.* **Hocysen Gyffredin**
Melsugn, *gw.* **Melog y Cŵn**
Melsugn, *gw.* **Melog y Waun**
Melsugn y Borfa, *gw.* **Melog y Cŵn**
Melyn Euraidd, *gw.* **Cronnell**
Melyn Mair .... *Calendula officinalis* (Pot Marigold)

---

a, b, c, ch, d, dd, e, f, ff, g, ng, h, i, j, l, ll, m, n, o, p, ph, r, rh, s, t, th, u, w, y

Melyn Mair yr Âr .... *Calendula arvensis* (Field Marigold)
Melyn y Dŵr, *gw.* **Lili Ddŵr Felen**
Melyn y Gaeaf, *gw.* **Blodyn y Fagwyr**
Melyn y Gors .... *Caltha palustris* (Marsh-marigold)
Melyn y Gwanwyn, *gw.* **Gornerth**
Melyn y Gwanwyn, *gw.* **Llygad Ebrill**
Melyn y Gweunydd, *gw.* **Tresgl y Moch**
Melyn y Muriau, *gw.* **Mwg y Ddaear Melyn**
Melyn y Twynau, *gw.* **Tresgl y Moch**
Melyn y Tywydd, *gw.* **Gwlydd Melyn Mair**
Melyn yr Eithin, *gw.* **Tresgl y Moch**
Melyn yr Hwyr .... *Oenothera biennis* (Common Evening-primrose)
Melyn yr Hwyr Cymreig .... *Oenothera cambrica* (Small-flowered
     Evening-primrose)
Melyn yr Hwyr Mwyaf .... *Oenothera glazioviana* (Large-flowered
     Evening-primrose)
Melyn yr Hwyr Peraroglus .... *Oenothera stricta* (Fragrant Evening-primrose)
Melyn yr Ŷd .... *Chrysanthemum segetum* (Corn Marigold)
Melyneuraid, *gw.* **Eurwialen**
Melyngu, *gw.* **Melengu**
Melyngu, *gw.* **Melynog y Waun**
Melyngu Gwyn Unionsyth, *gw.* **Melengu Wen Unionsyth**
Melynllys, *gw.* **Dilwydd**
Melynog y Waun .... *Genista tinctoria* (Dyer's Greenweed)
Melynwellt, *gw.* **Perwellt y Gwanwyn**
Melynwellt Pêr y Gwanwyn, *gw.* **Perwellt y Gwanwyn**
Melynwellt Perarogll, *gw.* **Perwellt y Gwanwyn**
Melynwellt Perarogll y Gwanwyn, *gw.* **Perwellt y Gwanwyn**
Melynwellt y Gwanwyn, *gw.* **Perwellt y Gwanwyn**
Melynydd .... *Hypochoeris radicata* (Cat's-ear)
Melynydd Brych .... *Hypochoeris maculata* (Spotted Cat's-ear)
Melynydd Brychog, *gw.* **Melynydd Brych**
Melynydd Esmwydd y Twynau, *gw.* **Melynydd Moel**
Melynydd Esmwyth, *gw.* **Melynydd Moel**
Melynydd Gorwreiddiog, *gw.* **Melynydd**
Melynydd Hir Wreiddiog, *gw.* **Melynydd**
Melynydd Moel .... *Hypochoeris glabra* (Smooth Cat's-ear)
Melynydd y Morlan, *gw.* **Melynydd Moel**
Melys a Chwerw, *gw.* **Codwarth Du**
Melys y Defaid, *gw.* **Peisgwellt y Defaid**
Melys y Pia, *gw.* **Gwyddfid**
Melys y Weirglodd, *gw.* **Peisgwellt y Defaid**
Melysig, *gw.* **Llys y Dryw**
Melyslys, *gw.* **Peisgwellt y Defaid**
Melyswraidd, *gw.* **Llaethwyg**
Menyg Ellyllon, *gw.* **Bysedd y Cŵn**
Menyg Mair, *gw.* **Bysedd y Cŵn**
Menyg y Gog, *gw.* **Gludlys Codrwth**
Menyg y Llwynog, *gw.* **Bysedd y Cŵn**
Menyg y Merched, *gw.* **Gludlys Codrwth**
Menyg y Tylwyth Teg, *gw.* **Bysedd y Cŵn**
Merddrain, *gw.* **Rhosyn Coch Gwyllt**
Meri a Mari .... *Tropaeolum majus* (Nasturtium)
Merllys .... *Asparagus officinalis* subsp. *officinalis* (Garden
     Asparagus)
Merllys Cyffredin, *gw.* **Merllys Gorweddol**
Merllys Gorweddol .... *Asparagus officinalis* subsp. *prostratus* (Wild
     Asparagus)
Mers, *gw.* **Perllys y Morfa**
Merwydd, *gw.* **Morwydden**
Merydd, *gw.* **Moresg**
Merys, *gw.* **Draenen Ysbyddaden**
Merysbren .... *Mespilus germanica* (Medlar)
Meryswydden, *gw.* **Merysbren**
Meryw, *gw.* **Merywen**
Merywen .... *Juniperus communis* (Juniper)
Merywen Goraidd Fynyddig .... *Juniperus communis* subsp. *alpina* (Dwarf Juniper)
Merywen Gyffredin, *gw.* **Merywen**

Merhelygen Gyffredin, *gw.* **Helygen Wiail**
Mesuriad, *gw.* **Penrhudd**
Mesuriad Cyffredin, *gw.* **Penrhudd**
Miaren, *gw.* **Corfwyaren**
Miaren, *gw.* **Drysen Bêr**
Miaren, *gw.* **Mwyaren Ddu**
Miaren Bêr, *gw.* **Drysen Bêr**
Miaren Gor, *gw.* **Mwyaren y Berwyn**
Miaren Gulddail .... *Rosa agrestis* (Small-leaved Sweet-briar)
Miaren Lleiaf, *gw.* **Rhoslwyn Pêr**
Miaren Mair, *gw.* **Drysen Bêr**
Miaren y Mynydd, *gw.* **Mwyaren y Berwyn**
Mibora, *gw.* **Eiddil-welltyn Cynnar**
Mieren, *gw.* **Mwyaren Ddu**
Mieren Fair, *gw.* **Rhoslwyn Pêr**
Mieri, *gw.* **Drysen Bêr**
Mieri Ffrenig, *gw.* **Rhosyn Coch Gwyllt**
Mierien, *gw.* **Mwyaren Ddu**
Mierllwyn, *gw.* **Mwyaren Ddu**
Mieryn Llwyn, *gw.* **Drysen Bêr**
Mierynllwyn, *gw.* **Mwyaren Ddu**
Mil Melyn y Gwanwyn, *gw.* **Llygad Ebrill**
Milddail .... *Achillea millefolium* (Yarrow)
Miled .... *Panicum miliaceum* (Common Millet)
Miled, *gw.* **Miledwellt**
Miled Wellt, *gw.* **Miledwellt**
Miledwellt .... *Milium effusum* (Wood Millet)
Miledwellt Cyffredin, *gw.* **Miledwellt**
Miledwellt Cynnar .... *Milium vernale* (Early Millet)
Milfyd, *gw.* **Llygad Ebrill**
Milfyd, *gw.* **Milddail**
Milfydd, *gw.* **Milddail**
Milfyw, *gw.* **Coedfrwynen y Maes**
Milfyw, *gw.* **Gornerth**
Milfyw, *gw.* **Llygad Ebrill**
Milrym, *gw.* **Chwerwlys yr Eithin**
Milwr Coch, *gw.* **Helyglys Hardd**
Milwydd, *gw.* **Camri**
Milwydd, *gw.* **Camri'r Cŵn**
Milwydd y Cŵn, *gw.* **Camri'r Cŵn**
Millfeillionen, *gw.* **Meillionen Wen**
Millyn, *gw.* **Fioled Bêr**
Millyn Aroglys, *gw.* **Fioled Bêr**
Millyn Glas, *gw.* **Fioled Bêr**
Millyn Glasog y Gelltydd, *gw.* **Gwiolydd Gyffredin**
Millyn Glaswelw, *gw.* **Gwiolydd y Goedwig**
Millyn Gwelw Grugog .... *Viola lactea* (Pale Dog-violet)
Millyn Gwyn, *gw.* **Fioled Bêr**
Millyn y Goedwig, *gw.* **Gwiolydd y Goedwig**
Millyn y Gors, *gw.* **Fioled y Gors**
Millyn y Traeth, *gw.* **Trilliw y Tywyn**
Millyn y Twynau, *gw.* **Trilliw y Tywyn**
Millynen, *gw.* **Fioled Bêr**
Millynen Felen, *gw.* **Fioled y Mynydd**
Minfel, *gw.* **Milddail**
Mintys Afalaidd Mwyaf, *gw.* **Mintys Lled Crynddail**
Mintys-ar-dir, *gw.* **Mintys yr Ŷd**
Mintys Arogl Afalaidd, *gw.* **Mintys Deilgrwn**
Mintys Blewog, *gw.* **Mintys y Dŵr**
Mintys Coch .... *Mentha × smithiana* (Tall Mint)
Mintys Corsica .... *Mentha requienii* (Corsican Mint)
Mintys Crwnddail, *gw.* **Mintys Deilgrwn**
Mintys Culddail .... *Mentha × gracilis* (Bushy Mint)
Mintys Deilgrwn .... *Mentha suaveolens* (Round-leaved Mint)
Mintys Eiddiog, *gw.* **Mintys Culddail**
Mintys Gwylltion, *gw.* **Mintys yr Ŷd**
Mintys Hir, *gw.* **Mintys Coch**
Mintys Lledcrynddail, *gw.* **Mintys Deilgrwn**

---

a, b, c, ch, d, dd, e, f, ff, g, ng, h, i, j, l, ll, m, n, o, p, ph, r, rh, s, t, th, u, w, y

Mintys Lled-grynddail .... *Mentha × villosa* (Apple Mint)
Mintys Lled-grynddail, *gw.* **Mintys Deilgrwn**
Mintys Mair .... *Tanacetum balsamita* (Costmary)
Mintys Mair, *gw.* **Mintys Ysbigog**
Mintys Pêr, *gw.* **Penrhudd**
Mintys Peraidd, *gw.* **Penrhudd**
Mintys Perthog, *gw.* **Mintys Culddail**
Mintys Poethion .... *Mentha × piperita* (Peppermint)
Mintys Sbigog, *gw.* **Mintys Ysbigog**
Mintys Siberog, *gw.* **Mintys Culddail**
Mintys Sincir, *gw.* **Mintys Coch**
Mintys Troellaidd .... *Mentha × verticillata* (Whorled Mint)
Mintys y Creigiau, *gw.* **Penrhudd**
Mintys y Dŵr .... *Mentha aquatica* (Water Mint)
Mintys y Gath .... *Nepeta cataria* (Cat-mint)
Mintys y Graig, *gw.* **Penrhudd**
Mintys y Gwaed, *gw.* **Mintys Ysbigog**
Mintys y Maes, *gw.* **Mintys yr Ŷd**
Mintys y Meysydd, *gw.* **Mintys yr Ŷd**
Mintys y Mynydd, *gw.* **Erbin Cyffredin**
Mintys y Pysgod, *gw.* **Mintys y Dŵr**
Mintys y Twynau, *gw.* **Erbin Cyffredin**
Mintys yr Âr, *gw.* **Mintys yr Ŷd**
Mintys yr Ardir, *gw.* **Mintys yr Ŷd**
Mintys yr Ŷd .... *Mentha arvensis* (Corn Mint)
Mintys Ysbigog .... *Mentha spicata* (Spear Mint)
Moch-wraidd, *gw.* **Bara'r Hwch**
Moch Ysgallen yr Âr, *gw.* **Llaethysgallen yr Ŷd**
Mochlys, *gw.* **Codwarth Du**
Mochlys Cyffredin, *gw.* **Codwarth Du**
Mochlys Duon, *gw.* **Codwarth Du**
Mochlys Duon, *gw.* **Llysiau Steffan**
Mochlys Grawnddu, *gw.* **Codwarth Du**
Mochlys Swynyddlys, *gw.* **Llysiau Steffan**
Mochyn To, *gw.* **Llysiau Pen Tai**
Mochysgallen, *gw.* **Llaethysgallen**
Mochysgallen Gyffredin, *gw.* **Llaethysgallen**
Montbretlys .... *Crocosmia × crocosmiiflora* (Montbretia)
Môr-edafeddog, *gw.* **Edafeddog y Môr**
Môr Fresych, *gw.* **Ysgedd**
Môr Hocys y Glyf, *gw.* **Hocys y Morfa**
Môr-hocysen, *gw.* **Hocyswydden**
Môr Hocysen Bychan, *gw.* **Môr-hocysen Fychan**
Môr Hocysen Cernyw, *gw.* **Môr-hocysen Fychan**
Môr-hocysen Fychan .... *Lavatera cretica* (Smaller Tree-mallow)
Môr-rhafnwydd, *gw.* **Rhafnwydd y Môr**
Mordywydd, *gw.* **Helygen Fair**
Morddanadl Gwyn, *gw.* **Llwyd y Cŵn**
Morddynad Bêr, *gw.* **Llwyd y Cŵn**
Moredafeddog, *gw.* **Edafeddog y Môr**
Moresg .... *Ammophila arenaria* (Marram)
Moresg Porffor .... *× Calammophila baltica* (Purple Marram)
Morfresych, *gw.* **Bresych Gwyllt**
Morfrwynen, *gw.* **Brwynen Arfor**
Morgawl, *gw.* **Bresych Gwyllt**
Morgelyn, *gw.* **Celyn y Môr**
Morgelynnen, *gw.* **Celyn y Môr**
Morhesg, *gw.* **Moresg**
Morhesg Porffor, *gw.* **Moresg Porffor**
Morhesgen, *gw.* **Moresg**
Morlwyau, *gw.* **Llwylys Cyffredin**
Morlwyau Brutanaidd, *gw.* **Llwylys Lloegr**
Morlwyau Brytanaidd, *gw.* **Llwylys Lloegr**
Morlwyau Creigiau Mynyddig, *gw.* **Morlwyau y Mynydd**
Morlwyau Cyffredin, *gw.* **Llwylys Cyffredin**
Morlwyau Danaidd, *gw.* **Llwylys Denmarc**
Morlwyau Eiddewddail, *gw.* **Llwylys Denmarc**
Morlwyau Glanmor, *gw.* **Llwylys Denmarc**

Morlwyau Hir-ddeiliog, *gw.* **Llwylys Lloegr**
Morlwyau Lleidiog, *gw.* **Llwylys Lloegr**
Morlwyau Meddygol, *gw.* **Llwylys Cyffredin**
Moron Arfor, *gw.* **Moronen y Môr**
Moron Gwylltion, *gw.* **Moronen y Maes**
Moron Gwynion, *gw.* **Panasen Wyllt**
Moron y Maes, *gw.* **Moronen y Maes**
Moron y Meirch, *gw.* **Efwr**
Moron y Meysydd, *gw.* **Moronen y Maes**
Moron y Moch, *gw.* **Efwr**
Moron y Môr-greigiau, *gw.* **Moronen y Môr**
Moronen Goch, *gw.* **Moronen y Maes**
Moronen Wen, *gw.* **Panasen Wyllt**
Moronen y Dŵr, *gw.* **Pannas y Dŵr**
Moronen y Dŵr Llydanddail, *gw.* **Pannas y Dŵr Llydanddail**
Moronen y Maes . . . . *Daucus carota* subsp. *carota* (Wild Carrot)
Moronen y Meirch, *gw.* **Efwr**
Moronen y Meysydd, *gw.* **Moronen y Maes**
Moronen y Moch, *gw.* **Panasen Wyllt**
Moronen y Môr . . . . *Daucus carota* subsp. *gummifer* (Sea Carrot)
Moronen y Sialc . . . . *Seseli libanotis* (Moon Carrot)
Morwydden . . . . *Morus nigra* (Black Mulberry)
Mur-rwyddlwyn, *gw.* **Rhwyddlwyn y Mur**
Murlwyn, *gw.* **Murlys**
Murlys . . . . *Parietaria judaica* (Pellitory-of-the-wall)
Murwylaeth, *gw.* **Gwylaeth y Fagwyr**
Murwyll, *gw.* **Blodyn y Fagwyr**
Murwyll Arfor . . . . *Malcolmia maritima* (Virginia Stock)
Murwyll Coesbren . . . . *Matthiola incana* (Hoary Stock)
Murwyll Tewbannog Arfor . . . . *Matthiola sinuata* (Sea Stock)
Mwcog, *gw.* **Rhosyn Draenllwyn**
Mwg y Ddaear . . . . *Fumaria officinalis* (Common Fumitory)
Mwg y Ddaear, *gw.* **Mwg y Ddaear Melyn**
Mwg y Ddaear Afreolus . . . . *Fumaria capreolata* (White Ramping-fumitory)
Mwg y Ddaear Amrywiol . . . . *Fumaria muralis* (Common Ramping-fumitory)
Mwg y Ddaear Cyffredin, *gw.* **Mwg y Ddaear**
Mwg y Ddaear Gafaelgar . . . . *Ceratocapnos claviculata* (Climbing Corydalis)
Mwg y Ddaear Glasgoch . . . . *Fumaria purpurea* (Purple Ramping-fumitory)
Mwg y Ddaear Gorllewinol . . . . *Fumaria occidentalis* (Western Ramping-fumitory)
Mwg y Ddaear Grymus . . . . *Fumaria bastardii* (Tall Ramping-fumitory)
Mwg y Ddaear Gwelw . . . . *Pseudofumaria alba* (Pale Corydalis)
Mwg y Ddaear Manflodeuog . . . . *Fumaria parviflora* (Fine-leaved Fumitory)
Mwg y Ddaear Martin . . . . *Fumaria reuteri* (Martin's Ramping-fumitory)
Mwg y Ddaear Meddygol, *gw.* **Mwg y Ddaear**
Mwg y Ddaear Melyn . . . . *Pseudofumaria lutea* (Yellow Corydalis)
Mwg y Ddaear Prinflodeuog . . . . *Fumaria vaillantii* (Few-flowered Fumitory)
Mwg y Ddaear Rhuddgoch, *gw.* **Mwg y Ddaear Glasgoch**
Mwg y Ddaear Trwchflodeuog . . . . *Fumaria densiflora* (Dense-flowered Fumitory)
Mwg y Perthi, *gw.* **Mwg y Ddaear Afreolus**
Mwglys . . . . *Nicotiana tabacum* (Tobacco)
Mwglys, *gw.* **Mwg y Ddaear**
Mwglys, *gw.* **Mwsglys**
Mwltws, *gw.* **Lili Ddŵr Felen**
Mwrwgl, *gw.* **Iorwg**
Mws yr Eira, *gw.* **Eirlys**
Mwsg . . . . *Mimulus moschatus* (Musk)
Mwsglys . . . . *Adoxa moschatellina* (Moschatel)
Mwsglys y Ddaear, *gw.* **Mwsglys**
Mwsog y Moelydd, *gw.* **Tormaen Llydandroed**
Mwstard Cyffredin, *gw.* **Cedw Du**
Mwstard Gwyn, *gw.* **Cedw Gwyn**
Mwstard y Tywod, *gw.* **Cedw y Tywod**
Mwstardd, *gw.* **Cedw Du**
Mwyar Cochion, *gw.* **Afanen**
Mwyar Doewan, *gw.* **Mwyaren y Berwyn**
Mwyar Duon, *gw.* **Mwyaren Ddu**
Mwyar Gleision, *gw.* **Mwyaren y Berwyn**
Mwyar y Berwyn, *gw.* **Mwyaren y Berwyn**

Mwyar y Brain, *gw.* **Creiglys**
Mwyar y Brain, *gw.* **Llus**
Mwyarbren, *gw.* **Morwydden**
Mwyaren, *gw.* **Mwyaren Ddu**
Mwyaren Doewan, *gw.* **Mwyaren y Berwyn**
Mwyaren Ddu .... *Rubus fruticosus* (Bramble)
Mwyaren Fair .... *Rubus caesius* (Dewberry)
Mwyaren Laslwyd, *gw.* **Mwyaren Fair**
Mwyaren Mair, *gw.* **Mwyaren Fair**
Mwyaren Oren .... *Rubus spectabilis* (Salmonberry)
Mwyaren y Berwyn .... *Rubus chamaemorus* (Cloudberry)
Mwyaren y Cerrig, *gw.* **Corfwyaren**
Mwyaren y Tywod, *gw.* **Mwyaren Fair**
Mwyarllwyn Glas, *gw.* **Mwyaren Fair**
Myglys, *gw.* **Mwglys**
Myltys, *gw.* **Lili Ddŵr Felen**
Myllynen Melynwen, *gw.* **Millyn Gwelw Grugog**
Mynawyd y Bugail, *gw.* **Llys y Llwynog**
Mynawyd y Bugail, *gw.* **Pig yr Aran Llarpiog**
Mynawydlys Dyfrdrig .... *Subularia aquatica* (Awlwort)
Myncog, *gw.* **Grug**
Mynyglog, *gw.* **Codwarth Caled**
Mŷr-rhafnwydd, *gw.* **Rhafnwydd y Môr**
Myrdd-ddail Troellog, *gw.* **Myrddail Troellog**
Myrdd-ddail Tywysennaidd, *gw.* **Myrddail Tywysennaidd**
Myrddail Bob yn Ail .... *Myriophyllum alterniflorum* (Alternate Water-milfoil)
Myrddail Cylchynol, *gw.* **Myrddail Bob yn Ail**
Myrddail Troellog .... *Myriophyllum verticillatum* (Whorled Water-milfoil)
Myrddail Twysog, *gw.* **Myrddail Tywysennaidd**
Myrddail Tywysennaidd .... *Myriophyllum spicatum* (Spiked Water-milfoil)
Myrddail y Dŵr, *gw.* **Myrddail Tywysennaidd**
Myrtwydd y Gors, *gw.* **Helygen Fair**
Myrwerydd, *gw.* **Brwynen Arfor**
Myrydd, *gw.* **Moresg**
Myrhafnwydd, *gw.* **Rhafnwydd y Môr**
Mysglys, *gw.* **Mwsglys**
Na'd Fi'n Angof, *gw.* **Ysgorpionllys y Gors**
Nad fi'n Anghof, *gw.* **Ysgorpionllys y Meysydd**
Nard yr Aradwr, *gw.* **Meddyg Mair**
Nard yr Arddwr, *gw.* **Meddyg Mair**
Neidrlys, *gw.* **Llys y Neidr**
Neidrlys Coch .... *Persicaria amplexicaulis* (Red Bistort)
Neidrlys Mynyddig .... *Persicaria vivipara* (Alpine Bistort)
Nele Las, *gw.* **Ysgol Jacob**
Nidwydden, *gw.* **Bliwlys**
Nodwydd y Bugail, *gw.* **Crib Gwener**
Nyddoes .... *Spinacia oleracea* (Spinach)
Nymff Arfor .... *Najas marina* (Holly-leaved Naiad)
Nymff Ystwyth .... *Najas flexilis* (Slender Naiad)
Nyth Aderyn, *gw.* **Moronen y Maes**
Obrisia .... *Aubrieta deltoidea* (Aubretia)
Oestrwydden .... *Carpinus betulus* (Hornbeam)
Oestrwydden Gyffredin, *gw.* **Oestrwydden**
Oestrywydden, *gw.* **Oestrwydden**
Ofer Garu, *gw.* **Trilliw**
Ofergaru .... *Viola arvensis* (Field Pansy)
Ofergaru Gwyllt, *gw.* **Trilliw**
Ogfaenllwyn, *gw.* **Rhosyn Coch Gwyllt**
Olbrain .... *Coronopus squamatus* (Swine-cress)
Olbrain, *gw.* **Cronnell**
Olbrain Dafadennog, *gw.* **Olbrain**
Olbrain Lleiaf .... *Coronopus didymus* (Lesser Swine-cress)
Olch-euraidd, *gw.* **Clust yr Arth**
Olewlys .... *Guizotia abyssinica* (Niger)
Olfran, *gw.* **Olbrain**
Oliaren Glymog, *gw.* **Troed-y-cyw Clymog**
Oliwydden, *gw.* **Olewydden**
Onnen .... *Fraxinus excelsior* (Ash)

a, b, c, ch, d, dd, e, f, ff, g, ng, h, i, j, l, ll, m, n, o, p, ph, r, rh, s, t, th, u, w, y

Onnen Eiddil .... *Fraxinus ornus* (Manna Ash)
Onwydden, *gw.* **Onnen**
Orfanc, *gw.* **Gorfanc Mwyaf**
Orfanc Fwyaf, *gw.* **Gorfanc Mwyaf**
Orfanc Lleiaf Cyffredin, *gw.* **Gorfanc Lleiaf**
Orffen Gwyllt, *gw.* **Camri'r Cŵn**
Oriawr y Bugail, *gw.* **Llys y Cryman**
Orpin, *gw.* **Berwr Taliesin**
Pabi Bychan, *gw.* **Pabi Gwrychog**
Pabi Califfornia .... *Eschscholzia californica* (Californian Poppy)
Pabi Coch .... *Papaver rhoeas* (Common Poppy)
Pabi Coch yr Ŷd, *gw.* **Pabi Coch**
Pabi Corniog Coch .... *Glaucium corniculatum* (Red Horned-poppy)
Pabi Corniog Dulas .... *Roemeria hybrida* (Violet Horned-poppy)
Pabi Corniog Melyn, *gw.* **Pabi'r Môr**
Pabi Crwn-ben-llyfn, *gw.* **Pabi Coch**
Pabi Crwn-ben Pigog, *gw.* **Pabi Pigog**
Pabi Crynben Gwrychog, *gw.* **Pabi Pigog**
Pabi Crynben Llyfn, *gw.* **Pabi Coch**
Pabi Crynben Pigog, *gw.* **Pabi Pigog**
Pabi Cymreig .... *Meconopsis cambrica* (Welsh Poppy)
Pabi Cymru, *gw.* **Pabi Cymreig**
Pabi Gwrychog .... *Papaver argemone* (Prickly Poppy)
Pabi Hir-benllyfn, *gw.* **Pabi Hirben**
Pabi Hirben .... *Papaver dubium* (Long-headed Poppy)
Pabi Hirben Gwrychog, *gw.* **Pabi Gwrychog**
Pabi Hirben Llyfn, *gw.* **Pabi Hirben**
Pabi Hirben Sudd Melyn, *gw.* **Pabi Sudd Melyn**
Pabi Melyn, *gw.* **Pabi Cymreig**
Pabi Melyn Cymreig, *gw.* **Pabi Cymreig**
Pabi Pigog .... *Papaver hybridum* (Rough Poppy)
Pabi Sudd Melyn .... *Papaver dubium* subsp. *lecoqii* (Yellow-juiced Poppy)
Pabi'r Atlas .... *Papaver atlanticum* (Atlas Poppy)
Pabi'r Gwenith, *gw.* **Bulwg yr Ŷd**
Pabi'r Môr .... *Glaucium flavum* (Yellow Horned-poppy)
Pabi'r Ŷd, *gw.* **Pabi Coch**
Pabwynen, *gw.* **Brwynen Babwyr**
Pabwyren Fawr .... *Juncus pallidus* (Great Soft-rush)
Paderau'r Gath, *gw.* **Gwinwydden Ddu**
Paithwellt .... *Cortaderia selloana* (Pampas-grass)
Paladr Blodeuwyrdd, *gw.* **Llys Ysgyfarnog**
Paladr Hir, *gw.* **Gorfanc Mwyaf**
Paladr Trwyddo .... *Bupleurum rotundifolium* (Thorow-wax)
Paladr Trwyddo Bach .... *Bupleurum baldense* (Small Hare's-ear)
Paladr Trwyddo Crymanddail .... *Bupleurum falcatum* (Sickle-leaved Hare's-ear)
Paladr Trwyddo Eiddilddail .... *Bupleurum tenuissimum* (Slender Hare's-ear)
Paladr y Pared, *gw.* **Murlys**
Paladr y Wal, *gw.* **Murlys**
Palalwyf, *gw.* **Palmwydden**
Palf y Blaidd, *gw.* **Cnwpfwsogl Corn Carw**
Palf y Gath Bali .... *Ajuga chamaepitys* (Ground-pine)
Palf y Llew, *gw.* **Mantell Fair**
Palf yr Arth, *gw.* **Palf yr Arth Ddrewedig**
Palf yr Arth Ddrewedig .... *Helleborus foetidus* (Stinking Hellebore)
Palmidwydden, *gw.* **Palmwydden**
Palmwydden .... *Phoenix dactylifera* (Date Palm)
Palwyfen, *gw.* **Palmwydden**
Panasen, *gw.* **Panasen Wyllt**
Panasen Wen, *gw.* **Panasen Wyllt**
Panasen Wyllt .... *Pastinaca sativa* (Wild Parsnip)
Panasen y Cawr, *gw.* **Efwr**
Panasen y Dŵr, *gw.* **Pannas y Dŵr Llydanddail**
Pannas, *gw.* **Panasen Wyllt**
Pannas Gwyllt, *gw.* **Efwr**
Pannas Wyllt, *gw.* **Panasen Wyllt**
Pannas y Dwfr, *gw.* **Pannas y Dŵr**
Pannas y Dŵr .... *Berula erecta* (Lesser Water-parsnip)
Pannas y Dŵr Llydanddail .... *Sium latifolium* (Greater Water-parsnip)

a, b, c, ch, d, dd, e, f, ff, g, ng, h, i, j, l, ll, m, n, o, p, ph, r, rh, s, t, th, u, w, y

Pannas y Dŵr Mwyaf, *gw.* **Pannas y Dŵr Llydanddail**
Pannas y Fuwch, *gw.* **Efwr**
Pannas y Moch, *gw.* **Panasen Wyllt**
Pannog Blawrwyn .... *Verbascum pulverulentum* (Hoary Mullein)
Pannog Brithgoch .... *Verbascum phoeniceum* (Purple Mullein)
Pannog Danadl-ddail .... *Verbascum chaixii* (Nettle-leaved Mullein)
Pannog Gwyn .... *Verbascum lychnites* (White Mullein)
Pannog Gwyn Gwryw, *gw.* **Pannog Gwyn**
Pannog Melyn .... *Verbascum thapsus* (Great Mullein)
Pannog Oren .... *Verbascum phlomoides* (Orange Mullein)
Pannog Tywyllddu .... *Verbascum nigrum* (Dark Mullein)
Pansi .... *Viola* × *wittrockiana* (Garden Pansy)
Pared y Mur, *gw.* **Murlys**
Paredlys, *gw.* **Murlys**
Paredlys Cyffredin, *gw.* **Murlys**
Paretlys, *gw.* **Murlys**
Parfyg, *gw.* **Ffa'r Moch**
Pawen y Gath, *gw.* **Edafeddog y Mynydd**
Pawen yr Arth, *gw.* **Palf yr Arth Ddrewedig**
Pawr-wellt-hirian, *gw.* **Peisgwellt Mawr**
Pawrwellt America .... *Ceratochloa cathartica* (Rescue Brome)
Pawrwellt Anhiliog, *gw.* **Pawrwellt Hysb**
Pawrwellt Arfor .... *Bromus hordeaceus* subsp. *ferronii* (Least Soft-brome)
Pawrwellt Blewog .... *Bromopsis ramosa* (Hairy-brome)
Pawrwellt Blewog Lleiaf .... *Bromopsis benekenii* (Lesser Hairy-brome)
Pawrwellt California .... *Ceratochloa carinata* (California Brome)
Pawrwellt Coll .... *Bromus interruptus* (Interrupted Brome)
Pawrwellt Dwysedig .... *Anisantha madritensis* (Compact Brome)
Pawrwellt Eiddil y Goedwig, *gw.* **Breichwellt y Coed**
Pawrwellt Gweirglawdd, *gw.* **Pawrwellt Gweirglodd**
Pawrwellt Gweirglodd .... *Bromus lepidus* (Slender Soft-brome)
Pawrwellt Hirfain, *gw.* **Peisgwellt Mawr**
Pawrwellt Hwngari .... *Bromopsis inermis* (Hungarian Brome)
Pawrwellt Hysb .... *Anisantha sterilis* (Barren Brome)
Pawrwellt Ller .... *Bromus secalinus* (Rye Brome)
Pawrwellt Llipa .... *Anisantha tectorum* (Drooping Brome)
Pawrwellt Llyfn .... *Bromus racemosus* (Smooth Brome)
Pawrwellt Masw .... *Bromus hordeaceus* subsp. *hordeaceus* (Soft-brome)
Pawrwellt Mawr .... *Anisantha diandra* (Great Brome)
Pawrwellt Minffordd .... *Bromus* × *pseudothominii* (Lesser Soft-brome)
Pawrwellt Mwyaf y Maes .... *Bromus commutatus* (Meadow Brome)
Pawrwellt Smith .... *Bromus pseudosecalinus* (Smith's Brome)
Pawrwellt Union .... *Anisantha rigida* (Ripgut Brome)
Pawrwellt Unionsyth .... *Bromopsis erecta* (Upright Brome)
Pawrwellt y Goedwig, *gw.* **Breichwellt y Coed**
Pawrwellt y Maes .... *Bromus arvensis* (Field Brome)
Pedair Dalen, *gw.* **Cwlwm Cariad**
Pedol y March .... *Hippocrepis comosa* (Horseshoe Vetch)
Pefrwellt .... *Phalaris arundinacea* (Reed Canary-grass)
Pefrwellt Amaethol .... *Phalaris canariensis* (Canary-grass)
Pefrwellt Coliog .... *Phalaris paradoxa* (Awned Canary-grass)
Pefrwellt Lleiaf .... *Phalaris minor* (Lesser Canary-grass)
Peisgwellt, *gw.* **Peisgwellt Tal**
Peisgwellt, *gw.* **Peisgwellt y Waun**
Peisgwellt â Chynffon Gwiwer, *gw.* **Peisgwellt Anhiliog**
Peisgwellt â Chynffon Llygod Mawr, *gw.* **Peisgwellt y Fagwyr**
Peisgwellt Amryddail .... *Festuca heterophylla* (Various-leaved Fescue)
Peisgwellt Anhiliog .... *Vulpia bromoides* (Squirreltail Fescue)
Peisgwellt Barfog .... *Vulpia ciliata* subsp. *ambigua* (Bearded Fescue)
Peisgwellt Brwynddail .... *Festuca arenaria* (Rush-leaved Fescue)
Peisgwellt Bywhiliog, *gw.* **Peisgwellt Eginol**
Peisgwellt Caled, *gw.* **Gwenithwellt Caled**
Peisgwellt Caledaidd .... *Festuca brevipila* (Hard Fescue)
Peisgwellt Cawraidd, *gw.* **Peisgwellt Mawr**
Peisgwellt Coch .... *Festuca rubra* (Red Fescue)
Peisgwellt Croesryw .... × *Festulolium loliaceum* (Hybrid Fescue)
Peisgwellt Culddail .... *Festuca rubra* subsp. *commutata* (Chewing's Fescue)

a, b, c, ch, d, dd, e, f, ff, g, ng, h, i, j, l, ll, m, n, o, p, ph, r, rh, s, t, th, u, w, y

Peisgwellt Eginol .... *Festuca vivipara* (Viviparous Fescue)
Peisgwellt Glas .... *Festuca longifolia* (Blue Fescue)
Peisgwellt Hirian, *gw.* **Peisgwellt Mawr**
Peisgwellt Hirian, *gw.* **Peisgwellt Tal**
Peisgwellt Hydwf, *gw.* **Peisgwellt Tal**
Peisgwellt Hydwf, *gw.* **Peisgwellt y Waun**
Peisgwellt Llydaw .... *Festuca armoricana* (Breton Fescue)
Peisgwellt Manddail .... *Festuca filiformis* (Fine-leaved Sheep's-fescue)
Peisgwellt Mawr .... *Festuca gigantea* (Giant Fescue)
Peisgwellt Rhedegog, *gw.* **Peisgwellt Coch**
Peisgwellt Tal .... *Festuca arundinacea* (Tall Fescue)
Peisgwellt Uncib .... *Vulpia fasciculata* (Dune Fescue)
Peisgwellt Unochrog .... *Vulpia unilateralis* (Mat-grass Fescue)
Peisgwellt y Defaid .... *Festuca ovina* (Sheep's-fescue)
Peisgwellt y Fagwyr .... *Vulpia myuros* (Rat's-tail Fescue)
Peisgwellt y Gweunydd, *gw.* **Peisgwellt y Waun**
Peisgwellt y Gwigoedd .... *Festuca altissima* (Wood Fescue)
Peisgwellt y Traeth, *gw.* **Peisgwellt Uncib**
Peisgwellt y Waun .... *Festuca pratensis* (Meadow Fescue)
Peisgwellt y Waun, *gw.* **Peisgwellt y Defaid**
Peisgwellt Ymdaenol, *gw.* **Peisgwellt Coch**
Peisgwyn, *gw.* **Poplysen Wen**
Peiswellt Mawr, *gw.* **Peisgwellt Mawr**
Pel-eira'r Perthi, *gw.* **Llus Eira**
Pelanllys, *gw.* **Pelenllys**
Pelanllys Cronynog, *gw.* **Pelenllys**
Pelanllys Gronynnog, *gw.* **Pelenllys**
Pelenllys .... *Pilularia globulifera* (Pillwort)
Peli Pili Pala .... *Buddleja globosa* (Orange-ball-tree)
Pelydr Du .... *Helleborus niger* (Black Hellebore)
Pelydr Gau Ysbaen, *gw.* **Llysiau'r Ddannoedd**
Pelydr Gwyrdd .... *Helleborus viridis* (Green Hellebore)
Pelydr y Cerrig, *gw.* **Murlys**
Pelydr y Gwelydd, *gw.* **Murlys**
Pen Ci Bach, *gw.* **Safn y Llew**
Pen y Ceiliog, *gw.* **Codog**
Pen y Neidr, *gw.* **Britheg**
Pen y Neidr, *gw.* **Fioled y Cŵn**
Pen y Neidr, *gw.* **Gwiolydd Gyffredin**
Penboeth .... *Galeopsis tetrahit* (Common Hemp-nettle)
Penboeth, *gw.* **Tinboeth**
Penboeth Amryliw .... *Galeopsis speciosa* (Large-flowered Hemp-nettle)
Penboeth Blodau Helaeth, *gw.* **Penboeth Amryliw**
Penboeth Culddail .... *Galeopsis angustifolia* (Red Hemp-nettle)
Penboeth Cyffredin, *gw.* **Penboeth**
Penboeth Dau Liw, *gw.* **Penboeth Amryliw**
Penboeth Diflas .... *Persicaria laxiflora* (Tasteless Water-pepper)
Penboeth Lleiaf .... *Galeopsis bifida* (Lesser Hemp-nettle)
Penboeth Llydanddail .... *Galeopsis ladanum* (Broad-leaved Hemp-nettle)
Penboeth yr Ŷd .... *Galeopsis segetum* (Downy Hemp-nettle)
Pencnell, *gw.* **Crib Gwener**
Penddu, *gw.* **Edafeddog Canghennog**
Peneuraid, *gw.* **Cronnell**
Peneuraidd .... *Ranunculus auricomus* (Goldilocks Buttercup)
Penfelen, *gw.* **Creulys Cyffredin**
Penfelen, *gw.* **Creulys Iago**
Penfelen Fenyw, *gw.* **Creulys Cyffredin**
Penfelen Fynyddol, *gw.* **Creulys y Rhosydd**
Penfelen Gludiog, *gw.* **Creulys Gludiog**
Penfelen Hardd, *gw.* **Creulys Rhydychen**
Penfelen Ledlwyd, *gw.* **Creulys Llwyd**
Penfelen Ledlwyd Culddail, *gw.* **Creulys Llwyd**
Penfelen Prydferth, *gw.* **Creulys Rhydychen**
Penfelen y Coed, *gw.* **Creulys y Rhosydd**
Penfelen y Gors, *gw.* **Creulys y Gors**
Penfelen y Muriau, *gw.* **Creulys Rhydychen**
Penfelen y Rhosydd, *gw.* **Creulys y Rhosydd**
Pengaled .... *Centaurea nigra* (Common Knapweed)

a, b, c, ch, d, dd, e, f, ff, g, ng, h, i, j, l, ll, m, n, o, p, ph, r, rh, s, t, th, u, w, y

Pengaled Benddu, *gw.* **Pengaled**
Pengaled Coch, *gw.* **Pengaled**
Pengaled Coch, *gw.* **Pengaled Mawr**
Pengaled Du, *gw.* **Pengaled**
Pengaled Fawr, *gw.* **Pengaled Mawr**
Pengaled Fwyaf, *gw.* **Pengaled Mawr**
Pengaled Jersey .... *Centaurea paniculata* (Jersey Knapweed)
Pengaled Leiaf Benddu, *gw.* **Pengaled**
Pengaled Llwytgoch .... *Centaurea jacea* (Brown Knapweed)
Pengaled Mawr .... *Centaurea scabiosa* (Greater Knapweed)
Pengoch, *gw.* **Canwraidd Goch**
Pengronwen, *gw.* **Bresych Gwyllt**
Penigan Barfog .... *Dianthus barbatus* (Sweet-William)
Penigan Cyffredin .... *Dianthus plumarius* (Pink)
Penigan Ffrwythlon .... *Petrorhagia nanteuilii* (Childing Pink)
Penigan Gwyllt, *gw.* **Penigan Cyffredin**
Penigan Gwyryfaidd .... *Dianthus deltoides* (Maiden Pink)
Penigan Jersey .... *Dianthus gallicus* (Jersey Pink)
Penigan Mynyddig .... *Dianthus gratianopolitanus* (Cheddar Pink)
Penigan Rhuddgoch .... *Dianthus caryophyllus* (Clove Pink)
Penigan Toreithiog .... *Petrorhagia prolifera* (Proliferous Pink)
Penigan Tormaen .... *Petrorhagia saxifraga* (Tunic-flower)
Penigan y Porfeydd .... *Dianthus armeria* (Deptford Pink)
Penlas, *gw.* **Clafrllys**
Penlas Fythol .... *Centaurea montana* (Perennial Cornflower)
Penlas y Ddôl, *gw.* **Clafrllys**
Penlas yr Ŷd .... *Centaurea cyanus* (Cornflower)
Penllwyd, *gw.* **Edafeddog**
Penllwyd, *gw.* **Edafeddog Canghennog**
Penmelfed, *gw.* **Cynffon y Gath**
Pennau'r Gwŷr, *gw.* **Llwynhidydd**
Penrhudd .... *Origanum vulgare* (Marjoram)
Penrhudd yr Ardd .... *Origanum majorana* (Sweet Marjoram)
Pensag, *gw.* **Hopysen**
Pensiarad, *gw.* **Cribell Felen**
Pensoeg, *gw.* **Hopysen**
Penwisg Ddur Heddwas, *gw.* **Jac y Neidiwr**
Per Bren, *gw.* **Gellygen**
Pêr-freilen, *gw.* **Drysen Bêr**
Peradl Blewog, *gw.* **Peradyl Lleiaf**
Peradl Cynhauafol, *gw.* **Peradyl yr Hydref**
Peradl Garw, *gw.* **Peradyl Garw**
Peradl Lleiaf Blewog, *gw.* **Peradyl Lleiaf**
Peradl Llyfn, *gw.* **Peradyl yr Hydref**
Peradyl, *gw.* **Peradyl yr Hydref**
Peradyl Arw, *gw.* **Peradyl Garw**
Peradyl Blewog, *gw.* **Peradyl Lleiaf**
Peradyl Cynaeafol, *gw.* **Peradyl yr Hydref**
Peradyl Cynhaeafol, *gw.* **Peradyl yr Hydref**
Peradyl Garw .... *Leontodon hispidus* (Rough Hawkbit)
Peradyl Lleiaf .... *Leontodon saxatilis* (Lesser Hawkbit)
Peradyl Mwyaf, *gw.* **Peradyl Garw**
Peradyl y Cynhauaf, *gw.* **Peradyl yr Hydref**
Peradyl yr Hydref .... *Leontodon autumnalis* (Autumn Hawkbit)
Perchwerwyn, *gw.* **Llwyd y Cŵn**
Pererinbren, *gw.* **Pinwydden yr Alban**
Perfagl .... *Vinca minor* (Lesser Periwinkle)
Perfagl Fwyaf, *gw.* **Perfagl Mwyaf**
Perfagl Mwyaf .... *Vinca major* (Greater Periwinkle)
Perfedd y Cythraul, *gw.* **Cwlwm y Cythraul**
Perllys, *gw.* **Persli**
Perllys Aur .... *Chaerophyllum aureum* (Golden Chervil)
Perllys Blewog .... *Chaerophyllum hirsutum* (Hairy Chervil)
Perllys Cyffredin, *gw.* **Persli**
Perllys y Môr, *gw.* **Perllys y Morfa**
Perllys y Morfa .... *Apium graveolens* (Wild Celery)
Perllys y Perthi .... *Chaerophyllum temulum* (Rough Chervil)
Perllys yr Hel, *gw.* **Perllys y Morfa**

---

a, b, c, ch, d, dd, e, f, ff, g, ng, h, i, j, l, ll, m, n, o, p, ph, r, rh, s, t, th, u, w, y

Perllys yr Heli, *gw.* **Perllys y Morfa**
Pernel, *gw.* **Garlleg y Berth**
Persli .... *Petroselinum crispum* (Garden Parsley)
Persli Gwyllt, *gw.* **Gauberllys**
Persli y Gors, *gw.* **Perllys y Morfa**
Persli'r Ffwl, *gw.* **Gauberllys**
Persli'r Meirch, *gw.* **Llwfach Albanaidd**
Persyll, *gw.* **Persli**
Perth Eurddraen, *gw.* **Gwsberis**
Perthlys, *gw.* **Murlys**
Perthlys, *gw.* **Taglys yr Ŷd**
Perweiryn Perarogl, *gw.* **Perwellt y Gwanwyn**
Perwellt .... *Glyceria maxima* (Reed Sweet-grass)
Perwellt, *gw.* **Perwellt y Gwanwyn**
Perwellt Barfog .... *Anthoxanthum aristatum* (Annual Vernal-grass)
Perwellt Croesryw .... *Glyceria × pedicellata* (Hybrid Sweet-grass)
Perwellt Glaswyrdd, *gw.* **Perwellt Llwydlas**
Perwellt Llwydlas .... *Glyceria declinata* (Small Sweet-grass)
Perwellt Plygedig .... *Glyceria notata* (Plicate Sweet-grass)
Perwellt Sanctaidd .... *Hierochloe odorata* (Holy-grass)
Perwellt y Gwanwyn .... *Anthoxanthum odoratum* (Sweet Vernal-grass)
Perwherwyn, *gw.* **Llwyd y Cŵn**
Perwraidd, *gw.* **Llaethwyg**
Perwydden, *gw.* **Gellygen**
Pesychlys, *gw.* **Carn yr Ebol**
Pib-flodyn Crych .... *Lagarosiphon major* (Curly Waterweed)
Pibennog .... *Eriocaulon aquaticum* (Pipewort)
Pibfrwyn, *gw.* **Corsfrwynen Ddu**
Pibfrwynen, *gw.* **Corsfrwynen**
Piblys, *gw.* **Berwr y Fam**
Picod, *gw.* **Crib Gwener**
Pidyn fy Modryb, *gw.* **Llwynau'r Fagwyr**
Pidyn y Gog .... *Arum maculatum* (Lords-and-Ladies)
Pidyn y Gog Eidalaidd .... *Arum italicum* (Italian Lords-and-Ladies)
Pidyn y Gors .... *Calla palustris* (Bog Arum)
Pig Aran y Weirglodd, *gw.* **Pig yr Aran y Weirglodd**
Pig Garan y Goedwig, *gw.* **Pig yr Aran y Goedwig**
Pig Garan y Gwrych *gw.* **Pig yr Aran y Gwrych**
Pig Garan y Weirglodd, *gw.* **Pig yr Aran y Weirglodd**
Pig y Bwn, *gw.* **Marchrawn yr Afon**
Pig y Crëyr .... *Erodium cicutarium* (Common Stork's-bill)
Pig y Crëyr Arfor .... *Erodium maritimum* (Sea Stork's-bill)
Pig y Crëyr Cegidaidd, *gw.* **Pig y Crëyr**
Pig y Crëyr Cegidog, *gw.* **Pig y Crëyr**
Pig y Crëyr Gludog .... *Erodium lebelii* (Sticky Stork's-bill)
Pig y Crëyr Mwsgaidd .... *Erodium moschatum* (Musk Stork's-bill)
Pig y Gog, *gw.* **Pidyn y Gog**
Pig yr Aderyn, *gw.* **Llwynau'r Fagwyr**
Pig yr Aran Bychan, *gw.* **Pig yr Aran Mânflodeuog**
Pig yr Aran Clymog .... *Geranium nodosum* (Knotted Crane's-bill)
Pig yr Aran Crynddail .... *Geranium rotundifolium* (Round-leaved Crane's-bill)
Pig yr Aran Cyffredin, *gw.* **Troed y Golomen**
Pig yr Aran Disglair .... *Geranium lucidum* (Shining Crane's-bill)
Pig yr Aran Troedrudd, *gw.* **Llys y Llwynog**
Pig yr Aran Dulwyd, *gw.* **Gweddw Galarus**
Pig yr Aran Gwaedlyd, *gw.* **Pig yr Aran Rhuddgoch**
Pig yr Aran Hirgoesog .... *Geranium columbinum* (Long-stalked Crane's-bill)
Pig yr Aran Llachar, *gw.* **Pig yr Aran Disglair**
Pig yr Aran Llarpiog .... *Geranium dissectum* (Cut-leaved Crane's-bill)
Pig yr Aran Llinellgoch .... *Geranium versicolor* (Pencilled Crane's-bill)
Pig yr Aran Mânflodeuog .... *Geranium pusillum* (Small-flowered Crane's-bill)
Pig yr Aran Porffor .... *Geranium × magnificum* (Purple Crane's-bill)
Pig yr Aran Rhuddgoch .... *Geranium sanguineum* (Bloody Crane's-bill)
Pig-yr-aran Weir-glawdd, *gw.* **Pig Garan y Weirglodd**
Pig yr Aran y Brifforth, *gw.* **Pig yr Aran y Gwrych**
Pig yr Aran y Clawdd, *gw.* **Pig yr Aran y Gwrych**
Pig yr Aran y Coed, *gw.* **Pig yr Aran y Goedwig**
Pig yr Aran y Goedwig .... *Geranium sylvaticum* (Wood Crane's-bill)

a, b, c, ch, d, dd, e, f, ff, g, ng, h, i, j, l, ll, m, n, o, p, ph, r, rh, s, t, th, u, w, y

Pig yr Aran y Gwrych .... *Geranium pyrenaicum* (Hedgerow Crane's-bill)
Pig yr Aran y Weirglodd .... *Geranium pratense* (Meadow Crane's-bill)
Pig yr Aran y Weirglodd, *gw.* **Pig yr Aran y Goedwig**
Pigl, *gw.* **Tafod y Bytheiad**
Pigl Meddygol, *gw.* **Tafod y Bytheiad**
Pigwrn y Pinwydd, *gw.* **Llys y Neidr**
Pilcoes .... *Platanus orientalis* (Oriental Plane)
Pilcoes y Ddinas .... *Platanus* × *hispanica* (London Plane)
Pilcoeswydden, *gw.* **Pilcoes**
Pincas Brenhines Mair, *gw.* **Clafrllys**
Pinclys .... *Persicaria pensylvanica* (Pinkweed)
Pinwydden Albanaidd, *gw.* **Pinwydden yr Alban**
Pinwydden Anial .... *Pinus pinea* (Stone Pine)
Pinwydden Arfor .... *Pinus pinaster* (Maritime Pine)
Pinwydden Awstria .... *Pinus nigra* subsp. *nigra* (Austrian Pine)
Pinwydden Bhutan .... *Pinus wallichiana* (Bhutan Pine)
Pinwydden Corsica .... *Pinus nigra* subsp. *laricio* (Corsican Pine)
Pinwydden Chile .... *Araucaria araucana* (Monkey-puzzle)
Pinwydden Gamfrig .... *Pinus contorta* (Lodge-pole Pine)
Pinwydden Gochfrig .... *Pinus ponderosa* (Western Yellow-pine)
Pinwydden Macedonia .... *Pinus peuce* (Macedonian Pine)
Pinwydden Monterey .... *Pinus radiata* (Monterey Pine)
Pinwydden Sgotland, *gw.* **Pinwydden yr Alban**
Pinwydden Wen .... *Pinus strobus* (Weymouth Pine)
Pinwydden Wyllt, *gw.* **Pinwydden yr Alban**
Pinwydden y Mynydd .... *Pinus mugo* (Mountain Pine)
Pinwydden yr Alban .... *Pinus sylvestris* (Scots Pine)
Pipwydd, *gw.* **Castanwydden**
Pisgen, *gw.* **Pisgwydden**
Pisgen, *gw.* **Pisgwydden Deilen Fach**
Pisgen, *gw.* **Pisgwydden Deilen Fawr**
Pisgwydd, *gw.* **Pisgwydden Deilen Fawr**
Pisgwydden .... *Tilia* × *vulgaris* (Lime)
Pisgwydden, *gw.* **Pisgwydden Deilen Fach**
Pisgwydden, *gw.* **Piswydden**
Pisgwydden Deilen Fach .... *Tilia cordata* (Small-leaved Lime)
Pisgwydden Deilen Fawr .... *Tilia platyphyllos* (Large-leaved Lime)
Piswydden Ddeilfawr .... *Euonymus latifolius* (Large-leaved Spindle)
Piswydden Fythwyrdd .... *Euonymus japonicus* (Evergreen Spindle)
Piswydden .... *Euonymus europaeus* (Spindle)
Planwydden, *gw.* **Pilcoes**
Planwydden y Ddinas, *gw.* **Pilcoes y Ddinas**
Pla'r Amaethwr, *gw.* **Llys y Gymalwst**
Plisgwrn, *gw.* **Pisgwydden Deilen Fawr**
Plisgwrnen, *gw.* **Pisgwydden Deilen Fawr**
Plisgyrnen, *gw.* **Pisgwydden Deilen Fawr**
Plucen, *gw.* **Plucen Felen**
Plucen Felen .... *Anthyllis vulneraria* (Kidney Vetch)
Pluddalen .... *Hottonia palustris* (Water-violet)
Pluf y Gweunydd, *gw.* **Plu'r Gweunydd Llydanddail**
Plu'r Gweunydd .... *Eriophorum angustifolium* (Common Cottongrass)
Plu'r Gweunydd, *gw.* **Plu'r Gweunydd Llydanddail**
Plu'r Gweunydd, *gw.* **Plu'r Gweunydd Unben**
Plu'r Gweunydd Culddail, *gw.* **Plu'r Gweunydd**
Plu'r Gweunydd Culddail Cyffredin, *gw.* **Plu'r Gweunydd**
Plu'r Gweunydd Eiddil .... *Eriophorum gracile* (Slender Cottongrass)
Plu'r Gweunydd Llydanddail .... *Eriophorum latifolium* (Broad-leaved Cottongrass)
Plu'r Gweunydd Unben .... *Eriophorum vaginatum* (Hares'-tail Cottongrass)
Poer y Diafol, *gw.* **Tamaid y Cythraul**
Poerlys, *gw.* **Llysiau'r Ddannoedd**
Poethfflam, *gw.* **Llafnlys Bach**
Poethlyslyn, *gw.* **Mintys Poethion**
Poethwraidd, *gw.* **Llysiau'r Ddannoedd**
Polypodium, *gw.* **Llawredynen y Fagwyr**
Pomgranaden, *gw.* **Grawnafal**
Pomgranadwydden, *gw.* **Grawnafal**
Ponar, *gw.* **Ffaen**
Poplar, *gw.* **Aethnen**

a, b, c, ch, d, dd, e, f, ff, g, ng, h, i, j, l, ll, m, n, o, p, ph, r, rh, s, t, th, u, w, y

Poplysen, *gw*. **Poplysen Wen**
Poplysen Ddu .... *Populus nigra* (Black Poplar)
Poplysen Ddu Ffrengig .... *Populus* × *canadensis* (Italian Poplar)
Poplysen Ddu yr Eidal, *gw*. **Poplysen Ddu Ffrengig**
Poplysen Gilead .... *Populus candicans* (Balm-of-Gilead)
Poplysen Gilead y Gorllewin .... *Populus trichocarpa* (Western Balsam-poplar)
Poplysen Lombardy .... *Populus nigra* 'Italica' (Lombardy Poplar)
Poplysen Lwyd .... *Populus* × *canescens* (Grey Poplar)
Poplysen Wen .... *Populus alba* (White Poplar)
Porpin, *gw*. **Troed y Gywen**
Porwellt Anhiliog, *gw*. **Pawrwellt Hysb**
Porwellt Blewog, *gw*. **Pawrwellt Blewog**
Porwellt Llyfn, *gw*. **Pawrwellt Llyfn**
Porwellt Masw, *gw*. **Pawrwellt Masw**
Potasen y Gog, *gw*. **Clychau'r Gog**
Pregethwr yn y Pulpud, *gw*. **Pidyn y Gog**
Pren Afal Sur .... *Malus sylvestris* (Crab Apple)
Pren Afalau .... *Malus domestica* (Apple)
Pren Afalau, *gw*. **Pren Afal Sur**
Pren-awyr, *gw*. **Uchelwydd**
Pren Bocs .... *Buxus sempervirens* (Box)
Pren Bocys, *gw*. **Pren Bocs**
Pren Cas Gan Gythraul, *gw*. **Piswydden**
Pren Ceri, *gw*. **Cerddinen**
Pren Ci, *gw*. **Cwyros**
Pren Clefyd Melyn, *gw*. **Eurdrain**
Pren Clefyd Melyn, *gw*. **Piswydden**
Pren Cnau, *gw*. **Collen**
Pren Crabas, *gw*. **Pren Afal Sur**
Pren Criafol, *gw*. **Cerddinen**
Pren Drain Ysbinys, *gw*. **Eurdrain**
Pren Ffebrins, *gw*. **Gwsberis**
Pren Grosbos, *gw*. **Pren Afal Sur**
Pren Gwyddau Bach, *gw*. **Helygen Wiail**
Pren Llawryf, *gw*. **Llawrwydden**
Pren Llwyf .... *Ulmus minor* (Small-leaved Elm)
Pren Melyn, *gw*. **Eurdrain**
Pren y Ddannoedd .... *Sedum rosea* (Roseroot)
Pren y Ddanodd, *gw*. **Pren y Ddannoedd**
Pren y Nef .... *Ailanthus altissima* (Tree-of-Heaven)
Pren Ysgaw, *gw*. **Ysgawen**
Pren Ysgo, *gw*. **Ysgawen**
Pren Yw, *gw*. **Ywen**
Priallen, *gw*. **Pryfet**
Pricconed, *gw*. **Llwynau'r Fagwyr**
Priellyn, *gw*. **Pryfet**
Prinwydden .... *Quercus coccinea* (Scarlet Oak)
Procer Coch, *gw*. **Helyglys Hardd**
Pryfet .... *Ligustrum vulgare* (Wild Privet)
Pryfet yr Ardd .... *Ligustrum ovalifolium* (Garden Privet)
Pryseg, *gw*. **Celynnen Fair**
Puburlys, *gw*. **Berwr Gwyllt**
Puburllys Culddail, *gw*. **Pupurlys Culddail**
Puburllys Llydanddail, *gw*. **Berwr Gwyllt**
Pumbys, *gw*. **Pumdalen Ymlusgol**
Pumbys Arian-ddail .... *Potentilla argentea* (Hoary Cinquefoil)
Pumbys Gwyrdd .... *Potentilla crantzii* (Alpine Cinquefoil)
Pumbys Rhedegog, *gw*. **Pumdalen Ymlusgol**
Pumbys Ymlusgaidd, *gw*. **Tresgl Ymlusgol**
Pumbys yr Alban .... *Sibbaldia procumbens* (Sibbaldia)
Pumdalen Gyffredin, *gw*. **Pumdalen Ymlusgol**
Pumdalen Gyffredin Ymlusgaidd, *gw*. **Pumdalen Ymlusgol**
Pumdalen Talsyth .... *Potentilla recta* (Sulphur Cinquefoil)
Pumdalen Werdd, *gw*. **Pumbys Gwyrdd**
Pumdalen y Gors .... *Potentilla palustris* (Marsh Cinquefoil)
Pumdalen y Graig .... *Potentilla rupestris* (Rock Cinquefoil)
Pumdalen y Gwanwyn .... *Potentilla neumanniana* (Spring Cinquefoil)
Pumdalen Ymlusgaidd, *gw*. **Tresgl Ymlusgol**

a, b, c, ch, d, dd, e, f, ff, g, ng, h, i, j, l, ll, m, n, o, p, ph, r, rh, s, t, th, u, w, y

Pumdalen Ymlusgol .... *Potentilla reptans* (Creeping Cinquefoil)
Pupur Fint, *gw.* **Mintys Ysbigog**
Pupur-fintys, *gw.* **Mintys Poethion**
Pupur y Dwfr, *gw.* **Tinboeth**
Pupur y Ddaear, *gw.* **Pelenllys**
Pupur y Fagwyr .... *Sedum acre* (Biting Stonecrop)
Pupurlys .... *Lepidium heterophyllum* (Smith's Pepperwort)
Pupurlys, *gw.* **Berwr Gwyllt**
Pupurlys Culddail .... *Lepidium ruderale* (Narrow-leaved Pepperwort)
Pupurlys Lleiaf .... *Lepidium virginicum* (Least Pepperwort)
Pupurlys Llwyd .... *Lepidium draba* (Hoary Cress)
Pupurlys Tal .... *Lepidium graminifolium* (Tall Pepperwort)
Pupurlys Trydwll .... *Lepidium perfoliatum (Perfoliate Pepperwort)*
Pupus Brain, *gw.* **Chwys Mair**
Pupus Melyn, *gw.* **Plucen Felen**
Pupys, *gw.* **Ffugbysen Faethol**
Pupys y Waun, *gw.* **Ytbysen y Ddôl**
Pwff Mwg, *gw.* **Mwg y Ddaear**
Pwff y Ddaear, *gw.* **Mwg y Ddaear Afreolus**
Pwff y Mwg, *gw.* **Mwg y Ddaear**
Pwmpen .... *Cucurbita pepo* (Marrow)
Pwmpleren, *gw.* **Poplysen Ddu**
Pwpleren, *gw.* **Poplysen Ddu**
Pwrpin, *gw.* **Troed y Gywen**
Pwrs Gwag, *gw.* **Pwrs y Bugail**
Pwrs y Bugail .... *Capsella bursa-pastoris* (Shepherd's-purse)
Pybyrlys Cyffredin, *gw.* **Pupurlys**
Pybyrlys Llwyd y Maes, *gw.* **Codywasg y Maes**
Pybyrllys, *gw.* **Berwr Gwyllt**
Pybyrllys, *gw.* **Pupurlys**
Pybyrllys Cul-ddail, *gw.* **Pupurlys Culddail**
Pybyrllys Llydanddail, *gw.* **Berwr Gwyllt**
Pyglys .... *Peucedanum officinale* (Hog's Fennel)
Pyglys, *gw.* **Ffenigl yr Hwch**
Pyglys Mignen Caergrawnt .... *Selinum carvifolia* (Cambridge Milk-parsley)
Pyglys y Fignen .... *Peucedanum palustre* (Milk-parsley)
Pypyrlys y Caeau Sychion, *gw.* **Codywasg y Maes**
Pypyrllys Culddail, *gw.* **Pupurlys Culddail**
Pypyrllys Mânbluaidd, *gw.* **Pupurlys**
Pyrwydden Norwy, *gw.* **Spriwsen Norwy**
Pyrwydden Sitca, *gw.* **Spriwsen Sitka**
Pys Blaidd yr Ardd .... *Lupinus polyphyllus* (Garden Lupin)
Pys y Bedol, *gw.* **Pedol y March**
Pys y Berth, *gw.* **Ffugbysen y Cloddiau**
Pys y Blaidd .... *Lupinus nootkatensis* (Nootka Lupin)
Pys y Ceirw, *gw.* **Pysen y Ceirw**
Pys y Ceirw Blewog, *gw.* **Pysen y Ceirw Fwyaf**
Pys y Coed, *gw.* **Bloneg y Ddaear**
Pys y Coed, *gw.* **Pysen y Coed Gnapwreiddiog**
Pys y Garanod, *gw.* **Pysen y Coed**
Pys y Gath, *gw.* **Tagwyg Bysen**
Pys y Llygod Bach, *gw.* **Tagwyg Bysen**
Pys y Maes, *gw.* **Pysen y Coed**
Pys yr Aren, *gw.* **Plucen Felen**
Pysen .... *Pisum sativum* (Garden Pea)
Pysen Borffor .... *Lathyrus niger* (Black Pea)
Pysen Gochlas ar Môr, *gw.* **Ytbysen y Môr**
Pysen Gochlas Arfor, *gw.* **Ytbysen y Môr**
Pysen Saethwr .... *Fallopia japonica* (Japanese Knotweed)
Pysen y Ceirw .... *Lotus corniculatus* (Common Bird's-foot-trefoil)
Pysen y Ceirw, *gw.* **Gwydro Rhesog**
Pysen y Ceirw Eiddilaidd .... *Lotus angustissimus* (Slender Bird's-foot-trefoil)
Pysen y Ceirw Flewog .... *Lotus subbiflorus* (Hairy Bird's-foot-trefoil)
Pysen y Ceirw Fwyaf .... *Lotus pedunculatus* (Greater Bird's-foot-trefoil)
Pysen-y-Ceirw Grythog, *gw.* **Pysen y Ceirw**
Pysen y Coed .... *Vicia orobus* (Wood Bitter-vetch)
Pysen y Coed, *gw.* **Pysen y Coed Gnapwreiddiog**
Pysen y Coed Gnapwreiddiog .... *Lathyrus linifolius* (Bitter-vetch)

---

a, b, c, ch, d, dd, e, f, ff, g, ng, h, i, j, l, ll, m, n, o, p, ph, r, rh, s, t, th, u, w, y

Pysen yr Aran, *gw.* **Pysen y Coed**
Pyswydden, *gw.* **Tresi Aur**
Pytaten, *gw.* **Taten**
Radys, *gw.* **Rhuddygl**
Ragwrt, *gw.* **Creulys Iago**
Ramonda Pyreneaidd .... *Ramonda myconi* (Pyrenean-violet)
Redeins, *gw.* **Rhuddygl**
Redis, *gw.* **Rhuddygl**
Redyns, *gw.* **Rhuddygl**
Reis y Gwter .... *Leersia oryzoides* (Cut-grass)
Rêp .... *Brassica napus* (Rape)
Robin Fratiog, *gw.* **Carpiog y Gors**
Robin Grynwr, *gw.* **Crydwellt**
Roced yr Ardd .... *Eruca vesicaria* subsp. *sativa* (Garden Rocket)
Ruban y Dŵr .... *Vallisneria spiralis* (Tapegrass)
Rwdins, *gw.* **Erfinen Wyllt**
Rwpia'r Môr, *gw.* **Tusw Dyfrllys**
Rwppia Morawl, *gw.* **Tusw Dyfrllys**
Rhafnwydd y Môr .... *Hippophae rhamnoides* (Sea-buckthorn)
Rhafnwydden .... *Rhamnus cathartica* (Buckthorn)
Rhafnwydden Fythwyrdd .... *Rhamnus alaternus* (Mediterranean Buckthorn)
Rhafnwydden, *gw.* **Breuwydd**
Rhawn March y Coed, *gw.* **Marchrawn y Coed**
Rhawn March y Gors, *gw.* **Marchrawn y Gors**
Rhawn March yr Ardir, *gw.* **Marchrawn yr Ardir**
Rhawn y Coed, *gw.* **Marchrawn y Coed**
Rhawn y Gaseg .... *Hippuris vulgaris* (Mare's-tail)
Rhawn-y-gaseg Cyffredin, *gw.* **Rhawn y Gaseg**
Rhawn y Gors, *gw.* **Marchrawn y Gors**
Rhawn y March, *gw.* **Rhawn y Gaseg**
Rhawn-y-march Coediog, *gw.* **Marchrawn y Coed**
Rhawn y March Afonol, *gw.* **Marchrawn Mawr**
Rhawn y March Afonol, *gw.* **Marchrawn yr Afon**
Rhawn y March Corsog, *gw.* **Marchrawn y Gors**
Rhawn y March Lled-diddail, *gw.* **Marchrawn yr Afon**
Rhawn y March yr Ŷd, *gw.* **Marchrawn yr Ardir**
Rhawn yr Afon, *gw.* **Marchrawn yr Afon**
Rhawn yr Ardir, *gw.* **Marchrawn yr Ardir**
Rhawn yr Ebol, *gw.* **Githran**
Rhedyn Benyw, *gw.* **Marchredynen Fair**
Rhedyn Blodeuog, *gw.* **Rhedynen Gyfrdwy**
Rhedyn Bras, *gw.* **Gwibredynen**
Rhedyn Crist, *gw.* **Rhedynen Gyfrdwy**
Rhedyn Cyfrdwy, *gw.* **Rhedynen Gyfrdwy**
Rhedyn Gaflachrog, *gw.* **Duegredynen Fforchog**
Rhedyn Gwib, *gw.* **Gwibredynen**
Rhedyn Gwrychog, *gw.* **Rhedynen Wrychog**
Rhedyn Mair, *gw.* **Marchredynen Fair**
Rhedyn Mair, *gw.* **Rhedynen Gyfrdwy**
Rhedyn Perllys, *gw.* **Rhedynen Bersli**
Rhedyn-pilenog, *gw.* **Rhedynach Teneuwe**
Rhedyn Ungoes, *gw.* **Rhedynen Gyffredin**
Rhedyn y Cadno, *gw.* **Marchredynen**
Rhedyn y Cadno, *gw.* **Rhedynen Gyfrdwy**
Rhedyn y Clogwyn, *gw.* **Duegredynen Fforchog**
Rhedyn y Cyfrdwy, *gw.* **Rhedynen Gyfrdwy**
Rhedyn y Derw, *gw.* **Llawredynen y Fagwyr**
Rhedyn y Fagwyr, *gw.* **Llawredynen y Fagwyr**
Rhedyn y Gogofau, *gw.* **Tafod yr Hydd**
Rhedyn y Graig, *gw.* **Duegredynen Fforchog**
Rhedyn y Mur, *gw.* **Duegredynen y Muriau**
Rhedyn yr Ogofau, *gw.* **Rhedynen Gefngoch**
Rhedynach, *gw.* **Rhedynach Teneuwe**
Rhedynach Teneuwe .... *Hymenophyllum tunbrigense* (Tunbridge Filmy-fern)
Rhedynach Teneuwe Wilson .... *Hymenophyllum wilsonii* (Wilson's Filmy-fern)
Rhedynen Bersli .... *Cryptogramma crispa* (Parsley Fern)
Rhedynen Creta .... *Pteris cretica* (Cretan Fern)
Rhedynen Estrys .... *Matteuccia struthiopteris* (Ostrich Fern)

Rhedynen Fach Jersey .... *Anogramma leptophylla* (Jersey Fern)
Rhedynen Fair .... *Athyrium filix-femina* (Lady-fern)
Rhedynen Fair Alpaidd .... *Athyrium distentifolium* (Alpine Lady-fern)
Rhedynen Frau .... *Cystopteris fragilis* (Brittle Bladder-fern)
Rhedynen Gefngoch .... *Ceterach officinarum* (Rustyback)
Rhedynen Groendenau .... *Onoclea sensibilis* (Sensitive Fern)
Rhedynen Gyfrdwy .... *Osmunda regalis* (Royal Fern)
Rhedynen Gyffredin .... *Pteridium aquilinum* (Bracken)
Rhedynen Wrychog .... *Trichomanes speciosum* (Killarney Fern)
Rhedynen y Dŵr .... *Azolla filiculoides* (Water Fern)
Rhedynen y Ffawydd, *gw.* **Rhedynen y Graig**
Rhedynen y Graig .... *Phegopteris connectilis* (Beech Fern)
Rheonllys, *gw.* **Rhiwbob**
Rheonllys Mawr .... *Gunnera tinctoria* (Giant-rhubarb)
Rheonllys Pigog .... *Gunnera manicata* (Brazilian Giant-rhubarb)
Rhesenog, *gw.* **Gludlys Rhesog**
Rhesinwydd Coch, *gw.* **Rhyfon Coch**
Rhesinwydd Du, *gw.* **Rhyfon Duon**
Rhesinwydd Duon, *gw.* **Rhyfon Duon**
Rhiwbob .... *Rheum* × *hybridum* (Rhubarb)
Rhiwbob y Mynach .... *Rumex pseudoalpinus* (Monk's-rhubarb)
Rhocos, *gw.* **Hocysen Gyffredin**
Rhodell, *gw.* **Cynffon y Gath Gulddail**
Rhodell, *gw.* **Cynffon y Gath**
Rhododendron .... *Rhododendron ponticum* (Rhododendron)
Rhododendron Melyn .... *Rhododendron luteum* (Yellow Azalea)
Rhodri, *gw.* **Rhuddygl**
Rhodri, *gw.* **Rhuddygl Gwyllt**
Rhogai, *gw.* **Llysgwyn Drewllyd**
Rhoglus, *gw.* **Llysgwyn Drewllyd**
Rholbren Calfelfed, *gw.* **Cynffon y Gath Gulddail**
Rholbren Calfelfed, *gw.* **Cynffon y Gath**
Rhonell y Ci, *gw.* **Rhonwellt y Ci**
Rhonell y March, *gw.* **Marchrawn yr Ardir**
Rhonwellt .... *Phleum pratense* (Timothy)
Rhonwellt Alpaidd .... *Phleum alpinum* (Alpine Cat's-tail)
Rhonwellt Cadno Oddfynog, *gw.* **Cynffonwellt Oddfog**
Rhonwellt Cadno'r Weirglodd, *gw.* **Cynffonwellt y Maes**
Rhonwellt Coesddu .... *Phleum phleoides* (Purple-stem Cat's-tail)
Rhonwellt Penfain .... *Phleum bertolonii* (Smaller Cat's-tail)
Rhonwellt y Cadno Cymalog, *gw.* **Cynffonwellt Elinog**
Rhonwellt y Cadno Eiddil, *gw.* **Cynffonwellt Du**
Rhonwellt y Cadno Nofiadwy, *gw.* **Cynffonwellt Elinog**
Rhonwellt y Ci .... *Cynosurus cristatus* (Crested Dog's-tail)
Rhonwellt y Ci Cribog, *gw.* **Rhonwellt y Ci**
Rhonwellt y Ci Pigog .... *Cynosurus echinatus* (Rough Dog's-Tail)
Rhonwellt y Gath, *gw.* **Rhonwellt**
Rhonwellt y Gath ar Dywod, *gw.* **Rhonwellt y Tywyn**
Rhonwellt y Gath Cyffredin, *gw.* **Rhonwellt**
Rhonwellt y Tywyn .... *Phleum arenarium* (Sand Cat's-tail)
Rhos Mair, *gw.* **Rhos Mari**
Rhos Mari .... *Rosmarinus officinalis* (Rosemary)
Rhos y Cŵn Coch, *gw.* **Rhosyn Coch Gwyllt**
Rhosgampau, *gw.* **Pannog Melyn**
Rhoslwyn Pêr .... *Rosa micrantha* (Small-flowered Sweet-briar)
Rhoslwyn Pêr, *gw.* **Drysen Bêr**
Rhoslys, *gw.* **Pren y Ddannoedd**
Rhosllwyn Bêr, *gw.* **Drysen Bêr**
Rhosmair Gwyllt, *gw.* **Rhosmari Gwyllt**
Rhosmari Gwyllt .... *Andromeda polifolia* (Bog-rosemary)
Rhosmari y Morfa, *gw.* **Lafant y Môr**
Rhosus Mair, *gw.* **Rhosmari Gwyllt**
Rhoswelw, *gw.* **Penboeth Culddail**
Rhosyn Bach y Gwynt, *gw.* **Blodyn y Gwynt**
Rhosyn Blewog .... *Rosa caesia* subsp. *caesia* (Hairy Dog-rose)
Rhosyn Burnet, *gw.* **Rhosyn Draenllwyn**
Rhosyn Bwrned, *gw.* **Rhosyn Draenllwyn**
Rhosyn Coch Gwyllt .... *Rosa canina* (Dog-rose)

a, b, c, ch, d, dd, e, f, ff, g, ng, h, i, j, l, ll, m, n, o, p, ph, r, rh, s, t, th, u, w, y

Rhosyn Coesgoch, *gw.* **Rhosyn Draenwllyn**
Rhosyn Coesiog Bur, *gw.* **Rhosyn Llwydwyrdd**
Rhosyn Deilen Feddal .... *Rosa mollis* (Soft Downy-rose)
Rhosyn Deilen Llawban .... *Rosa obtusifolia* (Round-leaved Dog-rose)
Rhosyn Draenllwyn .... *Rosa pimpinellifolia* (Burnet Rose)
Rhosyn Glasbeilliog, *gw.* **Rhosyn Llwydwyrdd**
Rhosyn Glaswyrdd, *gw.* **Rhosyn Llwydwyrdd**
Rhosyn Gwlanog, *gw.* **Rhosyn Deilen Feddal**
Rhosyn Gwlanog, *gw.* **Rhosyn Lledwlanog**
Rhosyn Gwyllt, *gw.* **Rhosyn Coch Gwyllt**
Rhosyn Gwyn Gwyllt .... *Rosa arvensis* (Field-rose)
Rhosyn Gwyn Ymlusgaidd, *gw.* **Rhosyn Gwyn Gwyllt**
Rhosyn Japan .... *Rosa rugosa* (Japanese Rose)
Rhosyn Lledwlanog .... *Rosa tomentosa* (Harsh Downy-rose)
Rhosyn Lledwlanog, *gw.* **Rhosyn Deilen Feddal**
Rhosyn Lled-wlanog, *gw.* **Rhosyn Lledwlanog**
Rhosyn Lluosflod .... *Rosa multiflora* (Many-flowered Rose)
Rhosyn Llwydwyrdd .... *Rosa caesia* subsp. *glauca* (Glaucous Dog-rose)
Rhosyn Mynydd .... *Paeonia mascula* (Peony)
Rhosyn Saron .... *Hypericum calycinum* (Rose-of-Sharon)
Rhosyn Sherard .... *Rosa sherardii* (Sherard's Downy-rose)
Rhosyn Ungolofn .... *Rosa stylosa* (Short-styled Field-rose)
Rhosyn Virginia .... *Rosa virginiana* (Virginian Rose)
Rhosyn y Coed, *gw.* **Rhosyn Dryslwyn**
Rhosyn y Creigiau, *gw.* **Cor-rosyn Rhuddfannog**
Rhosyn y Cŵn, *gw.* **Rhosyn Coch Gwyllt**
Rhosyn y Gau-ysgawen, *gw.* **Corswigen**
Rhosyn y Graig, *gw.* **Cor-rosyn Cyffredin**
Rhosyn y Mynydd, *gw.* **Rhosyn Mynydd**
Rhuddlas y Gors, *gw.* **Melyn y Gors**
Rhuddos, *gw.* **Melyn Mair**
Rhuddos, *gw.* **Melyn yr Ŷd**
Rhuddos Mai, *gw.* **Melyn y Gors**
Rhuddos y Gors, *gw.* **Melyn y Gors**
Rhuddos y Gors, *gw.* **Melyn yr Ŷd**
Rhuddos y Morfa, *gw.* **Melyn y Gors**
Rhuddos yr Ŷd, *gw.* **Melyn yr Ŷd**
Rhuddugl, *gw.* **Rhuddygl Gwyllt**
Rhuddwern, *gw.* **Ceiriosen yr Adar**
Rhuddwernen, *gw.* **Ceiriosen yr Adar**
Rhuddygl .... *Raphanus sativus* (Garden Radish)
Rhuddygl, *gw.* **Rhuddygl Gwyllt**
Rhuddygl Glan y Môr .... *Raphanus raphanistrum* subsp. *maritimus* (Sea Radish)
Rhuddygl Gwyllt .... *Raphanus raphanistrum* subsp. *raphanistrum* (Wild Radish)
Rhuddygl Mawrth, *gw.* **Rhuddygl Poeth**
Rhuddygl Poeth .... *Armoracia rusticana* (Horse-radish)
Rhuddygl-y-Meirch, *gw.* **Rhuddygl Poeth**
Rhutain .... *Ruta graveolens* (Rue)
Rhwnen, *gw.* **Gellygen**
Rhwnig, *gw.* **Gellygen**
Rhwningbren, *gw.* **Gellygen**
Rhwningwydd, *gw.* **Gellygen**
Rhwninen, *gw.* **Gellygen**
Rhwnwydd Gwyn, *gw.* **Cerddinen Wen**
Rhwnynen, *gw.* **Gellygen**
Rhwyddlwyn Alpaidd .... *Veronica alpina* (Alpine Speedwell)
Rhwyddlwyn Blewynog, *gw.* **Llygad Doli**
Rhwyddlwyn Breckland .... *Veronica praecox* (Breckland Speedwell)
Rhwyddlwyn Byseddog .... *Veronica triphyllos* (Fingered Speedwell)
Rhwyddlwyn Corsica .... *Veronica reptans* (Corsican Speedwell)
Rhwyddlwyn Crwnddail .... *Veronica filiformis* (Slender Speedwell)
Rhwyddlwyn Culddail y Gors, *gw.* **Rhwyddlwyn y Gors**
Rhwyddlwyn Cyffredin, *gw.* **Rhwyddlwyn Meddygol**
Rhwyddlwyn Daileiddew, *gw.* **Rhwyddlwyn Eiddewddail**
Rhwyddlwyn Eiddewddail .... *Veronica hederifolia* (Ivy-leaved Speedwell)
Rhwyddlwyn Gorwedddog, *gw.* **Rhwyddlwyn Gorweddol**

Rhwyddlwyn Gorweddol .... *Veronica agrestis* (Green Field-speedwell)
Rhwyddlwyn Gruwddail .... *Veronica serpyllifolia* (Thyme-leaved Speedwell)
Rhwyddlwyn Gwyrdd Gorweddol, *gw.* **Rhwyddlwyn**
   Gorweddol
Rhwyddlwyn Llwyd .... *Veronica polita* (Grey Field-speedwell)
Rhwyddlwyn Meddygol .... *Veronica officinalis* (Heath Speedwell
Rhwyddlwyn Mynyddig, *gw.* **Rhwyddlwyn y Gwrych**
Rhwyddlwyn Mynyddol, *gw.* **Rhwyddlwyn y Gwrych**
Rhwyddlwyn Pigog .... *Veronica spicata* (Spiked Speedwell)
Rhwyddlwyn Tramor .... *Veronica peregrina* (American Speedwell)
Rhwyddlwyn y Bryniau, *gw.* **Rhwyddlwyn y Gwrych**
Rhwyddlwyn y Ddeilen Ddu Dda, *gw.* **Llygad Doli**
Rhwyddlwyn y Fagwyr, *gw.* **Rhwyddlwyn y Mur**
Rhwyddlwyn y Gerddi .... *Veronica persica* (Common Field-speedwell)
Rhwyddlwyn y Gors .... *Veronica scutellata* (Marsh Speedwell)
Rhwyddlwyn y Graig .... *Veronica fruticans* (Rock Speedwell)
Rhwyddlwyn y Gwanwyn .... *Veronica verna* (Spring Speedwell)
Rhwyddlwyn y Gwrych .... *Veronica montana* (Wood Speedwell)
Rhwyddlwyn y Mur .... *Veronica arvensis* (Wall Speedwell)
Rhwyddlwyn y Sychdir, *gw.* **Rhwyddlwyn y Mur**
Rhwygo yn Llaprau, *gw.* **Hocysen Gyffredin**
Rhwygo yn Llarpiau, *gw.* **Hocysen Gyffredin**
Rhwymyn y Coed, *gw.* **Gwinwydden Ddu**
Rhwymyn y Gwŷdd, *gw.* **Gwinwydden Ddu**
Rhyfon Blodeuog .... *Ribes sanguineum* (Flowering Currant)
Rhyfon Coch .... *Ribes rubrum* (Red Currant)
Rhyfon Cochion, *gw.* **Rhyfon Coch**
Rhyfon Duon .... *Ribes nigrum* (Black Currant)
Rhyfon Gwlanog .... *Ribes spicatum* (Downy Currant)
Rhyfon Mynydd .... *Ribes alpinum* (Mountain Currant)
Rhyfon Mynyddol, *gw.* **Rhyfon Mynydd**
Rhyfwydd Cochion, *gw.* **Rhyfon Coch**
Rhyfwydd Duon, *gw.* **Rhyfon Duon**
Rhyfwydden Ddu, *gw.* **Rhyfon Duon**
Rhyfwydden Fynyddol, *gw.* **Rhyfon Mynydd**
Rhyg .... *Secale cereale* (Rye)
Rhygwellt Eidalaidd .... *Lolium multiflorum* (Italian Rye-grass)
Rhygwellt Lluosflwydd .... *Lolium perenne* (Perennial Rye-grass)
Rhyswydden, *gw.* **Pryfet**
Rhyw, *gw.* **Rhutain**
Rhyw'r Muriau, *gw.* **Duegredynen y Muriau**
Saeds y Coed, *gw.* **Chwerwlys yr Eithin**
Saeds yr Eithin, *gw.* **Chwerwlys yr Eithin**
Saets .... *Salvia officinalis* (Sage)
Saets Caersalem .... *Phlomis fruticosa* (Jerusalem Sage)
Saets Caersalem, *gw.* **Llys yr Ysgyfaint**
Saets Gwyllt .... *Salvia verbenaca* (Wild Clary)
Saets Gwyllt, *gw.* **Chwerwlys y Dŵr**
Saets Prin-flodeuog .... *Salvia reflexa* (Mintweed)
Saets y Waun .... *Salvia pratensis* (Meadow Clary)
Saeth y Dwfr, *gw.* **Saethlys**
Saethbennig Arfor .... *Triglochin maritima* (Sea Arrowgrass)
Saethbennig y Gors .... *Triglochin palustris* (Marsh Arrowgrass)
Saethbennig y Morfa, *gw.* **Saethbennig Arfor**
Saethlys .... *Sagittaria sagittifolia* (Arrowhead)
Saethlys Canada .... *Sagittaria rigida* (Canadian Arrowhead)
Saethlys Saethddeilaidd, *gw.* **Saethlys**
Safin, *gw.* **Eithinfyw**
Safn y Llew .... *Antirrhinum majus* (Snapdragon)
Safri, *gw.* **Safri Fach**
Safri Fach .... *Satureja montana* (Winter Savory)
Safri Fach Flynyddol .... *Satureja hortensis* (Summer Savory)
Saffrwm Gwanwynol, *gw.* **Saffrwm y Gwanwyn**
Saffrwm Gweirgloddiau, *gw.* **Saffrwm y Gweunydd**
Saffrwm Noeth-flodeuog .... *Crocus nudiflorus* (Autumn Crocus)
Saffrwm y Gwanwyn .... *Crocus vernus* subsp. *vernus* (Spring Crocus)
Saffrwm y Gweunydd .... *Colchicum autumnale* (Meadow Saffron)
Saffrwm y Gweunydd, *gw.* **Saffrwm Noeth-flodeuog**

Saffrwym y Tywod .... *Romulea columnae* (Sand Crocus)
Saffyr Gwanwynol, *gw.* **Saffrwm y Gwanwyn**
Saffyr Meddygol .... *Crocus sativus* (Saffron Crocus)
Saffyr y Gwanwyn, *gw.* **Saffrwm y Gwanwyn**
Sampier, *gw.* **Corn Carw'r Môr**
Sampier y Defaid, *gw.* **Llwynhidydd Arfor**
Sampier y Geifr .... *Inula crithmoides* (Golden-samphire)
Samwl, *gw.* **Claerlys**
Samylen, *gw.* **Claerlys**
Sanau'r Gog, *gw.* **Gwiolydd Gyffredin**
Sanau'r Gwcw, *gw.* **Fioled y Cŵn**
Sanau'r Gwcw, *gw.* **Gwiolydd Gyffredin**
Sarff, *gw.* **Cerddinen Ddof**
Sarffwydden, *gw.* **Cerddinen Ddof**
Sataen, *gw.* **Castanwydden**
Satain, *gw.* **Castanwydden**
Sawdl Crist, *gw.* **Llwynhidydd**
Sawdl y Crydd .... *Chenopodium bonus-henricus* (Good-King-Henry)
Sawdl y Fuwch, *gw.* **Briallu Mair**
Sawdl y Fuwch, *gw.* **Melyn y Gors**
Sawellys Gafaelgar, *gw.* **Mwg y Ddaear Afreolus**
Sbectol Hen Ŵr, *gw.* **Swllt Dyn Tlawd**
Sbigfrwyn Morafon, *gw.* **Sbigfrwynen Morafon**
Sbigfrwyn Morgamlas, *gw.* **Sbigfrwynen Morafon**
Sbigfrwynen Gadeiriog .... *Eleocharis multicaulis* (Many-stalked Spike-rush)
Sbigfrwynen Goch .... *Eleocharis quinqueflora* (Few-flowered Spike-rush)
Sbigfrwynen Leiaf .... *Eleocharis acicularis* (Needle Spike-rush)
Sbigfrwynen Leiaf, *gw.* **Sbigfrwynen Un Plisgyn**
Sbigfrwynen Morafon .... *Eleocharis parvula* (Dwarf Spike-rush)
Sbigfrwynen Un Plisgyn .... *Eleocharis uniglumis* (Slender Spike-rush)
Sbigfrwynen y Gogledd .... *Eleocharis austriaca* (Northern Spike-rush)
Sbigfrwynen y Gors .... *Eleocharis palustris* (Common Spike-rush)
Sbriwsen Norwy, *gw.* **Spriwsen Norwy**
Sbriwsen Sitka, *gw.* **Spriwsen Sitka**
Sebonllys .... *Saponaria officinalis* (Soapwort)
Sebonllys y Graig .... *Saponaria ocymoides* (Rock Soapwort)
Sebonllys Meddygol, *gw.* **Sebonllys**
Seifys, *gw.* **Cennin Syfi**
Sêl Selyf, *gw.* **Dagrau Job**
Sêl Selyf Culddail .... *Polygonatum verticillatum* (Whorled Solomon's-seal)
Sêl Solomon, *gw.* **Dagrau Job**
Selidon, *gw.* **Dilwydd**
Senseg, *gw.* **Melyn Mair**
Seraidd Ysgallen, *gw.* **Ysgallen Seraidd**
Seren Felen, *gw.* **Gwlydd Melyn Mair**
Seren Felen Bethlehem, *gw.* **Seren Fethlehem Felen**
Seren Fethlehem .... *Ornithogalum angustifolium* (Star-of-Bethlehem)
Seren Fethlehem Felen .... *Gagea lutea* (Yellow Star-of-Bethlehem)
Seren Fethlehem Gyffredin, *gw.* **Seren Fethlehem**
Seren Fethlehem Hir .... *Ornithogalum pyrenaicum* (Spiked Star-of-Bethlehem)
Seren Fethlehem Ogwydd .... *Ornithogalum nutans* (Drooping Star-of-Bethlehem)
Seren y Cloddiau, *gw.* **Gwlydd Melyn Mair**
Seren y Creigiau .... *Gagea bohemica* (Early Star-of-Bethlehem)
Seren y Ddaear, *gw.* **Llwynhidydd Corn Carw**
Seren y Gwanwyn .... *Scilla verna* (Spring Squill)
Seren y Gwanwyn, *gw.* **Llygad Ebrill**
Seren y Morfa .... *Aster tripolium* (Sea Aster)
Seren yr Hydref .... *Scilla autumnalis* (Autumn Squill)
Serenllys, *gw.* **Serenllys y Coed**
Serenllys Gwelltog .... *Stellaria graminea* (Lesser Stitchwort)
Serenllys Llwydlas .... *Stellaria palustris* (Marsh Stitchwort)
Serenllys Mawr .... *Stellaria holostea* (Greater Stitchwort)
Serenllys Mwyaf, *gw.* **Serenllys Mawr**
Serenllys y Bryniau, *gw.* **Serenllys Gwelltog**
Serenllys y Coed .... *Stellaria nemorum* (Wood Stitchwort)
Serenllys y Ffrydiau, *gw.* **Llinesg y Dŵr**
Serenllys y Gors .... *Stellaria uliginosa* (Bog Stitchwort)
Serenllys y Gwrych, *gw.* **Serenllys Mawr**

---

a, b, c, ch, d, dd, e, f, ff, g, ng, h, i, j, l, ll, m, n, o, p, ph, r, rh, s, t, th, u, w, y

Serenllys y Morfa, *gw.* **Seren y Morfa**
Serennyn, *gw.* **Seren y Gwanwyn**
Serennyn y Gwanwyn, *gw.* **Seren y Gwanwyn**
Scrflodau, *gw.* **Seren Fethlehem**
Serffrwyth .... *Damasonium alisma* (Starfruit)
Serllys y Gors, *gw.* **Llafn y Bladur**
Sesleria, *gw.* **Corswelltyn Rhuddlas**
Sewyrllys, *gw.* **Safri Fach**
Sgorpion y Coed, *gw.* **Ysgorpionllys y Coed**
Sherardia Glas, *gw.* **Mandon Las yr Ŷd**
Siaced y Melinydd, *gw.* **Pannog Melyn**
Sialon .... *Gaultheria shallon* (Shallon)
Siani Lusg .... *Lysimachia nummularia* (Creeping-Jenny)
Siasmin Gwyn .... *Jasminum officinale* (White Jasmine)
Sidan y Waun, *gw.* **Plu'r Gweunydd**
Sidan y Waun, *gw.* **Plu'r Gweunydd Llydanddail**
Sidan y Waun, *gw.* **Plu'r Gweunydd Unben**
Sidan y Waun Culddail, *gw.* **Plu'r Gweunydd**
Sidan y Waun Llydanddail, *gw.* **Plu'r Gweunydd Llydanddail**
Sidangoch yr Ŷd, *gw.* **Pabi Coch**
Sidwrmot, *gw.* **Llysiau'r Corff**
Siligabwd, *gw.* **Llysiau'r Corff**
Simwr y Côr, *gw.* **Mantell Fair**
Sinsir y Gors, *gw.* **Llysiau'r Ddannoedd**
Sircyn y Melinydd, *gw.* **Pannog Melyn**
Sirian, *gw.* **Ceiriosen yr Adar**
Sirian Coch, *gw.* **Ceiriosen**
Sirian Ddu, *gw.* **Ceiriosen Ddu**
Sirianen, *gw.* **Ceiriosen**
Sirianen Ddu, *gw.* **Ceiriosen Ddu**
Siriol y Dwfr, *gw.* **Ysgorpionllys y Gors**
Sisli Bêr, *gw.* **Cegiden Bêr**
Siwdr Mwdr, *gw.* **Llysiau'r Corff**
Smaelaes, *gw.* **Perllys y Morfa**
Smalaes, *gw.* **Perllys y Morfa**
Spartina, *gw.* **Cordwellt Bach**
Spartina, *gw.* **Cordwellt Townsend**
Spartina Townsend, *gw.* **Cordwellt Townsend**
Spriswen Arizona, *gw.* **Spriswen Engelmann**
Spriswen Engelmann .... *Picea engelmannii* (Engelmann Spruce)
Spriwsen Las .... *Picea pungens* (Colorado Spruce)
Spriwsen Norwy .... *Picea abies* (Norway Spruce)
Spriwsen Serbia .... *Picea omorika* (Serbian Spruce)
Spriwsen Sitka .... *Picea sitchensis* (Sitka Spruce)
Spriwsen Wen .... *Picea glauca* (White Spruce)
Sudd y Defaid, *gw.* **Dilwydd**
Sugn y Geifr, *gw.* **Gwyddfid**
Surafal, *gw.* **Pren Afal Sur**
Surafallen, *gw.* **Pren Afal Sur**
Suran â Dalen Arennaidd, *gw.* **Suran y Mynydd**
Suran Arfor .... *Rumex acetosa* subsp. *biformis* [Sea Sorrel]
Suran Culddail, *gw.* **Suran yr Ŷd**
Suran Deirdalen, *gw.* **Suran y Coed**
Suran Felen Ddigoes .... *Oxalis pes-caprae* (Bermuda-buttercup)
Suran Felen Leiaf .... *Oxalis exilis* (Least Yellow-sorrel)
Suran Felen Orweddol .... *Oxalis corniculata* (Procumbent Yellow-sorrel)
Suran Felen Unionsyth .... *Oxalis stricta* (Upright Yellow-sorrel)
Suran Ffrengig .... *Rumex scutatus* (French Sorrel)
Suran Godog .... *Physalis alkekengi* (Japanese-lantern)
Suran Hir, *gw.* **Tafol y Dŵr**
Suran Hir, *gw.* **Tafolen Hir**
Suran Hirian, *gw.* **Tafol y Dŵr**
Suran Oddfog .... *Oxalis debilis* (Large-flowered Pink-sorrel)
Suran Ruddgoch .... *Oxalis articulata* (Pink-sorrel)
Suran Ruddgoch yr Ardd .... *Oxalis latifolia* (Garden Pink-sorrel)
Suran Teirdalen, *gw.* **Suran y Coed**
Suran Welw .... *Oxalis incarnata* (Pale Pink-sorrel)
Suran Wyddelig .... *Rumex acetosa* subsp. *hibernicus* (Irish Sorrel)

a, b, c, ch, d, dd, e, f, ff, g, ng, h, i, j, l, ll, m, n, o, p, ph, r, rh, s, t, th, u, w, y

Suran y Coed .... *Oxalis acetosella* (Wood-sorrel)
Suran y Coed Felen Gorniog, *gw.* **Suran Felen Orweddol**
Suran y Coed Felen Orweddol, *gw.* **Suran Felen Orweddol**
Suran y Coed Felen Unionsyth, *gw.* **Suran Felen Unionsyth**
Suran-y-coed Gyffredin, *gw.* **Suran y Coed**
Suran y Coed Melyn Unionsyth, *gw.* **Suran Felen Unionsyth**
Suran y Coed Rhuddgoch, *gw.* **Suran Ruddgoch**
Suran y Cŵn .... *Rumex acetosa* (Common Sorrel)
Suran y Frân, *gw.* **Suran y Cŵn**
Suran y Gog, *gw.* **Suran y Coed**
Suran y Maes, *gw.* **Suran y Cŵn**
Suran y Mynydd .... *Oxyria digyna* (Mountain Sorrel)
Suran y Waun, *gw.* **Suran y Cŵn**
Suran yr Ardd .... *Rumex acetosa* subsp. *ambiguus* (Garden Sorrel)
Suran yr Ŷd .... *Rumex acetosella* (Sheep's Sorrel)
Suranen Godog, *gw.* **Suran y Coed**
Surian, *gw.* **Ceiriosen yr Adar**
Surran y Coed, *gw.* **Suran y Coed**
Surran y Gog, *gw.* **Suran y Coed**
Suryon y Coet, *gw.* **Suran y Coed**
Swigenddail .... *Utricularia australis* (Bladderwort)
Swigenddail Canolig .... *Utricularia intermedia* (Intermediate Bladderwort)
Swigenddail Gwelw .... *Utricularia ochroleuca* (Pale Bladderwort)
Swigenddail Llychlynaidd .... *Utricularia stygia* (Nordic Bladderwort)
Swigenddail Lleiaf .... *Utricularia minor* (Lesser Bladderwort)
Swigenddail Mwyaf .... *Utricularia vulgaris* (Greater Bladderwort)
Swllt Dyn Tlawd .... *Lunaria annua* (Honesty)
Swp-hesgen y Fawnog .... *Carex nigra* (Common Sedge)
Swp-hesgen y Fawnog, *gw.* **Hesgen Oleulas Sythddail**
Swyn Esgras, *gw.* **Melyn Mair**
Swynfri, *gw.* **Llygad y Dydd**
Swynlys, *gw.* **Llysiau Steffan**
Swynyddlys, *gw.* **Llysiau Steffan**
Sycamorwydden, *gw.* **Masarnen**
Syfi, *gw.* **Mefusen**
Syfi Cochion, *gw.* **Mefusen**
Syfi Cochion, *gw.* **Mefusen y Goedwig**
Syfïen, *gw.* **Mefusen**
Syfïen, *gw.* **Mefusen y Goedwig**
Syfïen Fawr, *gw.* **Mefusen Fawr**
Syfïen Goeg, *gw.* **Coegfefusen**
Symwl, *gw.* **Briallu**
Symwl, *gw.* **Briallu Mair**
Symylen, *gw.* **Briallu**
Symylen, *gw.* **Briallu Mair**
Synseg, *gw.* **Melyn Mair**
Tafod Angau, *gw.* **Cegid y Dŵr**
Tafod-edn y Gors, *gw.* **Serenllys y Gors**
Tafod y Bwch, *gw.* **Glas y Graean**
Tafod y Bytheiad .... *Cynoglossum officinale* (Hound's-tongue)
Tafod y Bytheiad Gwyrdd-ddail .... *Cynoglossum germanicum* (Green Hound's-tongue)
Tafod y Bytheiad Meddygol, *gw.* **Tafod y Bytheiad**
Tafod y Carw, *gw.* **Tafod yr Hydd**
Tafod y Ci, *gw.* **Dyfrllys Llydanddail**
Tafod y Ci, *gw.* **Tafod y Bytheiad**
Tafod y Fuwch .... *Borago officinalis* (Borage)
Tafod y Gors .... *Pinguicula vulgaris* (Common Butterwort)
Tafod y Gwragedd, *gw.* **Aethnen**
Tafod y Llew .... *Picris echioides* (Bristly Oxtongue)
Tafod y Llew, *gw.* **Gwylaeth yr Hebog**
Tafod y Llew Heboglysaidd, *gw.* **Gwylaeth yr Hebog**
Tafod y Merched, *gw.* **Aethnen**
Tafod y Neidr .... *Ophioglossum vulgatum* (Adder's-tongue)
Tafod y Neidr Bach .... *Ophioglossum azoricum* (Small Adder's-tongue)
Tafod y Neidr Lleiaf .... *Ophioglossum lusitanicum* (Least Adder's-tongue)
Tafod yr Afr, *gw.* **Glas y Graean**
Tafod yr Edn Canolig, *gw.* **Brechlys**
Tafod yr Edn Lleiaf, *gw.* **Serenllys Gwelltog**

a, b, c, ch, d, dd, e, f, ff, g, ng, h, i, j, l, ll, m, n, o, p, ph, r, rh, s, t, th, u, w, y

Tafod yr Edn Llwydlas, *gw.* **Serenllys Llwydlas**
Tafod yr Edn Mwyaf, *gw.* **Serenllys Mawr**
Tafod yr Edn Mynyddig .... *Cerastium cerastoides* (Starwort Mouse-ear)
Tafod yr Edn y Goedwig, *gw.* **Serenllys y Coed**
Tafod yr Edn y Gors, *gw.* **Serenllys y Gors**
Tafod yr Elain, *gw.* **Tafod yr Hydd**
Tafod yr Hydd .... *Phyllitis scolopendrium* (Hart's-tongue)
Tafod yr Hydd Cyffredin, *gw.* **Tafod yr Hydd**
Tafod yr Iâr, *gw.* **Costog y Domen**
Tafod yr Oen .... *Chenopodium album* (Fat-hen)
Tafod yr Oen, *gw.* **Llwynhidydd Llwyd**
Tafod yr Ŵydd, *gw.* **Distrewlys**
Tafod yr Ych, *gw.* **Tafod y Fuwch**
Tafod yr Ych Anwyw, *gw.* **Llys y Gwrid**
Tafod yr Ych Culddail, *gw.* **Bleidd-drem**
Tafod yr Ych Lliwiol, *gw.* **Llys y Gwrid**
Tafod yr Ych Meddygol, *gw.* **Bleidd-drem**
Tafol, *gw.* **Dail Tafol**
Tafol Arfor .... *Rumex maritimus* (Golden Dock)
Tafol Bachog .... *Rumex brownii* (Hooked Dock)
Tafol Blaen .... *Rumex conglomeratus* (Clustered Dock)
Tafol Coch, *gw.* **Tafolen Gwythien-goch**
Tafol Crwth-ddail .... *Rumex pulcher* (Fiddle Dock)
Tafol Crych .... *Rumex crispus* (Curled Dock)
Tafol Crychion, *gw.* **Tafol Crych**
Tafol Groeg .... *Rumex cristatus* (Greek Dock)
Tafol Gwrthwylun .... *Rumex obovatus* (Obovate-leaved Dock)
Tafol Helygddail .... *Rumex salicifolius* (Willow-leaved Dock)
Tafol Hir, *gw.* **Tafol y Dŵr**
Tafol Llym, *gw.* **Tafol Blaen**
Tafol Mair, *gw.* **Tafol Blaen**
Tafol y Bragdy .... *Rumex patientia* (Patience Dock)
Tafol y Coed .... *Rumex sanguineus* var. *viridis* (Wood Dock)
Tafol y Cŵn, *gw.* **Dail Tafol**
Tafol y Dŵr .... *Rumex hydrolaphathum* (Water Dock)
Tafol y Llaid .... *Rumex palustris* (Marsh Dock)
Tafol y Maes .... *Rumex* × *pratensis* (Meadow Dock)
Tafol yr Ariannin .... *Rumex frutescens* (Argentine Dock)
Tafolen, *gw.* **Tafol Blaen**
Tafolen Goch, *gw.* **Tafol Gwythien-goch**
Tafolen Grych, *gw.* **Tafol Crych**
Tafolen Gwythien-goch .... *Rumex sanguineus* var. *sanguineus* (Blood-veined
                                                              Dock)
Tafolen Gyffredin, *gw.* **Dail Tafol**
Tafolen Hir .... *Rumex longifolius* (Northern Dock)
Tafolen Hir, *gw.* **Tafol y Dŵr**
Tafolen Lydanddail, *gw.* **Dail Tafol**
Tafolen Mair, *gw.* **Tafol Blaen**
Tafolen Waedlyd, *gw.* **Tafol Gwythien-goch**
Tafolen y Cŵn, *gw.* **Dail Tafol**
Tafolen y Dŵr, *gw.* **Tafol y Dŵr**
Tafolen y Dŵr, *gw.* **Tafolen yr Alban**
Tafolen y Gors, *gw.* **Tafol Arfor**
Tafolen y Môr, *gw.* **Tafol Arfor**
Tafolen y Traeth .... *Rumex rupestris* (Shore Dock)
Tafolen yr Alban .... *Rumex aquaticus* (Scottish Dock)
Tag y Coed, *gw.* **Dantlys**
Tag y Gollen, *gw.* **Dantlys**
Tag y Manal, *gw.* **Gorfanc Lleiaf**
Tag yr Aradr, *gw.* **Tagaradr**
Tag yr Aradr Pigog, *gw.* **Tagaradr Pigog**
Tag yr Eithin, *gw.* **Gorfanc Lleiaf**
Tagaradr .... *Ononis repens* (Common Restharrow)
Tagaradr Bach .... *Ononis reclinata* (Small Restharrow)
Tagaradr Cyffredin, *gw.* **Tagaradr**
Tagaradr Pigog .... *Ononis spinosa* (Spiny Restharrow)
Taglys, *gw.* **Cwlwm y Cythraul**
Taglys Arfor .... *Calystegia soldanella* (Sea Bindweed)

---

a, b, c, ch, d, dd, e, f, ff, g, ng, h, i, j, l, ll, m, n, o, p, ph, r, rh, s, t, th, u, w, y

Taglys Blewog .... *Calystegia pulchra* (Hairy Bindweed)
Taglys Du, *gw.* **Gwinwydden Ddu**
Taglys Estron .... *Calystegia silvatica* (Large Bindweed)
Taglys Mawr .... *Calystegia sepium* (Hedge Bindweed)
Taglys Tibet .... *Fallopia baldschuanica* (Russian-vine)
Taglys y Berth .... *Fallopia dumetorum* (Copse-bindweed)
Taglys yr Ŷd .... *Fallopia convolvulus* (Black-bindweed)
Tagwydd, *gw.* **Taglys Mawr**
Tagwyg, *gw.* **Tagwyg Bysen**
Tagwyg Bysen .... *Vicia cracca* (Tufted Vetch)
Talfedel .... *Angelica archangelica* (Garden Angelica)
Tamaid y Cythraul .... *Succisa pratensis* (Devil's-bit Scabious)
Tamaid y Diafol, *gw.* **Tamaid y Cythraul**
Tamarisc, *gw.* **Grugbren**
Tamarisg, *gw.* **Grugbren**
Tamarix, *gw.* **Grugbren**
Tanclys .... *Tanacetum vulgare* (Tansy)
Tânchwyn, *gw.* **Helyglys Hardd**
Tânllys, *gw.* **Helyglys Hardd**
Tansi, *gw.* **Tanclys**
Tansi Gwyllt, *gw.* **Dail Arian**
Tapr Dunos, *gw.* **Pannog Melyn**
Tapr Mair, *gw.* **Pannog Melyn**
Tapr Mawr, *gw.* **Pannog Melyn**
Tapr y Dŵr, *gw.* **Cynffon y Gath Gulddail**
Tapr y Dŵr, *gw.* **Cynffon y Gath**
Tarfgryd, *gw.* **Wermod Wen**
Tarfwgan, *gw.* **Eurinllys Trydwll**
Taten .... *Solanum tuberosum* (Potato)
Tawddrudd Crynddail, *gw.* **Gwlithlys**
Tawddrudd Hirddail, *gw.* **Gwlithlys Hirddail**
Tawddrudd Mawr, *gw.* **Gwlithlys Mawr**
Tawddrydd, *gw.* **Gwlithlys**
Tegan y Baban, *gw.* **Cribell Felen**
Tegeirian Bach y Gors, *gw.* **Gefyll-lys y Gors**
Tegeirian Bêr, *gw.* **Tegeirian Bera**
Tegeirian Bera .... *Anacamptis pyramidalis* (Pyramidal Orchid)
Tegeirian Broga Gwyn .... *Pseudorchis albida* (Small-white Orchid)
Tegeirian Broga Gwyrdd, *gw.* **Llys Ysgyfarnog**
Tegeirian Brych .... *Dactylorhiza maculata* (Heath Spotted-orchid)
Tegeirian Brych Cyffredin, *gw.* **Tegeirian Mannog**
Tegeirian Coch .... *Orchis mascula* (Early-purple Orchid)
Tegeirian Coch y Gwanwyn, *gw.* **Tegeirian Coch**
Tegeirian Coch yr Haf, *gw.* **Tegeirian Bera**
Tegeirian Copyn, *gw.* **Tegeirian-corryn Cynnar**
Tegeirian-corryn Cynnar .... *Ophrys sphegodes* (Early Spider-orchid)
Tegeirian-corryn Hwyr .... *Ophrys fuciflora* (Late Spider-orchid)
Tegeirian Drewllyd .... *Himantoglossum hircinum* (Lizard Orchid)
Tegeirian Epa .... *Orchis simia* (Monkey Orchid)
Tegeirian Glasgoch y Gwanwyn, *gw.* **Tegeirian Coch**
Tegeirian Glöyn Byw Lleiaf, *gw.* **Tegeirian Llydanwyrdd Bach**
Tegeirian Glöyn Byw Mwyaf, *gw.* **Tegeirian Llydanwyrdd**
Tegeirian Gŵr .... *Aceras anthropophorum* (Man Orchid)
Tegeirian Gwenynen, *gw.* **Tegeirian y Gwenyn**
Tegeirian Gwraig .... *Orchis purpurea* (Lady Orchid)
Tegeirian Gwreiddgwrel .... *Corallorhiza trifida* (Coralroot Orchid)
Tegeirian Gwyddelig .... *Neotinea maculata* (Dense-flowered Orchid)
Tegeirian Iâr Fach yr Haf, *gw.* **Tegeirian Llydanwyrdd**
Tegeirian Llacflodyn .... *Orchis laxiflora* (Loose-flowered Orchid)
Tegeirian Llydanddail y Gors .... *Dactylorhiza majalis* (Broad-leaved Marsh-orchid)
Tegeirian Llydanwyrdd .... *Platanthera chlorantha* (Greater Butterfly-orchid)
Tegeirian Llydanwyrdd Bach .... *Platanthera bifolia* (Lesser Butterfly-orchid)
Tegeirian Mannog .... *Dactylorhiza fuchsii* (Common Spotted-orchid)
Tegeirian Mannog Byseddog, *gw.* **Tegeirian Brych**
Tegeirian Mannog Byseddog, *gw.* **Tegeirian Mannog**
Tegeirian Mannog y Gors .... *Dactylorhiza incarnata* subsp. *cruenta* (Flecked Marsh-orchid)
Tegeirian Mannog y Grugdir, *gw.* **Tegeirian Brych**

---

a, b, c, ch, d, dd, e, f, ff, g, ng, h, i, j, l, ll, m, n, o, p, ph, r, rh, s, t, th, u, w, y

Tegeirian Milwrol .... *Orchis militaris* (Military Orchid)
Tegeirian Mwsg .... *Herminium monorchis* (Musk Orchid)
Tegeirian Nyth Aderyn .... *Neottia nidus-avis* (Bird's-nest Orchid)
Tegeirian Pêr .... *Gymnadenia conopsea* (Fragrant Orchid)
Tegeirian Peraroglaidd, *gw*. **Tegeirian Pêr**
Tegeirian Peraroglaidd Talsyth, *gw*. **Tegeirian Pêr**
Tegeirian Porffor, *gw*. **Tegeirian Coch**
Tegeirian Pryfyn .... *Ophrys insectifera* (Fly Orchid)
Tegeirian Rhuddgoch .... *Dactylorhiza incarnata* (Early Marsh-orchid)
Tegeirian Rhuddgoch Culddail .... *Dactylorhiza traunsteineri* (Narrow-leaved
                                                               Marsh-orchid
Tegeirian Trychfilyn, *gw*. **Tegeirian Pryfyn**
Tegeirian Tywodlyd, *gw*. **Gefell-lys y Fignen**
Tegeirian y Cysgod .... *Epipogium aphyllum* (Ghost Orchid)
Tegeirian y Fign .... *Dactylorhiza purpurella* (Northern Marsh-orchid)
Tegeirian y Fign, *gw*. **Gefell-lys y Fignen**
Tegeirian y Gleren, *gw*. **Tegeirian Pryfyn**
Tegeirian y Gors .... *Dactylorhiza praetermissa* (Southern Marsh-orchid)
Tegeirian y Gors, *gw*. **Tegeirian Rhuddgoch**
Tegeirian y Gors Cymreig .... *Dactylorhiza majalis* subsp. *cambrensis* [Welsh
                                                               Marsh-orchid]
Tegeirian y Gors Deheuol, *gw*. **Tegeirian y Gors**
Tegeirian y Gwanwyn, *gw*. **Tegeirian Coch**
Tegeirian y Gwenyn .... *Ophrys apifera* (Bee Orchid)
Tegeirian y Waun .... *Orchis morio* (Green-winged Orchid)
Tegeirian Ynfydyn, *gw*. **Tegeirian y Waun**
Tegeirian Ynfytyn, *gw*. **Tegeirian y Waun**
Tegwch Meinwen, *gw*. **Tagaradr**
Teilai Gwyllt, *gw*. **Crib y Pannwr**
Teilai Mawr, *gw*. **Crib y Pannwr**
Teilau Gwyllt, *gw*. **Crib y Pannwr**
Teiliau Mawr, *gw*. **Crib y Pannwr**
Teim, *gw*. **Gruw**
Teim Gwyllt, *gw*. **Gruw Gwyllt**
Teim Gwyllt Lleiaf, *gw*. **Gruw Gwyllt**
Teim y Dŵr, *gw*. **Alaw Canada**
Teircaill, *gw*. **Caineirian Troellog**
Telyn Dafydd, *gw*. **Dagrau Job**
Terebinthus, *gw*. **Pren Terpentin**
Tethau'r Gaseg, *gw*. **Gwyddfid**
Tethi'r Fuwch, *gw*. **Dagrau Job**
Tethi'r Gaseg, *gw*. **Gwyddfid**
Tewbannog .... *Verbascum virgatum* (Twiggy Mullein)
Tewbannog, *gw*. **Pannog Melyn**
Tewbannog Blewog, *gw*. **Pannog Melyn**
Tewbanog Fechan, *gw*. **Briallu**
Tewbanog Fechan, *gw*. **Briallu Mair**
Tewddail y Muriau, *gw*. **Llysiau Pen Tai**
Tilaea, *gw*. **Anwywig**
Tinagored, *gw*. **Merysbren**
Tinboeth .... *Persicaria hydropiper* (Water-pepper)
Tindoll, *gw*. **Merysbren**
Tinllwyd, *gw*. **Dail Arian**
Tinws .... *Viburnum tinus* (Laurustinus)
Tiwlip Gwyllt .... *Tulipa sylvestris* (Wild Tulip)
Tlws yr Eira, *gw*. **Eirlys**
Toddaid Melyn Cyffredin, *gw*. **Tafod y Gors**
Toddaid Rudd, *gw*. **Gwlithlys Mawr**
Toddaid Wen, *gw*. **Ceiniog y Gors**
Toddaidrudd, *gw*. **Gwlithlys**
Toddaidrudd Crynddail, *gw*. **Gwlithlys**
Toddaidd Alpaidd .... *Pinguicula alpina* (Alpine Butterwort)
Toddaidd Crynddail, *gw*. **Gwlithlys**
Toddaidd Cyffredin, *gw*. **Tafod y Gors**
Toddaidd Gwelw .... *Pinguicula lusitanica* (Pale Butterwort)
Toddaidd Mawr .... *Pinguicula grandiflora* (Large-flowered Butterwort)
Toddaidd Melyn Cyffredin, *gw*. **Tafod y Gors**
Toddaidd Penfro, *gw*. **Toddaidd Gwelw**

---

a, b, c, ch, d, dd, e, f, ff, g, ng, h, i, j, l, ll, m, n, o, p, ph, r, rh, s, t, th, u, w, y

Toddedig Felen, *gw.* **Tafod y Gors**
Toddedig Rudd, *gw.* **Gwlithlys Mawr**
Toddedig Wen, *gw.* **Ceiniog y Gors**
Toddyn Cyffredin, *gw.* **Tafod y Gors**
Tomato .... *Lycopersicon esculentum* (Tomato)
Torfagl, *gw.* **Effros**
Torfagl, *gw.* **Saets Gwyllt**
Torfagl ar Graig y Don .... *Euphrasia tetraquetra* [Western Eyebright]
Torfagl Llydanddail Gwyn, *gw.* **Torfagl ar Graig y Don**
Torfagl Mynyddog .... *Euphrasia rostkoviana* subsp. *montana* [Mountain Eyebright]
Torllwyd, *gw.* **Clust y Llygoden**
Torllwyd, *gw.* **Dail Arian**
Torllwydig, *gw.* **Clust y Llygoden**
Tormaen, *gw.* **Tormaen Cyferbynddail**
Tormaen Blewog Dail Hirgrwm, *gw.* **Tormaen Elwlenddail**
Tormaen Burnet, *gw.* **Gweiddiriog**
Tormaen Bwrned, *gw.* **Gwreiddiriog**
Tormaen Crwn Gogwyddol .... *Saxifraga cernua* (Drooping Saxifrage)
Tormaen Crymddail .... *Saxifraga rosacea* (Irish Saxifrage)
Tormaen Cyferbynddail .... *Saxifraga oppositifolia* (Purple Saxifrage)
Tormaen Deilaren .... *Saxifraga cymbalaria* (Celandine Saxifrage)
Tormaen Elwlenddail .... *Saxifraga hirsuta* (Kidney Saxifrage)
Tormaen Euraid, *gw.* **Eglyn Cyferbynddail**
Tormaen Glasgoch, *gw.* **Tormaen Cyferbynddail**
Tormaen Gwyn, *gw.* **Tormaen Gwyn y Gweunydd**
Tormaen Gwyn y Gweunydd .... *Saxifraga granulata* (Meadow Saxifrage)
Tormaen Llydandroed .... *Saxifraga hypnoides* (Mossy Saxifrage)
Tormaen Melyn Mynyddig .... *Saxifraga aizoides* (Yellow Saxifrage)
Tormaen Melyn y Gors .... *Saxifraga hirculus* (Marsh Saxifrage)
Tormaen Mwsoglaidd, *gw.* **Tormaen Llydandroed**
Tormaen Mynyddig Blewog, *gw.* **Tormaen Crymddail**
Tormaen Mynyddig y Ffrwd .... *Saxifraga rivularis* (Highland Saxifrage)
Tormaen Mynyddig Ymylgrych, *gw.* **Tormaen Crymddail**
Tormaen Mynyddog Sypiog, *gw.* **Tormaen yr Eira**
Tormaen Porffor, *gw.* **Tormaen Cyferbynddail**
Tormaen Pyreneaidd .... *Saxifraga umbrosa* (Pyrenean Saxifrage)
Tormaen Serennog .... *Saxifraga stellaris* (Starry Saxifrage)
Tormaen Siobynnog .... *Saxifraga cespitosa* (Tufted Saxifrage)
Tormaen St Padrig .... *Saxifraga spathularis* (St Patrick's-cabbage)
Tormaen Torwenwynddail, *gw.* **Tormaen Tribys**
Tormaen Tribys .... *Saxifraga tridactylites* (Rue-leaved Saxifrage)
Tormaen y Mynydd, *gw.* **Tormaen Cyferbynddail**
Tormaen y Weirglodd, *gw.* **Tormaen Gwyn y Gweunydd**
Tormaen yr Eira .... *Saxifraga nivalis* (Alpine Saxifrage)
Tormwyth, *gw.* **Wermod Wen**
Tormyth, *gw.* **Wermod Wen**
Torwenwyn, *gw.* **Rhutain**
Tostfrwynen, *gw.* **Llafrwynen**
Tostfrwynen Arfor, *gw.* **Llafrwynen Arfor**
Traeturiaid y Bugeilydd, *gw.* **Llwynhidydd**
Traeturiaid y Bugeilydd, *gw.* **Pumdalen Ymlusgol**
Treigledlys, *gw.* **Canclwm**
Treigledlys, *gw.* **Clymog Bychan**
Tresgl, *gw.* **Tresgl y Moch**
Tresgl Cyffredin, *gw.* **Tresgl y Moch**
Tresgl Melyn, *gw.* **Tresgl y Moch**
Tresgl Rhedegog, *gw.* **Tresgl Ymlusgol**
Tresgl y Moch .... *Potentilla erecta* (Tormentil)
Tresgl Ymlusgaidd, *gw.* **Tresgl Ymlusgol**
Tresgl Ymlusgol .... *Potentilla anglica* (Trailing Tormentil)
Tresgl yr Eithin, *gw.* **Tresgl y Moch**
Tresi Aur .... *Laburnum anagyroides* (Laburnum)
Trewynyn .... *Lysimachia vulgaris* (Yellow Loosestrife)
Trewynyn Brych .... *Lysimachia punctata* (Dotted Loosestrife)
Trewynyn Cyffredin, *gw.* **Trewynyn**
Trewynyn Eddïog .... *Lysimachia ciliata* (Fringed Loosestrife)
Trewynyn Sypflodeuog .... *Lysimachia thyrsiflora* (Tufted Loosestrife)

Trewynyn y Coed, *gw.* **Gwlydd Melyn Mair**
Trewynyn y Goedwig, *gw.* **Gwlydd Melyn Mair**
Trewynyn y Llyn .... *Lysimachia terrestris* (Lake Loosestrife)
Trewynyn Ymlusgaidd, *gw.* **Siani Lusg**
Triagl-arfog .... *Erysimum cheiranthoides* (Treacle Mustard)
Triagl Tair Dalen, *gw.* **Suran y Coed**
Triagl Tairdalen, *gw.* **Suran y Coed**
Triagl y Cŵn, *gw.* **Marchwellt**
Triagl y Cymro, *gw.* **Chwerwlys y Dŵr**
Triagl y Cymro, *gw.* **Chwerwlys yr Eithin**
Triagl y Tlawd, *gw.* **Garlleg Gwyllt**
Triaglog .... *Valeriana officinalis* (Common Valerian)
Triaglog Bychan y Gors, *gw.* **Triaglog y Gors**
Triaglog Coch .... *Centranthus ruber* (Red Valerian)
Triaglog Fechan y Gors, *gw.* **Triaglog y Gors**
Triaglog Pyreneaidd .... *Valeriana pyrenaica* (Pyrenean Valerian)
Triaglog y Gors .... *Valeriana dioica* (Marsh Valerian)
Tribys Tramor .... *Potentilla norvegica* (Ternate-leaved Cinquefoil)
Triegle, *gw.* **Garlleg Gwyllt**
Tringol, *gw.* **Suran yr Ŷd**
Trilliw .... *Viola tricolor* subsp. *tricolor* (Wild Pansy)
Trilliw y Tywyn .... *Viola tricolor* subsp. *curtisii* (Dune Pansy)
Trilliw yr Âr, *gw.* **Ofergaru**
Tripa'r Gŵr Drwg, *gw.* **Barf yr Hen Ŵr**
Troed Aderyn Culddail .... *Lotus glaber* (Narrow-leaved Bird's-foot-trefoil)
Troed Aderyn Main, *gw.* **Troed Aderyn Culddail**
Troed y Barcud, *gw.* **Arianllys**
Troed y Barcud Lleiaf, *gw.* **Arianllys Bach**
Troed y Ceiliog, *gw.* **Blodau'r Sipsi**
Troed y Ceiliog, *gw.* **Byswellt**
Troed y Cyw, *gw.* **Eilunberllys**
Troed y Cyw, *gw.* **Troed-y-cyw Ymdaenol**
Troed y Cyw Clymog, *gw.* **Troed-y-cyw Clymog**
Troed-y-cyw Clymog .... *Torilis nodosa* (Knotted Hedge-parsley)
Troed-y-cyw Syth .... *Torilis japonica* (Upright Hedge-parsley)
Troed-y-cyw Ymdaenol .... *Torilis arvensis* (Spreading Hedge-Parsley)
Troed y Deryn, *gw.* **Pysen y Ceirw**
Troed y Dryw .... *Aphanes arvensis* (Parsley-piert)
Troed y Dryw Fain .... *Aphanes inexspectata* (Slender Parsley-piert)
Troed y Frân, *gw.* **Creulys Iago**
Troed y Gath, *gw.* **Edafeddog y Mynydd**
Troed y Glomed, *gw.* **Blodau'r Sipsi**
Troed y Golomen .... *Geranium molle* (Dove's-foot Crane's-bill)
Troed y Golomen, *gw.* **Blodau'r Sipsi**
Troed y Gywen .... *Lythrum portula* (Water-purslane)
Troed y Llew, *gw.* **Mantell Fair**
Troed y Tarw, *gw.* **Carn yr Ebol**
Troed yr Aderyn .... *Ornithopus perpusillus* (Bird's-foot)
Troed yr Aderyn, *gw.* **Corfeillionen Wen**
Troed-yr-Aderyn Cyffredin, *gw.* **Troed yr Aderyn**
Troed yr Afr, *gw.* **Llys y Gymalwst**
Troed yr Arth, *gw.* **Palf yr Arth Ddrewedig**
Troed yr Arth, *gw.* **Pelydr Gwyrdd**
Troed yr Asen, *gw.* **Garlleg y Berth**
Troed yr Asyn, *gw.* **Garlleg y Berth**
Troed yr Ebol, *gw.* **Carn yr Ebol**
Troed yr Ebol, *gw.* **Melyn y Gors**
Troed yr Ebol y Gors, *gw.* **Melyn y Gors**
Troed yr Eryr, *gw.* **Crafanc yr Eryr**
Troed yr Iâr, *gw.* **Pysen y Ceirw**
Troed yr Oen, *gw.* **Pysen y Ceirw**
Troed yr Ŵydd, *gw.* **Tafod yr Oen**
Troed yr Ŵydd Arfor, *gw.* **Helys Unflwydd**
Troed yr Ŵydd Arforol, *gw.* **Troed yr Ŵydd Ruddog**
Troed yr Ŵydd Dderw-ddeiliog .... *Chenopodium glaucum* (Oak-leaved Goosefoot)
Troed yr Ŵydd Ddynad-ddail .... *Chenopodium murale* (Nettle-leaved Goosefoot)
Troed yr Ŵydd Fasarnddail .... *Chenopodium hybridum* (Maple-leaved Goosefoot)
Troed yr Ŵydd Ffigys-ddail .... *Chenopodium ficifolium* (Fig-leaved Goosefoot)

Troed yr Ŵydd Gwynaidd, *gw.* **Tafod yr Oen**
Troed yr Ŵydd Luos-hadog .... *Chenopodium polyspermum* (Many-seeded Goosefoot)
Troed yr Ŵydd Luos-sypiog .... *Chenopodium chenopodioides* (Saltmarsh Goosefoot)
Troed yr Ŵydd Lwyd .... *Chenopodium opulifolium* (Gray Goosefoot)
Troed yr Ŵydd Ruddog .... *Chenopodium rubrum* (Red Goosefoot)
Troed yr Ŵydd Syth-ddail .... *Chenopodium urbicum* (Upright Goosefoot)
Troed yr Ŵydd Writgoch .... *Chenopodium capitatum* (Strawberry-blite)
Troed yr Ysgyfarnog, *gw.* **Meillionen Gedenog**
Troededn Bychan, *gw.* **Troed yr Aderyn**
Troededn Oren .... *Ornithopus pinnatus* (Orange Bird's-foot)
Troedrudd, *gw.* **Llys y Llwynog**
Troedrudd, *gw.* **Pig yr Aran Mânflodeuog**
Troedrudd, *gw.* **Pig yr Aran Rhuddgoch**
Troedrudd Disglair, *gw.* **Pig yr Aran Disglair**
Troedrudd Ffrengig .... *Geranium endressii* (French Crane's-bill)
Troedrudd y Muriau, *gw.* **Pig yr Aran Disglair**
Troellennog .... *Salvia verticillata* (Whorled Clary)
Troellgorun, *gw.* **Brwynen Droellgorun**
Troellig, *gw.* **Troellig yr Ŷd**
Troellig Clymog, *gw.* **Corwlyddyn Clymog**
Troellig Mwyaf, *gw.* **Troellig yr Ŷd**
Troellig Mynawydaidd Crych, *gw.* **Corwlyddyn Mynawydaidd**
Troellig Mynawydaidd Esmwyth, *gw.* **Corwlyddyn Alpaidd**
Troellig yr Ŷd .... *Spergula arvensis* (Corn Spurrey)
Troellog Gwyddelig .... *Spiranthes romanzoffiana* (Irish Lady's-tresses)
Troellog y Pîn .... *Goodyera repens* (Creeping Lady's-tresses)
Troellog yr Haf .... *Spiranthes aestivalis* (Summer Lady's-tresses)
Troellys Bach .... *Spergularia marina* (Lesser Sea-spurrey)
Troellys Boccone .... *Spergularia bocconii* (Greek Sea-spurrey)
Troellys Coch .... *Spergularia rubra* (Sand Spurrey)
Troellys Lluosflwydd, *gw.* **Troellys Mawr**
Troellys Mawr .... *Spergularia media* (Greater Sea-spurrey)
Troellys y Morgreigiau .... *Spergularia rupicola* (Rock Sea-spurrey)
Troet Rud Garan, *gw.* **Pig yr Aran Rhuddgoch**
Trogenllys .... *Ricinus communis* (Castor-oil-plant)
Trwyn y Llo, *gw.* **Llin y Llyffant**
Trwyn y Llo, *gw.* **Trwyn y Llo Bychan**
Trwyn-y-llo Blaenfeinddail, *gw.* **Llysiau Llywelyn**
Trwyn y Llo Bychan .... *Misopates orontium* (Lesser Snapdragon)
Trwyn y Llo Crwnddail, *gw.* **Llysiau Llywelyn Crwnddail**
Trwyn y Llo Eiddewddail, *gw.* **Llin y Fagwyr**
Trwyn y Llo Lleiaf, *gw.* **Trwyn y Llo Bychan**
Trwyn y Llo Mwyaf, *gw.* **Safn y Llew**
Trwynsor, *gw.* **Llysgwyn Drewllyd**
Trydan y Dŵr, *gw.* **Graban Deiran**
Trydon, *gw.* **Llys y Dryw**
Trydwll .... *Claytonia perfoliata* (Springbeauty)
Trython, *gw.* **Tafol Blaen**
Tryw, *gw.* **Llys y Dryw**
Turth, *gw.* **Tafol Blaen**
Tusw Dyfrllys .... *Ruppia maritima* (Beaked Tasselweed)
Tusw-dyfr-llys, *gw.* **Tusw Dyfrllys**
Tusw Troellog .... *Ruppia cirrhosa* (Spiral Tasselweed)
Twm Dili, *gw.* **Cenhinen Bedr**
Twrged Blewog, *gw.* **Berwr y Graig**
Twrged Esmwyth .... *Arabis glabra* (Tower Mustard)
Tybaco, *gw.* **Mwglys**
Tylwyth y Lili, *gw.* **Seren Fethlehem Felen**
Tywod Wraidd Caled, *gw.* **Corwenithwellt y Morfa**
Tywodlys Arfor .... *Honkenya peploides* (Sea Sandwort)
Tywodlys Atro .... *Minuartia recurva* (Recurved Sandwort)
Tywodlys Bach Coch .... *Minuartia rubella* (Mountain Sandwort)
Tywodlys Deilfain .... *Minuartia hybrida* (Fine-leaved Sandwort)
Tywodlys Gwyddelig .... *Arenaria ciliata* subsp. *hibernica* (Fringed Sandwort)
Tywodlys Main .... *Arenaria serpyllifolia* subsp. *leptoclados* (Slender Sandwort)
Tywodlys Meindwf .... *Arenaria balearica* (Mossy Sandwort)
Tywodlys Rhuddlas, *gw.* **Troellys Coch**

Tywodlys Seisnig .... *Arenaria norvegica* subsp. *anglica* (English Sandwort)
Tywodlys Trinerf .... *Moehringia trinervia* (Three-nerved Sandwort)
Tywodlys y Fignen .... *Minuartia stricta* (Teesdale Sandwort)
Tywodlys y Gogledd .... *Arenaria norvegica* subsp. *norvegica* (Arctic
                                                                                       Sandwort)
Tywodlys y Gwanwyn .... *Minuartia verna* (Spring Sandwort)
Tywodwlydd, *gw.* **Tywodwlydd Gruwddail**
Tywodwlydd Arfor, *gw.* **Tywodlys Arfor**
Tywodwlydd Bychan Coch, *gw.* **Tywodlys Bach Coch**
Tywodwlydd Glasrudd, *gw.* **Troellys Coch**
Tywodwlydd Gruwddail .... *Arenaria serpyllifolia* (Thyme-leaved Sandwort)
Tywodwlydd Gwanwynol, *gw.* **Tywodlys y Gwanwyn**
Tywodwlydd Llyriad-ddail, *gw.* **Tywodlys Trinerf**
Tywodwlydd Meindwf, *gw.* **Tywodlys Deilfain**
Tywodwlydd y Coed, *gw.* **Tywodlys Trinerf**
Tywodwlydd y Fagwyr, *gw.* **Tywodwlydd Gruwddail**
Tywodwlydd y Morfa Lleiaf, *gw.* **Troellys Bach**
Tywodwlydd y Morfa Mwyaf, *gw.* **Troellys Mawr**
Tywodwlydd y Morgreigiau, *gw.* **Troellys y Morgreigiau**
Uchelawr, *gw.* **Uchelwydd**
Uchelawyr, *gw.* **Uchelwydd**
Uchelfa, *gw.* **Uchelwydd**
Uchelfar, *gw.* **Uchelwydd**
Uchelog, *gw.* **Uchelwydd**
Uchelwydd .... *Viscum album* (Mistletoe)
Urddon, *gw.* **Gwyarllys Isopddail**
Utbysen Oddfynog, *gw.* **Ytbysen Gnapiog**
Utgorn y Tylwyth Teg, *gw.* **Gwyddfid**
Walwrt, *gw.* **Ysgawen Fair**
Wdron, *gw.* **Briwydden Bêr**
Wermod, *gw.* **Wermod Lwyd**
Wermod Arfor Syth Flodeuog, *gw.* **Wermod y Môr**
Wermod Dramor .... *Artemisia pontica* (Roman Wormwood)
Wermod Lwyd .... *Artemisia absinthium* (Wormwood)
Wermod Wen .... *Tanacetum parthenium* (Feverfew)
Wermod y Môr .... *Seriphidium maritimum* (Sea Wormwood)
Wermod y Môr Ogwyddflodeuog, *gw.* **Wermod y Môr**
Winwyn Gwyllt, *gw.* **Garlleg Gwyllt**
Winwyn y Cŵn, *gw.* **Garlleg Gwyllt**
Winwyn y Maes, *gw.* **Garlleg Gwyllt**
Winwyn y Maes, *gw.* **Garlleg Rhesog y Maes**
Wits, *gw.* **Marchwellt**
Wlyddgwyrdd y Mynydd, *gw.* **Tywodlys y Gwanwyn**
Wnionyn .... *Allium cepa* (Onion)
Wrisgan Llwyd, *gw.* **Milddail**
Wroith, *gw.* **Tanclys**
Wyau a Cigmoch, *gw.* **Llin y Llyffant**
Wyau a Cigmoch, *gw.* **Pysen y Ceirw**
Wylled Ferwedig, *gw.* **Caldrist Gwyn**
Wynionyn, *gw.* **Wnionyn**
Wynwyn y Môr, *gw.* **Seren y Gwanwyn**
Wynwynyn, *gw.* **Wnionyn**
Yaid, *gw.* **Bulwg yr Ŷd**
Ŷd Meddw, *gw.* **Efrau**
Ŷd Sant Pedr, *gw.* **Crydwellt**
Ydbys y Borfa, *gw.* **Ytbysen y Ddôl**
Ydbys y Coed, *gw.* **Ytbysen Barhaus Gulddail**
Ydbys y Waun, *gw.* **Pysen y Ceirw**
Ydbysen, *gw.* **Ytbysen Barhaus Gulddail**
Ydbysen Barhaus Gulddail, *gw.* **Ytbysen Barhaus Gulddail**
Ydbysen Culddail Barhaus, *gw.* **Ytbysen Barhaus Gulddail**
Ydbysen Felen, *gw.* **Ytbysen Felen**
Ydbysen Las y Morfa, *gw.* **Ytbysen Las y Morfa**
Ydbysen y Waun, *gw.* **Ytbysen y Ddôl**
Ydig, *gw.* **Bulwg yr Ŷd**
Ydwyn, *gw.* **Troellig yr Ŷd**
Ymenyn ac Wyau, *gw.* **Llin y Llyffant**
Ymenyn y Coed, *gw.* **Cronnell**

a, b, c, ch, d, dd, e, f, ff, g, ng, h, i, j, l, ll, m, n, o, p, ph, r, rh, s, t, th, u, w, y

Yr Efail Arian, *gw.* **Triaglog**
Yr Henwr, *gw.* **Llysiau Taliesyn**
Yrddon, *gw.* **Gwyarllys Isopddail**
Ysbardun y Marchog .... *Consolida regalis* (Forking Larkspur)
Ysbeinwydd .... *Lycium chinense* (China Teaplant)
Ysbeinwydd, *gw.* **Eurdrain**
Ysbeinwydd Hardd .... *Lycium barbarum* (Duke of Argyll's Teaplant)
Ysbeinwydden, *gw.* **Pren Bocs**
Ysbwynwydd, *gw.* **Rhos Mari**
Ysbwynwydd, *gw.* **Rhosmari Gwyllt**
Ysbyddaden, *gw.* **Draenen Wen**
Ysbyddaden, *gw.* **Draenen Ysbyddaden**
Yscordiwm, *gw.* **Chwerwlys yr Eithin**
Yscorpionllys, *gw.* **Ysgorpionllys y Gors**
Ysgall Crychion, *gw.* **Ysgallen Grych**
Ysgall Di-baladr, *gw.* **Ysgallen Ddi-goes**
Ysgall Ddi-goes, *gw.* **Ysgallen Ddigoes**
Ysgall Ddrain Gwyn, *gw.* **Ysgallen Fair**
Ysgall Glan y Môr, *gw.* **Ysgallen Flodfain**
Ysgall Gwyllt, *gw.* **Marchysgallen**
Ysgall Gwylltion, *gw.* **Marchysgallen**
Ysgall Penfainedd, *gw.* **Ysgallen Flodfain**
Ysgall Pengrwn, *gw.* **Ysgallen Ogwydd**
Ysgall Wyllt, *gw.* **Marchysgallen**
Ysgall y Blaidd, *gw.* **Marchysgallen**
Ysgall y Tarw, *gw.* **Marchysgallen**
Ysgall yr Ysgyfarnog, *gw.* **Llaethysgallen Arw**
Ysgallen Bengrwn .... *Echinops sphaerocephalus* (Glandular Globe-thistle)
Ysgallen Bengryno .... *Carduus pycnocephalus* (Plymouth Thistle)
Ysgallen Benwlanog .... *Cirsium eriophorum* (Woolly Thistle)
Ysgallen Bigog, *gw.* **Llaethysgallen Arw**
Ysgallen Ddigoes .... *Cirsium acaule* (Dwarf Thistle)
Ysgallen Ddrainwen, *gw.* **Ysgallen Siarl**
Ysgallen Fair .... *Silybum marianum* (Milk Thistle)
Ysgallen Fendigaid, *gw.* **Ysgallen Fair**
Ysgallen Flodfain .... *Carduus tenuiflorus* (Slender Thistle)
Ysgallen Foglynnog, *gw.* **Celyn y Môr**
Ysgallen Fraith, *gw.* **Ysgallen Fair**
Ysgallen Fwytadwy .... *Cirsium oleraceum* (Cabbage Thistle)
Ysgallen Fwyth .... *Cirsium heterophyllum* (Melancholy Thistle)
Ysgallen Ganpen .... *Eryngium campestre* (Field Eryngo)
Ysgallen Goch, *gw.* **Llaethysgallen**
Ysgallen Goronog, *gw.* **Marchysgallen**
Ysgallen Gorswaun .... *Cirsium dissectum* (Meadow Thistle)
Ysgallen Gotymog .... *Onopordum acanthium* (Cotton Thistle)
Ysgallen Grech, *gw.* **Ysgallen Grych**
Ysgallen Grych .... *Carduus acanthoides* (Welted Thistle)
Ysgallen Gweirglodd Wlyb, *gw.* **Ysgallen y Gors**
Ysgallen Gwraidd Rhedegog, *gw.* **Ysgallen Gyffredin**
Ysgallen Gyffredin .... *Cirsium arvense* (Creeping Thistle)
Ysgallen Gyffredin yr Âr, *gw.* **Ysgallen Gyffredin**
Ysgallen Llusg-wraidd, *gw.* **Ysgallen Gyffredin**
Ysgallen Mân-flodeuog, *gw.* **Ysgallen Flodfain**
Ysgallen Mignwern, *gw.* **Ysgallen Gorswaun**
Ysgallen Oddfynog .... *Cirsium tuberosum* (Tuberous Thistle)
Ysgallen Ogwydd .... *Carduus nutans* (Musk Thistle)
Ysgallen Pendrymus, *gw.* **Ysgallen Ogwydd**
Ysgallen Seraidd .... *Centaurea calcitrapa* (Red Star-thistle)
Ysgallen Seraidd Arw .... *Centaurea aspera* (Rough Star-thistle)
Ysgallen Seraidd Felen .... *Centaurea solstitialis* (Yellow Star-thistle)
Ysgallen Seraidd Felitaidd .... *Centaurea melitensis* (Maltese Star-thistle)
Ysgallen Seraidd Leiaf .... *Centaurea diluta* (Lesser Star-thistle)
Ysgallen Siarl .... *Carlina vulgaris* (Carline Thistle)
Ysgallen Wen, *gw.* **Ysgallen Fair**
Ysgallen y Blaidd, *gw.* **Marchysgallen**
Ysgallen y Gors .... *Cirsium palustre* (Marsh Thistle)
Ysgallen y Maes, *gw.* **Ysgallen Gyffredin**
Ysgallen y Meirch .... *Cichorium endivia* (Endive)

a, b, c, ch, d, dd, e, f, ff, g, ng, h, i, j, l, ll, m, n, o, p, ph, r, rh, s, t, th, u, w, y

Ysgallen y Meirch, *gw.* **Ysgellog**
Ysgallen y Moch, *gw.* **Llaethysgallen**
Ysgallen y Pannwr, *gw.* **Crib y Pannwr**
Ysgallen yr Ŷd, *gw.* **Ysgallen Gyffredin**
Ysgallenllys, *gw.* **Llwynhidydd**
Ysgallog Gwyllt, *gw.* **Ysgellog**
Ysgarllys, *gw.* **Perfagl Mwyaf**
Ysgarllys Bychan, *gw.* **Perfagl**
Ysgaw Fair, *gw.* **Ysgawen Fair**
Ysgaw Mair, *gw.* **Ysgawen Fair**
Ysgawen .... *Sambucus nigra* (Elder)
Ysgawen Bendiged, *gw.* **Ysgawen Fair**
Ysgawen Borffor .... *Sambucus canadensis* (American Elder)
Ysgawen Fair .... *Sambucus ebulus* (Dwarf Elder)
Ysgawen Fendigaid, *gw.* **Ysgawen Fair**
Ysgawen Goch .... *Sambucus racemosa* (Red-berried Elder)
Ysgawen Gyffredin, *gw.* **Ysgawen**
Ysgawen y Ddaear, *gw.* **Ysgawen Fair**
Ysgawen y Gors, *gw.* **Corswigen**
Ysgawlwyn Cyffredin, *gw.* **Ysgawen**
Ysgaw'r Ddaear, *gw.* **Ysgawen Fair**
Ysgedd .... *Crambe maritima* (Sea-kale)
Ysgedd Arfor, *gw.* **Ysgedd**
Ysgelyn Llys, *gw.* **Llwynhidydd**
Ysgelynllys, *gw.* **Llwynhidydd**
Ysgellog .... *Cichorium intybus* (Chicory)
Ysgellog Gwyllt, *gw.* **Ysgellog**
Ysglarei, *gw.* **Saets Gwyllt**
Ysgol Crist, *gw.* **Canri Goch**
Ysgol Fair, *gw.* **Canri Goch**
Ysgol Fair, *gw.* **Eurinllys Trydwll**
Ysgol Grist, *gw.* **Eurinllys Trydwll**
Ysgol Jacob .... *Polemonium caeruleum* (Jacob's-ladder)
Ysgordiwm, *gw.* **Chwerwlys y Dŵr**
Ysgorpionlys y Gors, *gw.* **Ysgorpionllys y Gors**
Ysgorpionllys, *gw.* **Ysgorpionllys y Gors**
Ysgorpionllys, *gw.* **Ysgorpionllys y Meysydd**
Ysgorpionllys Amryliw .... *Myosotis discolor* (Changing Forget-me-not)
Ysgorpionllys Cynnar .... *Myosotis ramosissima* (Early Forget-me-not)
Ysgorpionllys Gwelw .... *Myosotis stolonifera* (Pale Forget-me-not)
Ysgorpionllys Jersey .... *Myosotis sicula* (Jersey Forget-me-not)
Ysgorpionllys Lleiaf, *gw.* **Ysgorpionllys Siobynnog**
Ysgorpionllys Lliw-rhanolwg, *gw.* **Ysgorpionllys Amryliw**
Ysgorpionllys Siobynnog .... *Myosotis laxa* subsp. *caespitosa* (Tufted
                                                            Forget-me-not)
Ysgorpionllys y Coed .... *Myosotis sylvatica* (Wood Forget-me-not)
Ysgorpionllys y Creigiau .... *Myosotis alpestris* (Alpine Forget-me-not)
Ysgorpionllys y Gors .... *Myosotis scorpioides* (Water Forget-me-not)
Ysgorpionllys y Gors, *gw.* **Ysgorpionllys Ymlusgaidd**
Ysgorpionllys y Llwyni, *gw.* **Ysgorpionllys y Coed**
Ysgorpionllys y Meysydd .... *Myosotis arvensis* (Field Forget-me-not)
Ysgorpionllys Ymlusgaidd .... *Myosotis secunda* (Creeping Forget-me-not)
Ysgras, *gw.* **Tresgl y Moch**
Ysgubell Fanal, *gw.* **Banadl**
Ysgubell y Cigydd, *gw.* **Celynnen Fair**
Ysgubwr Simnai, *gw.* **Coedfrwynen y Maes**
Ysgurfi-lys Seisnig, *gw.* **Llwylys Lloegr**
Ysgyr, *gw.* **Chwerwlys y Dŵr**
Ysgyrfi Gwryw, *gw.* **Helys Can**
Ysgyrfi-lys, *gw.* **Llwylys Cyffredin**
Ysgyrfi-lys Llychlyn, *gw.* **Llwylys Denmarc**
Ysgyrr, *gw.* **Chwerwlys yr Eithin**
Ysnaib yr Ŷd, *gw.* **Cedw Gwyllt**
Ysniap, *gw.* **Cedw Du**
Ysnoden Fair .... *Cyperus longus* (Galingale)
Ysnoden Fair Lwytgoch .... *Cyperus fuscus* (Brown Galingale)
Ysnoden Fair Welw .... *Cyperus eragrostis* (Pale Galingale)
Ysnoden Laswerdd y Môr, *gw.* **Gwellt y Gamlas**

---

a, b, c, ch, d, dd, e, f, ff, g, ng, h, i, j, l, ll, m, n, o, p, ph, r, rh, s, t, th, u, w, y

Ysop, *gw.* **Isop**
Ysper Fintys, *gw.* **Mintys Ysbigog**
Yspigawglys, *gw.* **Nyddoes**
Yspinwydden, *gw.* **Eurdrain**
Yspinys, *gw.* **Eurdrain**
Yspydat, *gw.* **Draenen Wen**
Yspyddaden, *gw.* **Draenen Wen**
Yspyddaid, *gw.* **Draenen Wen**
Ystellenlys, *gw.* **Llwynhidydd**
Ystellennod, *gw.* **Llwynhidydd**
Ystlumod yn y Clochdy, *gw.* **Clychlys Danadl**
Ystlys y Waun, *gw.* **Pysen y Ceirw**
Ystrewlys, *gw.* **Distrewlys**
Ystrewlys, *gw.* **Tanclys**
Yswinfri, *gw.* **Llygad y Dydd**
Yswthornat, *gw.* **Llysiau'r Corff**
Yswydden, *gw.* **Pryfet**
Yswydden Gyffredin, *gw.* **Pryfet**
Yswydden y Gerddi, *gw.* **Pryfet yr Ardd**
Ytag, *gw.* **Taglys yr Ŷd**
Ytbys y Waun, *gw.* **Pysen y Ceirw**
Ytbysen Barhaus Gulddail .... *Lathyrus sylvestris* (Narrow-leaved Everlasting-pea)
Ytbysen Barhaus Lydanddail .... *Lathyrus latifolius* (Broad-leaved Everlasting-pea)
Ytbysen Barhaus Llydanddail, *gw.* **Ytbysen Barhaus Lydanddail**
Ytbysen Felen .... *Lathyrus aphaca* (Yellow Vetchling)
Ytbysen Flewgodog .... *Lathyrus hirsutus* (Hairy Vetchling)
Ytbysen Gnapiog .... *Lathyrus tuberosus* (Tuberous Pea)
Ytbysen Goch .... *Lathyrus nissolia* (Grass Vetchling)
Ytbysen Las y Morfa .... *Lathyrus palustris* (Marsh Pea)
Ytbysen y Ddôl .... *Lathyrus pratensis* (Meadow Vetchling)
Ytbysen y Môr .... *Lathyrus japonicus* (Sea Pea)
Ytbysen y Waun, *gw.* **Ytbysen y Ddôl**
Yw, *gw.* **Ywen**
Ywen .... *Taxus baccata* (Yew)

---

a, b, c, ch, d, dd, e, f, ff, g, ng, h, i, j, l, ll, m, n, o, p, ph, r, rh, s, t, th, u, w, y

Rhan LADIN – Saesneg – Cymraeg
LATIN – English – Welsh Section

Abies alba (European Silver-fir) .... **Ffynidwydden Arian**
   grandis (Giant Fir) .... **Ffynidwydden Fawr**
   nordmanniana (Caucasian Fir) .... **Ffynidwydden Gaucasaidd**
   procera (Noble Fir) .... **Ffynidwydden Urddasol**
Acaena novae-zelandiae (Pirri-pirri-bur) .... **Cyngaf Piripiri**
Acanthus mollis (Bear's-breech) .... **Drainllys**
   spinosus (Spiny Bear's-breech) .... **Drainllys Pigog**
Acer campestre (Field Maple) .... **Masarnen Leiaf**, Cynhowlen, Gwenwialen, Gwiniolwydd, Gwiniowlen, Gwinolen, Masarn Lleiaf, Masarnwydd Lleiaf
   platanoides (Norway Maple) .... **Masarnen Norwy**
   pseudoplatanus (Sycamore) .... **Masarnen**, Jacan Jacmor, Masarn Cyffredin, Masarn Mwyaf, Masarnwydd, Masarnwydd Mwyaf, Sycamorwydden
Aceras anthropophorum (Man Orchid) .... **Tegeirian Gŵr**
Achillea millefolium (Yarrow) .... **Milddail**, Gwilffrai, Llys y Gwaedlif, Llysiau Marwolaeth, Llysiau'r Gwaedlin, Llysiau'r Gwaedlif, Milfyd, Milfydd, Minfel, Wrisgan Llwyd
   ptarmica (Sneezewort) .... **Distrewlys**, Tafod yr Ŵydd, Ystrewlys
   tomentosa (Yellow Milfoil) .... **Gwilffrai Melyn Gwlanog**
Aconitum napellus (Monk's-hood) .... **Cwcwll y Mynach**, Adda ac Efa, Bleidd-dag, Cwfl y Mynach, Esgid Mair, Llys y Blaidd, Llysiau'r Blaidd
Acorus calamus (Sweet-flag) .... **Gellesgen Bêr**, Gellesgen Beraroglaidd, Gellhesgen Perarogl, Gellhesgen Beraroglaidd
Actaea spicata (Baneberry) .... **Llysiau Cristoffis**
Adiantum capillus-veneris (Maidenhair Fern) .... **Briger Gwener**, Briger Gweno, Diwlith, Diwlydd, Gwallt Gwener
Adonis aestivalis (Summer Pheasant's-eye) .... **Llygad y Goediar Hafaidd**
   annua (Pheasant's-eye) .... **Llygad y Goediar**, Llygad y Goediar Gwanwynol
Adoxa moschatellina (Moschatel) .... **Mwsglys**, Anfri, Diaddurn, Cloc Neuadd y Dref, Mwglys, Mwsglys y Ddaear, Mysglys
Aegopodium podagraria (Ground-elder) .... **Llys y Gymalwst**, Dail yr Esgob, Llysiau'r Droedwst, Llysiau'r Gymalwst, Pla'r Amaethwr, Troed yr Afr
Aesculus hippocastanum (Horse-chestnut) .... **Castanwydden y Meirch**, Castanwydden Geffyl
Aethusa cynapium (Fool's Parsley) .... **Gauberllys**, Geubellys, Goegberllys, Llyfn-ddail, Persli Gwyllt, Persli'r Ffŵl
Agrimonia eupatoria (Agrimony) .... **Llys y Dryw**, Blaen y Conyn ar y Mêl, Caliwlyn y Mêl, Cwlyn y Felysig, Cwlyn y Mêl, Cychiwlyn y Mêl, Llys y Fuddai, Melysig, Trydon, Tryw
   procera (Fragrant Agrimony) .... **Llys y Dryw Peraroglus**
× *Agropogon littoralis* (Perennial Beard-grass) .... **Barfwellt Bythol**
Agrostemma githago (Corncockle) .... **Bulwg yr Ŷd**, Bulwg Rhufain, Gith, Pabi'r Gwenith, Yaid, Ydig
Agrostis canina (Velvet Bent) .... **Maeswellt y Rhos**
   capillaris (Common Bent) .... **Maeswellt Cyffredin**, Cawn Pensidan, Maeswellt Addfain
   curtisii (Bristle Bent) .... **Maeswellt Gwrychog**, Maeswellt y Bryniau
   gigantea (Black Bent) .... **Maeswellt Mawr**, Maeswellt Du Mwyaf
   stolonifera (Creeping Bent) .... **Maeswellt y Gwlypdir**, Maeswellt Gwyn y Coed, Maeswellt Gwyn y Maes, Maeswellt Gwyn y Waun, Maeswellt Rhedegog
   vinealis (Brown Bent) .... **Maeswellt y Cŵn**, Maeswellt y Ci
Ailanthus altissima (Tree-of-Heaven) .... **Pren y Nef**
Aira caryophyllea (Silver Hair-grass) .... **Brigwellt Arian**, Brigwellt Ariannaidd, Brigwellt Bychan
   praecox (Early Hair-grass) .... **Brigwellt y Gwanwyn**, Brigwellt, Brigwellt Cynnar
Ajuga chamaepitys (Ground-pine) .... **Palf y Gath Bali**
   genevensis (Cornish Bugle) .... **Glesyn Cernyw**
   pyramidalis (Pyramidal Bugle) .... **Glesyn Gwelw**
   reptans (Bugle) .... **Glesyn y Coed**, Bual, Corn Glas, Glesyn y Mynydd, Golchenid, Golchenid Cyffredin, Llys Mair

---

a, b, c, ch, d, dd, e, f, ff, g, ng, h, i, j, l, ll, m, n, o, p, ph, r, rh, s, t, th, u, w, y

Alcea rosea (Hollyhock) .... **Hocysen Fendigaid**
Alchemilla alpina (Alpine Lady's-mantle) .... **Mantell Fair y Mynydd**, Mantell Fair Fynyddig
   filicaulis (Hairy Lady's-mantle) .... **Mantell Fair Flewog**
   glabra (Smooth Lady's-mantle) .... **Mantell Fair y Nant**
   vulgaris (Lady's-mantle) .... **Mantell Fair**, Mantell Fair Gyffredin, Mantell y Côr,
                                     Palf y Llew, Simwr y Côr, Troed y Llew
   xanthochlora (Intermediate Lady's-mantle) .... **Mantell Fair Gyfryngol**
Alisma gramineum (Ribbon-leaved Water-plantain) .... **Dŵr-lyriad Hirfain**
   lanceolatum (Narrow-leaved Water-plantain) .... **Dŵr-lyriad Culddail**, Dwfr Llyriad Culddail
   plantago-aquatica (Water-plantain) .... **Dŵr-lyriad**, Dwfr Llyriad Mwyaf, Dyfr-lyriad
                                       Mwyaf, Dyfrlyriad Cyffredin, Llyriad y
                                       Llynnoedd, Llyriad Llymion, Llyriad y Llynnau,
                                       Llyriad y Dŵr
Alliaria petiolata (Garlic Mustard) .... **Garlleg y Berth**, Arfog Arllegog, Garlleg Ferwy,
                                       Garlleg Ferwr, Garllegog, Pernel, Troed yr Asyn,
                                       Troed yr Asen
Allium ampeloprasum var. ampeloprasum (Wild Leek) .... **Cenhinen Wyllt**, Garlleg Mawr Pengrwn
   ampeloprasum var. babingtonii (Babington's Leek) .... **Cenhinen Aran**
   carinatum (Keeled Garlic) .... **Garlleg Mynyddig**
   cepa (Onion) .... **Wnionyn**, Wynionyn, Wynwynyn
   oleraceum (Field Garlic) .... **Garlleg Rhesog y Maes**, Winwyn y Maes
   paradoxum (Few-flowered Leek) .... **Cenhinen Brin-flodeuog**
   porrum (Leek) .... **Cenhinen**, Cenhinen Gyffredin
   roseum (Rosy Garlic) .... **Garlleg Gwridog**
   sativum (Garlic) .... **Garlleg**, Cenin Ewinog, Craf, Craf Eurinog, Craf y
                                        Gerddi
   schoenoprasum (Chives) .... **Cennin Syfi**, Cibellyn, Cibellys, Cibyddlys, Cibyllyn,
                                        Corwynwyn, Cybyddlys, Seifys
   scorodoprasum (Sand Leek) .... **Craf y Nadroedd**, Craf y Natred
   sphaerocephalon (Round-headed Leek) .... **Cenhinen Bengrwn**
   triquetrum (Three-cornered Leek) .... **Cenhinen Drichornel**
   ursinum (Ramsons) .... **Craf y Geifr**, Cra Dynion, Craf y Geifr Llydan-ddail,
                                        Garlleg y Geifr
   vineale (Wild Onion) .... **Garlleg Gwyllt**, Craf y Borfa, Craf Gwyllt, Garlleg y
                                        Brain, Triagl y Tlawd, Triegle, Winwyn y Cŵn,
                                        Winwyn y Maes, Winwyn Gwyllt
Alnus glutinosa (Alder) .... **Gwernen**
   incana (Grey Alder) .... **Gwernen Lwyd**
Alopecurus aequalis (Orange Foxtail) .... **Cynffonwellt y Llyn**
   borealis (Alpine Foxtail) .... **Cynffonwellt Alpaidd**
   bulbosus (Bulbous Foxtail) .... **Cynffonwellt Oddfog**, Cynwreiddiog, Rhonwellt
                                        Cadno Oddfynog
   geniculatus (Marsh Foxtail) .... **Cynffonwellt Elinog**, Rhonwellt y Cadno Cymalog,
                                        Rhonwellt y Cadno Nofiadwy
   myosuroides (Black-grass) .... **Cynffonwellt Du**, Cynffonwellt Ddu, Chwyn
                                        Newynog, Rhonwellt y Cadno Eiddil
   pratensis (Meadow Foxtail) .... **Cynffonwellt y Maes**, Cynffon y Cadno, Rhonwellt
                                        Cadno'r Weirglodd
Althaea hirsuta (Rough Marsh-mallow) .... **Hocysen Flewog**
   officinalis (Marsh-mallow) .... **Hocys y Morfa**, Dail yr Hocys, Hocos, Hocys, Hocys
                                        y Dwfr, Hocys y Gors, Malu Bendigaid, Malu'r
                                        Hel, Meddalai y Gors, Meddalai y Morfa, Môr
                                        Hocys y Glyf
Alyssum alyssoides (Small Alison) .... **Cuddlin Bach**
Amaranthus albus (White Amaranth) .... **Chwyn Moch Gwyn**
   hybridus (Green Amaranth) .... **Chwyn Moch Gwyrdd**
   retroflexus (Common Amaranth) .... **Chwyn Moch**
Ambrosia artemisiifolia (Ragweed) .... **Bratlys**
   psilostachya (Perennial Ragweed) .... **Bratlys Lluosflwydd**
   trifida (Giant Ragweed) .... **Bratlys Mawr**
Amelanchier lamarckii (Juneberry) .... **Hefinwydden**
Ammi majus (Bullwort) .... **Esgoblys**
Ammophila arenaria (Marram) .... **Moresg**, Corswellt y Tywod, Glaswellt y Tywod,
                                        Merydd, Morhesg, Morhesgen, Myrydd
Amsinckia lycopsoides (Scarce Fiddleneck) .... **Ffidilwar Blewog**
   micrantha (Common Fiddleneck) .... **Ffidilwar**
Anacamptis pyramidalis (Pyramidal Orchid) .... **Tegeirian Bera**, Tegeirian Bêr, Tegeirian Coch yr
                                        Haf

a, b, c, ch, d, dd, e, f, ff, g, ng, h, i, j, l, ll, m, n, o, p, ph, r, rh, s, t, th, u, w, y

Anagallis arvensis subsp. *arvensis* (Scarlet Pimpernel) .... **Llys y Cryman**, Awrlais y Dyn Tlawd, Brathlys,
    Brathlys Gwryw, Coch y Tywydd, Diwythl Fedi,
    Gwlydd Mair, Gwlyddyn Mair Gwryw, Llysiau'r
    Cryman, Oriawr y Bugail

    arvensis subsp. *caerulea* (Blue Pimpernel) .... **Gwlyddyn Mair Benyw**, Brathlys Benyw

    minima (Chaffweed) .... **Corffrilys**, Bril-lys, Bril-lys Bychan, Bril-lys Coraidd,
    Brilys

    tenella (Bog Pimpernel) .... **Gwlyddyn Mair y Gors**, Brathlys Wridog y Gors,
    Gwlydd Mair y Gors

Anaphalis margaritacea (Pearly Everlasting) .... **Edafeddog Tlysog**, Edafeddog Berlaidd, Hir ei
    Hoedl

Anchusa arvensis (Bugloss) .... **Bleidd-drem**, Bwglos, Tafod yr Ych Culddail, Tafod
    yr Ych Meddygol

    officinalis (Alkanet) .... **Alcanet**

Andromeda polifolia (Bog-rosemary) .... **Rhosmari Gwyllt**, Andromeda, Greigros y Gors,
    Rhosmair Gwyllt, Rhosus Mair, Ysbwynwydd

Anemone apennina (Blue Anemone) .... **Blodyn y Gwynt Glas**

    nemorosa (Wood Anemone) .... **Blodyn y Gwynt**, Bara Caws, Blodau'r Gwynt,
    Brithlys, Brithogen y Goedwig, Gwyntai, Gwyntai
    y Coed, Llys y Gwynt, Rhosyn Bach y Gwynt

    ranunculoides (Yellow Anemone) .... **Blodyn y Gwynt Melyn**

Anethum graveolens (Dill) .... **Llys y Gwewyr**, Ffenigl Trymsawr, Gwewyrllys

Angelica archangelica (Garden Angelica) .... **Talfedel**, Llys yr Angel Peraroglaidd

    sylvestris (Wild Angelica) .... **Llys yr Angel**, Angyles y Coed, Llys yr Angel y
    Goedwig, Llysiau'r Angel, Llysiau'r Angel y
    Goedwig

Anisantha diandra (Great Brome) .... **Pawrwellt Mawr**

    madritensis (Compact Brome) .... **Pawrwellt Dwysedig**, Bromwellt Dwysedig

    rigida (Ripgut Brome) .... **Pawrwellt Union**

    tectorum (Drooping Brome) .... **Pawrwellt Llipa**

    sterilis (Barren Brome) .... **Pawrwellt Hysb**, Bromwellt Hysb, Pawrwellt
    Anhiliog, Porwellt Anhiliog

Anogramma leptophylla (Jersey Fern) .... **Rhedynen Fach Jersey**

Antennaria dioica (Mountain Everlasting) .... **Edafeddog y Mynydd**, Edafeddog Fynyddig,
    Edafeddog Ysgaredig, Edelweiss Gwyddelig,
    Pawen y Gath, Troed y Gath

Anthemis arvensis (Corn Chamomile) .... **Camri'r Ŷd**

    cotula (Stinking Chamomile) .... **Camri'r Cŵn**, Camomil Gwyllt, Llygad yr Ych,
    Milwydd, Milwydd y Cŵn, Orffen Gwyllt

    punctata (Sicilian Chamomile) .... **Camri Arfor**

    tinctoria (Yellow Chamomile) .... **Camri Melyn**

Anthoxanthum aristatum (Annual Vernal-grass) .... **Perwellt Barfog**

    odoratum (Sweet Vernal-grass) .... **Perwellt y Gwanwyn**, Chwyth yr Ŵydd, Eurwellt,
    Melynwellt, Melynwellt Pêr y Gwanwyn,
    Melynwellt Perarogl, Melynwellt Perarogl y
    Gwanwyn, Melynwellt y Gwanwyn, Perweiryn
    Perarogl, Perwellt

Anthriscus caucalis (Bur Chervil) .... **Gorthyfail Cyffredin**, Creithig Gwrychog

    cerefolium (Garden Chervil) .... **Gorthyfail y Gerddi**

    sylvestris (Cow Parsley) .... **Gorthyfail**, Cegiden Fenyw, Gorthyfail Llyfn

Anthyllis vulneraria (Kidney Vetch) .... **Plucen Felen**, Meillionen Felen, Plucen, Pupus
    Melyn, Pys yr Aren

Antirrhinum majus (Snapdragon) .... **Safn y Llew**, Ceg Nain, Pen Ci Bach, Trwyn y Llo
    Mwyaf

Apera interrupta (Dense Silky-bent) .... **Maeswellt Sidanaidd Trwchus**

    spica-venti (Loose Silky-bent) .... **Maeswellt Sidanaidd**

Aphanes arvensis (Parsley-piert) .... **Troed y Dryw**

    inexspectata (Slender Parsley-piert) .... **Troed y Dryw Fain**

Apium graveolens (Wild Celery) .... **Perllys y Morfa**, Helogan, Mers, Perllys y Môr,
    Perllys yr Hel, Perllys yr Heli, Persli y Gors,
    Smaclaes, Smalaes

    inundatum (Lesser Marshwort) .... **Dyfrforonen Leiaf**, Amrain Dyfrdrig, Dyfrforonen
    Nofiadwy

    nodiflorum (Fool's Water-cress) .... **Dyfrforonen Sypflodeuog**

    repens (Creeping Marshwort) .... **Dwrforonen Lusg**

Aponogeton distachyos (Cape-pondweed) .... **Dyfrllys Tramor**

Aquilegia pyrenaica (Pyrenean Columbine) .... **Madwysg Pyreneaidd**

---

a, b, c, ch, d, dd, e, f, ff, g, ng, h, i, j, l, ll, m, n, o, p, ph, r, rh, s, t, th, u, w, y

vulgaris (Columbine) .... **Blodau'r Sipsi**, Blodau Colomennod, Blodau yr Eryr, Bonet Nain, Cap Nos Mamgu, Clychau Llundain, Colwmbein, Madwysg, Madwysg Cyffredin, Troed y Ceiliog, Troed y Glomed, Troed y Golomen

Arabidopsis thaliana (Thale Cress) .... **Berwr y Fagwyr**, Berfain Cyffredin, Berw'r Cerrig
Arabis alpina (Alpine Rock-cress) .... **Berwr y Mynydd**
   caucasica (Garden Arabis) .... **Arabis yr Ardd**
   glabra (Tower Mustard) .... **Twrged Esmwyth**
   hirsuta (Hairy Rock-cress) .... **Berwr y Graig**, Berwr y Cerrig, Berwr y Tywod, Twrged Blewog
   petraea (Northern Rock-cress) .... **Berwr y Cerrig**, Berwr y Creigiau Mynyddog
   scabra (Bristol Rock-cress) .... **Berwr Bryste**
   turrita (Tower Cress) .... **Berwr Tyrrog**
Arachis hypogaea (Peanut) .... **Cneuen Bys**
Araucaria araucana (Monkey-puzzle) .... **Pinwydden Chile**
Arbutus unedo (Strawberry-tree) .... **Mefusbren**
Arctium lappa (Greater Burdock) .... **Cyngaf Mawr**, Baw Mwci, Cacamwci, Cedor y Wrach, Cedowrach, Cedowrach Mwyaf, Ciog, Cribau'r Bleiddiau, Cyngaf, Cyngaw Mwyaf, Ffrwyth Beiliaid
   minus (Lesser Burdock) .... **Cyngaf Bychan**, Cacamwci Lleiaf, Cedowrach, Cedowrach Lleiaf, Cribau'r Bleiddiau Lleiaf, Cyngaf Lleiaf
   minus subsp. *nemorosum* (Intermediate Burdock) .... **Cyngaf y Coed**, Cedowrach y Coed, Ciog, Cynga'r Coed
   minus subsp. *pubens* [Wayside Burdock] .... **Cyngaf Min y Ffordd**
Arctostaphylos alpinus (Alpine Bearberry) .... **Llus yr Arth Alpaidd**
   uva-ursi (Bearberry) .... **Llus yr Arth**
Aremonia agrimonioides (Bastard Agrimony) .... **Ffuglys y Dryw**
Arenaria balearica (Mossy Sandwort) .... **Tywodlys Meindwf**
   ciliata subsp. *hibernica* (Fringed Sandwort) .... **Tywodlys Gwyddelig**
   norvegica subsp. *anglica* (English Sandwort) .... **Tywodlys Seisnig**
   norvegica subsp. *norvegica* (Arctic Sandwort) .... **Tywodlys y Gogledd**
   serpyllifolia (Thyme-leaved Sandwort) .... **Tywodlydd Gruwddail**, Gwlydd y Mur, Gwlyddyn Gruwddail, Tywodlydd, Tywodlydd y Fagwyr
   serpyllifolia subsp. *leptoclados* (Slender Sandwort) .... **Tywodlys Main**
Aristolochia clematitis (Birthwort) .... **Afal Daear**, Esgorllys Bychan, Esgorllys Crwn, Henllydan
Armeria arenaria (Jersey Thrift) .... **Clustog Fair Jersey**
   maritima subsp. *elongata* (Tall Thrift) .... **Clustog Fair Hir**
   maritima subsp. *maritima* (Thrift) .... **Clustog Fair**, Archmain, Blodyn y Morwr, Cenrin Arfor, Clustog Mair
Armoracia rusticana (Horse-radish) .... **Rhuddygl Poeth**, Huddygl Poeth, Huddygl-y-Meirch, Marchruddygl, Rhuddygl Mawrth, Rhuddygl-y-Meirch
Arnoseris minima (Lamb's Succory) .... **Gwylaeth y Moch**
Arrhenatherum elatius (False Oat-grass) .... **Ceirchwellt Tal**, Maswellt Ceirchaidd
Artemisia absinthium (Wormwood) .... **Wermod Lwyd**, Canwraidd Lwyd, Chwermwd, Chwerwddwr, Chwerwlys, Chwerwlys Cyffredin, Chwerwyn, Chwerwyn Llwyd, Gannwreid, Llwyd yr Eithin, Meddygon Menyw, Wermod
   biennis (Slender Mugwort) .... **Beidiog Fain**
   campestris (Field Wormwood) .... **Llysiau'r Corff**, Brytan, Brytwn, Henwr, Llys y Corff, Llysiau'r Cyrff, Sidwrmot, Siligabwd, Siwdr Mwdr, Yswthornat
   dracunculus (Tarragon) .... **Ancwyn**
   norvegica (Norwegian Mugwort) .... **Beidog Norwy**
   pontica (Roman Wormwood) .... **Wermod Dramor**
   stelleriana (Hoary Mugwort) .... **Beidiog Wen**
   verlotiorum (Chinese Mugwort) .... **Beidiog Ferlot**
   vulgaris (Mugwort) .... **Beidiog Lwyd**, Bydiog Lwyd, Canwraidd Lwyd, Gwrysgen Lwyd, Llwydlys, Llys Ieuan, Llys Ifan, Llysiau Ieuan, Llysiau Ifan, Llysiau Llwyd, Llysiau Llwydion
Arum italicum (Italian Lords-and-Ladies) .... **Pidyn y Gog Eidalaidd**
   maculatum (Lords-and-Ladies) .... **Pidyn y Gog**, Cala Mwnci, Cala'r Cethlydd, Cala'r Gethlydd, Cala'r Mynach, Calwain Cala'r Gethlydd, Dail Robin, Lili'r Pasg, Pig y Gog, Pregethwr yn y Pulpud

a, b, c, ch, d, dd, e, f, ff, g, ng, h, i, j, l, ll, m, n, o, p, ph, r, rh, s, t, th, u, w, y

Asarum europaeum (Asarabacca) .... **Carn Ebol y Gerddi**, Alannan, Cyfoglys, Dat,
Ebolgarn y Gerddi, Gwrthbwys, Gwrthlys,
Gyrthlys, Llys y Cyfog, Llysiau'r Cyfog
Asparagus officinalis subsp. *officinalis* (Garden Asparagus) ..... **Merllys**
officinalis subsp. *prostratus* (Wild Asparagus) .... **Merllys Gorweddol**, Gwillion, Gwillon, Llys y
Dyfrglwyf, Merllys Cyffredin
Asperugo procumbens (Madwort) .... **Cynghafan Mwyaf**
Asperula arvensis (Blue Woodruff) .... **Briwydden Las**
cynanchica (Squinancywort) .... **Mandon Fechan**, Mandon Lleiaf
cynanchica subsp. *cynanchica* (Field Squinancywort) .... **Mandon Fechan y Garreg Galch**
cynanchica subsp. *occidentalis* (Dune Squinancywort) ..... **Mandon Fechan y Twyni**
taurina (Pink Woodruff) .... **Briwydden Binc**
Asplenium adiantum-nigrum (Black Spleenwort) .... **Duegredynen Ddu**, Dugoesog, Duwallt y Forwyn
× *alternifolium* (Alternate-leaved Spleenwort) .... **Duegredynen â Dail Bob yn Ail**
marinum (Sea Spleenwort) .... **Duegredynen Arfor**
obovatum (Lanceolate Spleenwort) .... **Duegredynen Reiniolaidd**
onopteris (Irish Spleenwort) .... **Duegredynen Wyddelig**
ruta-muraria (Wall-rue) .... **Duegredynen y Muriau**, Gorddawn y Muriau,
Rhedyn y Mur, Rhyw'r Muriau
septentrionale (Forked Spleenwort) .... **Duegredynen Fforchog**, Rhedyn Gaflachrog,
Rhedyn y Clogwyn, Rhedyn y Graig
trichomanes (Maidenhair Spleenwort) .... **Duegredynen Gwallt y Forwyn**, Duegredynen,
Gwallt y Forwyn
trichomanes-ramosum (Green Spleenwort) .... **Duegredynen Werdd**, Duegredynen Gwyrdd
Mynyddog, Duegredynen Las
Aster linosyris (Goldilocks Aster) .... **Gold y Môr**
novi-angliae (Hairy Michaelmas-daisy) .... **Blodyn Mihangel Blewog**
novi-belgii (Michaelmas-daisy) .... **Blodyn Mihangel**, Ffarwel Haf
tripolium (Sea Aster) .... **Seren y Morfa**, Ffarwel Haf, Llys y Tanewyn,
Serenllys y Morfa
Astragalus alpinus (Alpine Milk-vetch) .... **Llaethwyg Mynyddig**
danicus (Purple Milk-vetch) .... **Llaethwyg Rhuddlas**
glycophyllos (Wild Liquorice) .... **Llaethwyg**, Geuperwraidd, Gwreiddber, Llaethwyg
Pêr, Melyswraidd, Perwraidd
Astrantia major (Astrantia) .... **Astrantia**
Athyrium distentifolium (Alpine Lady-fern) .... **Rhedynen Fair Alpaidd**, Marchredynen Fenyw
Alpaidd
filix-femina (Lady-fern) .... **Rhedynen Fair**, Marchredynen Fenyw, Rhedyn
Benyw, Rhedyn Mair
Atriplex glabriuscula (Babington's Orache) .... **Llygwyn y Tywod**, Llygwyn Babington
halimus (Shrubby Orache) .... **Llwyn Llygwyn**
hortensis (Garden Orache) .... **Llygwyn yr Ardd**
laciniata (Frosted Orache) .... **Llygwyn Ariannaidd**
littoralis (Grass-leaved Orache) .... **Llygwyn Arfor**, Diflas, Llygwyn y Morfa
longipes (Long-stalked Orache) .... **Llygwyn Hirgoes**
patula (Common Orache) .... **Llygwyn Culddail**, Llygwyn Culddail Ymledol,
Llygwyn Tryferddail Syth
portulacoides (Sea-purslane) .... **Helys Can**, Eurllys, Llwylys Gwryw, Llygwyn
Llyswyddaidd, Ysgyrfi Gwryw
praecox (Early Orache) .... **Llygwyn Cynnar**
prostrata (Spear-leaved Orache) .... **Llygwyn Tryfal**, Llygwyn Trionglog
Atropa belladonna (Deadly Nightshade) .... **Ceirios y Gŵr Drwg**, Codwarth, Gedor-wrach
Wenwynllyd
Aubrieta deltoidea (Aubretia) .... **Obrisia**
Avena fatua (Wild-oat) .... **Ceirchwellt Gwyllt y Gwanwyn**, Ffetur,
Gwylltgeirch
sativa (Oat) .... **Ceirch**
sterilis (Winter Wild-oat) .... **Ceirchwellt Gwyllt yr Hydref**
strigosa (Bristle Oat) .... **Blewgeirch**, Ceirch Llwyd
Axyris amaranthoides (Russian Pigweed) .... **Chwyn Moch Rwsia**
Azolla filiculoides (Water Fern) .... **Rhedynen y Dŵr**
Baldellia ranunculoides (Lesser Water-plantain) .... **Llyren Fechan**, Dŵr-lyriad Bychan, Dyfr-lyriad
Bychan
Ballota nigra (Black Horehound) .... **Marddanhadlen Ddu**, Anwydlys, Banadlen Ddu,
Danhadlen Ddu, Drewsawr, Marddanadlen
Ddrewsawr, Marddynad, Marddynad Ddrewsawr,
Marddynad Ddu, Marwddanhadlen

---

a, b, c, ch, d, dd, e, f, ff, g, ng, h, i, j, l, ll, m, n, o, p, ph, r, rh, s, t, th, u, w, y

Barbarea intermedia (Medium-flowered Winter-cress) .... **Berwr Cyfryngol**
   stricta (Small-flowered Winter-cress) .... **Berwr Talsyth**
   verna (American Winter-cress) .... **Berwr Tir**
   vulgaris (Winter-cress) .... **Berwr y Gaeaf**, Berwr Caersalem, Berwr Melyn y
                                  Gaeaf
Bartsia alpina (Alpine Bartsia) .... **Llanc Swil**, Coch y Llawr
Bellis perennis (Daisy) .... **Llygad y Dydd**, Aspygan, Briallu'r Dydd, Llygad y
                                    Dydd Cyffredin, Swynfri, Yswinfri
Berberis glaucocarpa (Great Barberry) .... **Eurdrain Mwyaf**
   vulgaris (Barberry) .... **Eurdrain**, Draenen Berber, Draenen Ysbinys, Greol
                                    Ysbin, Pren Clefyd Melyn, Pren Drain Ysbinys,
                                    Pren Melyn, Ysbeinwydd, Yspinwydden, Yspinys
Berteroa incana (Hoary Alison) .... **Cuddlin Llwyd**
Berula erecta (Lesser Water-parsnip) .... **Pannas y Dŵr**, Dyfrforonen Gulddail, Moronen y
                                    Dŵr, Pannas y Dwfr
Beta vulgaris (Beet) .... **Betys**
   vulgaris subsp. *maritima* (Sea Beet) .... **Betys Gwyllt**, Beatws, Betysen, Betysen-y-môr,
                                    Melged, Melged Arfor
Betula nana (Dwarf Birch) .... **Corfedwen**
   pendula (Silver Birch) .... **Bedwen Arian**, Bedw Arian, Bedwen
   pubescens (Downy Birch) .... **Bedwen Lwyd**, Bedwen Bluaidd, Bedwen Gyffredin
Bidens cernua (Nodding Bur-marigold) .... **Graban Ogwydd**
   frondosa (Beggarticks) .... **Llau'r Crwydryn**
   tripartita (Trifid Bur-marigold) .... **Graban Deiran**, Graban Deir-rhan, Graban
                                    Palfogddail, Trydan y Dŵr
Blackstonia perfoliata (Yellow-wort) .... **Canri Felen**
Blechnum spicant (Hard Fern) .... **Gwibredynen**, Gwibredyn, Rhedyn Bras, Rhedyn
                                    Gwib
Blysmus compressus (Flat-sedge) .... **Corsfrwynen Arw**
   rufus (Saltmarsh Flat-sedge) .... **Corsfrwynen y Morfa**, Corsfrwynen Rudd,
                                    Corsfrwynen Rudd Hallt, Corsfrwynen Rudd y
                                    Morfa, Corsfrwynen Rudd y Morfeydd
Bolboschoenus maritimus (Sea Club-rush) .... **Clwbfrwynen Arfor**, Clwb Frwynen y Morfa,
                                    Clwpfrwynen Arfor, Clwpfrwyn y Morfa
Boltonia asteroides (False Chamomile) .... **Gaugamri**
Borago officinalis (Borage) .... **Tafod y Fuwch**, Bara Gwenyn, Blodau Baill,
                                    Bronwerth, Didrist, Glesyn Cyffredin, Llawenlys,
                                    Tafod yr Ych
Botrychium lunaria (Moonwort) .... **Lloerlys**, Crib y Ceiliog, Dibedoliad y Meirch,
                                    Lloeredynen Gyffredin, Lloerlys Cyffredin,
                                    Lloer-redyn Cyffredin
Brachypodium pinnatum (Tor-grass) .... **Breichwellt y Tŵr**
   sylvaticum (False Brome) .... **Breichwellt y Coed**, Pawrwellt Eiddil y Goedwig,
                                    Pawrwellt y Goedwig
Brassica napus (Rape) .... **Rêp**, Bresych yr Ŷd, Erfinen yr Ŷd, Maip yr Ŷd,
                                    Meipen Wyllt, Meipen yr Ŷd
   nigra (Black Mustard) .... **Cedw Du**, Cedu Du, Cethw Du, Mwstard Cyffredin,
                                    Mwstardd, Ysniap
   oleracea (Wild Cabbage) .... **Bresych Gwyllt**, Bresych, Bresych y Môr, Bresych y
                                    Môr-greigiau, Cabatsen, Cabets Gwyllt, Cawl,
                                    Cawl Gwyllt, Cawl y Graig, Cawl y Gwyllt, Cawl
                                    y Môr, Cawlen, Llyrfresych, Llyrgawl, Llysgawl,
                                    Morfresych, Morgawl, Pengronwen
   rapa (Wild Turnip) .... **Erfinen Wyllt**, Erfin, Erfinen, Maip, Meipen, Meipen
                                    Wyllt, Meipen Ŷd, Rwdins
Briza maxima (Great Quaking-grass) .... **Crydwellt Mwyaf**
   media (Quaking-grass) .... **Crydwellt**, Arian Byw, Bywlys, Dail Crynu, Eigryn,
                                    Gwenith yr Ysgyfarnog, Hadau Sgwarnog, Robin
                                    Grynwr, Ŷd Sant Pedr
   minor (Lesser Quaking-grass) .... **Crydwellt Bychan**
Bromopsis benekenii (Lesser Hairy-brome) .... **Pawrwellt Blewog Lleiaf**
   erecta (Upright Brome) .... **Pawrwellt Unionsyth**, Bromwellt Syth
   inermis (Hungarian Brome) .... **Pawrwellt Hwngari**
   ramosa (Hairy-brome) .... **Pawrwellt Blewog**, Bromwellt Blewog, Porwellt
                                    Blewog
Bromus arvensis (Field Brome) .... **Pawrwellt y Maes**
   commutatus (Meadow Brome) .... **Pawrwellt Mwyaf y Maes**

---

hordeaceus subsp. *hordeaceus* (Soft-brome) .... **Pawrwellt Masw**, Bromwellt Masw, Porwellt Masw
hordeaceus subsp. *ferronii* (Least Soft-brome) .... **Pawrwellt Arfor**
interruptus (Interrupted Brome) .... **Pawrwellt Coll**
lepidus (Slender Soft-brome) .... **Pawrwellt Gweirglodd**, Pawrwellt Gweirglawdd
pseudosecalinus (Smith's Brome) .... **Pawrwellt Smith**
× *pseudothominii* (Lesser Soft-brome) .... **Pawrwellt Minffordd**
racemosus (Smooth Brome) .... **Pawrwellt Llyfn**, Bromwellt Llyfn, Porwellt Llyfn
secalinus (Rye Brome) .... **Pawrwellt Ller**, Bromwellt Ller, Ller
Bryonia dioica (White Bryony) .... **Bloneg y Ddaear**, Eirin Gwion, Grawn y Perthi, Greol, Greol y Cŵn, Greolen, Gwenwydden Wen, Gwion y Perthi, Hiawl, Hwl, Llys y Twrch, Llysiau'r Twrch, Llysiau'r Tywyrch, Meipen Fair, Meipen Fendigaid, Meipwn Fair, Pys y Coed
Buddleja davidii (Butterfly-bush) .... **Llwyn Iâr Fach**, Bwdleia
globosa (Orange-ball-tree) .... **Peli Pili Pala**
Bunias erucago (Southern Warty-cabbage) .... **Bresych Dafadennog y De**
orientalis (Warty-cabbage) .... **Bresych Dafadennog**
Bunium bulbocastanum (Great Pignut) .... **Cneuen Ddaear Gron**
Bupleurum baldense (Small Hare's-ear) .... **Paladr Trwyddo Bach**
falcatum (Sickle-leaved Hare's-ear) .... **Paladr Trwyddo Crymanddail**
fruticosum (Shrubby Hare's-ear) .... **Llwyn Paladr Trwyddo**
rotundifolium (Thorow-wax) .... **Paladr Trwyddo**
subovatum (False Thorow-wax) .... **Ffugbaladr Trwyddo**
tenuissimum (Slender Hare's-ear) .... **Paladr Trwyddo Eiddilddail**
Butomus umbellatus (Flowering-rush) .... **Engraff**, Brwynen Flodeuog
Buxus sempervirens (Box) .... **Pren Bocs**, Bocys, Bocyswydden, Coed Bocs, Pren Bocys, Ysbeinwydden
Cakile maritima (Sea Rocket) .... **Hegydd Arfor**, Bresych Deiliog, Hegydd y Forlan
Calamagrostis canescens (Purple Small-reed) .... **Mawnwellt Blewog**
epigejos (Wood Small-reed) .... **Mawnwellt**, Corsen y Sychdir
scotica (Scottish Small-reed) .... **Mawnwellt yr Alban**
stricta (Narrow Small-reed) .... **Mawnwellt Cul**
× *Calammophila baltica* (Purple Marram) .... **Moresg Porffor**, Morhesg Porffor
Calendula arvensis (Field Marigold) .... **Melyn Mair yr Âr**
officinalis (Pot Marigold) .... **Melyn Mair**, Gold Mair, Rhuddos, Senseg, Swyn Esgras, Synseg
Calla palustris (Bog Arum) .... **Pidyn y Gors**
Callitriche brutia (Pedunculate Water-starwort) .... **Brigwlydd Coesog**
hamulata (Intermediate Water-starwort) .... **Brigwlydd Cyfryngol**
hermaphroditica (Autumnal Water-starwort) .... **Brigwlydd Cynaeafol**, Brigwlydd,
obtusangula (Blunt-fruited Water-starwort) .... **Brigwlydd Ffrwyth-aflem**
platycarpa (Various-leaved Water-starwort) .... **Brigwlydd y Gwanwyn**, Brigwlydd Gwanwynol, Llinhesg y Dŵr
stagnalis (Common Water-starwort) .... **Brigwlydd y Dŵr**, Brigwlydd y Llynau, Llinhesg Llaca, Llinhesg y Dŵr
truncata (Short-leaved Water-starwort) .... **Brigwlydd Byrddail**
Calluna vulgaris (Heather) .... **Grug**, Amriwraeth Blewog, Eiddiar, Grug Cyffredin, Grug y Mêl, Grug y Mynydd, Grug Ysgub, Ling, Myncog
Caltha palustris (Marsh-marigold) .... **Melyn y Gors**, Aur y Gors, Cwpanau'r Brenin, Gold Mair, Gold y Gors, Llysiau Mair, Rhuddlas y Gors, Rhuddos Mai, Rhuddos y Gors, Rhuddos y Morfa, Sawdl y Fuwch, Troed yr Ebol, Troed yr Ebol y Gors
Calystegia pulchra (Hairy Bindweed) .... **Taglys Blewog**
sepium (Hedge Bindweed) .... **Taglys Mawr**, Boled Olwen, Cap Nos Nain, Cloffrwym y Cythraul, Cloffrwym y Mwci, Clych y Perthi, Cwlwm y Coed, Ladi Wen, Tagwydd
silvatica (Large Bindweed) .... **Taglys Estron**, Cynghafog Fawr
soldanella (Sea Bindweed) .... **Taglys Arfor**, Carn yr Ebol y Môr, Cynghafog Arfor, Cynghafog y Môr, Ebolgarn y Môr, Ebolgarn y Tywod
Camelina sativa (Gold-of-pleasure) .... **Cydllin**
Campanula glomerata (Clustered Bellflower) .... **Clychlys Clwstwr**, Clychlys Sypddail, Clychlys Sypiog
latifolia (Giant Bellflower) .... **Clychlys Mawr**, Clychau'r Cawr, Clychlys Llydanddail, Clychlys y Cawr, Gwddf-lys

a, b, c, ch, d, dd, e, f, ff, g, ng, h, i, j, l, ll, m, n, o, p, ph, r, rh, s, t, th, u, w, y

medium (Canterbury-bells) .... **Clychlys Caergaint**

patula (Spreading Bellflower) .... **Clychlys Lledaenol**

persicifolia (Peach-leaved Bellflower) .... **Clychlys Peatws-ddail**

portenschlagiana (Adria Bellflower) .... **Clychlys Adria**

poscharskyana (Trailing Bellflower) .... **Clychlys Ymlusgol**

rapunculoides (Creeping Bellflower) .... **Clychlys Llusg**, Clychlys Bwytadwy, Clychlys Erfinwraidd

rapunculus (Rampion Bellflower) .... **Clychlys Erfin**, Clychlys Bwytadwy, Clychlys Erfinwraidd

rotundifolia (Harebell) .... **Cloch y Bugail**, Cloch yr Eos, Clychau Babi, Clychau Gleision, Clychau'r Eos, Clychau y Tylwyth Teg, Clychlys Amryddail, Clychlys Crwnddail, Clychlys Cyffredin, Clychlys Deilgrwn, Croeso Haf

trachelium (Nettle-leaved Bellflower) .... **Clychlys Danadl**, Clychlys Dynad-ddail, Clychlys Glasgoch, Ystlumod yn y Clochdy

Cannabis sativa (Hemp) .... **Cywarch**, Cas-gan-fursen, Meirion

Capsella bursa-pastoris (Shepherd's-purse) .... **Pwrs y Bugail**, Chwilotwr Llogell, Llys y Tryfal, Llysiau Tryfal, Pwrs Gwag

Cardamine amara (Large Bitter-cress) .... **Berwr Chwerw**, Berw Chwerw Mwyaf, Chwerw Mawr, Hydyf Mawr

bulbifera (Coralroot) .... **Deintwraidd**, Deintlys

flexuosa (Wavy Bitter-cress) .... **Berwr Cam**, Berwr Plygog, Berwr y Nant Mwyaf, Chwerw'r Coed, Hydyf Chwerw

hirsuta (Hairy Bitter-cress) .... **Berwr Blewog**, Berwr y Gerddi, Berwr y Meysydd, Chwerw Blewog, Hydyf Blewog, Hydyf Blewog yr Ardd, Hydyf Blewog y Maes

impatiens (Narrow-leaved Bitter-cress) .... **Berwr Chwerw Culddail**, Berw Chwerw â Deilen Gul, Chwerw Culddail

pratensis (Cuckooflower) .... **Blodyn y Gog**, Blodau'r Cegid Bychain, Blodau'r Gethlydd, Blodau'r Gog, Blodau'r Gwcw, Blodeuyn y Gog, Blodyn Llaeth, Blodyn Llefrith, Blodyn Llo Bach, Esgidiau a Hosanau'r Gog, Ffedog y Forwyn, Hosanau'r Gog, Hydwf y Waun, Hydyf, Hydyf y Waun, Llaethferch, Llaethlys, Llaethwraig

trifolia (Trefoil Cress) .... **Berwr Tribys**

Carduus acanthoides (Welted Thistle) .... **Ysgallen Grych**, Ysgall Crychion, Ysgallen Grech

nutans (Musk Thistle) .... **Ysgallen Ogwydd**, Ysgall Pengrwn, Ysgallen Pendrymus

pycnocephalus (Plymouth Thistle) .... **Ysgallen Bengryno**

tenuiflorus (Slender Thistle) .... **Ysgallen Flodfain**, Ysgall Glan y Môr, Ysgall Penfainedd, Ysgallen Mân-flodeuog

Carex acuta (Slender Tufted-sedge) .... **Hesgen Eiddil Dywysennog**

acutiformis (Lesser Pond-sedge) .... **Hesgen Ganolig-dywysennog**

appropinquata (Fibrous Tussock-sedge) .... **Hesgen Fanedafedd**

aquatilis (Water Sedge) .... **Hesgen y Dŵr**, Hesgen Dailsyth

arenaria (Sand Sedge) .... **Hesgen Arfor**, Hesgen y Tywod

atrata (Black Alpine-sedge) .... **Hesgen Ddu Alpaidd**

atrofusca (Scorched Alpine-sedge) .... **Hesgen Alpaidd Losg**

bigelowii (Stiff Sedge) .... **Hesgen Ddu**

binervis (Green-ribbed Sedge) .... **Hesgen Ddeulasnod**

buxbaumii (Club Sedge) .... **Hesgen Buxbaum**

capillaris (Hair Sedge) .... **Hesgen Lechwedd y Mynydd**

caryophyllea (Spring-sedge) .... **Hesgen Gynnar**

chordorrhiza (String Sedge) .... **Hesgen Linynnog**

curta (White Sedge) .... **Hesgen Benwen**

depauperata (Starved Wood-sedge) .... **Hesgen Lom**

diandra (Lesser Tussock-sedge) .... **Hesgen Rafunog Leiaf**, Hesgen Dwybrigerog

digitata (Fingered Sedge) .... **Hesgen Fyseddog**

dioica (Dioecious Sedge) .... **Hesgen Ysgar**, Hesgen Dwyaneddol

distans (Distant Sedge) .... **Hesgen Bell**, Hesgen Anghysbell

disticha (Brown Sedge) .... **Hesgen Lygliw Benblydd**

divisa (Divided Sedge) .... **Hesgen Ranedig**, Hesgen Flodeulog

divulsa subsp. *divulsa* (Grey Sedge) .... **Hesgen Lwydlas**

divulsa subsp. *leersii* [Many-leaved Sedge] .... **Hesgen Felen-werdd y Calch**

echinata (Star Sedge) .... **Hesgen Seraidd**, Hesgen Bigog Leiaf

elata (Tufted-sedge) .... **Hesgen Oleulas Sythddail**, Swp-hesgen y Fawnog

---

a, b, c, ch, d, dd, e, f, ff, g, ng, h, i, j, l, ll, m, n, o, p, ph, r, rh, s, t, th, u, w, y

elongata (Elongated Sedge)	**Hesgen Hir**
ericetorum (Rare Spring-sedge)	**Hesgen Gynnar Brin**
extensa (Long-bracted Sedge)	**Hesgen Hirian**, Hesgen Ddeiligol Hirian, Hesgen Hirfain, Hesgen Morfa-hallt
filiformis (Downy-fruited Sedge)	**Hesgen Feindwf**
flacca (Glaucous Sedge)	**Hesgen Oleulas**, Hesgen Oleulas Wyrgamddail
flava (Large Yellow-sedge)	**Hesgen Felen Fawr**, Hesg Melynaidd
× *grahamii* (Mountain Bladder-sedge)	**Hesgen Chwysigennaidd y Mynydd**
hirta (Hairy Sedge)	**Hesgen Flewog**
hostiana (Tawny Sedge)	**Hesgen Dywyll-felen**, Hesgen Dywell-felen
humilis (Dwarf Sedge)	**Corhesgen**
lachenalii (Hare's-foot Sedge)	**Hesgen Droed-sgwarnog**
laevigata (Smooth-stalked Sedge)	**Hesgen Ylfinog Lefn**
lasiocarpa (Slender Sedge)	**Hesgen Fain**
limosa (Bog-sedge)	**Hesgen Eurwerdd**, Hesgen Llaid
magellanica (Tall Bog-sedge)	**Hesgen Eurwerdd Lefn**
maritima (Curved Sedge)	**Hesgen Ddeilgrwm**
microglochin (Bristle Sedge)	**Hesgen Wrychog**
montana (Soft-leaved Sedge)	**Hesgen Feddal**, Hesgen Mynydd-dir, Hesgen Eiddil Dywysennog
muricata subsp. *lamprocarpa* (Small-fruited Prickly-sedge)	**Hesgen Bigog Hwyr**, Hesgen Leiaf Dywysennog
muricata subsp. *muricata* (Large-fruited Prickly-sedge)	**Hesgen Bigog Gynnar**
nigra (Common Sedge)	**Swp-hesgen y Fawnog**
norvegica (Close-headed Alpine-sedge)	**Hesgen Alpaidd**
ornithopoda (Bird's-foot Sedge)	**Hesgen Droediar**
otrubae (False Fox-sedge)	**Hesgen Dywysennog**, Hesgen Dywysennog Fwyaf, Hesgen Paladr Triochrog
ovalis (Oval Sedge)	**Hesgen Hirgrwn**, Hesgen Hirgylchaidd
pallescens (Pale Sedge)	**Hesgen Welwlas**
panicea (Carnation Sedge)	**Hesgen Benigen-ddail**
paniculata (Greater Tussock-sedge)	**Hesgen Rafunog Fwyaf**
pauciflora (Few-flowered Sedge)	**Hesgen Brin-flodeuog**
pendula (Pendulous Sedge)	**Hesgen Bendrymus**, Hesgen Ddibynnaidd Fwyaf
pilulifera (Pill Sedge)	**Hesgen Bengron**
pseudocyperus (Cyperus Sedge)	**Hesgen Hopysaidd**
pulicaris (Flea Sedge)	**Chwein-hesgen**, Hesg y Chwain
punctata (Dotted Sedge)	**Hesgen Bigiad**
rariflora (Mountain Bog-sedge)	**Hesgen Eurwerdd y Mynydd**
recta (Estuarine Sedge)	**Hesgen yr Aber**
remota (Remote Sedge)	**Hesgen Anghyfagos**, Hesg Anghysbell
riparia (Greater Pond-sedge)	**Hesgen Braff-dywysennog**
rostrata (Bottle Sedge)	**Hesgen Ylfinfain**, Hesgen Chwysigennaidd Ylfinfain
rupestris (Rock Sedge)	**Hesgen y Graig**
saxatilis (Russet Sedge)	**Hesgen Lwytgoch**
spicata (Spiked Sedge)	**Hesgen Dywysennog Borffor**
strigosa (Thin-spiked Wood-sedge)	**Hesgen Ysbigog Denau**
sylvatica (Wood-sedge)	**Hesgen y Coed**, Hesgen Ddibynnaidd y Goedwig
vaginata (Sheathed Sedge)	**Gwain-hesgen**
vesicaria (Bladder-sedge)	**Hesgen Chwysigennaidd**, Hesgen Chwysigennaidd Berdywysennog
viridula subsp. *brachyrrhyncha* (Long-stalked Yellow-sedge)	**Hesgen Felen Baladr Hir**
viridula subsp. *oedocarpa* (Common Yellow-sedge)	**Hesgen Felen**
viridula subsp. *viridula* (Small-fruited Yellow-sedge)	**Hesgen Felen Goraidd**, Hesgen Oder, Hesgen Oeder
vulpina (True Fox-sedge)	**Hesgen Dywysennog Fwyaf**
Carlina vulgaris (Carline Thistle)	**Ysgallen Siarl**, Ellast, Ellast Cyffredin, Ellast y Bryniau, Ysgallen Ddrainwen
Carpinus betulus (Hornbeam)	**Oestrwydden**, Oestrwydden Gyffredin, Oestrywydden
Carpobrotus acinaciformis (Sally-my-handsome)	**Ffigysen Binc**
edulis (Hottentot-fig)	**Ffigysen Felen**
Carrichtera annua (Cress Rocket)	**Beryryn**
Carthamus lanatus (Downy Safflower)	**Cochlys Gwlanog**
tinctorius (Safflower)	**Cochlys**
Carum carvi (Caraway)	**Carwas**, Cardwy, Carddwy
verticillatum (Whorled Caraway)	**Carwas Troellog**
Castanea sativa (Sweet Chestnut)	**Castanwydden**, Castanwydd, Castanwydden Bêr, Cnau Castan, Pipwydd, Sataen, Satain
Catabrosa aquatica (Whorl-grass)	**Brigwellt Dyfrdrig**

Catapodium marinum (Sea Fern-grass) .... **Corwenithwellt y Morfa**, Corwenith-wellt y Morfin, Gweunwellt Arfor, Tywod Wraidd Caled

    rigidum (Fern-grass) .... **Gwenithwellt Caled**, Gweunwellt Anhyblyg, Peisgwellt Caled

Caucalis platycarpos (Small Bur-parsley) .... **Eilunberllys Bychan**

Cedrus libani (Cedar-of-Lebanon) .... **Cedrwydden Libanus**, Cedrwydden

Centaurea aspera (Rough Star-thistle) .... **Ysgallen Seraidd Arw**

    calcitrapa (Red Star-thistle) .... **Ysgallen Seraidd**, Seraidd Ysgallen

    cyanus (Cornflower) .... **Penlas yr Ŷd**

    diluta (Lesser Star-thistle) .... **Ysgallen Seraidd Leiaf**

    jacea (Brown Knapweed) .... **Pengaled Llwytgoch**

    melitensis (Maltese Star-thistle) .... **Ysgallen Seraidd Felitaidd**

    montana (Perennial Cornflower) .... **Penlas Fythol**

    nigra (Common Knapweed) .... **Pengaled**, Cramennog, Madfelen, Pengaled Benddu, Pengaled Coch, Pengaled Du, Pengaled Leiaf Benddu

    paniculata (Jersey Knapweed) .... **Pengaled Jersey**

    scabiosa (Greater Knapweed) .... **Pengaled Mawr**, Cramennog Fwyaf, Cramennog yr Ŷd, Gramedog Fwyaf, Llys y Tarw, Llysiau'r Tarw, Pengaled Coch, Pengaled Fawr, Pengaled Fwyaf

    solstitialis (Yellow Star-thistle) .... **Ysgallen Seraidd Felen**

Centaurium erythraea (Common Centaury) .... **Canri Goch**, Arlladlys, Bustl y Ddaear, Canrhi Goch, Llysiau'r Bleurwg, Llysiau'r Lleurwg, Ysgol Crist, Ysgol Fair

    erythraea var. *capitatum* (Tufted Centaury) .... **Canri Dywarchog**, Canri Byrdew, Canri Byrfraisg

    latifolium (Broad-leaved Centaury) .... **Canri Goch Lydanddail**

    littorale (Seaside Centaury) .... **Canri Goch Arfor**

    pulchellum (Lesser Centaury) .... **Canri Leiaf**

    scilloides (Perennial Centaury) .... **Canri Dryflwyddol**

    tenuiflorum (Slender Centaury) .... **Canri Fain**

Centranthus ruber (Red Valerian) .... **Triaglog Coch**

Cephalanthera damasonium (White Helleborine) .... **Caldrist Gwyn**, Wylled Ferwedig

    longifolia (Narrow-leaved Helleborine) .... **Caldrist Culddail**

    rubra (Red Helleborine) .... **Caldrist Coch**

Cerastium alpinum (Alpine Mouse-ear) .... **Clust Llygoden Mynyddig**, Clust Llygoden Creigiau Mynyddig

    arcticum (Arctic Mouse-ear) .... **Clust Llygoden Mynyddig Llydanddail**, Clust Llygoden Mynyddig y Wyddfa

    arvense (Field Mouse-ear) .... **Clust Llygoden y Caeau**, Clust Llygoden y Tywod, Cornwlydd yr Ŷd

    brachypetalum (Grey Mouse-ear) .... **Clust Llygoden Llwyd**

    cerastoides (Starwort Mouse-ear) .... **Tafod yr Edn Mynyddig**

    diffusum (Sea Mouse-ear) .... **Clust Llygoden Arfor**, Canwlyddyn, Clust Llygoden, Clust Llygoden Pedwar-gwryw, Cornwlyddyn Pedwar-gwryw, Cot-wlyddyn

    fontanum (Common Mouse-ear) .... **Clust Llygoden Culddail**, Clust y Llygoden, Cornwlydd Cyffredin, Cornwlyddyn, Corn-wlyddyn Culddail, Gwlydd y Dom, Gwlydd yr leir, Gwlyddyn Blewog, Llysiau y Dom

    glomeratum (Sticky Mouse-ear) .... **Clust Llygoden Llydanddail**, Cornwlydd Gludiog, Cornwlyddyn Llydanddail, Gludiog, Gwlydd Pyngog

    nigrescens (Shetland Mouse-ear) .... **Clust Llygoden Shetland**

    pumilum (Dwarf Mouse-ear) .... **Clust Llygoden Bitw**

    semidecandrum (Little Mouse-ear) .... **Clust Llygoden Bach**, Cornwlyddyn Clust Llygoden Corraidd â Blodeuddail Gwahanedig, Cornwlyddyn Corraidd â Blodeuddail Gwahanedig, Corwlydd Bychan, Clust Llygoden Tryloyw Deiliog

    tomentosum (Snow-in-summer) .... **Clust Llygoden y Felin**

Ceratocapnos claviculata (Climbing Corydalis) .... **Mwg y Ddaear Gafaelgar**

Ceratochloa cathartica (Rescue Brome) .... **Pawrwellt America**

    carinata (California Brome) .... **Pawrwellt California**

Ceratophyllum demersum (Rigid Hornwort) .... **Cyrnddail**, Gwygyrnddail Cyffredin

    submersum (Soft Hornwort) .... **Cyrnddail Trifforch**

Ceterach officinarum (Rustyback) .... **Rhedynen Gefngoch**, Dueg-redynen Feddygol, Rhedyn yr Ogofau

---

a, b, c, ch, d, dd, e, f, ff, g, ng, h, i, j, l, ll, m, n, o, p, ph, r, rh, s, t, th, u, w, y

Chaenorhinum minus (Small Toadflax) .... **Gingroen Bychan**
Chaerophyllum aureum (Golden Chervil) .... **Perllys Aur**
   hirsutum (Hairy Chervil) .... **Perllys Blewog**
   temulum (Rough Chervil) .... **Perllys y Perthi**, Gorthyfail Garw
Chamaecyparis lawsoniana (Lawson's Cypress) .... **Cypreswydden Lawson**
   nootkatensis (Nootka Cypress) .... **Cypreswydden Nootka**
   pisifera (Sawara Cypress) .... **Cypreswydden Sawara**
Chamaemelum nobile (Chamomile) .... **Camri**, Camameil, Camamil, Camri Cyffredin, Dailfam, Milwydd
Chamerion angustifolium (Rosebay Willowherb) .... **Helyglys Hardd**, Blodau Santes Fair, Helyglys y Coed, Llys y Clochdy, Llysiau St. Mair, Milwr Coch, Procer Coch, Tânchwyn, Tânllys
Chelidonium majus (Greater Celandine) .... **Dilwydd**, Dilwydd Felen, Llygadlym, Llygadlys, Llym y Llygad, Llys y Wennol, Llysiau'r Clefyd Melyn, Llysiau'r Llew, Llysiau'r Llygad, Llysiau'r Wennol, Melynllys, Selidon, Sudd y Defaid
Chenopodium album (Fat-hen) .... **Tafod yr Oen**, Blodau'r Domen, Gwydd-droed Bwytadwy, Gwydd-droed Gwyn, Gwydd-droed Gwynaidd, Troed yr Ŵydd, Troed yr Ŵydd Gwynaidd
   bonus-henricus (Good-King-Henry) .... **Sawdl y Crydd**, Llys Meudwy, Llys y Gwrda, Llysiau'r Brenin Hari
   capitatum (Strawberry-blite) .... **Troed yr Ŵydd Writgoch**
   chenopodioides (Saltmarsh Goosefoot) .... **Troed yr Ŵydd Luos-sypiog**
   ficifolium (Fig-leaved Goosefoot) .... **Troed yr Ŵydd Ffigys-ddail**
   glaucum (Oak-leaved Goosefoot) .... **Troed yr Ŵydd Dderw-ddeiliog**, Derwen Caersalem
   hybridum (Maple-leaved Goosefoot) .... **Troed yr Ŵydd Fasarnddail**
   murale (Nettle-leaved Goosefoot) .... **Troed yr Ŵydd Ddynad-ddail,** Gŵydd-droed, Gŵydd-droed y Fagwyr
   opulifolium (Grey Goosefoot) .... **Troed yr Ŵydd Lwyd**
   polyspermum (Many-seeded Goosefoot) .... **Troed yr Ŵydd Luos-hadog**, Gŵydd-droed Amlhadog
   rubrum (Red Goosefoot) .... **Troed yr Ŵydd Ruddog**, Gwydd-droed Ruddog, Troed yr Ŵydd Arforol
   urbicum (Upright Goosefoot) .... **Troed yr Ŵydd Syth-ddail**, Gŵydd-droed Syth
   vulvaria (Stinking Goosefoot) .... **Llysgwyn Drewllyd**, Llygwyn Drewllyd, Mamog Ddrewllyd, Rhogai, Rhoglus, Trwynsor
Chrysanthemum segetum (Corn Marigold) .... **Melyn yr Ŷd**, Aban, Gold, Gold Mair, Gold yr Ŷd, Golt, Graban yr Ŷd, Rhuddos, Rhuddos y Gors, Rhuddos yr Ŷd
Chrysosplenium alternifolium (Alternate-leaved Golden-saxifrage) **Eglyn Cylchddail**, Eglyn Bob yn Ail Ddail
   oppositifolium (Opposite-leaved Golden-saxifrage) .... **Eglyn Cyferbynddail**, Eglyn, Eglyn Melyn Cyffredin, Tormaen Euraid
Cicendia filiformis (Yellow Centaury) .... **Canri Felen Eiddil**
Cicerbita alpina (Alpine Blue-sow-thistle) .... **Llaethysgallen-las Alpaidd**
   bourgaei (Pontic Blue-sow-thistle) .... **Llaethysgallen-las Georgia**
   macrophylla (Common Blue-sow-thistle) .... **Llaethysgallen-las**, Llaethysgallen Halog
   plumieri (Hairless Blue-sow-thistle) .... **Llaethysgallen-las Foel**
Cichorium endivia (Endive) .... **Ysgallen y Meirch**
   intybus (Chicory) .... **Ysgellog**, Ysgallen y Meirch, Ysgallog Gwyllt, Ysgellog Gwyllt
Cicuta virosa (Cowbane) .... **Buladd**, Cas-gan-fuwch
Circaea alpina (Alpine Enchanter's-nightshade) .... **Llysiau Steffan Mynyddig**
   × *intermedia* (Upland Enchanter's-nightshade) ...... **Gwynlys Mynydd-dir**
   lutetiana (Enchanter's-nightshade) .... **Llysiau Steffan**, Gedor-wrach, Llys Steffan, Llys Steffan Cyffredin, Llysiau Ystyffan, Llysiau'r Swynwr, Mochlys Duon, Mochlys Swynyddlys, Swynlys, Swynyddlys
Cirsium acaule (Dwarf Thistle) .... **Ysgallen Ddigoes**, Ysgall Di-baladr, Ysgall Ddi-goes
   arvense (Creeping Thistle) .... **Ysgallen Gyffredin**, Llawegor, Ysgallen Gwraidd Rhedegog, Ysgallen Gyffredin yr Âr, Ysgallen Llusg-wraidd, Ysgallen y Maes, Ysgallen yr Ŷd
   dissectum (Meadow Thistle) .... **Ysgallen Gorswaun**, Ysgallen Mignwern
   eriophorum (Woolly Thistle) .... **Ysgallen Benwlanog**
   heterophyllum (Melancholy Thistle) .... **Ysgallen Fwyth**
   oleraceum (Cabbage Thistle) .... **Ysgallen Fwytadwy**

a, b, c, ch, d, dd, e, f, ff, g, ng, h, i, j, l, ll, m, n, o, p, ph, r, rh, s, t, th, u, w, y

palustre (Marsh Thistle) .... **Ysgallen y Gors**, Marchysgall y Gors, Ysgallen
Gweirglodd Wlyb
tuberosum (Tuberous Thistle) .... **Ysgallen Oddfynog**
vulgare (Spear Thistle) .... **Marchysgallen**, March Ysgall, March Ysgallen,
Marchysgall Berog, Ysgall Gwyllt, Ysgall
Gwylltion, Ysgall y Blaidd, Ysgall y Tarw,
Ysgallen Goronog, Ysgall Wyllt, Ysgallen y
Blaidd
Cladium mariscus (Great Fen-sedge) .... **Corsfrwynen**, Hesgen y Gors, Llemfrwynen,
Llymdreiniog, Pibfrwynen
Claytonia perfoliata (Springbeauty) .... **Trydwll**
sibirica (Pink Purslane) .... **Gwlyddyn Rhudd**
Clematis vitalba (Traveller's-joy) .... **Barf yr Hen Ŵr**, Barf y Gŵr Hen, Coluddion y
Diawl, Cudd y Coed, Dringiedydd, Hen Ŵr
Barfhir, Locsyn Taid, Llawenydd y Teithiwr,
Tripa'r Gŵr Drwg
Clinopodium acinos (Basil Thyme) .... **Brenhinllys**
ascendens (Common Calamint) .... **Erbin Cyffredin**, Mintys y Mynydd, Mintys y
Twynau
calamintha (Lesser Calamint) .... **Erbin Bach**
menthifolium (Wood Calamint) .... **Erbin y Coed**
vulgare (Wild Basil) .... **Brenhinllys Gwyllt**, Brenhinllys Clustog, Breninllys
Gwyllt
Cochlearia anglica (English Scurvygrass) .... **Llwylys Lloegr**, Morlwyau Brutanaidd, Morlwyau
Brytanaidd, Morlwyau Hir-ddeiliog, Morlwyau
Lleidiog, Ysgurfi-lys Seisnig
danica (Danish Scurvygrass) .... **Llwylys Denmarc**, Morlwyau Danaidd, Morlwyau
Eiddewddail, Morlwyau Glanmor, Llwylys
Llychlyn, Ysgyrfi-lys Llychlyn
micacea (Mountain Scurvygrass) .... **Llwylys Mynyddig**
officinalis (Common Scurvygrass) .... **Llwylys Cyffredin**, Dail Ysgyrfi, Lleynlys, Lleynlys
Cyffredin, Llwglys, Llwyllys, Llwylys Meddygol,
Llys y Llwy, Llysiau'r Llwg, Llysiau'r Llwy,
Morlwyau, Morlwyau Cyffredin, Morlwyau
Meddygol, Ysgyrfi-lys
pyrenaica (Pyrenean Scurvygrass) .... **Llwylys Pyreneaidd**
Coeloglossum viride (Frog Orchid) .... **Llys Ysgyfarnog**, Paladr Blodeuwyrdd, Tegeirian
Broga Gwyrdd
Coincya monensis subsp. *monensis* (Isle of Man Cabbage) .... **Berwr Môn a Manaw**, Berwr Môn, Bresych Môn a
Manaw
monensis subsp. *recurvata* (Wallflower Cabbage) .... **Berwr Murwyll y Môr**
wrightii (Lundy Cabbage) .... **Berwr Lundy**
Colchicum autumnale (Meadow Saffron) .... **Saffrwm y Gweunydd**, Meddyges Felen, Saffrwm
Gweirgloddiau
Colutea arborescens (Bladder-senna) .... **Llwyn Senna**
Conium maculatum (Hemlock) .... **Cegiden**, Cecys, Cecyt, Cegid, Cegid Tir Sych,
Cegiden Gyffredin, Ceginen Cyffredin, Cegyr,
Dibynlor, Gwyn y Dillad, Gysblys
Conopodium majus (Pignut) .... **Cneuen Ddaear**, Bwyd y Moch, Bywi, Bywien, Clôr,
Cnau y Moch, Cnau'r Ddaear, Cneuen y Ddaear
Gyffredin, Cylor, Daear Gnau
Conringia orientalis (Hare's-ear Mustard) .... **Cedw Clustiog**
Consolida ajacis (Larkspur) .... **Llyshedydd**
orientalis (Eastern Larkspur) .... **Llyshedydd y Dwyrain**
regalis (Forking Larkspur) .... **Ysbardun y Marchog**
Convallaria majalis (Lily-of-the-valley) .... **Clych Enid**, Alaw Crewyll, Elestr y Maes, Lili'r
Dyffryn, Lili'r Dyffrynoedd, Lili'r Maes
Convolvulus arvensis (Field Bindweed) .... **Cwlwm y Cythraul**, Cynghafog Fechan, Cynghafog
Lleiaf, Cynghafog y Maes, Llwyth y Clymlys,
Perfedd y Cythraul, Taglys
Conyza bonariensis (Argentine Fleabane) .... **Cedowydd yr Ariannin**
canadensis (Canadian Fleabane) .... **Amrhydlwyd Canada**
Corallorhiza trifida (Coralroot Orchid) .... **Tegeirian Gwreiddgwrel**
Coriandrum sativum (Coriander) .... **Brwysgedlys**, Coriander, Llysiau'r Bara
Cornus sanguinea (Dogwood) .... **Cwyros**, Cornel, Cwyrol, Cwyrwialen, Pren Ci
sericea (Red-osier Dogwood) .... **Cwyros Coch**
suecica (Dwarf Cornel) .... **Corwyros**
Coronilla varia (Crown Vetch) .... **Ffugbysen Goronog**

a, b, c, ch, d, dd, e, f, ff, g, ng, h, i, j, l, ll, m, n, o, p, ph, r, rh, s, t, th, u, w, y

Coronopus didymus (Lesser Swine-cress) .... **Olbrain Lleiaf**
  squamatus (Swine-cress) .... **Olbrain**, Berwr y Moch, Olbrain Dafadennog, Olfran
Corrigiola litoralis (Strapwort) .... **Corglymig**, Canclymig
Cortaderia selloana (Pampas-grass) .... **Paithwellt**
Corydalis cava (Hollow-root) .... **Gwagwraidd**
  cheilanthifolia (Fern-leaved Corydalis) .... **Corydalis Rhedynddail**
  solida (Bird-in-a-bush) .... **Caledwraidd**
Corylus avellana (Hazel) .... **Collen**, Coll-lwyn, Collwyn, Pren Cnau
Corynephorus canescens (Grey Hair-grass) .... **Brigwellt Llwyd**
Cotoneaster cambricus (Wild Cotoneaster) .... **Cotoneaster y Gogarth**
  horizontalis (Wall Cotoneaster) .... **Cotoneaster y Mur**
  integrifolius (Small-leaved Cotoneaster) .... **Cotoneaster Dail Bach**, Cotoneaster Ddeilios
  lucidus (Shiny Cotoneaster) .... **Cotoneaster Llachar**
  simonsii (Himalayan Cotoneaster) .... **Cotoneaster y Graig**
  villosulus (Lleyn Cotoneaster) .... **Cotoneaster Llŷn**
Cotula coronopifolia (Buttonweed) .... **Chwynfotwm**
Crambe maritima (Sea-kale) .... **Ysgedd**, Bresych Arfor, Bresych y Môr, Môr Fresych,
                                                         Ysgedd Arfor
Crassula aquatica (Pigmyweed) .... **Corchwyn**
  decumbens (Scilly Pigmyweed) .... **Corchwyn Scilly**
  helmsii (New Zealand Pigmyweed) .... **Corchwyn Seland Newydd**
  pubescens (Jersey Pigwyweed) .... **Corchwyn Jersey**
  tillaea (Mossy Stonecrop) .... **Anwywig**, Tilaea
Crataegus laevigata (Midland Hawthorn) .... **Draenen Ysbyddaden**, Draenen Wen, Draenen Wen
                                                    Dwy Golofn, Egfaenwydd, Merys, Ysbyddaden
  monogyna (Hawthorn) .... **Draenen Wen**, Crawel y Moch, Crawol y Moch,
                                                    Criafol y Moch, Draenen Wen Un Golofn, Drain
                                                    Ysbyddaid, Egfaenwydd, Eirin Moch, Grawn yr
                                                    Ysbyddad, Ysbyddaden, Yspydat, Yspyddaden,
                                                    Yspyddaid
Crepis biennis (Rough Hawk's-beard) .... **Gwalchlys Garw**, Gwalchlys Garwaidd, Gwalchlys
                                                    Garwaidd Mwyaf, Gwalchlys Mwyaf
  capillaris (Smooth Hawk's-beard) .... **Gwalchlys Llyfn**
  foetida (Stinking Hawk's-beard) .... **Gwalchlys Drewllyd**
  mollis (Northern Hawk's-beard) .... **Gwalchlys y Gogledd**
  paludosa (Marsh Hawk's-beard) .... **Gwalchlys y Gors**, Heboglys y Gors
  setosa (Bristly Hawk's-beard) .... **Gwalchlys Pigog**
  tectorum (Narrow-leaved Hawk's-beard) .... **Gwalchlys Culddail**
  vesicaria (Beaked Hawk's-beard) .... **Gwalchlys Gylfinhir**
Crithmum maritimum (Rock Samphire) .... **Corn Carw'r Môr**, Corn Carw, Dail St. Pedr, Ffenigl
                                                    y Môr, Sampier
Crocosmiflora × *crocosmiiflora* (Montbretia) .... **Montbretlys**
Crocus nudiflorus (Autumn Crocus) .... **Saffrwm Noeth-flodeuog**, Saffrwm y Gweunydd
  sativus (Saffron Crocus) .... **Saffyr Meddygol**, Meddyges Felen
  vernus subsp. *vernus* (Spring Crocus) .... **Saffrwm y Gwanwyn**, Saffrwm Gwanwynol, Saffyr
                                                   Gwanwynol, Saffyr y Gwanwyn
Cruciata laevipes (Crosswort) .... **Croeslys**, Briwydd Groes, Briwydden Groes,
                                                   Croesoglys Felen, Llysiau'r Groes
Cryptogramma crispa (Parsley Fern) .... **Rhedynen Bersli**, Adain-redynen y Chwarelau,
                                                   Rhedyn Perllys
Cryptomeria japonica (Japanese Red-cedar) .... **Cedrwydden Goch Japan**
Cucubalus baccifer (Berry Catchfly) .... **Gwlidd Conynnog**
Cucumis sativus (Cucumber) .... **Cucumer**, Chwerfwr, Chwerwddwr
Cucurbita pepo (Marrow) .... **Pwmpen**
× *Cupressocyparis leylandii* (Leyland Cypress) .... **Cypreswydden Leyland**
Cupressus macrocarpa (Monterey Cypress) .... **Cypreswydden Monterey**, Cypreswydden
                                                   Macrocarpa
Cuscuta campestris (Yellow Dodder) .... **Llindag Melyn**
  epilinum (Flax Dodder) .... **Llindag Llin Amaeth**
  epithymum (Dodder) .... **Llindag Lleiaf**, Cyfnydd, Llindro Lleiaf, Llinclwm
  europaea (Greater Dodder) .... **Llindag Mwyaf**, Cwlwm y Coed, Cwlwm y Gwŷdd,
                                                   Cyfnydd, Llinclwm Mwyaf, Llindro Mwyaf
Cyclamen hederifolium (Cyclamen) .... **Bara'r Hwch**, Didol, Egel, Llysiau'r Ddidol,
                                                   Moch-wraidd
Cydonia oblonga (Quince) .... **Cwinswydden**
Cymbalaria muralis (Ivy-leaved Toadflax) .... **Llin y Fagwyr**, Mam Miloedd, Trwyn y Llo
                                                   Eiddewddail
  pallida (Italian Toadflax) .... **Llin y Fagwyr Mwyaf**

---

a, b, c, ch, d, dd, e, f, ff, g, ng, h, i, j, l, ll, m, n, o, p, ph, r, rh, s, t, th, u, w, y

Cynara scolymus (Globe Artichoke) .... **Marchysgallen y Gerddi**
Cynodon dactylon (Bermuda-grass) .... **Gwair Bermuda**
Cynoglossum germanicum (Green Hound's-tongue) .... **Tafod y Bytheiad Gwyrdd-ddail**
   officinale (Hound's-tongue) .... **Tafod y Bytheiad**, Pigl, Pigl Meddygol, Tafod y
                                        Bytheiad Meddygol, Tafod y Ci
Cynosurus cristatus (Crested Dog's-tail) .... **Rhonwellt y Ci**, Rhonell y Ci, Rhonwellt y Ci Cribog
   echinatus (Rough Dog's-Tail) .... **Rhonwellt y Ci Pigog**
Cyperus eragrostis (Pale Galingale) .... **Ysnoden Fair Welw**
   fuscus (Brown Galingale) .... **Ysnoden Fair Lwytgoch**
   longus (Galingale) .... **Ysnoden Fair**
Cypripedium calceolus (Lady's-slipper) .... **Esgid Fair**
Cystopteris dickieana (Dickie's Bladder-fern) .... **Ffiolredynen Arfor**
   fragilis (Brittle Bladder-Fern) .... **Rhedynen Frau**, Ffiol-redynen Ddeintiog
   montana (Mountain Bladder-fern) .... **Ffiolredynen y Mynydd**
Cytisus multiflorus (White Broom) .... **Banadl Gwyn**
   scoparius subsp. *maritimus* (Prostrate Broom) .... **Banadl Gorweddol**
   scoparius subsp. *scoparius* (Broom) .... **Banadl**, Banadl Cyffredin, Banadlen, Banhadlen,
                                        Banhalen, Banhallen, Manal, Ysgubell Fanal
   striatus (Hairy-fruited Broom) .... **Banadl Blewog**
Daboecia cantabrica (St Dabeoc's Heath) .... **Grug Sant Dabeoc**, Grug St. Dabeoc
Dactylis glomerata (Cock's-foot) .... **Byswellt**, Byswellt Garwaidd, Dant y Ci, Grugwellt,
                                        Troed y Ceiliog
Dactylorhiza fuchsii (Common Spotted-orchid) .... **Tegeirian Mannog**, Tegeirian Brych Cyffredin,
                                        Tegeirian Mannog Byseddog
   incarnata (Early Marsh-orchid) .... **Tegeirian Rhuddgoch**, Tegeirian y Gors
   incarnata subsp. *cruenta* (Flecked Marsh Orchid) .... **Tegeirian Mannog y Gors**
   maculata (Heath Spotted-orchid) .... **Tegeirian Brych**, Gwialen y Gŵr Ifanc, Tegeirian
                                        Mannog Byseddog, Tegeirian Mannog y Grugdir
   majalis (Broad-leaved Marsh-orchid) .... **Tegeirian Llydanddail y Gors**
   majalis subsp. *cambrensis* [Welsh Marsh-orchid] .... **Tegeirian y Gors Cymreig**
   praetermissa (Southern Marsh-orchid) .... **Tegeirian y Gors**, Tegeirian y Gors Deheuol
   purpurella (Northern Marsh-orchid) .... **Tegeirian y Fign**
   traunsteineri (Narrow-leaved Marsh-orchid) .... **Tegeirian Rhuddgoch Culddail**
Damasonium alisma (Starfruit) .... **Serffrwyth**
Danthonia decumbens (Heath-grass) .... **Glaswellt y Rhos**, Grugwellt, Gweunwellt
                                        Gorweiddiog, Gweunwellt Gorwreiddiog
Daphne laureola (Spurge-laurel) .... **Clust yr Ewig**, Glas y Gaeaf
   mezereum (Mezereon) .... **Bliwlys**, Bliw, Bliwyn, Llosglys, Nidwydden
Datura stramonium (Thorn-apple) .... **Meiwyn**, Afal Dreiniog, Dalen Meiwyn
Daucus carota subsp. *carota* (Wild Carrot) .... **Moronen y Maes**, Llys Meddyglyn, Meddyglyn,
                                        Moron Gwylltion, Moron y Maes, Moron y
                                        Meysydd, Moronen Goch, Moronen y Meysydd,
                                        Nyth Aderyn
   carota subsp. *gummifer* (Sea Carrot) .... **Moronen y Môr**, Moron Arfor, Moron y
                                        Môr-greigiau
Deschampsia cespitosa (Tufted Hair-grass) .... **Brigwellt Cudynnog**, Brigwellt Mawnog, Brigwellt
                                        Tywarchaidd, Glaswellt Main y Waun
   cespitosa subsp. *alpina* (Alpine Hair-grass) .... **Brigwellt Alpaidd**
   flexuosa (Wavy Hair-grass) .... **Brigwellt Main**, Brigwellt Gwyrgam Mynyddol,
                                        Brigwellt Main y Waun, Brigwellt y Mynydd
   setacea (Bog Hair-grass) .... **Brigwellt y Gors**
Descurainia sophia (Flixweed) .... **Berwr y Fam**, Arfog, Arfog Pumdalen, Berwy y Fam,
                                        Piblys
Dianthus armeria (Deptford Pink) .... **Penigan y Porfeydd**
   barbatus (Sweet-William) .... **Penigan Barfog**
   caryophyllus (Clove Pink) .... **Penigan Rhuddgoch**, Ceinan Gwyllt, Clows
   deltoides (Maiden Pink) .... **Penigan Gwyryfaidd**, Ceian, Ceilys, Euad
   gallicus (Jersey Pink) .... **Penigan Jersey**
   gratianopolitanus (Cheddar Pink) .... **Penigan Mynyddig**
   plumarius (Pink) .... **Penigan Cyffredin**, Llygad y Goediar, Penigan
                                        Gwyllt
Diapensia lapponica (Diapensia) .... **Diapensia**
Digitalis purpurea (Foxglove) .... **Bysedd y Cŵn**, Bysedd Cochion, Bysedd Ellyllon,
                                        Clatsh y Cŵn, Cleci Coch, Gwniadur Mair, Dail
                                        Ffion-ffrwyth, Dail Llwynog, Dail Bysedd
                                        Cochion, Dail Crach, Ffiol y Ffridd, Ffion Ffrith,
                                        Ffion y Ffridd, Ffuon Cochaf, Llwyn y Tewlaeth,
                                        Maneg y Forwyn, Menyg Mair, Menyg Ellyllon,
                                        Menyg y Llwynog, Menyg y Tylwyth Teg

Digitaria ischaemum (Smooth Finger-grass) .... **Byswellt Llyfn**
   sanguinalis (Hairy Finger-grass) .... **Byswellt Blewog**
Diphasiastrum alpinum (Alpine-clubmoss) .... **Cnwpfwsogl Alpaidd**, Cnwbfwsogl Alpinaidd,
                                          Cnwbfwsogl-y-graig
   complanatum (Hybrid Alpine-clubmoss) .... **Cnwpfwsogl Alpaidd Croesryw**
Diplotaxis erucoides (White Rocket) .... **Cedw Gwyn yr Âr**
   muralis (Annual Wall-rocket) .... **Cedw y Tywod**, Cedu'r Tywod, Chwyn Drewllyd y
                                          Tywod, Mwstard y Tywod
   tenuifolia (Perennial Wall-rocket) .... **Cedw Meindwf y Tywod**, Cedu
Dipsacus fullonum (Teasel) .... **Crib y Pannwr**, Cribau'r Pannwr, Llysiau'r Cribau,
                                          Llysiau'r Pannwr, Teilai Gwyllt, Teilai Mawr,
                                          Teilau Gwyllt, Teiliau Mawr, Ysgallen y Pannwr
   pilosus (Small Teasel) .... **Ffon y Bugail**, Gwialen y Bugail
   sativus (Fuller's Teasel) .... **Crib Bachog**
   strigosus (Yellow-flowered Teasel) .... **Crib Melyn**
Disphyma crassifolium (Purple Dew-plant) .... **Chwyslys Porffor**
Doronicum pardalianches (Leopard's-bane) .... **Llysiau y Llewpard**, Llewpard-dag
   plantagineum (Plantain-leaved Leopard's-bane) .... **Llysiau'r Llewpard Llwynhidydd-ddail**
Draba aizoides (Yellow Whitlowgrass) .... **Llysiau Melyn y Bystwn**
   incana (Hoary Whitlowgrass) .... **Llwydlys y Bystwn**, Llysiau'r Bystwn, Llysiau'r
                                          Bystwn Nyddgodog
   muralis (Wall Whitlowgrass) .... **Bystwn y Fagwyr**, Llysiau'r Bystwn y Fagwyr,
                                          Llysiau'r Bystwn y Muriau, Magwyrlys y Bystwn
   norvegica (Rock Whitlowgrass) .... **Bystwn y Graig**
Drosanthemum floribundum (Pale Dew-plant) .... **Chwyslys Gwelw**
Drosera intermedia (Oblong-leaved Sundew) .... **Gwlithlys Hirddail**, Tawddrudd Hirddail
   longifolia (Great Sundew) .... **Gwlithlys Mawr**, Chwys yr Haul, Gwlithlys,
                                          Gwlithlys Mwyaf, Tawddrudd Mawr, Toddaid
                                          Rudd, Toddedig Rudd
   rotundifolia (Round-leaved Sundew) .... **Gwlithlys**, Chwys yr Haul, Chwys yr Huan, Gwlith yr
                                          Haul, Gwlithlys Crynddail, Tawddrudd Crynddail,
                                          Tawddrydd, Toddaidrudd, Toddaidrudd
                                          Crynddail, Toddaidd Crynddail
Dryas octopetala (Mountain Avens) .... **Derig**
Dryopteris aemula (Hay-scented Buckler-fern) .... **Marchredynen Aroglus**, Marchredynen
                                          Gwair-aroglus
   affinis (Scaly Male-fern) .... **Marchredynen Euraid**, Marchredynen Gwisg-euraid
   affinis subsp. *borreri* [Borrer's Male-fern] .... **Marchredynen Feddal**
   carthusiana (Narrow Buckler-fern) .... **Marchredynen Gul**, Marchredynen Eddïog
   cristata (Crested Buckler-fern) .... **Marchredynen Gribog**
   dilatata (Broad Buckler-fern) .... **Marchredynen Lydan**, Marchredynen Eang
   expansa (Northern Buckler-fern) .... **Marchredynen y Gogledd**
   filix-mas (Male-fern) .... **Marchredynen**, Marchredyn, Marchredynen Wryw,
                                          Rhedyn y Cadno
   oreades (Mountain Male-fern) .... **Marchredynen Fach y Mynydd**
   submontana (Rigid Buckler-fern) .... **Marchredynen Anhyblyg**
Duchesnea indica (Yellow-flowered Strawberry) .... **Mefusen Felen**
Echinochloa crusgalli (Cockspur) .... **Cibogwellt Rhydd**
Echinops sphaerocephalus (Glandular Globe-thistle) .... **Ysgallen Bengrwn**
Echium plantagineum (Purple Viper's-bugloss) .... **Gwiberlys Porffor**
   vulgare (Viper's-bugloss) .... **Glas y Graean**, Bronwerth y Wiber, Bwglos y Wiber,
                                          Glesyn y Wiber, Gwiberlys, Gwiberlys Cyffredin,
                                          Tafod y Bwch, Tafod yr Afr
Egeria densa (Large-flowered Waterweed) .... **Alaw Prin-flodeuog**
Elatine hexandra (Six-stamened Waterwort) .... **Gwybybyr Chwe Brigerog**, Gwybybyr Chweochrol
   hydropiper (Eight-stamened Waterwort) .... **Gwybybyr Wyth Brigerog**, Gwybybyr Wythochrog
Eleocharis acicularis (Needle Spike-rush) .... **Sbigfrwynen Leiaf**, Clwpfrwynen Leiaf
   austriaca (Northern Spike-rush) .... **Sbigfrwynen y Gogledd**
   multicaulis (Many-stalked Spike-rush) .... **Sbigfrwynen Gadeiriog**, Clwpfrwynen Galafog
   palustris (Common Spike-rush) .... **Sbigfrwynen y Gors**, Clwpfrwynen y Gors
   parvula (Dwarf Spike-rush) .... **Sbigfrwynen Morafon**, Sbigfrwyn Morafon,
                                          Sbigfrwyn Morgamlas
   quinqueflora (Few-flowered Spike-rush) .... **Sbigfrwynen Goch**, Clwpfrwynen Goch-ddu
   uniglumis (Slender Spike-rush) .... **Sbigfrwynen Un Plisgyn**, Clwpfrwynen Leiaf,
                                          Clwpfrwynen Un Plisgyn, Sbigfrwynen Leiaf
Eleogiton fluitans (Floating Club-rush) .... **Clwbfrwynen Nawf**, Clapfrwynen Nofiadwy,
                                          Clwbfrwynen Nofiadwy, Clwpfrwynen Nofiadwy
Elodea callitrichoides (South American Waterweed) .... **Alaw De America**

---

a, b, c, ch, d, dd, e, f, ff, g, ng, h, i, j, l, ll, m, n, o, p, ph, r, rh, s, t, th, u, w, y

canadensis (Canadian Waterweed) .... **Alaw Canada**, Teim y Dŵr
nuttallii (Nuttall's Waterweed) .... **Alaw Nuttall**
Elymus caninus (Bearded Couch) .... **Marchwellt y Coed**, Gwenithwellt Sypwraidd
           Coliog, Gwenithwellt y Ci
Elytrigia atherica (Sea Couch) .... **Marchwellt Arfor**
  juncea (Sand Couch) .... **Marchwellt Tywyn**, Gwenithwellt Brwynaidd,
           Gwenithwellt Brwynaidd y Forlan
  repens (Common Couch) .... **Marchwellt**, Crafanc y Gŵr Drwg, Glaswellt y Cŵn,
           Gwenithwellt Rhedegog, Gwenithwellt
           Ymdaenol, Gwenithwellt, Llygad y Ci, Triagl y
           Cŵn, Wits
Empetrum nigrum subsp. *hermaphroditum* (Mountain
     Crowberry) .... **Creiglys y Mynydd**
  nigrum subsp. *nigrum* (Crowberry) .... **Creiglys**, Creiglys Du, Gruglys, Gryglys, Grygon,
           Grygyon, Llus Du y Mynydd, Llus Duon y
           Mynydd, Llus y Brain, Llus y Grugiar, Llus y
           Geifr, Mwyar y Brain
Epilobium alsinifolium (Chickweed Willowherb) .... **Helyglys Gwlyddyn-ddail**
  anagallidifolium (Alpine Willowherb) .... **Helyglys Mynyddig**
  brunnescens (New Zealand Willowherb) .... **Helyglys Gorweddol**
  ciliatum (American Willowherb) .... **Helyglys Americanaidd**
  hirsutum (Great Willowherb) .... **Helyglys Pêr**, Helyglys Blewog Mawr, Helyglys
           Pannog, Helyglys Pêr Blewog Mwyaf
  lanceolatum (Spear-leaved Willowherb) .... **Helyglys Gwayw-ddail**, Helyglys Ysgeth
  montanum (Broad-leaved Willowherb) .... **Helyglys Llydanddail**, Helyglys Llydan Llyfnddail,
           Helyglys Llyfn Llydanddail, Helyglys y Waedlys
  obscurum (Short-fruited Willowherb) .... **Helyglys Rhedegydd Tenau**
  palustre (Marsh Willowherb) .... **Helyglys Culddail**, Helyglys Culddail y Fawnog,
           Helyglys y Fawnog
  parviflorum (Hoary Willowherb) .... **Helyglys Lledlwyd**, Helyglys Gwlanog Lleiaf,
           Helyglys Lledlwyd Mânflodeuog, Helyglys
           Llwydwyn, Helyglys Rhosynnaidd
  roseum (Pale Willowherb) .... **Helyglys Coesig**, Helyglys Blodeugoes
  tetragonum (Square-stalked Willowherb) .... **Helyglys Pedronglog**, Helyglys Paladr Pedrongl,
           Helyglys Pedrongl
Epimedium alpinum (Barren-wort) .... **Anhiliog**
Epipactis atrorubens (Dark-red Helleborine) .... **Caldrist Rhuddgoch**, Caldrist Coch, Caldrist
           Dugoch, Caldrist Rhudd
  helleborine (Broad-leaved Helleborine) .... **Caldrist Llydanddail**
  leptochila (Narrow-lipped Helleborine) .... **Caldrist Gwefus-gul**
  palustris (Marsh Helleborine) .... **Caldrist y Gors**
  phyllanthes (Green-flowered Helleborine) .... **Caldrist Melynwyrdd**
  purpurata (Violet Helleborine) .... **Caldrist Porffor**
Epipogium aphyllum (Ghost Orchid) .... **Tegeirian y Cysgod**
Equisetum arvense (Field Horsetail) .... **Marchrawn yr Ardir**, Brwyn Nadd, Rhawn March yr
           Ardir, Rhawn y March yr Ŷd, Rhawn yr Ardir,
           Rhonell y March
  fluviatile (Water Horsetail) .... **Marchrawn yr Afon**, Pig y Bwn, Rhawn y March
           Afonol, Rhawn y March Lled-diddail, Rhawn yr
           Afon
  hyemale (Rough Horsetail) .... **Marchrawn y Gaeaf**
  palustre (Marsh Horsetail) .... **Marchrawn y Gors**, Marchronell y Gors, Rhawn y
           Gors, Rhawn y March Corsog, Rhawn March y
           Gors
  pratense (Shady Horsetail) .... **Marchrawn y Cysgod**
  sylvaticum (Wood Horsetail) .... **Marchrawn y Coed**, Rhawn y Coed, Rhawn-y-march
           Coediog, Rhawn March y Coed
  telmateia (Great Horsetail) .... **Marchrawn Mawr**, Marchrawn Mwyaf, Marchronell
           Afonol, Rhawn y March Afonol
  variegatum (Variegated Horsetail) .... **Marchrawn Amrywiol**
Eranthis hyemalis (Winter Aconite) .... **Bleidd-dag y Gaeaf**
Erica ciliaris (Dorset Heath) .... **Grug Dorset**
  cinerea (Bell Heather) .... **Clychau'r Grug**, Blodau y Grug, Grug, Grug
           Cochlas, Grug Lledlwyd, Grug Lled Ledlwyd,
           Grug Llwydlas
  erigena (Irish Heath) .... **Grug Gwyddelig**
  lusitanica (Portuguese Heath) .... **Grug Lusitanaidd**
  mackaiana (Mackay's Heath) .... **Grug Mackay**

a, b, c, ch, d, dd, e, f, ff, g, ng, h, i, j, l, ll, m, n, o, p, ph, r, rh, s, t, th, u, w, y

terminalis (Corsican Heath) .... **Grug Corsica**
tetralix (Cross-leaved Heath) .... **Grug Deilgroes**, Grug Croesddeiliog
vagans (Cornish Heath) .... **Grug Cernyw**
Erigeron acer (Blue Fleabane) .... **Cedowydd Glas**, Amrhydlwyd, Amrhydlwyd Rhuddlas
    borealis (Alpine Fleabane) .... **Amrhydlwyd y Mynydd**
    karvinskianus (Mexican Fleabane) .... **Cedowydd y Clogwyn**
Erinus alpinus (Fairy Foxglove) .... **Clychau'r Tylwyth Teg**
Eriocaulon aquaticum (Pipewort) .... **Pibennog**
Eriophorum angustifolium (Common Cottongrass) .... **Plu'r Gweunydd**, Eira'r Gors, Gwaunblu Culddail, Gweunblu, Gwlanwair Cyffredin, Plu'r Gweunydd Culddail, Plu'r Gweunydd Culddail Cyffredin, Sidan y Waun, Sidan y Waun Culddail
    gracile (Slender Cottongrass) .... **Plu'r Gweunydd Eiddil**
    latifolium (Broad-leaved Cottongrass) .... **Plu'r Gweunydd Llydanddail**, Gwaenblu Llydanddail, Gwaenblu Tuswôg, Gwlanwair, Gwlanwair Tuswôg, Pluf y Gweunydd, Plu'r Gweunydd, Sidan y Waun, Sidan y Waun Llydanddail
    vaginatum (Hares'-tail Cottongrass) .... **Plu'r Gweunydd Unben**, Canhwyllau'r Gors, Gwaenblu Gweiniog, Gwlanwair Gweiniog, Plu'r Gweunydd, Sidan y Waun
Erodium cicutarium (Common Stork's-bill) .... **Pig y Crëyr**, Pig y Crëyr Cegidaidd, Pig y Crëyr Cegidog
    lebelii (Sticky Stork's-bill) .... **Pig y Crëyr Gludog**
    maritimum (Sea Stork's-bill) .... **Pig y Crëyr Arfor**
    moschatum (Musk Stork's-bill) .... **Pig y Crëyr Mwsgaidd**
Erophila glabrescens (Glabrous Whitlowgrass) .... **Bystwn Llyfn**
    majuscula (Hairy Whitlowgrass) .... **Bystwn Blewog**
    verna (Common Whitlowgrass) .... **Llys y Bystwn**, Llysiau Gwanwynol, Llysiau'r Ewinor, Llysiau'r Bystwn Cyffredin
Eruca vesicaria subsp. *sativa* (Garden Rocket) .... **Roced yr Ardd**
Erucastrum gallicum (Hairy Rocket) .... **Berwr Ffrengig**
Eryngium campestre (Field Eryngo) .... **Ysgallen Ganpen**, Boglynnon
    maritimum (Sea-holly) .... **Celyn y Môr**, Boglynnon, Boglynnon Arfor, Boglynnon y Môr, Morgelyn, Morgelynnen, Ysgallen Foglynnog
Erysimum cheiri (Wallflower) .... **Blodyn y Fagwyr**, Blodau Gorffennaf, Blodau Mamgu, Blodau'r Gwenyn, Blodyn Llaw, Fioled Felen Aeaf, Ffarwel Haf, Llawlys, Llysiau'r Fagwyr, Llysiau'r Llaw, Melyn y Gaeaf, Murwyll
    cheiranthoides (Treacle Mustard) .... **Triagl-arfog**
Escallonia macrantha (Escallonia) .... **Esgalonia**
Eschscholzia californica (Californian Poppy) .... **Pabi California**
Euonymus europaeus (Spindle) .... **Piswydden**, Llwyn Addurnol, Pisgwydden, Pren Cas Gan Gythraul, Pren Clefyd Melyn
    japonicus (Evergreen Spindle) .... **Piswydden Fythwyrdd**
    latifolius (Large-leaved Spindle) .... **Piswydden Ddeilfawr**
Eupatorium cannabinum (Hemp-agrimony) .... **Byddon Chwerw**, Bedwen Chwerw, Byddon, Cywarch Gwyllt, Cywarch Dŵr
Euphorbia amygdaloides (Wood Spurge) .... **Llaethlys y Coed**, Fflamgoed Gwigoedd, Fflamgoed y Coed
    corallioides (Coral Spurge) .... **Fflamgoed Gwrel**
    cyparissias (Cypress Spurge) .... **Fflamgoed Gyprysol**, Fflamgoed Gedrol
    dulcis (Sweet Spurge) .... **Llaethlys Melys**
    esula (Leafy Spurge) .... **Llaeth Blaidd**, Fflamgoed Ganghenddail
    exigua (Dwarf Spurge) .... **Fflamgoed Fach yr Ŷd**, Fflamgoed Eiddil Flaenfain
    helioscopia (Sun Spurge) .... **Llaeth Ysgyfarnog**, Bwyd Sgwarnog, Dafadlys, Dalen Dda, Fflam yr Haul, Fflamgoed, Llaeth Cwningen
    hyberna (Irish Spurge) .... **Fflamgoed Wyddelig**
    lathyris (Caper Spurge) .... **Llysiau y Cyfog**, Fflamgoed Gaperol
    paralias (Sea Spurge) .... **Llaethlys y Môr**, Llaeth y Famaeth, Llys y Famaeth, Llysiau'r Famaeth
    peplis (Purple Spurge) .... **Fflamgoed Ruddlas**
    peplus (Petty Spurge) .... **Llaeth y Cythraul**, Fflamgoed Fechan
    platyphyllos (Broad-leaved Spurge) .... **Fflamgoed Lydanddail**

---

a, b, c, ch, d, dd, e, f, ff, g, ng, h, i, j, l, ll, m, n, o, p, ph, r, rh, s, t, th, u, w, y

portlandica (Portland Spurge) .... **Llaethlys Portland**, Fflamgoed y Tywod, Fflamgoed y Morgreigiau
serrulata (Upright Spurge) .... **Llaethlys Mynwy**
villosa (Hairy Spurge) .... **Llaethlys Blewog**
Euphrasia anglica [English Eyebright] .... **Effros Chwareog Gwalltog**
arctica [Arctic Eyebright] .... **Effros â Gwallt Byr**
cambrica [Welsh Eyebright] .... **Coreffros Cymreig**, Effros Gymraeg Cor
confusa [Dwarf Eyebright] .... **Effros Bach Gliniog**
micrantha [Slender Eyebright] .... **Gloywlys Eiddil Cyffredin**
nemorosa [Woodland Eyebright] .... **Llygad Effros**, Llygad Siriol Cyffredin
ostenfeldii [Northern Eyrbright] .... **Effros â Dail Blewog**
rivularis [Snowdon Eyebright] .... **Effros yr Wyddfa**
rostkoviana subsp. *montana* [Mountain Eyebright] .... **Torfagl Mynyddog**
rostkoviana subsp. *rostkoviana* [Common Eyebright] ...... **Effros Blodau Bach Gludiog**
salisburgensis (Irish Eyebright) .... **Effros Culddail**
scottica [Scottish Eyebright] .... **Effros Eiddil y Fignen Fynyddig**
tetraquetra [Western Eyebright] .... **Torfagl ar Graig y Don**, Torfagl Llydanddail Gwyn
Exaculum pusillum (Guernsey Centaury) .... **Canri Guernsey**
Fagopyrum tataricum (Green Buckwheat) .... **Hyddwenith Gwyrdd**
esculentum (Buckwheat) .... **Gwenith yr Hydd**, Gwenith y Bwch
Fagus sylvatica (Beech) .... **Ffawydden**
Falcaria vulgaris (Longleaf) .... **Hirddail**
Fallopia baldschuanica (Russian-vine) .... **Taglys Tibet**
convolvulus (Black-bindweed) .... **Taglys yr Ŷd**, Perthlys, Ytag
dumetorum (Copse-bindweed) .... **Taglys y Berth**, Gwenith yr Hydd y Bwch
japonica (Japanese Knotweed) .... **Pysen Saethwr**
sachalinensis (Giant Knotweed) .... **Clymog Sachalin**
Festuca altissima (Wood Fescue) .... **Peisgwellt y Gwigoedd**
arenaria (Rush-leaved Fescue) .... **Peisgwellt Brwynddail**
armoricana (Breton Fescue) .... **Peisgwellt Llydaw**
arundinacea (Tall Fescue) .... **Peisgwellt Tal**, Gwrwgawn, Peisgwellt, Peisgwellt Hirian, Peisgwellt Hydwf
brevipila (Hard Fescue) .... **Peisgwellt Caledaidd**
filiformis (Fine-leaved Sheep's-fescue) .... **Peisgwellt Manddail**
gigantea (Giant Fescue) .... **Peisgwellt Mawr**, Pawr-wellt-hirian, Pawrwellt Hirfain, Peisgwellt Cawraidd, Peisgwellt Hirian, Peiswellt Mawr
heterophylla (Various-leaved Fescue) .... **Peisgwellt Amryddail**
longifolia (Blue Fescue) .... **Peisgwellt Glas**
ovina (Sheep's-fescue) .... **Peisgwellt y Defaid**, Melys y Defaid, Melys y Weirglodd, Melyslys, Peisgwellt y Waun
pratensis (Meadow Fescue) .... **Peisgwellt y Waun**, Peisgwellt, Peisgwellt Hydwf, Peisgwellt y Gweunydd
rubra (Red Fescue) .... **Peisgwellt Coch**, Peisgwellt Rhedegog, Peisgwellt Ymdaenol
rubra subsp. *commutata* (Chewing's Fescue) .... **Peisgwellt Culddail**
vivipara (Viviparous Fescue) .... **Peisgwellt Eginol**, Peisgwellt Bywhiliog
× *Festulolium loliaceum* (Hybrid Fescue) .... **Peisgwellt Croesryw**
Ficus carica (Fig) .... **Ffigysbren**
Filago gallica (Narrow-leaved Cudweed) .... **Edafeddog Culddail**
lutescens (Red-tipped Cudweed) .... **Edafeddog Blaengoch**
minima (Small Cudweed) .... **Edafeddog Lleiaf**, Digoll Lwyd
pyramidata (Broad-leaved Cudweed) .... **Edafeddog Llydanddail**
vulgaris (Common Cudweed) .... **Edafeddog**, Edafeddog Lwyd, Llwyd y Ffordd, Llys y Gynddaredd, Penllwyd
Filipendula ulmaria (Meadowsweet) .... **Erwain**, Barf y Bwch, Brenhines y Ddôl, Brenhines y Meysydd, Brenhines y Waun, Brenhines y Weirglodd, Bugeiles y Weirglodd, Chwys Arthur, Erchwaint, Erchwraid, Erchwreid, Erwaint, Llysiau Blodau'r Mêl, Llysiau'r Forwyn, Meddlys
vulgaris (Dropwort) .... **Crogedyf**
Foeniculum vulgare (Fennel) .... **Ffenigl**, Ffanigl, Ffenigl Cyffredin, Ffenigl Trymsawr, Ffunell, Gwewyrllys, Llysiau'r Gwewyr
Fragaria × ananassa (Garden Strawberry) .... **Mefusen**, Mefus, Syfi, Syfi Cochion, Syfien
muricata (Hautbois Strawberry) .... **Mefusen Fawr**, Syfien Fawr
vesca (Wild Strawberry) .... **Mefusen y Goedwig**, Mefus Gwyllt, Mefus Rhuddion, Mefusen, Syfi Cochion, Syfien

---

a, b, c, ch, d, dd, e, f, ff, g, ng, h, i, j, l, ll, m, n, o, p, ph, r, rh, s, t, th, u, w, y

Frangula alnus (Alder Buckthorn) .... **Breuwydden**, Brauwydd, Rhafnwydden
Frankenia laevis (Sea-heath) .... **Grugeilyn Llyfn**
Fraxinus excelsior (Ash) .... **Onnen**, Onwydden
    ornus (Manna Ash) .... **Onnen Eiddil**
Fritillaria meleagris (Fritillary) .... **Britheg**, Pen y Neidr
Fuchsia magellanica (Fuchsia) .... **Ffwsia**, Coeden Drops, Dagrau Mair, Dropsan,
                                         Ffiwsia
Fumaria bastardii (Tall Ramping-fumitory) .... **Mwg y Ddaear Grymus**
    capreolata (White Ramping-fumitory) .... **Mwg y Ddaear Afreolus**, Mwg y Perthi, Pwff y
                                         Ddaear, Sawellys Gafaelgar
    densiflora (Dense-flowered Fumitory) .... **Mwg y Ddaear Trwchflodeuog**
    muralis (Common Ramping-fumitory) .... **Mwg y Ddaear Amrywiol**
    occidentalis (Western Ramping-fumitory) .... **Mwg y Ddaear Gorllewinol**
    officinalis (Common Fumitory) .... **Mwg y Ddaear**, Coden Fwg, Cwd y Mwg, Mwg y
                                         Ddaear Cyffredin, Mwg y Ddaear Meddygol,
                                         Mwglys, Pwff Mwg, Pwff y Mwg
    parviflora (Fine-leaved Fumitory) .... **Mwg y Ddaear Manflodeuog**
    purpurea (Purple Ramping-fumitory) .... **Mwg y Ddaear Glasgoch**, Mwg y Ddaear
                                         Rhuddgoch
    reuteri (Martin's Ramping-fumitory) .... **Mwg y Ddaear Martin**
    vaillantii (Few-flowered Fumitory) .... **Mwg y Ddaear Prinflodeuog**
Gagea bohemica (Early Star-of-Bethlehem) .... **Seren y Creigiau**
    lutea (Yellow Star-of-Bethlehem) .... **Seren Fethlehem Felen**, Seren Felen Bethlehem,
                                         Tylwyth y Lili
Galanthus nivalis (Snowdrop) .... **Eirlys**, Blodau'r Eira, Blodyn yr Eira, Cloch Maban,
                                         Cloch y Baban, Cloch yr Eiriol, Eirdlws, Eiriawl,
                                         Eiriol, Lili Wen Fach, Mws yr Eira, Tlws yr Eira
Galega officinalis (Goat's-rue) .... **Llys Llaeth**
Galeopsis angustifolia (Red Hemp-nettle) .... **Penboeth Culddail**, Rhoswelw
    bifida (Lesser Hemp-nettle) .... **Penboeth Lleiaf**
    ladanum (Broad-leaved Hemp-nettle) .... **Penboeth Llydanddail**
    segetum (Downy Hemp-nettle) .... **Penboeth yr Ŷd**
    speciosa (Large-flowered Hemp-nettle) .... **Penboeth Amryliw**, Penboeth Blodau Helaeth,
                                         Penboeth Dau Liw
    tetrahit (Common Hemp-nettle) .... **Penboeth**, Cymalau'r Diafol, Danhadlen y Cywarch,
                                         Penboeth Cyffredin
Galinsoga parviflora (Gallant Soldier) .... **Galinsoga**
    quadriradiata (Shaggy Soldier) .... **Galinsoga Blewog**
Galium aparine (Cleavers) .... **Llau'r Offeiriad**, Bwyd Gwyddau, Cariadwyr,
                                         Cynga, Cynga'r Coed, Cyngaean, Cyngaf,
                                         Cynghafan, Cynna, Gwlydd y Perthi, Gwlyddyn
                                         Garw, Gwlyddyn y Perthi, Gwreiddrudd y Perthi,
                                         Llau'r Perthi, Llyffeiriad, Llys yr Hidl, Llysiau'r
                                         Hidl
    boreale (Northern Bedstraw) .... **Briwydden Fynyddig**, Briwydd, Briwydd
                                         Mynyddog-creigiog, Briwydd Tair Gwythien,
                                         Croesoglys Wen, Gwendon
    constrictum (Slender Marsh-bedstraw) .... **Briwydden Fain y Llyn**
    mollugo (Hedge-bedstraw) .... **Briwydden y Clawdd**, Brigwydd Unionsyth,
                                         Briwydd Wen, Gwendon Ymlusgol ar Gloddiau
    mollugo subsp. *erectum* (Upright Hedge-bedstraw) .... **Briwydden Syth**
    odoratum (Woodruff) .... **Briwydden Bêr**, Arlwys Beraidd y Coed, Blodyn Hen
                                         Ffasiwn, Briwydd Perarogl, Llys Te, Llys yr Eryr
                                         Perarogl, Mandon, Wdron
    palustre (Common Marsh-bedstraw) .... **Briwydden y Gors**, Briwydd, Gwendon, Gwendon y
                                         Gors, Gwenwlydd y Gors
    palustre subsp. *elongatum* (Great Marsh-bedstraw) .... **Briwydden Fawr y Llyn**
    parisiense (Wall Bedstraw) .... **Briwydden y Mur**
    pumilum (Slender Bedstraw) .... **Briwydden Feindwf**
    saxatile (Heath Bedstraw) .... **Briwydden y Rhosdir**, Briwydden Wen, Gwendon
                                         Lefn, Gwenwlydd Lefn
    spurium (False Cleavers) .... **Ffugwlyddyn**
    sterneri (Limestone Bedstraw) .... **Briwydden y Garreg Galch**
    tricornutum (Corn Cleavers) .... **Briwydden Arw**
    uliginosum (Fen Bedstraw) .... **Briwydden y Fign**, Gwendon Arw y Fign
    verum (Lady's Bedstraw) .... **Briwydden Felen**, Brigau'r Twynau, Briger y
                                         Twynau, Ceilion, Ceulion, Ceulon, Cywer y
                                         Llaeth, Llys y Cywer

---

a, b, c, ch, d, dd, e, f, ff, g, ng, h, i, j, l, ll, m, n, o, p, ph, r, rh, s, t, th, u, w, y

Gastridium ventricosum (Nit-grass) .... **Llauwair**
Gaultheria mucronata (Prickly Heath) .... **Gwaunlwyn Pigog**
  shallon (Shallon) .... **Sialon**
Genista anglica (Petty Whin) .... **Cracheithin**, Cas Gan Arddwr, Cracheithinen, Eithin
    y Gath, Eithin yr Iâr, Eithin yr Ieir, Eithinen yr Iâr
  hispanica (Spanish Gorse) .... **Eithin Sbaen**
  pilosa (Hairy Greenweed) .... **Aurfanadl Blewog**
  tinctoria (Dyer's Greenweed) .... **Melynog y Waun**, Aurfanadl, Banadlen Aur,
    Banadlos, Banhadlen Aur, Banhadlos, Corfanal,
    Corfanadl, Corfanadl Melynllys, Eurfanadl, Llys
    Fedd, Llys Melyn, Llysiau Melyn, Llysiau
    Penfelen, Melyngu
Gentiana nivalis (Alpine Gentian) .... **Crwynllys y Mynydd**
  pneumonanthe (Marsh Gentian) .... **Crwynllys y Rhos**, Blodau Mihangel, Crwynllys y
    Morfa
  verna (Spring Gentian) .... **Crwynllys y Gwanwyn**
Gentianella amarella (Autumn Gentian) .... **Crwynllys Chwerw**, Crwynllys Hydref
  anglica (Early Gentian) .... **Crwynllys Cynnar**
  campestris (Field Gentian) .... **Crwynllys y Maes**
  ciliata (Fringed Gentian) .... **Crwynllys Barfog**
  germanica (Chiltern Gentian) .... **Crwynllys y Sialc**
  uliginosa (Dune Gentian) .... **Crwynllys Cymreig**, Crwynllys y Tywod
Geranium columbinum (Long-stalked Crane's-bill) ...... **Pig yr Aran Hirgoesog**
  dissectum (Cut-leaved Crane's-bill) .... **Pig yr Aran Llarpiog**, Garanbig Dorredig, Llys y
    Llwynog, Mynawyd y Bugail
  endressii (French Crane's-bill) .... **Troedrudd Ffrengig**
  lucidum (Shining Crane's-bill) .... **Pig yr Aran Disglair**, Garanbig Llachar, Pig yr Aran
    Llachar, Troedrudd Disglair, Troedrudd y Muriau
  × *magnificum* (Purple Crane's-bill) .... **Pig yr Aran Porffor**
  molle (Dove's-foot Crane's-bill) .... **Troed y Golomen**, Garanbig Maswaidd, Pig yr Aran
    Cyffredin
  nodosum (Knotted Crane's-bill) .... **Pig yr Aran Clymog**
  phaeum (Dusky Crane's-bill) .... **Gweddw Galarus**, Pig yr Aran Dulwyd
  pratense (Meadow Crane's-bill) .... **Pig yr Aran y Weirglodd**, Garanbig y Weirglodd,
    Pig Aran y Weirglodd, Pig Garan y Weirglodd,
    Pig-yr-aran Weir-glawdd
  purpureum (Little-Robin) .... **Llys Robert Bychan**
  pusillum (Small-flowered Crane's-bill) .... **Pig yr Aran Mânflodeuog**, Garanbig Bychan, Pig yr
    Aran Bychan, Troedrudd
  pyrenaicum (Hedgerow Crane's-bill) .... **Pig yr Aran y Gwrych**, Pig Garan y Gwrych, Pig yr
    Aran y Brifforth, Pig yr Aran y Clawdd
  robertianum (Herb-Robert) .... **Llys y Llwynog**, Blastlys, Coesgoch, Dail Robin,
    Llygad Robin, Llysiau Robert, Llysiau'r Llwynog,
    Mynawyd y Bugail, Pig yr Aran Troedrudd,
    Troedrudd
  rotundifolium (Round-leaved Crane's-bill) .... **Pig yr Aran Crynddail**
  sanguineum (Bloody Crane's-bill) .... **Pig yr Aran Rhuddgoch**, Pig yr Aran Gwaedlyd,
    Troedrudd, Troet Rud Garan
  sylvaticum (Wood Crane's-bill) .... **Pig yr Aran y Goedwig**, Pig Garan y Goedwig, Pig
    yr Aran y Coed, Pig yr Aran y Weirglodd
  versicolor (Pencilled Crane's-bill) .... **Pig yr Aran Llinellgoch**
Geum × *intermedium* (Hybrid Avens) .... **Mapgoll Croesryw**
  rivale (Water Avens) .... **Mapgoll Glan y Dŵr**, Afans, Llys F'anwylyd,
    Mabcoll, Mabgoll Glan y Dŵr, Mabgoll yr Afon
  urbanum (Wood Avens) .... **Mapgoll**, Afans, Bendigeidlys, F'anwylyd, Llys
    Bened, Llys Benet, Llys F'anwylyd, Llysiau
    F'anwylyd, Mabgoll, Mabgoll Bendigeidlys,
    Mapgoll Bendigeidlyn Cyffredin, Mapgoll
    Bendigeidlys
Gladiolus illyricus (Wild Gladiolus) .... **Gladiolus**
Glaucium corniculatum (Red Horned-poppy) .... **Pabi Corniog Coch**
  flavum (Yellow Horned-poppy) .... **Pabi'r Môr**, Cwsglys Felen, Llwydlas, Llwydlas
    Melyn, Pabi Corniog Melyn
Glaux maritima (Sea-milkwort) .... **Glas yr Heli**, Helas, Hel-las, Llaethlys Arfor
Glechoma hederacea (Ground-ivy) .... **Eidral**, Beidiog Las, Bydiog, Bydiog Las, Canwraidd
    Las, Canwreid, Dail Robin, Eidral Cyffredin,
    Eiddew'r Ddaear, Iorwg Llesg, Llys Gerwyn,
    Llysiau'r Gerwyn, Llysiau'r Esgyrn, Mantell y
    Cor

a, b, c, ch, d, dd, e, f, ff, g, ng, h, i, j, l, ll, m, n, o, p, ph, r, rh, s, t, th, u, w, y

Glyceria declinata (Small Sweet-grass) .... **Perwellt Llwydlas**, Perwellt Glaswyrdd
fluitans (Floating Sweet-grass) .... **Glaswellt y Dŵr**, Gweunwellt Nawf, Gweunwellt Nof, Gweunwellt Nofiadawl
maxima (Reed Sweet-grass) .... **Perwellt**, Chwegwellt, Gweunwellt y Dŵr
notata (Plicate Sweet-grass) .... **Perwellt Plygedig**
× *pedicellata* (Hybrid Sweet-grass) .... **Perwellt Croesryw**
Glycine max (Soya-bean) .... **Ffaen Soya**
Gnaphalium luteo-album (Jersey Cudweed) .... **Edafeddog Melynwyn**
norvegicum (Highland Cudweed) .... **Edafeddog Alpaidd**
supinum (Dwarf Cudweed) .... **Edafeddog Coraidd y Mynydd**
sylvaticum (Heath Cudweed) .... **Edafeddog y Rhosdir**, Edafeddog Unionsyth y Goedwig, Edafeddog y Goedwig
uliginosum (Marsh Cudweed) .... **Edafeddog Canghennog**, Edafeddog Benddu, Edafeddog Lwyd, Edafeddog y Fawnog, Edafeddog y Gors, Llwyd y Ffordd, Llys y Gynddaredd, Penddu, Penllwyd
Goodyera repens (Creeping Lady's-tresses) .... **Troellog y Pîn**
Groenlandia densa (Opposite-leaved Pondweed) .... **Dyfrllys Tewdws**, Dyfrllys Cyferbynol
Guizotia abyssinica (Niger) .... **Olewlys**
Gunnera manicata (Brazilian Giant-rhubarb) .... **Rheonllys Pigog**
tinctoria (Giant-rhubarb) .... **Rheonllys Mawr**
Gymnadenia conopsea (Fragrant Orchid) .... **Tegeirian Pêr**, Tegeirian Peraroglaidd, Tegeirian Peraroglaidd Talsyth
Gymnocarpium dryopteris (Oak Fern) .... **Llawredynen y Derw**
robertianum (Limestone Fern) .... **Llawredynen y Calchfaen**, Llawredynen Calchen, Llawredynen y Cerrig Calch
Hammarbya paludosa (Bog Orchid) .... **Gefell-lys y Gors**, Tegeirian Bach y Gors
Hebe barkeri (Barker's Hebe) .... **Hebe Barker**
brachysiphon (Hooker's Hebe) .... **Hebe Hooker**
dieffenbachi (Dieffenbach's Hebe) .... **Hebe Dieffenbach**
× *franciscana* (Hedge Veronica) .... **Hebe'r Gwrych**
× *lewisii* (Lewis's Hebe) .... **Hebe Lewis**
salicifolia (Koromiko) .... **Coromico**
Hedera helix (Ivy) .... **Iorwg**, Aedorw, Eiddew, Eiddew Cyffredin, Eiddiorwg, Iwrwg, Mwrwgl
hibernica (Irish Ivy) .... **Iorwg Gwyddelig**
Helianthemum apenninum (White Rock-rose) .... **Cor-rosyn Gwyn y Mynydd**
canum (Hoary Rock-rose) .... **Cor-rosyn Lledlwyd**, Creigrosyn Lledlwyd
nummularium (Common Rock-rose) .... **Cor-rosyn Cyffredin**, Blodyn yr Haul, Creig-rosyn Cyffredin, Creigros Cyffredin, Heulros, Rhosyn y Graig
Helianthus annuus (Sunflower) .... **Blodau'r Haul**
tuberosus (Jerusalem Artichoke) .... **Artisiog Caersalem**, Artisiog Jerusalem
Helictotrichon pratense (Meadow Oat-grass) .... **Ceirchwellt Culddail**, Ceirchwellt y Ddôl
pubescens (Downy Oat-grass) .... **Ceirchwellt Blewog**, Ceirchwellt Manbluaidd
Helleborus foetidus (Stinking Hellebore) .... **Palf yr Arth Ddrewedig**, Crafanc yr Arth, Crafanc yr Arth Ddrewedig, Elebwr, Hylithe, Hylyf, Llewyg y Llyngyr, Palf yr Arth, Pawen yr Arth, Troed yr Arth
niger (Black Hellebore) .... **Pelydr Du**
viridis (Green Hellebore) .... **Pelydr Gwyrdd**, Crafanc yr Arth, Troed yr Arth
Heracleum mantegazzianum (Giant Hogweed) .... **Efwr Enfawr**
sphondylium (Hogweed) .... **Efwr**, Bras Gawl, Cecsen, Cron, Efwr Cyffredin, Efyrllys, Ewr, Moron y Meirch, Moron y Moch, Moronen y Meirch, Panasen y Cawr, Pannas Gwyllt, Pannas y Fuwch
Herminium monorchis (Musk Orchid) .... **Tegeirian Mwsg**
Hermodactylus tuberosus (Snake's-head Iris) .... **Iris Balfaidd**
Herniaria ciliolata (Fringed Rupturewort) .... **Llys y Fors Eddïog**
glabra (Smooth Rupturewort) .... **Llys y Fors**
hirsuta (Hairy Rupturewort) .... **Llys y Fors Blewog**
Hesperis matronalis (Dame's-violet) .... **Disawr**, Dis
Hieracium alpinum [Alpine Hawkweed] .... **Heboglys Mynyddig**
argenteum [Silver Hawkweed] .... **Heboglys Arian**
holosericeum [Beautiful Hawkweed] .... **Heboglys Hardd**
maculatum (Spotted Hawkweed) .... **Heboglys Brith**
umbellatum [Narrow-leaved Hawkweed] .... **Heboglys Culddail**
vulgatum (Common Hawkweed) .... **Llys yr Hebog**, Blewynnog

a, b, c, ch, d, dd, e, f, ff, g, ng, h, i, j, l, ll, m, n, o, p, ph, r, rh, s, t, th, u, w, y

Hierochloe odorata (Holy-grass) . . . . **Perwellt Sanctaidd**

Himantoglossum hircinum (Lizard Orchid) . . . . **Tegeirian Drewllyd**

Hippocrepis comosa (Horseshoe Vetch) . . . . **Pedol y March**, Carn y March, Ewnof, Ewnof Gwyllt, Ewnofiau Gwyllt, Ewnofiau Gwylltion, Pys y Bedol

Hippophae rhamnoides (Sea-buckthorn) . . . . **Rhafnwydd y Môr**, Llyriad y Môr, Môr-rhafnwydd, Mŷr-rhafnwydd, Myrhafnwydd

Hippuris vulgaris (Mare's-tail) . . . . **Rhawn y Gaseg**, Rhawn-y-gaseg Cyffredin, Rhawn y March

Hirschfeldia incana (Hoary Mustard) . . . . **Cedw Penllwyd**

Holcus lanatus (Yorkshire-fog) . . . . **Maswellt**, Cawnen Benwen, Maeswellt Sypwraidd, Maswellt Sypwraidd, Maswellt Sypwreiddiog

     mollis (Creeping Soft-grass) . . . . **Maswellt Rhedegog**, Maeswellt, Maeswellt Rhedegog

Holosteum umbellatum (Jagged Chickweed) . . . . **Gwlydd Llydanfrig**

Homogyne alpina (Purple Colt's-foot) . . . . **Carn yr Ebol Porffor**

Honkenya peploides (Sea Sandwort) . . . . **Tywodlys Arfor**, Tywodwlydd Arfor

Hordelymus europaeus (Wood Barley) . . . . **Heiddwellt y Coed**, Haiddwellt y Coed

Hordeum distichon (Two-rowed Barley) . . . . **Haidd Dwy-resog**

     jubatum (Foxtail Barley) . . . . **Heiddwellt Cribog**

     marinum (Sea Barley) . . . . **Heiddwellt y Morfa**, Haidd-wellt y Môr, Haiddwellt y Morfa, Haiddwellt y Traeth

     murinum (Wall Barley) . . . . **Heiddwellt y Mur**, Haiddwellt y Fagwyr, Haiddwellt y Muriau, Heiddwellt y Muriau

     secalinum (Meadow Barley) . . . . **Heiddwellt y Maes**, Haiddwellt y Gweunydd, Haiddwellt y Maes, Heiddwellt y Gweunydd

     vulgare (Six-rowed Barley) . . . . **Haidd**, Barlys, Llys y Bara

Hornungia petraea (Hutchinsia) . . . . **Beryn Creigiog**

Hottonia palustris (Water-violet) . . . . **Pluddalen**, Fioled y Dŵr, Gwythdydd, Gwythdydd y Gors

Humulus japonicus (Japanese Hop) . . . . **Hopysen Japaneaidd**

     lupulus (Hop) . . . . **Hopysen**, Hopys, Llewyg y Blaidd, Pensag, Pensoeg

Huperzia selago (Fir Clubmoss) . . . . **Cnwpfwsogl Mawr**, Cnwpfwsogl Anhyblyg, Cnwpfwsogl Ffeinid, Cnwpfwsogl Syth Mwyaf, Ffynidwydd-fwsogl

Hyacinthoides hispanica (Spanish Bluebell) . . . . **Clychau Cog Sbaen**

     non-scripta (Bluebell) . . . . **Clychau'r Gog**, Bacsau Brain, Bacsau'r Gog, Bacser Brain, Blodau'r Brain, Botas y Gog, Botasen y Gog, Botias y Gog, Bwtias y Gog, Bwtsias y Gog, Cenhinen y Brain, Cennin y Brain, Cennin y Gog, Clychau Glas, Clychau Gleision, Clychau'r Eos, Clychau'r Haf, Coesau'r Brain, Croeso Haf, Glas y Llwyn, Potasen y Gog

Hydrilla verticillata (Hydrilla) . . . . **Alaw Gwelw**

Hydrocharis morsus-ranae (Frogbit) . . . . **Alaw Lleiaf**, Alan Lleiaf

Hydrocotyle moschata (Hairy Pennywort) . . . . **Ceinioglys Blewog**

     vulgaris (Marsh Pennywort) . . . . **Ceiniog y Gors**, Amrain, Arfeniaint, Bwrdd Ellyllon, Cron y Gweunydd, Cron y Waun, Dail y Clwy, Dail y Geiniog, Dail y Gron Lleiaf, Llys y Geiniog, Llysiau'r Geiniog, Toddaid Wen, Toddedig Wen

Hymenophyllum tunbrigense (Tunbridge Filmy-fern) . . . . **Rhedynach Teneuwe**, Huch-redyn, Rhedyn-pilenog, Rhedynach

     wilsonii (Wilson's Filmy-fern) . . . . **Rhedynach Teneuwe Wilson**, Huch-redyn Unochrog, Huch-redyn Untuog

Hyoscyamus niger (Henbane) . . . . **Ffa'r Moch**, Bela, Bele Du, Crys y Brenin, Farfyg, Ffaen y Moch, Ffaflys, Ffon y Bugail, Llewyg yr Iâr, Parfyg

Hypericum androsaemum (Tutsan) . . . . **Dail y Beiblau**, Creulys Bendigad, Creulys Bendigaid, Creulys Bendiged, Creulys Benddiged, Dail Penddiged, Dail y Fendigaid, Dail y Twrch, Eurinlys Bendigaid, Gwaed y Gwŷr, Llys Perfigedd, Llys y Penddigaid

     calycinum (Rose-of-Sharon) . . . . **Rhosyn Saron**, Barf Aaron, Eurinllys Blodaufawr, Eurinllys Blodeufawr

     canadense (Irish St John's-wort) . . . . **Eurinllys Gwyddelig**

     elodes (Marsh St John's-wort) . . . . **Eurinllys y Gors**

     hircinum (Stinking Tutsan) . . . . **Eurinllys Drewllyd**

---

a, b, c, ch, d, dd, e, f, ff, g, ng, h, i, j, l, ll, m, n, o, p, ph, r, rh, s, t, th, u, w, y

hirsutum (Hairy St John's-wort) .... **Eurinllys Blewog**, Eurinllys Panog
humifusum (Trailing St Johns-wort) .... **Eurinllys Mân Ymdaenol**, Eurinllys Ymdaenol,
       Erinllys Gorweddol, Erinllys Mân Ymdaenol
× *inodorum* (Tall Tutsan) .... **Eurinllys Tal**
linarifolium (Toadflax-leaved St John's-wort) .... **Eurinllys Culddeiliog**
maculatum (Imperforate St John's-wort) .... **Eurinllys Mawr**, Erinllys Mawr, Godwallon Fawr,
       Godwllon, Godwllon Mawr, Godwyllon,
       Godwyllon Fawr, Ioan Mawr
montanum (Pale St John's-wort) .... **Eurinllys Gwelw**, Eirynllys y Mynydd, Erinllis,
       Erinllys, Eurinllys Mynyddig, Eurinllys
       Mynyddol, Eurinllys y Mynydd
perforatum (Perforate St John's-wort) .... **Eurinllys Trydwll**, Candoll, Cantwll, Eurinllys
       Tyllog, Llysiau Ioan, Tarfwgan, Ysgol Fair, Ysgol
       Grist
pulchrum (Slender St John's-wort) .... **Eurinllys Tlws**, Eurinlys-mân-syth, Eurinllys Mân
       Syth, Eurinllys Syth, Erinllys Mân Syth
tetrapterum (Square-stalked St John's-wort) .... **Eurinllys Pedronglog**, Erinllys Pedrongl, Eurinllys
       Pedrongl, Llys Pedr
undulatum (Wavy St John's-wort) .... **Eurinllys Tonnog-ddail**
Hypochoeris glabra (Smooth Cat's-ear) .... **Melynydd Moel**, Melynydd Esmwydd y Twynau,
       Melynydd Esmwyth, Melynydd y Morlan
maculata (Spotted Cat's-ear) .... **Melynydd Brych**, Melynydd Brychog
radicata (Cat's-ear) .... **Melynydd**, Clust y Gath, Melynydd Gorwreiddiog,
       Melynydd Hir Wreiddiog
Hyssopus officinalis (Hyssop) .... **Isop**, Hysop, Isob, Ysop
Iberis amara (Wild Candytuft) .... **Beryn Chwerw**, Beryn, Berwr y Glinwst
umbellata (Garden Candytuft) .... **Beryn yr Ardd**
Ilex aquifolium (Holly) .... **Celynnen**, Celyn, Celyn Cyffredin
Illecebrum verticillatum (Coral-necklace) .... **Clymogyn Troellog**, Berwr yr Iâr, Clymog
Impatiens capensis (Orange Balsam) .... **Ffromlys Oren**
glandulifera (Indian Balsam) .... **Jac y Neidiwr**, Cap Dur Heddwas, Ffromlys
       Chwarennog, Penwisg Ddur Heddwas
noli-tangere (Touch-me-not Balsam) .... **Ffromlys**, Ffromlys Melyn Gwyllt
parviflora (Small Balsam) .... **Ffromlys Bach**, Ffromlys Melyn Bychanflodeuog
Inula conyza (Ploughman's-spikenard) .... **Meddyg Mair**, Cadowydd, Cedowydd, Meddyg y
       Bugail, Nard yr Aradwr, Nard yr Arddwr
crithmoides (Golden-samphire) .... **Sampier y Geifr**, Cedowys Sugawl, Cedowys Sugnol,
       Ceddwys Sugol
helenium (Elecampane) .... **Marchalan**, Clafrllys Mawr, Crachlys, Llwyglys,
       Llysiau y Crach
salicina (Irish Fleabane) .... **Cedowydd Gwyddelig**
Iris foetidissima (Stinking Iris) .... **Iris Ddrewllyd**, Gloria, Helesg, Helesg Gloria, Hesg
       Drewllyd, Hyllgrug, Hyllgryg, Llysiau'r
       Hychgryg, Llysiau yr Hyllgrug
germanica (Flag Iris) .... **Iris Farfog**
pseudacorus (Yellow Iris) .... **Iris Felen**, Baner y Gors, Camined, Camined Melyn y
       Dŵr, Camined y Dŵr, Cellhesg, Elestr, Enfys y
       Gors, Gelaets, Gelyst, Gellesgen, Gellesgen
       Gyffredin, Gellhesgen
spuria (Blue Iris) .... **Iris Las**
versicolor (Purple Iris) .... **Iris Borffor**
Isatis tinctoria (Woad) .... **Llysiau'r Lliw**, Glas, Glasddu, Glaslys, Gweddlys,
       Llasarllys, Lliwiog Las, Lliwlys, Llysarllys
Isoetes echinospora (Spring Quillwort) .... **Gwair Merllyn Bychan**, Gwair Merllyn Bach
histrix (Land Quillwort) .... **Gwair Merllyn y Tir**
lacustris (Quillwort) .... **Gwair Merllyn**, Diosglys Merllyn
Isolepis cernua (Slender Club-rush) .... **Clwbfrwynen Eiddil**, Clwbfrwynen Gwychog
       Eiddilaidd
setacea (Bristle Club-rush) .... **Clwbfrwynen Fach**, Clwbfrwynen Fechan,
       Clwbfrwynen Gwrychog, Clwpfrwynen Fach,
       Clwp-frwynen Fechan
Jasione montana (Sheep's-bit) .... **Clefryn**, Clafrllys Lleiaf, Clefryn Glas
Jasminum officinale (White Jasmine) .... **Siasmin Gwyn**
Juglans regia (Walnut) .... **Coeden Cnau Ffrengig**, Cneuen Ffrengig, Collen
       Ffrengig
Juncus acutiflorus (Sharp-flowered Rush) .... **Brwynen Flodfain**, Brwynen Glymog â Blodau
       Blaenfain, Brwynen y Goedwig
acutus (Sharp Rush) .... **Llymfrwynen**, Barfrwynen

---

a, b, c, ch, d, dd, e, f, ff, g, ng, h, i, j, l, ll, m, n, o, p, ph, r, rh, s, t, th, u, w, y

alpinoarticulatus (Alpine Rush) .... **Brwynen Alpaidd**
amiguus (Frog Rush) .... **Brwynen y Broga**
articulatus (Jointed Rush) .... **Brwynen Gymalog**, Brwynen Glymog Glaergib,
    Lladdfrwyn, Llafrwynen
balticus (Baltic Rush) .... **Brwynen y Baltig**
biglumis (Two-flowered Rush) .... **Brwynen Ddeuflod**
bufonius (Toad Rush) .... **Brwynen y Llyffant**
bulbosus (Bulbous Rush) .... **Brwynen Oddfog**, Brwynen Fwlbaidd
capitatus (Dwarf Rush) .... **Corfrwynen**
castaneus (Chestnut Rush) .... **Brwynen Gastanliw**
compressus (Round-fruited Rush) .... **Brwynen Dalgron**
conglomeratus (Compact Rush) .... **Brwynen Bellennaidd**, Brwyn Sypiedig, Brwynen
    Babwyr Bellennaidd, Brwynen Pen-trwchus
× *diffusus* (Diffuse Rush) .... **Brwynen Dryledol**
effusus (Soft-rush) .... **Brwynen Babwyr**, Cannwyll Frwynen,
    Canwyllfrwynen, Pabwyren
filiformis (Thread Rush) .... **Brwynen Edeuffurf**
foliosus (Leafy Rush) .... **Brwynen Ddeiliog**
gerardii (Saltmarsh Rush) .... **Brwynen Gerard**
inflexus (Hard Rush) .... **Brwynen Galed**
maritimus (Sea Rush) .... **Brwynen Arfor**, Morfrwynen, Myrwerydd
nodulosus (Marshall's Rush) .... **Brwynen Marshall**
pallidus (Great Soft-rush) .... **Pabwyren Fawr**, Brwynen Fawr
planifolius (Broad-leaved Rush) .... **Brwynen Lydanddail**
pygmaeus (Pigmy Rush) .... **Brwynen Fychan**
squarrosus (Heath Rush) .... **Brwynen Droellgorun**, Brwyn y Mwsogl, Brwynen
    Troellgorun, Troellgorun
subnodulosus (Blunt-flowered Rush) .... **Brwynen Flodbwl**, Brwynen Glymog â Blodau
    Blaendwn
subulatus (Somerset Rush) .... **Brwynen Gwlad yr Haf**
tenuis (Slender Rush) .... **Brwynen Fain**
tenuis var. *dudleyi* (Dudley's Rush) .... **Brwynen Dudley**
trifidus (Three-leaved Rush) .... **Brwynen Deirdalen**
triglumis (Three-flowered Rush) .... **Brwynen Dri-flodeuog**
Juniperus communis (Juniper) .... **Merywen**, Beryw, Berywydd, Eithin Bêr, Eithin y
    Cwrw, Eithinen Bêr, Eithinen y Cwrw, Meryw,
    Merywen Gyffredin
communis subsp. *alpina* (Dwarf Juniper) .... **Merywen Goraidd Fynyddig**, Beryw y Wyddfa
Kickxia elatine (Sharp-leaved Fluellen) .... **Llysiau Llywelyn**, Llywelyn, Trwyn-y-llo
    Blaenfeinddail
spuria (Round-leaved Fluellen) .... **Llysiau Llywelyn Crwnddail**, Llysiau Llywelyn,
    Trwyn y Llo Crwnddail
Knautia arvensis (Field Scabious) .... **Clafrllys**, Bennlas, Clafrllys Mwyaf, Clafrllys yr Ŷd,
    Clais, Penlas, Penlas y Ddôl, Pincas Brenhines
    Mair
Kobresia simpliciuscula (False Sedge) .... **Ffug-hesgen**
Koeleria macrantha (Crested Hair-grass) .... **Cribwellt**, Brigwellt Cribog
vallesiana (Somerset Hair-grass) .... **Cribwellt Oddfog**
Koenigia islandica (Iceland-purslane) .... **Gwlyddyn Gwlad yr Iâ**
Laburnum anagyroides (Laburnum) .... **Tresi Aur**, Banadlen Ffrainc, Euron, Pyswydden
Lactuca saligna (Least Lettuce) .... **Gwylaeth Leiaf**, Gwylaeth Eiddil, Gwylaeth Lleiaf
sativa (Garden Lettuce) .... **Gwylaeth**, Golaeth, Llaethygen
serriola (Prickly Lettuce) .... **Gwylaeth Bigog**, Golaeth
tatarica (Blue Lettuce) .... **Gwylaeth Las**
virosa (Great Lettuce) .... **Gwylaeth Chwerwaidd**, Cyw, Golaeth, Gwylaeth
    Drewgaidd, Gwylaeth Gryf-arogl, Llaethygen
Lagarosiphon major (Curly Waterweed) .... **Pib-flodyn Crych**
Lagurus ovatus (Hare's-tail) .... **Cwt Ysgyfarnog**
Lamiastrum galeobdolon (Yellow Archangel) .... **Marddanhadlen Felen**, Aurddynadlen, Danat Melyn,
    Danhadlen Ddail, Dryned Marw Melyn,
    Eurddanadl Felen, Eurddanadlen, Eurddynadlen,
    Marddynadlen Felen, Llysiau yr Archangel
galeobdolon subsp. *argentatum* (Variegated Yellow
  Archangel) .... **Marddanhadlen Felen Arianddail**
Lamium album (White Dead-nettle) .... **Marddanhadlen Wen**, Archangel Fair, Danadlen Fud
    Gwyn, Danadlen Gwyn, Danhadlen Ddall,
    Danhadlen Wen, Dryned Marw Gwyn, Dynaid
    Blodeuwyn, Marddanhadlen Gwyn

a, b, c, ch, d, dd, e, f, ff, g, ng, h, i, j, l, ll, m, n, o, p, ph, r, rh, s, t, th, u, w, y

amplexicaule (Henbit Dead-nettle) .... **Marddanhadlen Goch Gron**, Marddanadlen Goch
Gron, Marddanadlen Goch Gylchddail,
Marddanhadlen Goch Cylchddail
hybridum (Cut-leaved Dead-nettle) .... **Marddanhadlen Rwygddail**, Marddanhadlen Goch a
Dail Gwahanedig
maculatum (Spotted Dead-nettle) .... **Marddanhadlen Fraith**, Marddanhadlen Goch-frech
confertum (Northern Dead-nettle) .... **Marddanhadlen y Gogledd**
purpureum (Red Dead-nettle) .... **Marddanhadlen Goch**, Danhadlen Farw Goch,
Danadlen Goch, Danadlen Farw Goch, Dryned
Marw Coch, Dynad, Dynad Coch, Dynad Cwsg,
Dynaid Cochion, Dynat Coch, Dyned, Dynent,
Marddanadl Cyffredin, Marddanhadlen
Lampranthus falciformis (Sickle-leaved Dew-plant) .... **Chwyslys Cilgannog**
roseus (Rosy Dew-plant) .... **Chwyslys Gwridog**
Lapsana communis (Nipplewort) .... **Cartheig**, Cartheig Cyffredin
communis subsp. *communis* [Wood Nipplewort] .... **Cartheig y Coed**
communis subsp. *intermedia* [Limestone Nipplewort] .... **Cartheig y Calch**
Larix decidua (European Larch) .... **Llarwydden Ewrop**
kaempferi (Japanese Larch) .... **Llarwydden Japan**, Llarwydden Siapan
Larix × *marschlinsii* (Hybrid Larch) .... **Llarwydden Groesryw**, Llarwydden Hybrid
Lathraea clandestina (Purple Toothwort) .... **Dantlys Porffor**
squamaria (Toothwort) .... **Dantlys**, Deintlys Cennog, Tag y Coed, Tag y Gollen
Lathyrus aphaca (Yellow Vetchling) .... **Ytbysen Felen**, Ydbysen Felen
hirsutus (Hairy Vetchling) .... **Ytbysen Flewgodog**
japonicus (Sea Pea) .... **Ytbysen y Môr**, Pysen Gochlas ar Môr, Pysen
Gochlas Arfor
latifolius (Broad-leaved Everlasting-pea) .... **Ytbysen Barhaus Lydanddail**, Ytbysen Barhaus
Llydanddail
linifolius (Bitter-vetch) .... **Pysen y Coed Gnapwreiddiog**, Pys y Coed, Pysen y
Coed
niger (Black Pea) .... **Pysen Borffor**
nissolia (Grass Vetchling) .... **Ytbysen Goch**
palustris (Marsh Pea) .... **Ytbysen Las y Morfa**, Ydbysen Las y Morfa
pratensis (Meadow Vetchling) .... **Ytbysen y Ddôl**, Ffacbysen y Weirglodd, Pupys y
Waun, Ydbys y Borfa, Ydbysen y Waun, Ytbysen
y Waun
sylvestris (Narrow-leaved Everlasting-pea) .... **Ytbysen Barhaus Gulddail**, Ydbys y Coed,
Ydbysen, Ydbysen Barhaus Gulddail, Ytbysen
Culddail Barhaus
tuberosus (Tuberous Pea) .... **Ytbysen Gnapiog**, Utbysen Oddfynog
Laurus nobilis (Bay) .... **Llawrwydden**, Arel, Dail y Cwrw, Diawdwydd,
Diodwyd, Llawryfen, Llorwydden, Pren Llawryf
Lavandula × *intermedia* (Garden Lavender) .... **Lafant**
Lavatera arborea (Tree-mallow) .... **Hocyswydden**, Coeden Rocos, Hocysen y Môr,
Malw yr Heli, Môr-hocysen
cretica (Smaller Tree-mallow) .... **Môr-hocysen Fychan**, Môr Hocysen Bychan, Môr
Hocysen Cernyw
Ledum palustre (Labrador-tea) .... **Llwyn y Gors**
Leersia oryzoides (Cut-grass) .... **Reis y Gwter**
Legousia hybrida (Venus's-looking-glass) .... **Drych Gwener**
Lemna gibba (Fat Duckweed) .... **Llinad Crythog**, Llinad y Dŵr Crythog, Llinhad y
Dwfr Crythog
minor (Common Duckweed) .... **Llinad**, Bwyd Hwyaid, Bwyd-hwyaid Bychan, Llinad
y Dŵr Lleiaf, Llinhad y Dŵr Lleiaf, Llinos y
Dwfr, Llinos y Dŵr
minuta (Least Duckweed) .... **Corlinad**
trisulca (Ivy-leaved Duckweed) .... **Llinad Eiddew**, Bwyd Hwyaid, Dail Meillion y Dwfr,
Llinad y Dŵr Eiddewddail, Llinhad y Dŵr
Eiddewddail
Leontodon autumnalis (Autumn Hawkbit) .... **Peradyl yr Hydref**, Peradl Cynhauafol, Peradl Llyfn,
Peradyl, Peradyl Cynaeafol, Peradyl Cynhaeafol,
Peradyl y Cynhauaf
hispidus (Rough Hawkbit) .... **Peradyl Garw**, Dant y Llew Lleiaf, Peradl Garw,
Peradyl Arw, Peradyl Mwyaf
saxatilis (Lesser Hawkbit) .... **Peradyl Lleiaf**, Peradl Blewog, Peradl Lleiaf Blewog,
Peradyl Blewog
Leonurus cardiaca (Motherwort) .... **Mamlys**, Mamoglys, Llys y Famog, Llysiau'r Fam,
Llysiau'r Galon

---

a, b, c, ch, d, dd, e, f, ff, g, ng, h, i, j, l, ll, m, n, o, p, ph, r, rh, s, t, th, u, w, y

Lepidium campestre (Field Pepperwort) .... **Codywasg y Maes**, Pybyrlys Llwyd y Maes, Pypyrlys y Caeau Sychion
    draba (Hoary Cress) .... **Pupurlys Llwyd**
    graminifolium (Tall Pepperwort) .... **Pupurlys Tal**
    heterophyllum (Smith's Pepperwort) .... **Pupurlys**, Pybyrlys Cyffredin, Pybyrllys, Pypyrllys Mânbluaidd
    latifolium (Dittander) .... **Berwr Gwyllt**, Berw'r Gwyllt, Puburlys, Puburllys Llydanddail, Pupurlys, Pybyrllys, Pybyrllys Llydanddail
    perfoliatum (Perfoliate Pepperwort) .... **Pupurlys Trydwll**
    ruderale (Narrow-leaved Pepperwort) .... **Pupurlys Culddail**, Puburllys Culddail, Pybyrllys Cul-ddail, Pypyrllys Culddail
    sativum (Garden Cress) .... **Berwr Gardd**, Berwr Ffrengig, Berwr yr Ardd
    virginicum (Least Pepperwort) .... **Pupurlys Lleiaf**
Leucanthemum × superbum (Shasta Daisy) .... **Llygad Ych Mawr**
    vulgare (Oxeye Daisy) .... **Llygad Llo Mawr**, Aspygan, Llygad Llo, Llygad y Dydd Mawr
Leucojum aestivum (Summer Snowflake) .... **Eiriaidd**, Eiryaid, Eiryaidd
    vernum (Spring Snowflake) .... **Eiriaidd y Gwanwyn**
Levisticum officinale (Lovage) .... **Llwfach**
Leycesteria formosa (Himalayan Honeysuckle) .... **Bachgen Llwm**
Leymus arenarius (Lyme-grass) .... **Amdowellt**, Lymwellt
Ligusticum scoticum (Scots Lovage) .... **Llwfach Albanaidd**, Dulys, Persli'r Meirch
Ligustrum ovalifolium (Garden Privet) .... **Pryfet yr Ardd**, Yswydden y Gerddi
    vulgare (Wild Privet) .... **Pryfet**, Gwewydd, Gwyraws Yswydden, Gwyriaws Rhyswydd, Gwyrios, Gwyros, Priallen, Priellyn, Rhyswydden, Yswydden, Yswydden Gyffredin
Lilium martagon (Martagon Lily) .... **Cap y Twrc**, Llysiau Martagon
    pyrenaicum (Pyrenean Lily) .... **Cap y Twrc Melyn**
Limonium auriculae-ursifolium (Jersey Sea-lavender) .... **Lafant Jersey**
    bellidifolium (Matted Sea-lavender) .... **Lafant Matiog**
    binervosum (Rock Sea-lavender) .... **Lafant y Morgreigiau**, Llemyg y Morgreigiau
    britannicum [British Sea-lavender] .... **Lafant Prydeinig**
    humile (Lax-flowered Sea-lavender) .... **Lafant Blodau Rhydd**, Llemyg Blodau Rhydd
    normannicum (Alderney Sea-lavender) .... **Lafant Alderney**
    paradoxum [St David's Sea-lavender] .... **Lafant Tyddewi**
    parvum [Pembroke Sea-lavender] .... **Corlafant Penfro**
    transwallianum [Tenby Sea-lavender] .... **Lafant Penfro**
    vulgare (Common Sea-lavender) .... **Lafant y Môr**, Llemwg, Llemyg, Rhosmari y Morfa
Limosella aquatica (Mudwort) .... **Lleidlys**
    australis (Welsh Mudwort) .... **Lleidlys Cymreig**
Linaria arenaria (Sand Toadflax) .... **Gingroen y Tywod**
    pelisseriana (Jersey Toadflax) .... **Gingroen Hirsbardun**
    purpurea (Purple Toadflax) .... **Gingroen Cochlas**, Gingroen Glasgoch
    repens (Pale Toadlfax) .... **Gingroen Gwelw,** Gingroen Porffor Gwelw
    supina (Prostrate Toadflax) .... **Gingroen Gorweddol**
    vulgaris (Common Toadflax) .... **Llin y Llyffant**, Gingroen Fechan, Gingroen Melyn, Gwrnerth, Llin y Forwyn, Llin y Llyffaint, Trwyn y Llo, Wyau a Cigmoch, Ymenyn ac Wyau
Linnaea borealis (Twinflower) .... **Gefellflodyn**, Linnaea
Linum bienne (Pale Flax) .... **Llin Culddail**, Llin Glan y Môr
    catharticum (Fairy Flax) .... **Llin y Tylwyth Teg**, Llin y Mynydd
    perenne subsp. anglicum (Perennial Flax) .... **Llin Parhaol**
    usitatissimum (Flax) .... **Llin Amaeth**, Llin, Llin Ardir, Llin Cyffredin
Liparis loeselii (Fen Orchid) .... **Gefell-lys y Fignen**, Gefell-lys Dwy-ddalenog, Tegeirian Tywodlyd, Tegeirian y Fign
Listera cordata (Lesser Twayblade) .... **Ceineirian Bach**, Caineirian Bach, Ceneirian Bach
    ovata (Common Twayblade) .... **Ceineirian**, Caineirian, Caineirian Gefell-lys, Deulafn, Dwyddalen, Gefellas Wyawg
Lithospermum arvense (Field Gromwell) .... **Maenhad yr Âr**, Grawn y Llew, Grawn yr Ŷd, Maenhad y Wridolch
    officinale (Common Gromwell) .... **Maenhad Meddygol**, Grawn yr Haul, Gromandi, Gromil, Gromwel, Grwmil, Grwml, Had y Gramandi
    purpurocaeruleum (Purple Gromwell) .... **Maenhad Gwyrddlas**, Gromandi Gwyrddlas, Maenhad Cochlas y Mordir
Littorella uniflora (Shoreweed) .... **Beistonnell**, Beisdonell Merllyn, Beistonnell Merllyn
Lloydia serotina (Snowdon Lily) .... **Lili'r Wyddfa**, Brwynddail y Mynydd, Lloydia

a, b, c, ch, d, dd, e, f, ff, g, ng, h, i, j, l, ll, m, n, o, p, ph, r, rh, s, t, th, u, w, y

Lobelia dortmanna (Water Lobelia) .... **Bidoglys y Dŵr**, Bidawglys, Bidawglys Dyfrdrig, Bidoglys, Bidoglys Dyfrdrig, Bidoglys y Llynau, Lobelia'r Dŵr

urens (Heath Lobelia) .... **Bidoglys Chwerw**, Lobelia

Lobularia maritima (Sweet Alison) .... **Cuddlin**, Cyddlin, Cydlyn

Loiseleuria procumbens (Trailing Azalea) .... **Eilgorros**

Lolium multiflorum (Italian Rye-grass) .... **Rhygwellt Eidalaidd**

perenne (Perennial Rye-grass) .... **Rhygwellt Lluosflwydd**, Efrwellt Parhaus, Efryn, Efryn Cyffredin, Efryn Parhaus

temulentum (Darnel) .... **Efrau**, Afryn Coliog, Efre, Efryn Coliog, Ŷd Meddw

Lonicera caprifolium (Perfoliate Honeysuckle) .... **Gwyddfid Trydwll**

involucrata (Californian Honeysuckle) .... **Gwyddfid California**

nitida (Wilson's Honeysuckle) .... **Gwyddfid Wilson**

periclymenum (Honeysuckle) .... **Gwyddfid**, Crydnydd, Cryddnydd, Gwinwydden Wyllt, Gwyddwydd, Gwynwydd, Gwynwydd Aroglus, Llaeth y Gaseg, Llaeth y Geifr, Llysiau Helgorn, Llysiau'r Gwynwydd, Mêl-flodyn, Melog, Melys y Pia, Sugn y Geifr, Tethau'r Gaseg, Tethi'r Gaseg, Utgorn y Tylwyth Teg

xylosteum (Fly Honeysuckle) .... **Gwyddfid Syth**, Clyr-felog, Clyr-wyddfid, Clyr-wynwydd

Lotus angustissimus (Slender Bird's-foot-trefoil) .... **Pysen y Ceirw Eiddilaidd**

corniculatus (Common Bird's-foot-trefoil) .... **Pysen y Ceirw**, Bacwn ac Wy, Bacwn ac Wyau, Basged Bysgota, Blodau Ebol Bach, Bysedd y Diafol, Bysedd Traed y Frân, Carwbys Cyffredin, Cawell Bysgota, Corfeillion, Esgidiau a Sanau, Ewinedd y Gath, Pys y Ceirw, Pysen-y-Ceirw Grythog, Troed y Deryn, Troed yr Iâr, Troed yr Oen, Wyau a Cigmoch, Ydbys y Waun, Ystlys y Waun, Ytbys y Waun

glaber (Narrow-leaved Bird's-foot-trefoil) .... **Troed Aderyn Culddail**, Troed Aderyn Main

pedunculatus (Greater Bird's-foot-trefoil) .... **Pysen y Ceirw Fwyaf**, Bacwn ac Wyau, Bysedd y Diafol, Carwbys Mwyaf, Ffa'r Ieir, Pys y Ceirw Blewog

subbiflorus (Hairy Bird's-foot-trefoil) .... **Pysen y Ceirw Flewog**

Ludwigia palustris (Hampshire-purslane) .... **Gwlyddyn Dŵr Sur**

Lunaria annua (Honesty) .... **Swllt Dyn Tlawd**, Arian Parod, Sbectol Hen Ŵr

Lupinus arboreus (Tree Lupin) .... **Coeden Bys y Blaidd**

nootkatensis (Nootka Lupin) .... **Pys y Blaidd**

polyphyllus (Garden Lupin) .... **Pys Blaidd yr Ardd**

Luronium natans (Floating Water-plantain) .... **Dŵr-lyriad Nofiadwy**, Dwfr Llyriad Nofiadwy, Dyfr-lyriad Nofiadwy, Llyren Nofiadwy

Luzula arcuata (Curved Wood-rush) .... **Coedfrwynen Grom**

campestris (Field Wood-rush) .... **Coedfrwynen y Maes**, Brwynen Flewog y Maes, Brwynen y Maes, Gwellt Frwynen, Gwelltfrwyn y Caeau, Gwellfrwynen, Milfyw, Ysgubwr Simnai

forsteri (Southern Wood-rush) .... **Coedfrwynen Gulddail**, Brwynen Gulddail

luzuloides (White Wood-rush) .... **Coedfrwynen Wen**

multiflora (Heath Wood-rush) .... **Coedfrwynen Luosben**, Brwynen Flodeuog, Coedfrwynen Liosben, Coedfrwynen Liosben Grugog

nivea (Snow-white Wood-rush) .... **Coedfrwynen Eirwen**

pallidula (Fen Wood-rush) .... **Coedfrwynen Welw**

pilosa (Hairy Wood-rush) .... **Coedfrwynen Flewog**, Brwynen Flewog, Brwynen Flewog Lydanddail, Brwynen Flewog Lleiaf, Gwelltfrwyn Blewog

spicata (Spiked Wood-rush) .... **Coedfrwynen Sbigog**, Brwynen Fynyddig

sylvatica (Great Wood-rush) .... **Coedfrwynen Fawr**, Brwynen Fwyaf y Coed, Brwynen y Goedwig, Brwynen y Goedwig Fwyaf, Gwelltfrwyn y Coed

Lychnis alpina (Alpine Catchfly) .... **Lluglys Mynyddig**

coronaria (Rose Campion) .... **Lluglys Gwridog**

flos-cuculi (Ragged-Robin) .... **Carpiog y Gors**, Blodau'r Brain, Blodeuyn y Frân, Blodyn y Frân, Blodyn y Gog, Cochyn Bratiog, Ffrils y Merched, Robin Fratiog

viscaria (Sticky Catchfly) .... **Lluglys Gludiog**, Gludiog Coch, Lluglys Coch

Lycium barbarum (Duke of Argyll's Teaplant) .... **Ysbeinwydd Hardd**

chinense (China Teaplant) .... **Ysbeinwydd**, Bocys Ddrain, Bocys Pigoglyn

---

a, b, c, ch, d, dd, e, f, ff, g, ng, h, i, j, l, ll, m, n, o, p, ph, r, rh, s, t, th, u, w, y

Lycopersicon esculentum (Tomato) .... **Tomato**
Lycopodiella inundata (Marsh Clubmoss) .... **Cnwpfwsogl y Gors**
Lycopodium annotinum (Interrupted Clubmoss) .... **Cnwpfwsogl Meinfannau**
　　clavatum (Stag's-horn Clubmoss) .... **Cnwpfwsogl Corn Carw**, Cnwbfwsogl Corn Carw,
　　　　Cnwpfwsogl Corn Hydd, Corn Carw'r Mynydd,
　　　　Palf y Blaidd
Lycopus europaeus (Gipsywort) .... **Llys y Sipsiwn**, Danadlen y Sipsi, Llys Copyn y
　　　　Dwfr, Llys y Sipsi, Llys yr Hudolesau, Llysiau y
　　　　Gwiblu
Lysimachia ciliata (Fringed Loosestrife) .... **Trewynyn Eddïog**
　　nemorum (Yellow Pimpernel) .... **Gwlydd Melyn Mair**, Aur y Tywydd, Melyn y
　　　　Tywydd, Seren Felen, Seren Felyn, Seren y
　　　　Cloddiau, Trewynyn y Coed, Trewynyn y
　　　　Goedwig
　　nummularia (Creeping-Jenny) .... **Siani Lusg**, Canclwyf, Ceinioglys, Ceinioglys
　　　　Cernyw, Dwygeinioglys, Llys y Ffynnon,
　　　　Trewynyn Ymlusgaidd
　　punctata (Dotted Loosestrife) .... **Trewynyn Brych**
　　terrestris (Lake Loosestrife) .... **Trewynyn y Llyn**
　　thyrsiflora (Tufted Loosestrife) .... **Trewynyn Sypflodeuog**
　　vulgaris (Yellow Loosestrife) .... **Trewynyn**, Llysiau'r Milwr Melynion, Trewynyn
　　　　Cyffredin
Lythrum hyssopifolia (Grass-poly) .... **Gwyarllys Isopddail**, Urddon, Yrddon
　　portula (Water-purslane) .... **Troed y Gywen**, Porpin, Pwrpin
　　salicaria (Purple-loosestrife) .... **Llys y Milwr**, Gwaedlys, Gwaedlys Mawr,
　　　　Gwaedllys Mawr, Gwarllys, Gwyarllys,
　　　　Gwyarllys Pigog, Llys y Milwr Coch, Llysiau'r
　　　　Milwr Coch
Mahonia aquifolium (Oregon-grape) .... **Llwyn Oregon**
　　× *decumbens* (Newmarket Oregon-grape) .... **Llwyn Oregon Croesryw**
Maianthemum bifolium (May Lily) .... **Lili Fai**
Malcolmia maritima (Virginia Stock) .... **Murwyll Arfor**
Malus domestica (Apple) .... **Pren Afalau**, Afal
　　sylvestris (Crab Apple) .... **Pren Afal Sur**, Afal Sur, Afal Sur Bach, Afalau
　　　　Surion Bach, Afalen Wyllt, Afalwydden, Afallen,
　　　　Afallen Sur, Coed Afalau Surion Bach, Cogwrn,
　　　　Corafal, Crabotsen, Crabosyn, Pren Afalau, Pren
　　　　Crabas, Pren Grosbos, Surafal, Surafallen
Malva moschata (Musk Mallow) .... **Hocysen Fwsg**, Glyf Mwsgaidd, Hocys Gwyllt,
　　　　Hocys Mwsg, Hocys Simwnt, Hocys-mws,
　　　　Hocysen Wyllt, Hocysenfws, Llysiau Simwnt,
　　　　Llysiau'r Sein
　　neglecta (Dwarf Mallow) .... **Hocys Bychan**, Hocys Crwnddail, Hocys Crynddail,
　　　　Hocys Dinodys
　　parviflora (Least Mallow) .... **Hocysen Leiaf**
　　pusilla (Small Mallow) .... **Hocys Blodau Bychan**
　　sylvestris (Common Mallow) .... **Hocysen Gyffredin**, Glyf Gyffredin, Hocys
　　　　Cyffredin, Meddalon, Meddalon Gyffredin,
　　　　Melotai, Melotai Gyffredin, Rhocos, Rhwygo yn
　　　　Llaprau, Rhwygo yn Llarpiau
　　verticillata (Chinese Mallow) .... **Hocysen Droellog**
Marrubium vulgare (White Horehound) .... **Llwyd y Cŵn**, Marddanadl Pêr, Marddanadlen Wen,
　　　　Marddanhadlen Bêr, Marddanhadlen Wen,
　　　　Marddynad Pêr, Morddanadl Gwyn, Morddynad
　　　　Bêr, Perchwerwyn, Perwherwyn
Matricaria discoidea (Pineappleweed) .... **Chwyn Afal Pinwydd**
　　recutita (Scented Mayweed) .... **Amranwen**, Amranwen Cyffredin, Bronwen, Ffenigl
　　　　y Cŵn, Llysiau'r Fam
Matteuccia struthiopteris (Ostrich Fern) .... **Rhedynen Estrys**
Matthiola incana (Hoary Stock) .... **Murwyll Coesbren**
　　sinuata (Sea Stock) .... **Murwyll Tewbannog Arfor**
Meconopsis cambrica (Welsh Poppy) .... **Pabi Cymreig**, Drewg Melyn, Pabi Cymru, Pabi
　　　　Melyn, Pabi Melyn Cymreig
Medicago arabica (Spotted Medick) .... **Maglys Amrywedd**, Llys y Meheryn, Meillion
　　　　Calfari, Meillion Gragenog
　　lupulina (Black Medick) .... **Maglys**, Maglys Gwineuddu, Maglys Masgl-ddu
　　minima (Bur Medick) .... **Maglys Bach**

a, b, c, ch, d, dd, e, f, ff, g, ng, h, i, j, l, ll, m, n, o, p, ph, r, rh, s, t, th, u, w, y

polymorpha (Toothed Medick) .... **Maglys Eiddiog**, Llys y Meheryn, Meillionen Gragenog

sativa subsp. *sativa* (Lucerne) .... **Maglys Rhuddlas**, Lwsern

sativa subsp. *falcata* (Sickle Medick) .... **Meillionen Gorniog**, Maill Corniog, Meillion Corniog

Melampyrum arvense (Field Cow-wheat) .... **Gliniogai'r Maes**

cristatum (Crested Cow-wheat) .... **Gliniogai Cribog**

pratense (Common Cow-wheat) .... **Gliniogai**, Buelith, Bulith, Biwlith, Biwlys, Cludogai, Clydogau, Gliniogai Cyffredin, Gliniogai Melyn, Llosglys

sylvaticum (Small Cow-wheat) .... **Gliniogai'r Coed**, Gliniogai Melyn y Coed

Melica nutans (Mountain Melick) .... **Meligwellt Gogwydd**, Melic-wellt Rhuddlas, Melicwellt Gogwydd, Melicwellt Rhuddlas

uniflora (Wood Melick) .... **Meligwellt**, Melic-wellt y Coed, Melic-wellt y Goedwig, Meligwellt y Goedwig

Melilotus albus (White Melilot) .... **Meillionen Tair Dalen Wen**, Meillion Tair Dalen Gwyn

altissimus (Tall Melilot) .... **Meillionen y Ceirw**, Godrwth, Gwydro, Mêl y Ceirw, Meillion Melyn y Ceirw, Meillion Tair Dalen Melyn

indicus (Small Melilot) .... **Gwydro Blodau Bach**

officinalis (Ribbed Melilot) .... **Gwydro Rhesog**, Gwydro, Meillionen y Ceirw, Mêl y Ceirw, Pysen y Ceirw

sulcatus (Furrowed Melilot) .... **Gwydro Rhychog**

Melissa officinalis (Balm) .... **Gwenynddail**, Balm, Bawm, Gwenynlys, Gwenynllys, Gwenynllys Cyffredin, Llysiau'r Gwenyn

Melittis melissophyllum (Bastard Balm) .... **Gwenynog**, Gwenynog Lasgoch a Gwyn, Gwenynog Wen-goch

Mentha aquatica (Water Mint) .... **Mintys y Dŵr**, Mintys Blewog, Mintys y Pysgod

arvensis (Corn Mint) .... **Mintys yr Ŷd**, Mintys Gwylltion, Mintys-ar-dir, Mintys y Maes, Mintys y Meysydd, Mintys yr Âr, Mintys yr Ardir

× *gracilis* (Bushy Mint) .... **Mintys Culddail**, Mintys Eiddiog, Mintys Perthog, Mintys Siberog

× *piperita* (Peppermint) .... **Mintys Poethion**, Poethlyslyn, Pupur-fintys

pulegium (Pennyroyal) .... **Brymlys**, Brefai, Breflys, Coluddlys, Colyddlys, Llyrcadlys, Llys y Coludd, Llys y Gwaed, Llysiau Coludd, Llysiau'r Archoll, Llysiau'r Gwaed, Llysiau'r Pwdin

requienii (Corsican Mint) .... **Mintys Corsica**

× *smithiana* (Tall Mint) .... **Mintys Coch**, Mintys Hir, Mintys Sincir

spicata (Spear Mint) .... **Mintys Ysbigog**, Mintys Mair, Mintys Sbigog, Mintys y Gwaed, Pupur Fint, Ysper Fintys

suaveolens (Round-leaved Mint) .... **Mintys Deilgrwn**, Mintys Arogl Afalaidd, Mintys Crwnddail, Mintys Lled-grynddail, Mintys Lledcrynddail

× *verticillata* (Whorled Mint) .... **Mintys Troellaidd**

× *villosa* (Apple Mint) .... **Mintys Lled-grynddail**, Mintys Afalaidd Mwyaf

Menyanthes trifoliata (Bogbean) .... **Ffa'r Gors**, Ffa'r Gors Teirdalen, Ffa'r Corsydd, Ffaen y Gors, Ffaen y Gors Teirdalen, Maill y Gors, Meillion y Gors

Mercurialis annua (Annual Mercury) .... **Bresych y Cŵn Blynyddol**, Clais yr Hydd Blynyddol

perennis (Dog's Mercury) .... **Bresych y Cŵn**, Blaen yr Iwrch, Bresych y Cŵn Parhaus, Cawl y Cŵn, Cifresych, Clais yr Hydd, Clais yr Hydd Barhaus, Cwlwm yr Asgwrn, Dail Cwlwm yr Asgwrn

Mertensia maritima (Oysterplant) .... **Llys y Llymarch**, Glesyn y Morlan, Llus y Llymarch, Llys yr Ysgyfaint Arfor, Llysiau'r Ysgyfaint Arfor

Mespilus germanica (Medlar) .... **Merysbren**, Afal Agored, Afal Tindwll, Dindoll, Meryswydden, Tinagored, Tindoll

Meum athamanticum (Spignel) .... **Ffenigl Helen Lueddog**, Amranwen Helen Lueddog

Mibora minima (Early Sand-grass) .... **Eiddil-welltyn Cynnar**, Mibora

Milium effusum (Wood Millet) .... **Miledwellt**, Miled, Miled Wellt, Miledwellt Cyffredin

vernale (Early Millet) .... **Miledwellt Cynnar**

---

a, b, c, ch, d, dd, e, f, ff, g, ng, h, i, j, l, ll, m, n, o, p, ph, r, rh, s, t, th, u, w, y

Mimulus guttatus (Monkeyflower) .... **Blodyn y Mwnci**, Blodyn Cap Nain, Llysiau'r Epa, Llysiau Ceg Nain

   luteus (Blood-drop-emlets) .... **Dafnau Gwaed**

   moschatus (Musk) .... **Mwsg**

Minuartia hybrida (Fine-leaved Sandwort) .... **Tywodlys Deilfain**, Tywodlydd Meindwf

   recurva (Recurved Sandwort) .... **Tywodlys Atro**

   rubella (Mountain Sandwort) .... **Tywodlys Bach Coch**, Tywodlydd Bychan Coch

   sedoides (Cyphel) .... **Eilun Briweg**

   stricta (Teesdale Sandwort) .... **Tywodlys y Fignen**

   verna (Spring Sandwort) .... **Tywodlys y Gwanwyn**, Gwlydd yn y Mynydd, Gwlyddyn y Gwanwyn, Tywodlydd Gwanwynol, Wlyddgwyrdd y Mynydd

Misopates orontium (Lesser Snapdragon) .... **Trwyn y Llo Bychan**, Trwyn y Llo, Trwyn y Llo Lleiaf

Moehringia trinervia (Three-nerved Sandwort) .... **Tywodlys Trinerf**, Gwlyddyn Tair-giau, Gwlyddyn Tri Gewynog, Tywodwlydd Llyriad-ddail, Tywodwlydd y Coed

Moenchia erecta (Upright Chickweed) .... **Cornwlyddyn Syth**, Corwlyddyn Syth

Molinia caerulea (Purple Moor-grass) .... **Glaswellt y Gweunydd**, Glaswellt y Bwla, Gwellt y Bwla, Melic-wellt Rhuddlas, Meligwellt Rhuddlas

Moneses uniflora (One-flowered Wintergreen) .... **Coedwyrdd Unblodeuyn**

Monotropa hypopitys (Yellow Bird's-nest) .... **Cytwf**, Cyd-dwf

Montia fontana (Blinks) .... **Gwlyddyn y Ffynnon**, Dyfrwlydd y Ffynnon, Dyfrwlyddyn, Dyfrwlyddyn y Ffynnon, Gwlyddyn y Dŵr

Morus nigra (Black Mulberry) .... **Morwydden**, Merwydd, Mwyarbren

Muehlenbeckia complexa (Wireplant) .... **Llys y Gwifrau**

Muscari armeniacum (Garden Grape-hyacinth) .... **Clychau Glas yr Ardd**

   neglectum (Grape-hyacinth) .... **Clychau Du-las**

Mycelis muralis (Wall Lettuce) .... **Gwylaeth y Fagwyr**, Murwylaeth

Myosotis alpestris (Alpine Forget-me-not) .... **Ysgorpionllys y Creigiau**

   arvensis (Field Forget-me-not) .... **Ysgorpionllys y Meysydd**, Goferwlydd yr Ŷd, Llys-coffa'r Maes, Nad fi'n Anghof, Ysgorpionllys

   discolor (Changing Forget-me-not) .... **Ysgorpionllys Amryliw**, Llys-coffa Amryliw, Ysgorpionllys Lliw-rhanolwg

   laxa subsp. *caespitosa* (Tufted Forget-me-not) .... **Ysgorpionllys Siobynnog**, Ysgorpionllys Lleiaf

   ramosissima (Early Forget-me-not) .... **Ysgorpionllys Cynnar**

   scorpioides (Water Forget-me-not) .... **Ysgorpionllys y Gors**, Blodyn Glas, Glas y Ffrwd, Glas y Gors, Llys Cariad, Llys Coffa'r Gors, Llys y Gors, Na'd Fi'n Angof, Siriol y Dwfr, Yscorpionllys, Ysgorpionlys y Gors, Ysgorpionllys

   secunda (Creeping Forget-me-not) .... **Ysgorpionllys Ymlusgaidd**, Glas y Gors Ymlusgol, Ysgorpionllys y Gors

   sicula (Jersey Forget-me-not) .... **Ysgorpionllys Jersey**

   stolonifera (Pale Forget-me-not) .... **Ysgorpionllys Gwelw**

   sylvatica (Wood Forget-me-not) .... **Ysgorpionllys y Coed**, Llys-coffa'r Coed, Sgorpion y Coed, Ysgorpionllys y Llwyni

Myosoton aquaticum (Water Chickweed) .... **Llinesg y Dŵr**, Brigwlydd, Dyfrwlyddyn, Gwlyddyn y Dŵr, Serenllys y Ffrydiau

Myosurus minimus (Mousetail) .... **Cynffon Llygoden**, Cynffon y Llygoden

Myrica gale (Bog-myrtle) .... **Helygen Fair**, Bwrli, Cwrli, Gwrling, Gwrddling, Gwyrddling, Madrwydd, Madywydd, Madywydd Bêr, Mordywydd, Myrtwydd y Gors

Myriophyllum alterniflorum (Alternate Water-milfoil) .... **Myrddail Bob yn Ail**, Myrddail Cylchynol

   spicatum (Spiked Water-milfoil) .... **Myrddail Tywysennaidd**, Myrddail Twysog, Myrddail y Dŵr, Myrdd-ddail Tywysennaidd

   verticillatum (Whorled Water-milfoil) .... **Myrddail Troellog**, Myrdd-ddail Troellog

Myrrhis odorata (Sweet Cicely) .... **Cegiden Bêr**, Cegid Wen, Cegiden Wen, Creithig, Creithig Bêr, Gwyn y Dillad, Sisli Bêr

Najas flexilis (Slender Naiad) .... **Nymff Ystwyth**

   marina (Holly-leaved Naiad) .... **Nymff Arfor**

Narcissus jonquilla (Jonquil) .... **Joncwil**

   × *medioluteus* (Primrose-peerless) .... **Gylfinog Dauflodeuog**, Gylfinog Welw

   poeticus (Pheasant's-eye Daffodil) .... **Gylfinog Barddol**

---

a, b, c, ch, d, dd, e, f, ff, g, ng, h, i, j, l, ll, m, n, o, p, ph, r, rh, s, t, th, u, w, y

pseudonarcissus subsp. *pseudonarcissus* (Daffodil) .... **Cenhinen Bedr**, Blodau Dewi, Blodyn Mawrth, Cenhinen Pedr, Cenhinen y Gwinwydd, Cennin Dewi, Cennin Pedr, Cenninen Gwynydd, Cenninen y Gwynwydd, Clychau Babi, Croeso Gwanwyn, Gwayw'r Brenin, Gylfinog, Gylfinog Cyffredin, Lili Bengam, Lily Grawys, Lili Mawrth, Twm Dili

pseudonarcissus subsp. *obvallaris* (Tenby Daffodil) .... **Cenhinen Dinbych y Pysgod**, Cenhinen Dinbych, Cenhinen Ddinbych

pseudonarcissus subsp. *major* (Spanish Daffodil) .... **Cenhinen Sbaen**

tazetta (Bunch-flowered Daffodil) .... **Gylfinog Pwysi**

Nardus stricta (Mat-grass) .... **Cawnen Ddu**, Cas Gan Fladurwr, Crawcwellt Cwrs

Narthecium ossifragum (Bog Asphodel) .... **Llafn y Bladur**, Bladurwellt y Fawnog, Brenhines y Gors, Gwayw'r Brain, Gwayw'r Brenin, Serllys y Gors

Neotinea maculata (Dense-flowered Orchid) .... **Tegeirian Gwyddelig**

Neottia nidus-avis (Bird's-nest Orchid) .... **Tegeirian Nyth Aderyn**

Nepeta cataria (Cat-mint) .... **Mintys y Gath**

Neslia paniculata (Ball Mustard) .... **Cedw Crwn**

Nicandra physalodes (Apple-of-Peru) .... **Afal Periw**

Nicotiana tabacum (Tobacco) .... **Mwglys**, Ffwgws, Myglys, Tybaco

Nuphar lutea (Yellow Water-lily) .... **Lili Ddŵr Felen**, Bwltis, Bwltis Lili Melyn y Dŵr, Bwltys, Godowydd, Lili Felen y Dŵr, Lili Melyn y Dŵr, Melyn y Dŵr, Mwltws, Myltys

pumila (Least Water-lily) .... **Bwltys Lleiaf**, Bwltis Lleiaf, Lili Melyn y Dŵr Lleiaf

× *spenneriana* (Hybrid Water-lily) .... **Lili Ddŵr Groesryw**

Nymphaea alba (White Water-lily) .... **Lili Ddŵr Wen**, Alaw, Ala y Dŵr, Alaw y Llyn, Bwltis, Godywydd, Lili-ddŵr Wen, Lili Gwyn y Dŵr, Magwyr Wen

Nymphoides peltata (Fringed Water-lily) .... **Ffaen Gors Eddïog**

Odontites vernus (Red Bartsia) .... **Gorudd**, Coch y Llawr, Gorudd Cyffredin, Gwaedlys Bychan, Llanc Swil

Oenanthe aquatica (Fine-leaved Water-dropwort) .... **Cegid Manddail y Dŵr**, Cegiden y Dŵr

crocata (Hemlock Water-dropwort) .... **Cegid y Dŵr**, Brelwg, Cegid Crogedyf, Dibynlor Cegidaidd, Gyblys, Gysplys, Tafod Angau

fistulosa (Tubular Water-dropwort) .... **Dibynlor Pibellaidd**, Dibynlor Chwibog

fluviatilis (River Water-dropwort) .... **Cegid y Nant**

lachenalii (Parsley Water-dropwort) .... **Dibynlor Perllysddail**, Dibynlor Perllys Ddail

pimpinelloides (Corky-fruited Water-dropwort) .... **Cegid Mynwy**

silaifolia (Narrow-leaved Water-dropwort) .... **Cegid Culddail**

Oenothera biennis (Common Evening-primrose) .... **Melyn yr Hwyr**, Briallu yr Hwyr, Hwyr Friallen Lleiaf

cambrica (Small-flowered Evening-primrose) .... **Melyn yr Hwyr Cymreig**, Briallu yr Hwyr Cymreig

glazioviana (Large-flowered Evening-primrose) .... **Melyn yr Hwyr Mwyaf**, Briallu yr Hwyr Mwyaf

stricta (Fragrant Evening-primrose) .... **Melyn yr Hwyr Peraroglus**, Briallu yr Hwyr Peraroglus

Omphalodes verna (Blue-eyed-Mary) .... **Mari Lygatlas**

Onobrychis viciifolia (Sainfoin) .... **Codog**, Blodau'r Preseb, Gwyran Fendigaid, Pen y Ceiliog

Onoclea sensibilis (Sensitive Fern) .... **Rhedynen Groendenau**

Ononis reclinata (Small Restharrow) .... **Tagaradr Bach**

repens (Common Restharrow) .... **Tagaradr**, Cas Gan Arddwr, Dannedd y Gath, Duglwyd, Duglwyd y Twynau, Eithin yr Ieir, Gelyn yr Og, Hwp yr Ychain, Hwp yr Ychen, Tag yr Aradr, Tagaradr Cyffredin, Tegwch Meinwen

spinosa (Spiny Restharrow) .... **Tagaradr Pigog**, Cas Gan Arddwr, Hwp yr Ychen, Tag yr Aradr Pigog

Onopordum acanthium (Cotton Thistle) .... **Ysgallen Gotymog**

Ophioglossum azoricum (Small Adder's-tongue) .... **Tafod y Neidr Bach**

lusitanicum (Least Adder's-tongue) .... **Tafod y Neidr Lleiaf**

vulgatum (Adder's-tongue) .... **Tafod y Neidr**, Gwaew Crist, Gwayw Crist

Ophrys apifera (Bee Orchid) .... **Tegeirian y Gwenyn**, Tegeirian Gwenynen

fuciflora (Late Spider-orchid) .... **Tegeirian-corryn Hwyr**

insectifera (Fly Orchid) .... **Tegeirian Pryfyn**, Caineirian yr Ednogyn, Tegeirian Trychfilyn, Tegeirian y Gleren

sphegodes (Early Spider-orchid) .... **Tegeirian-corryn Cynnar**, Tegeirian Copyn

Orchis laxiflora (Loose-flowered Orchid) .... **Tegeirian Llacflodyn**

---

a, b, c, ch, d, dd, e, f, ff, g, ng, h, i, j, l, ll, m, n, o, p, ph, r, rh, s, t, th, u, w, y

mascula (Early-purple Orchid) .... **Tegeirian Coch**, Caill y Ci, Hosanau'r Gog, Tegeirian Coch y Gwanwyn, Tegeirian Glasgoch y Gwanwyn, Tegeirian Porffor, Tegeirian y Gwanwyn

militaris (Military Orchid) .... **Tegeirian Milwrol**

morio (Green-winged Orchid) .... **Tegeirian y Waun**, Tegeirian Ynfydyn, Tegeirian Ynfytyn

purpurea (Lady Orchid) .... **Tegeirian Gwraig**

simia (Monkey Orchid) .... **Tegeirian Epa**

ustulata (Burnt Orchid) .... **Cordegeirian**

Oreopteris limbosperma (Lemon-scented Fern) .... **Marchredynen y Mynydd**

Origanum majorana (Sweet Marjorum) .... **Penrhudd yr Ardd**

vulgare (Marjoram) .... **Penrhudd**, Mesuriad, Mesuriad Cyffredin, Mintys Pêr, Mintys Peraidd, Mintys y Creigiau, Mintys y Graig

Ornithogalum angustifolium (Star-of-Bethlehem) .... **Seren Fethlehem**, Seren Fethlehem Gyffredin, Serflodau

nutans (Drooping Star-of-Bethlehem) .... **Seren Fethlehem Ogwydd**

pyrenaicum (Spiked Star-of-Bethlehem) .... **Seren Fethlehem Hir**

Ornithopus perpusillus (Bird's-foot) .... **Troed yr Aderyn**, Ewinedd yr Aderyn, Troed-yr-Aderyn Cyffredin, Troededn Bychan

pinnatus (Orange Bird's-foot) .... **Troededn Oren**

Orobanche alba (Thyme Broomrape) .... **Gorfanc Coch**

artemisiae-campestris (Oxtongue Broomrape) .... **Gorfanc Gwalchlys**

caryophyllacea (Bedstraw Broomrape) .... **Gorfanc Briwydd**

elatior (Knapweed Broomrape) .... **Gorfanc Hir**, Caldrist y Banadl

hederae (Ivy Broomrape) .... **Gorfanc Eiddew**, Caldrist ar Eiddew, Gorfanc ar Eiddew

minor (Common Broomrape) .... **Gorfanc Lleiaf**, Orfanc Lleiaf Cyffredin, Tag y Manal, Tag yr Eithin

minor var. *maritima* (Carrot Broomrape) .... **Gorfanc Moron**

purpurea (Yarrow Broomrape) .... **Gorfanc Glasgoch**

ramosa (Hemp Broomrape) .... **Gorfanc Canghennog**

rapum-genistae (Greater Broomrape) .... **Gorfanc Mwyaf**, Caldrist y Banadl, Corn y Bwch, Corn y Afr, Corn yr Hydd, Corn yr Iwrch, Gorfanadl, Orfanc, Orfanc Fwyaf, Paladr Hir

reticulata (Thistle Broomrape) .... **Gorfanc Ysgall**

Orthilia secunda (Serrated Wintergreen) .... **Coedwyrdd Bylchog**

Oscularia deltoides (Deltoid-leaved Dew-plant) .... **Chwyslys Trionglog**

Osmunda regalis (Royal Fern) .... **Rhedynen Gyfrdwy**, Cyfrdwy, Cyfrdwy Breiniawl, Lloerlys, Lloer-redynen Gyfrdwy, Rhedyn Blodeuog, Rhedyn Crist, Rhedyn Cyfrdwy, Rhedyn Mair, Rhedyn y Cadno, Rhedyn y Cyfrdwy

Otanthus maritimus (Cottonweed) .... **Edafeddog y Môr**, Llwyn Bonheddig, Môr-edafeddog, Moredafeddog

Oxalis acetosella (Wood-sorrel) .... **Suran y Coed**, Aleliwia, Aleluia, Aleluya, Bara a Chaws y Gwcw, Bara Can y Gog, Bara Can y Gwcw, Bara'r Gog, Blodau'r Drindod, Bwyd y Gwcw, Clychau'r Tylwyth Teg, Suran Deirdalen, Suran Teirdalen, Suran-y-coed Gyffredin, Suran y Gog, Surran y Coed, Surran y Gog, Suryon y Coet, Suranen Godog, Triagl Tair Dalen, Triagl Tairdalen

articulata (Pink-sorrel) .... **Suran Ruddgoch**, Suran y Coed Rhuddgoch

corniculata (Procumbent Yellow-sorrel) .... **Suran Felen Orweddol**, Suran y Coed Felen Gorniog, Suran y Coed Felen Orweddol

debilis (Large-flowered Pink-sorrel) .... **Suran Oddfog**

exilis (Least Yellow-sorrel) .... **Suran Felen Leiaf**

incarnata (Pale Pink-sorrel) .... **Suran Welw**

latifolia (Garden Pink-sorrel) .... **Suran Ruddgoch yr Ardd**

pes-caprae (Bermuda-buttercup) .... **Suran Felen Ddigoes**

stricta (Upright Yellow-sorrel) .... **Suran Felen Unionsyth**, Suran y Coed Felen Unionsyth, Suran y Coed Melyn Unionsyth

Oxyria digyna (Mountain Sorrel) .... **Suran y Mynydd**, Suran â Dalen Arennaidd

Oxytropis campestris (Yellow Oxytropis) .... **Meingil Gwelw**

halleri (Purple Oxytropis) .... **Meingil Porffor**

Paeonia mascula (Peony) .... **Rhosyn Mynydd**, Blodau'r Brenin, Coronllys, Daearllys, Rhosyn y Mynydd

a, b, c, ch, d, dd, e, f, ff, g, ng, h, i, j, l, ll, m, n, o, p, ph, r, rh, s, t, th, u, w, y

Panicum miliaceum (Common Millet) .... **Miled**

Papaver argemone (Prickly Poppy) .... **Pabi Gwrychog**, Drewg Hirben Gwrychog, Pabi Bychan, Pabi Hirben Gwrychog

    atlanticum (Atlas Poppy) .... **Pabi'r Atlas**

    dubium (Long-headed Poppy) .... **Pabi Hirben**, Drewg Hirben-llyfn, Pabi Hir-benllyfn, Pabi Hirben Llyfn

    dubium subsp. *lecoqii* (Yellow-juiced Poppy) .... **Pabi Sudd Melyn**, Pabi Hirben Sudd Melyn

    hybridum (Rough Poppy) .... **Pabi Pigog**, Pabi Crwn-ben Pigog, Pabi Crynben Gwrychog, Pabi Crynben Pigog

    rhoeas (Common Poppy) .... **Pabi Coch**, Drewg Cyffredin, Llwyn y Cythraul, Llygad y Bwgan, Llygad y Cythraul, Pabi Coch yr Ŷd, Pabi Crwn-ben-llyfn, Pabi Crynben Llyfn, Pabi'r Ŷd, Sidangoch yr Ŷd

    somniferum (Opium Poppy) .... **Cwsglys**, Bulwg Ffrengig, Drewg Gwyn, Llys y Cwsg, Llysiau'r Cwsg

Parapholis incurva (Curved Hard-grass) .... **Corwelltyn Camaidd**, Corwellt y Morfa

    strigosa (Hard-grass) .... **Corwelltyn y Morfa**, Cameiddwellt, Cameiddwellt y Morfa, Corwellt y Morfa, Corwelltyn Camaidd

Parentucellia viscosa (Yellow Bartsia) .... **Gorudd Melyn**

Parietaria judaica (Pellitory-of-the-wall) .... **Murlys**, Barthlys, Canhauol, Canheuol, Cantafod, Cantafol, Llysiau'r Pared, Murlwyn, Paladr y Wal, Paladr y Pared, Pared y Mur, Paredlys, Paredlys Cyffredin, Paretlys, Pelydr y Gwelydd, Pelydr y Cerrig, Perthylys

Paris quadrifolia (Herb-Paris) .... **Cwlwm Cariad**, Gwir Gariad, Gwirgariad, Llysiau Ungronyn, Pedair Dalen, Croeslys, Croeswerdd

Parnassia palustris (Grass-of-Parnassus) .... **Brial y Gors**, Brial, Carped y Duwiau

Parthenocissus inserta (False Virginia-creeper) .... **Dringwr Fflamgoch Ffug**

    quinquefolia (Virginia-creeper) .... **Dringwr Fflamgoch**

    tricuspidata (Boston-ivy) .... **Dringwr Fflamgoch Triphigyn**

Pastinaca sativa (Wild Parsnip) .... **Panasen Wyllt**, Llysiau Gwyddelig, Llysiau Gwynion y Gerddi, Moron Gwynion, Moronen Wen, Moronen y Moch, Panasen, Panasen Wen, Pannas, Pannas Wyllt, Pannas y Moch

Pedicularis palustris (Marsh Lousewort) .... **Melog y Waun**, Arian Gwion Bach, Balog y Waun, Blodyn y Llyffant, Mêl y Gweunydd, Melog y Gors, Melog y Gweunydd, Melsugn

    sylvatica (Lousewort) .... **Melog y Cŵn**, Blodyn Llyffant, Cribell Goch, Cribellau Cochion, Llys y Cŵn, Llysiau'r Cŵn, Llysiau'r Eglwys, Mêl-y-Cŵn, Melog y Borfa, Melsugn, Melsugn y Borfa

Pentaglottis sempervirens (Green Alkanet) .... **Llys y Gwrid**, Glesin y Clawdd, Tafod yr Ych Anwyw, Tafod yr Ych Lliwiol

Persicaria alpina (Alpine Knotweed) .... **Clymlys Alpaidd**

    amphibia (Amphibious Bistort) .... **Canwraidd Goch**, Beidiog Goch, Beidiog Rudd, Canwraidd Bengoch, Pengoch

    amplexicaulis (Red Bistort) .... **Neidrlys Coch**

    bistorta (Common Bistort) .... **Llys y Neidr**, Blodau Powdr, Neidrlys, Pigwrn y Pinwydd

    campanulata (Lesser Knotweed) .... **Clymlys Lleiaf**

    hydropiper (Water-pepper) .... **Tinboeth**, Llys y Din, Llysiau'r Din, Penboeth, Pupur y Dwfr

    lapathifolium (Pale Persicaria) .... **Costog y Domen**, Costog y Dom, Gwlydd y Dom, Llys y Dom, Llysiau'r Dom, Llysiau'r Domen, Tafod yr Iâr

    laxiflora (Tasteless Water-pepper) .... **Penboeth Diflas**

    maculosa (Redshank) .... **Coesgoch**, Dail y Groes, Elinog Goch

    minor (Small Water-pepper) .... **Clymog Bychan**, Treigledlys

    pensylvanica (Pinkweed) .... **Pinclys**

    sagittata (American Tear-thumb) .... **Costog Bigog**

    vivipara (Alpine Bistort) .... **Neidrlys Mynyddig**, Llys y Neidr Fynyddig

    wallichii (Himalayan Knotweed) .... **Clymog yr Himalaya**

Petasites albus (White Butterbur) .... **Alan Bach**

    fragrans (Winter Heliotrope) .... **Alan Mis Bach**

    hybridus (Butterbur) .... **Alan Mawr**, Dail Anon, Dail Trwst, Dail y Tryfan

    japonicus (Giant Butterbur) .... **Alan Gawr**

Petrorhagia nanteuilii (Childing Pink) .... **Penigan Ffrwythlon**

    prolifera (Proliferous Pink) .... **Penigan Toreithiog**

    saxifraga (Tunic-flower) .... **Penigan Tormaen**

Petroselinum crispum (Garden Parsley) .... **Persli**, Perllys, Perllys Cyffredin, Persyll
   segetum (Corn Parsley) .... **Eilunberllys**, Carwas yr Ŷd, Troed y Cyw
Peucedanum officinale (Hog's Fennel) .... **Pyglys**, Ffenigl y Moch, Ffenigl yr Hwch,
   ostruthium (Masterwort) .... **Llysiau'r Ddannoedd**, Dyfrforonen Sypflodeuog,
                                  Llysiau'r Ddannodd, Pelydr Gau Ysbaen, Poerlys,
                                  Poethwraidd, Sinsir y Gors
   palustre (Milk-parsley) .... **Pyglys y Fignen**
Phalaris arundinacea (Reed Canary-grass) .... **Pefrwellt**, Cawn, Cawnwellt, Corswellt Amryliw,
                                  Gwyran
   canariensis (Canary-grass) .... **Pefrwellt Amaethol**
   minor (Lesser Canary-grass) .... **Pefrwellt Lleiaf**
   paradoxa (Awned Canary-grass) .... **Pefrwellt Coliog**
Phaseolus vulgaris (French Bean) .... **Ffaen Ffrengig**
   coccineus (Runner Bean) .... **Ffaen Ddringo**
Phegopteris connectilis (Beech Fern) .... **Rhedynen y Graig**, Llawredynen y Fagwyr,
                                  Llawredynen y Ffawydd, Llawredynen y
                                  Ffawydden, Rhedynen y Ffawydd
Phleum alpinum (Alpine Cat's-tail) .... **Rhonwellt Alpaidd**
   arenarium (Sand Cat's-tail) .... **Rhonwellt y Tywyn**, Rhonwellt y Gath ar Dywod
   bertolonii (Smaller Cat's-tail) .... **Rhonwellt Penfain**
   phleoides (Purple-stem Cat's-tail) .... **Rhonwellt Coesddu**
   pratense (Timothy) .... **Rhonwellt**, Cynffon y Gath, Rhonwellt y Gath,
                                    Rhonwellt y Gath Cyffredin
Phlomis fruticosa (Jerusalem Sage) .... **Saets Caersalem**
Phoenix dactylifera (Date Palm) .... **Palmwydden**, Gwrthbwys, Palalwyf, Palmidwydden,
                                  Palwyfen
Phormium cookianum (Lesser New Zealand Flax) .... **Llin Bach Seland Newydd**
   tenax (New Zealand Flax) .... **Llin Seland Newydd**
Phragmites australis (Common Reed) .... **Corsen**, Calaf, Cawnen, Corsen Gyffredin, Cecysen,
                                  Corsenau, Corswellt Cyffredin, Cyrs
Phyllitis scolopendrium (Hart's-tongue) .... **Tafod yr Hydd**, Dail Llosg y Tân, Duegredynen
                                  Feddygol, Rhedyn y Gogofau, Tafod y Carw,
                                  Tafod yr Elain, Tafod yr Hydd Cyffredin
Phyllodoce caerulea (Blue Heath) .... **Gruglas**
Physalis alkekengi (Japanese-lantern) .... **Suran Godog**
Physospermum cornubiense (Bladderseed) .... **Chwyddhad**
Phyteuma orbiculare (Round-headed Rampion) .... **Cyrnogyn Crynben**
   spicatum (Spiked Rampion) .... **Cyrnogyn Pigfain**
Picea abies (Norway Spruce) .... **Spriwsen Norwy**, Sbriwsen Norwy, Pyrwydden
                                  Norwy
   engelmannii (Engelmann Spruce) .... **Spriwsen Engelmann**, Spriswen Arizona
   glauca (White Spruce) .... **Spriwsen Wen**
   omorika (Serbian Spruce) .... **Spriwsen Serbia**
   pungens (Colorado Spruce) .... **Spriwsen Las**
   sitchensis (Sitka Spruce) .... **Spriwsen Sitka**, Sbriwsen Sitka, Pyrwydden Sitca
Picris echioides (Bristly Oxtongue) .... **Tafod y Llew**, Chwerwylaeth Garw, Gwylaeth
                                  Chwerw
   hieracioides (Hawkweed Oxtongue) .... **Gwylaeth yr Hebog**, Gwylaeth Chwerw, Tafod y
                                  Llew, Tafod y Llew Heboglysaidd
Pilosella aurantiaca (Fox-and-cubs) .... **Heboglys Euraid**, Heboglys Aurafalog
   officinarum (Mouse-ear Hawkweed) .... **Clust y Llygoden**, Blewynnog, Heboglys, Heboglys
                                  Blewynnog, Heboglys Torllwyd, Torllwyd,
                                  Torllwydig
Pilularia globulifera (Pillwort) .... **Pelenllys**, Pelanllys, Pelanllys Gronynnog, Pelanllys
                                  Cronynog, Pupur y Ddaear
Pimpinella major (Greater Burnet-saxifrage) .... **Gwreiddiriog Mawr**, Gwraiddiriog Mawr
   saxifraga (Burnet-saxifrage) .... **Gwreiddiriog**, Gwraiddiriog Cyffredin, Gwreiddiriog
                                  Cyffredin, Tormaen Burnet, Tormaen Bwrned
Pinguicula alpina (Alpine Butterwort) .... **Toddaidd Alpaidd**
   grandiflora (Large-flowered Butterwort) .... **Toddaidd Mawr**
   lusitanica (Pale Butterwort) .... **Toddaidd Gwelw**, Toddaidd Penfro
   vulgaris (Common Butterwort) .... **Tafod y Gors**, Crinllys y Gors, Eiryfedig, Eiryfedig
                                  Wen, Golchwraidd, Toddaid Melyn Cyffredin,
                                  Toddaidd Cyffredin, Toddaidd Melyn Cyffredin,
                                  Toddedig Felen, Toddyn Cyffredin
Pinus contorta (Lodge-pole Pine) .... **Pinwydden Gamfrig**
   mugo (Mountain Pine) .... **Pinwydden y Mynydd**
   nigra subsp. *laricio* (Corsican Pine) .... **Pinwydden Corsica**
   nigra subsp. *nigra* (Austrian Pine) .... **Pinwydden Awstria**

a, b, c, ch, d, dd, e, f, ff, g, ng, h, i, j, l, ll, m, n, o, p, ph, r, rh, s, t, th, u, w, y

peuce (Macedonian Pine) . . . . **Pinwydden Macedonia**
pinaster (Maritime Pine) . . . . **Pinwydden Arfor**
pinea (Stone Pine) . . . . **Pinwydden Anial**
ponderosa (Western Yellow-pine) . . . . **Pinwydden Gochfrig**
radiata (Monterey Pine) . . . . **Pinwydden Monterey**
strobus (Weymouth Pine) . . . . **Pinwydden Wen**
sylvestris (Scots Pine) . . . . **Pinwydden yr Alban**, Ffynidwydd, Ffynidwydden,
           Pererinbren, Pinwydden Albanaidd, Pinwydden
           Sgotland, Pinwydden Wyllt
wallichiana (Bhutan Pine) . . . . **Pinwydden Bhutan**
Pisum sativum (Garden Pea) . . . . **Pysen**
Pittosporum crassifolium (Karo) . . . . **Caro**
Plantago afra (Glandular Plantain) . . . . **Llwynhidydd yr Aderyn**
arenaria (Branched Plantain) . . . . **Llys Silin**
coronopus (Buck's-horn Plantain) . . . . **Llwynhidydd Corn Carw**, Corn y Carw, Dail
           Llwynhidl, Efa, Erllyriad, Henllydan, Llwyn y
           Neidr, Llydan y Ffordd, Llyriad Corn y Carw,
           Llys Efa, Seren y Ddaear
lanceolata (Ribwort Plantain) . . . . **Llwynhidydd**, Astyllenes, Astyllenlys, Astyllynes,
           Ceiliog a'r Iâr, Dail Ceiliog, Dail Llwyn y Neidr,
           Dalen Gryman, Estyllenlys, Llwyn Hidl, Llwyn y
           Neidr, Llwyndidill, Llyriad Llwynhidydd, Llysiau
           yr Ais, Pennau'r Gwŷr, Sawdl Crist, Traeturiaid y
           Bugeilydd, Ysgallenllys, Ysgelyn Llys,
           Ysgelynllys, Ystellenlys, Ystellennod
major (Greater Plantain) . . . . **Llwynhidydd Mawr**, Cabaits y Llawr, Dail Llydan y
           Ffordd, Dail Llyriad, Henllydan y Ffordd, Llydan
           y Ffordd, Llyriad Cynffon Llygoden, Llyriad
           Mwyaf
maritima (Sea Plantain) . . . . **Llwynhidydd Arfor**, Bara-can y Defaid, Gwerog,
           Llyriad y Defaid, Llyriaid y Môr, Llyriad y Môr,
           Man y Don, Sampier y Defaid
media (Hoary Plantain) . . . . **Llwynhidydd Llwyd**, Llwynhidydd Blewog, Llyriad
           Llwyd, Tafod yr Oen
Platanthera bifolia (Lesser Butterfly-orchid) . . . . **Tegeirian Llydanwyrdd Bach**, Baladr Dwyddeiliog,
           Tegeirian Glöyn Byw Lleiaf
chlorantha (Greater Butterfly-orchid) . . . . **Tegeirian Llydanwyrdd**, Tegeirian Glöyn Byw
           Mwyaf, Glöyn Byw y Rhos, Tegeirian Iâr Fach yr
           Haf
Platanus × *hispanica* (London Plane) . . . . **Pilcoes y Ddinas**, Planwydden y Ddinas
orientalis (Oriental Plane) . . . . **Pilcoes**, Gwŷdd y Pilcoes, Pilcoeswydden,
           Planwydden
Poa alpina (Alpine Meadow-grass) . . . . **Gweunwellt Alpaidd**
angustifolia (Narrow-leaved Meadow-grass) . . . . **Gweunwellt Culddail**
annua (Annual Meadow-grass) . . . . **Gweunwellt Unflwydd**, Gweunwellt Blynyddol,
           Gwellt y Gweunydd
bulbosa (Bulbous Meadow-grass) . . . . **Gweunwellt Oddfog**
chaixii (Broad-leaved Meadow-grass) . . . . **Gweunwellt Llydanddail**
compressa (Flattened Meadow-grass) . . . . **Gweunwellt Cywasg**, Gweunwellt Cyngwasgedig,
           Gweunwellt y Fagwyr
flabellata (Tussac-grass) . . . . **Gweunwellt Twmpathog**
flexuosa (Wavy Meadow-grass) . . . . **Gweunwellt Crychog**
glauca (Glaucous Meadow-grass) . . . . **Gweunwellt Llwydwyrdd**
humilis (Spreading Meadow-grass) . . . . **Gweunwellt Helaeth**, Gweun-wellt Wybrliw
infirma (Early Meadow-grass) . . . . **Gweunwellt Cynnar**
nemoralis (Wood Meadow-grass) . . . . **Gweunwellt y Coed**, Gweunwellt y Goedwig
palustris (Swamp Meadow-grass) . . . . **Gweunwellt yr Afon**
pratensis (Smooth Meadow-grass) . . . . **Gweunwellt Llyfn**, Gweunwellt, Gwellt y Gweunydd
trivialis (Rough Meadow-grass) . . . . **Gweunwellt Lledarw**
Polemonium caeruleum (Jacob's-ladder) . . . . **Ysgol Jacob**, Llawathan, Llawethan, Nele Las
Polycarpon tetraphyllum (Four-leaved Allseed) . . . . **Gorhadog**, Gorhilig
Polygala amarella (Dwarf Milkwort) . . . . **Coramlaethai**
calcarea (Chalk Milkwort) . . . . **Amlaethai'r Garreg Galch**
serpyllifolia (Heath Milkwort) . . . . **Llysiau'r Groes**, Amlaethai
vulgaris (Common Milkwort) . . . . **Llysiau Crist**, Amlaethai, Amlaethai Cyffredin,
           Llaethlys, Llys Crist, Llysiau'r Llaeth
Polygonatum multiflorum (Solomon's-seal) . . . . **Dagrau Job**, Dail Solomon, Llysiau Solomon, Sêl
           Selyf, Sêl Solomon, Telyn Dafydd, Tethi'r Fuwch

a, b, c, ch, d, dd, e, f, ff, g, ng, h, i, j, l, ll, m, n, o, p, ph, r, rh, s, t, th, u, w, y

odoratum (Angular Solomon's-seal) .... **Llysiau Solomon Persawrus**
verticillatum (Whorled Solomon's-seal) .... **Sêl Selyf Culddail**
Polygonum arenastrum (Equal-leaved Knotgrass) .... **Clymog â Dail Bach**
aviculare (Knotgrass) .... **Canclwm,** Berw'r Iâ, Berw'r Ieir, Berwr yr Iâr, Clymlys, Clymog, Gwaedlys, Llysiau y Milwr, Treigledlys
boreale (Northern Knotgrass) .... **Canclwm y Gogledd**
maritimum (Sea Knotgrass) .... **Canclwm Arfor**
oxyspermum subsp. *raii* (Ray's Knotgrass) .... **Canclwm Ray,** Clymog Eiddil Graean Garw
rurivagum (Cornfield Knotgrass) .... **Canclwm Tir Âr**
Polypodium cambricum (Southern Polypody) .... **Llawredynen Gymreig**
interjectum (Intermediate Polypody) .... **Llawredynen Rymus**
vulgare (Polypody) .... **Llawredynen y Fagwyr,** Llawredynen Gyffredin, Llawredynen y Derw, Marchredyn y Derw, Marchredyn y Fagwyr, Polypodium, Rhedyn y Derw, Rhedyn y Fagwyr
Polypogon monspeliensis (Annual Beard-grass) .... **Barfwellt Blynyddol**
viridis (Water Bent) .... **Barfwellt Diffaith**
Polystichum aculeatum (Hard Shield-fern) .... **Gwrychdredynen Galed,** March-redynen Glustiog, Marchredynen Wrychog
lonchitis (Holly Fern) .... **Celynredynen,** Celyn Redynen yr Wyddfa
setiferum (Soft Shield-fern) .... **Gwrychredynen Feddal,** March-redynen Wrychog
Populus alba (White Poplar) .... **Poplysen Wen,** Aethnen Wen, Gwiwydden, Peisgwyn, Poplysen
× *canadensis* (Italian Poplar) .... **Poplysen Ddu Ffrengig,** Poplysen Ddu yr Eidal
candicans (Balm-of-Gilead) .... **Poplysen Gilead**
× *canescens* (Grey Poplar) .... **Poplysen Lwyd,** Aethnen Lwyd, Gwiwydd Llwyd
nigra (Black Poplar) .... **Poplysen Ddu,** Aethnen Ddu, Pwpleren, Pwmpleren
nigra 'Italica' (Lombardy Poplar) .... **Poplysen Lombardy**
tremula (Aspen) .... **Aethnen,** Aethwydden, Crydaethnen, Gwiwydd, Gwiwydden, Poplar, Tafod y Gwragedd, Tafod y Merched
trichocarpa (Western Balsam-poplar) .... **Poplysen Gilead y Gorllewin**
Portulaca oleracea (Common Purslane) .... **Gwlyddyn Cyffredin**
Potamogeton acutifolius (Sharp-leaved Pondweed) .... **Dyfrllys Meinddail**
alpinus (Red Pondweed) .... **Dyfrllys Coch**
berchtoldii (Small Pondweed) .... **Dyfrllys Eiddil**
coloratus (Fen Pondweed) .... **Dyfrllys y Fignen**
compressus (Grass-wrack Pondweed) .... **Dyfrllys Camlaswellt**
crispus (Curled Pondweed) .... **Dyfrllys Crych,** Dyfrllys Crychlyd, Dyfrllys Danheddog
epihydrus (American Pondweed) .... **Dyfrllys America**
filiformis (Slender-leaved Pondweed) .... **Dyfrllys Arfor**
friesii (Flat-stalked Pondweed) .... **Dyfrllys Gwastatgoes**
gramineus (Various-leaved Pondweed) .... **Dyfrllys Amryddail,** Dyfrllys Amryddull
lucens (Shining Pondweed) .... **Dyfrllys Disglair**
natans (Broad-leaved Pondweed) .... **Dyfrllys Llydanddail,** Dyfrllys Nofiadwy, Tafod y Ci
nodosus (Loddon Pondweed) .... **Dyfrllys Rhwydog**
obtusifolius (Blunt-leaved Pondweed) .... **Dyfrllys Gwelltog,** Dwfrllys Gwelltog
pectinatus (Fennel Pondweed) .... **Dyfrllys Danheddog,** Dyfrllys Gwrychddail
perfoliatus (Perfoliate Pondweed) .... **Dyfrllys Trydwll**
polygonifolius (Bog Pondweed) .... **Dyfrllys y Gors**
praelongus (Long-stalked Pondweed) .... **Dyfrllys Hirgoes**
pusillus (Lesser Pondweed) .... **Dyfrllys Culddail**
rutilus (Shetland Pondweed) .... **Dyfrllys yr Ynysoedd**
trichoides (Hairlike Pondweed) .... **Dyfrllys Gwalltog**
Potentilla anglica (Trailing Tormentil) .... **Tresgl Ymlusgol,** Dail y Pumbus, Pumdalen Ymlusgaidd, Pumbys Ymlusgaidd, Tresgl Rhedegog, Tresgl Ymlusgaidd
anserina (Silverweed) .... **Dail Arian,** Bwyd y Gwyddau, Dinllwyd, Dorllwyd, Gwyn y Merched, Llwyd y Din, Llwydwen Fach, Tansi Gwyllt, Tinllwyd, Torllwyd
argentea (Hoary Cinquefoil) .... **Pumbys Arian-ddail**
crantzii (Alpine Cinquefoil) .... **Pumbys Gwyrdd,** Pumdalen Werdd
erecta (Tormentil) .... **Tresgl y Moch,** Blodyn Iesu Grist, Melyn y Gweunydd, Melyn y Twynau, Melyn yr Eithin, Tresgl, Tresgl Cyffredin, Tresgl Melyn, Tresgl yr Eithin, Ysgras

a, b, c, ch, d, dd, e, f, ff, g, ng, h, i, j, l, ll, m, n, o, p, ph, r, rh, s, t, th, u, w, y

fruticosa (Shrubby Cinquefoil) .... **Llwyn Pumbys**
neumanniana (Spring Cinquefoil) .... **Pumdalen y Gwanwyn**
norvegica (Ternate-leaved Cinquefoil) .... **Tribys Tramor**
palustris (Marsh Cinquefoil) .... **Pumdalen y Gors**, Corsgudyn, Llygad Ysgyfarnog
recta (Sulphur Cinquefoil) .... **Pumdalen Talsyth**
reptans (Creeping Cinquefoil) .... **Pumdalen Ymlusgol**, Dail y Pumbys, Gwyn y
Merched, Llwynhidydd, Llysiau Pumbys, Llysiau
y Bumpys, Meillionen Pumbys, Pumbys, Pumbys
Rhedegog, Pumdalen Gyffredin, Pumdalen
Gyffredin Ymlusgaidd, Traeturiaid y Bugeilydd
rupestris (Rock Cinquefoil) .... **Pumdalen y Graig**
sterilis (Barren Strawberry) .... **Coegfefusen**, Mefus Anffrwythlon, Syfien Goeg
Primula elatior (Oxlip) .... **Briallu Tal**, Briallu Mair Di-sawr
farinosa (Bird's-eye Primrose) .... **Briallu Blodiog**
× *polyantha* (False Oxlip) .... **Briallu Tal Ffug**
scotica (Scottish Primrose) .... **Briallu'r Alban**, Briallu Albanaidd
veris (Cowslip) .... **Briallu Mair**, Allweddau Pedr, Briallu Mair Sawrus,
Dagrau Mair, Llysiau'r Parlys, Sawdl y Fuwch,
Symwl, Symylen, Tewbanog Fechan
vulgaris (Primrose) .... **Briallu**, Birlli, Birllig, Briallen, Briallen Gyffredin,
Briallu Cyffredin, Llysiau Paul, Symwl, Symylen,
Tewbanog Fechan
Prunella laciniata (Cut-leaved Selfheal) .... **Craith Unnos Torddail**
vulgaris (Selfheal) .... **Craith Unnos**, Craith-un-nos, Danhogen y Dŵr,
Meddyg y Medwr, Meddyges Benlas, Meddyges
Las, Meddyges Lwydlas
Prunus armeniaca (Apricot) .... **Bricyllwydden**
avium (Wild Cherry) .... **Ceiriosen Ddu**, Ceirios Ddu, Hyddgwyr, Sirian Ddu,
Sirianen Ddu
cerasifera (Cherry Plum) .... **Gaugeiriosen**
cerasus (Dwarf Cherry) .... **Ceiriosen**, Ceirios, Ceirios Coch, Sirian Coch,
Sirianen
domestica (Wild Plum) .... **Eirinen**, Eirin Gwyllt, Eirinbren Cyffredin,
Eirinen-bêr, Eirinen-bren
domestica subsp. *insititia* (Bullace) .... **Eirinen Fulas**, Bwlaets, Eirin Bwlas, Eirin Gwylltion,
Eirin Bwlaits
dulcis (Almond) .... **Almonwydd**
laurocerasus (Cherry Laurel) .... **Llawr-sirianen**, Llawryf Geirios
lusitanica (Portugal Laurel) .... **Llawr-sirianen Portiwgal**
padus (Bird Cherry) .... **Ceiriosen yr Adar**, Ceirios, Ceirios Gwylltion,
Ceirios yr Adar, Ceiriosen yr Aderyn, Llyngwern,
Rhuddwern, Rhuddwernen, Sirian, Surian
persica (Peach) .... **Eirinen Wlanog**, Eirin Gwlanog
serotina (Rum Cherry) .... **Ceiriosen Hwyrddail**
spinosa (Blackthorn) .... **Draenen Ddu**, Blodau'r Draen, Eirin Berthi, Eirin
Duon Bach, Eirin Duon Tag, Eirin Ddu Fach,
Eirin Mân y Llwyni Gwylltion, Eirin Sur Fach,
Eirin Surion, Eirin Tagu, Eirin y Perthi, Eirinberth
Pseudofumaria alba (Pale Corydalis) .... **Mwg y Ddaear Gwelw**
lutea (Yellow Corydalis) .... **Mwg y Ddaear Melyn**, Melyn y Muriau, Mwg y
Ddaear
Pseudorchis albida (Small-white Orchid) .... **Tegeirian Broga Gwyn**
Pseudotsuga menziesii (Douglas Fir) .... **Ffynidwydden Douglas**
Pteridium aquilinum (Bracken) .... **Rhedynen Gyffredin**, Adain-redynen Eryraidd,
Adainredyn Cyffredin, Rhedyn Ungoes
Pteris cretica (Cretan Fern) .... **Rhedynen Creta**
Puccinellia distans subsp. *borealis* (Northern Saltmarsh
grass) .... **Gweunwellt y Gogledd**
distans subsp. *distans* (Reflexed Saltmarsh-grass) .... **Gweunwellt Gwrthblygedigaidd**
fasciculata (Borrer's Saltmarsh-grass) .... **Gweunwellt Arfor Borrer**
maritima (Common Saltmarsh-grass) .... **Gweunwellt Arfor**
rupestris (Stiff Saltmarsh-grass) .... **Gweunwellt Anhyblyg**
Pulicaria dysenterica (Common Fleabane) .... **Cedowydd**, Cedowydd Cyffredin, Cedowys
Cyffredin, Chweinlys
vulgaris (Small Fleabane) .... **Cedowydd Bach**
Pulmonaria longifolia (Narrow-leaved Lungwort) .... **Llys yr Ysgyfaint Culddail**, Llysiau'r Ysgyfaint
officinalis (Lungwort) .... **Llys yr Ysgyfaint**, Llaeth Bron Mair, Llysiau'r
Ysgyfaint, Saets Caersalem

a, b, c, ch, d, dd, e, f, ff, g, ng, h, i, j, l, ll, m, n, o, p, ph, r, rh, s, t, th, u, w, y

Pulsatilla vulgaris (Pasqueflower) .... **Blodyn y Pasg**
Punica granatum (Pomegranate) .... **Grawnafal**, Afal Gronynnog, Pomgranaden,
Pomgranadwydden
Pyracantha coccinea (Firethorn) .... **Llosgddraenen**
Pyrola media (Intermediate Wintergreen) .... **Coedwyrdd Cyfryngol**
minor (Common Wintergreen) .... **Coedwyrdd Bychan**, Coedwyrdd, Coedwyrdd Lleiaf,
Glesyn Cyffredin y Gaeaf, Glesyn y Gaeaf
rotundifolia (Round-leaved Wintergreen) .... **Coedwyrdd Crynddail**, Coedwyrdd, Gwyrdd y Coed,
Gwyrdd y Gaeaf
Pyrus communis (Pear) .... **Gellygen**
cordata (Plymouth Pear) .... **Gellygen Plymouth**
pyraster (Wild Pear) .... **Gellygen Wyllt**, Gellaig, Gelleigen, Gellygbren, Per
Bren, Perwydden, Rhwnen, Rhwnig, Rhwninen,
Rhwningbren, Rhwningwydd, Rhwnynen
Quercus borealis var. *maxima* (Red Oak) .... **Derwen Goch**
cerris (Turkey Oak) .... **Derwen Twrci**
coccinea (Scarlet Oak) .... **Prinwydden**
ilex (Evergreen Oak) .... **Derwen Fythwyrdd**, Derwen Anwyw, Derwen
Bytholwyrdd, Derwen Fythddeiliog, Glasdonen,
Glastonnen
petraea (Sessile Oak) .... **Derwen Ddigoes**, Crach Dderw, Derwen Fawr
Ganghennog
robur (Pendunculate Oak) .... **Derwen Goesog**, Dâr, Derwen Gyffredin
Radiola linoides (Allseed) .... **Gorhilig**, Gorhadog, Had Llin, Llin Had
Ramonda myconi (Pyrenean-violet) .... **Ramonda Pyreneaidd**
Ranunculus acris (Meadow Buttercup) .... **Blodyn Ymenyn**, Crafanc-y-frân Boethus y
Gweunydd, Crafanc-y-frân Syth-boeth,
Crafanc y frân Syth boeth y Gweunydd,
Crafanc-y-frân Syth-boethus y Gweunydd,
Crafanc Ysol, Egyllt, Egyllt y Frân Syth-boethus
y Gweunydd, Egyllt y Gweunydd
aquatilis (Common Water-crowfoot) .... **Crafanc y Dŵr**, Crafanc y Frân Dyfrle, Egyllt
Nofiadol, Egyllt y Dŵr
arvensis (Corn Buttercup) .... **Crafanc yr Ŷd**, Crafanc-frân yr Ŷd, Egyllt Balloglys,
Egyllt Draenoglys, Egyllt Newynog, Egyllt yr Ŷd
auricomus (Goldilocks Buttercup) .... **Peneuraidd**, Egyllt Eurdusw, Egyllt y Coed
baudotii (Brackish Water-crowfoot) .... **Egyllt y Mordir**, Egyllt Halltaidd
bulbosus (Bulbous Buttercup) .... **Chwys Mair**, Blodau Ymenyn, Blodyn Ymenyn,
Egyllt Cnapwreiddiog, Pupus Brain
circinatus (Fan-leaved Water-crowfoot) .... **Egyllt Cylchol-ddail**
ficaria (Lesser Celandine) .... **Llygad Ebrill**, Aur Bach y Gwanwyn, Bronwst,
Bronwys, Bronwys Melyn y Gwanwyn, Bronwyst,
Dail y Peils, Gwenith y Ddaear, Gwenith y Gog,
Llygad Dyniawed, Llygaid y Diniwed, Llys y
Bronnau, Llysiau'r Bronnau, Melyn y Gwanwyn,
Mil Melyn y Gwanwyn, Milfyd, Milfyw, Seren y
Gwanwyn,
flammula (Lesser Spearwort) .... **Llafnlys Bach**, Blaen-y-gwayw Lleiaf, Poethfflam
fluitans (River Water-crowfoot) .... **Crafanc Hirddail**, Crafanc y Frân Afonol, Egyllt
Hirddail Afonaidd
hederaceus (Ivy-leaved Crowfoot) .... **Crafanc y Frân Eiddewddail**, Egyllt Eiddewddail
lingua (Greater Spearwort) .... **Llafnlys Mawr**, Blaen y Gwayw Mwyaf, Llysiau'r
Gwayw Mwyaf
marginatus (St Martin's Buttercup) .... **Blodyn Ymenyn Sant Martin**
muricatus (Rough-fruited Buttercup) .... **Crafanc Pigffrwyth**
omiophyllus (Round-leaved Crowfoot) .... **Egyllt y Rhosdir**, Egyllt Dwfrdrig
ophioglossifolius (Adder's-tongue Spearwort) .... **Llafnlys Tafod y Neidr**
paludosus (Jersey Buttercup) .... **Crafanc Jersey**
parviflorus (Small-flowered Buttercup) .... **Crafanc y Frân Manflodeuog**, Egyllt y Frân
Manflodeuog
peltatus (Pond Water-crowfoot) .... **Crafanc y Llyn**
penicillatus (Stream Water-crowfoot) .... **Crafanc y Nant**
repens (Creeping Buttercup) .... **Crafanc y Frân**, Crafanc Orweddol, Crafanc y Frân
Ymlusgaidd, Crafanc y Frân Ymlusgedd, Egyllt
Ymlusgol
reptans (Creeping Spearwort) .... **Llafnlys Llusg**
sardous (Hairy Buttercup) .... **Crafanc y Frân Blewog**, Egyllt Blewog
sceleratus (Celery-leaved Buttercup) .... **Crafanc yr Eryr**, Troed yr Eryr

a, b, c, ch, d, dd, e, f, ff, g, ng, h, i, j, l, ll, m, n, o, p, ph, r, rh, s, t, th, u, w, y

trichophyllus (Thread-leaved Water-crowfoot) .... **Egyllt Dail Edafaidd**
tripartitus (Three-lobed Crowfoot) .... **Crafanc Trillob**, Egyllt Cochwyn, Egyllt y
                     Llynnoedd
Raphanus raphanistrum subsp. *raphanistrum* (Wild Radish) ..... **Rhuddygl Gwyllt**, Bysedd yr Iâr, Heddig Gwyllt,
                     Rhodri, Rhuddugl, Rhuddygl
   raphanistrum subsp. *maritimus* (Sea Radish) .... **Rhuddygl Glan y Môr**, Bysedd yr Iâr Arforol
   sativus (Garden Radish) .... **Rhuddygl**, Heddig, Radys, Redeins, Redis, Redyns,
                     Rhodri
Rapistrum perenne (Steppe Cabbage) .... **Berwr y Rhos**
   rugosum (Bastard Cabbage) .... **Berwr Crychiog**
Reseda alba (White Mignonette) .... **Melengu Wen Unionsyth**, Melengu Gwyn
                     Unionsyth, Melyngu Gwyn Unionsyth
   lutea (Wild Mignonette) .... **Melengu Wyllt Ddisawr**, Melengu Wyllt Diarogl
   luteola (Weld) .... **Melengu**, Aurfanadl, Cynffon Titw, Melen-gu,
                     Melyngu
   odorata (Garden Mignonette) .... **Melengu Bersawr**, Melengu Berarogl
   phyteuma (Corn Mignonette) .... **Melengu'r Ŷd**
Rhamnus alaternus (Mediterranean Buckthorn) .... **Rhafnwydden Fythwyrdd**
   cathartica (Buckthorn) .... **Rhafnwydden**, Draenen y Bwch
Rheum × *hybridum* (Rhubarb) .... **Rhiwbob**, Rheonllys
Rhinanthus angustifolius (Greater Yellow-rattle) .... **Cribell Felen Fawr**
   minor (Yellow-rattle) .... **Cribell Felen**, Arian Cor, Arian Gweirwyr, Arian
                     Gwion, Arian y Bladurwr, Arian y Meirch, Clych
                     y Meirch, Coden Grimp, Cribell Ceiliog,
                     Pensiarad, Tegan y Baban
Rhododendron luteum (Yellow Azalea) .... **Rhododendron Melyn**
   ponticum (Rhododendron) .... **Rhododendron**
Rhyncospora alba (White Beak-sedge) .... **Corsfrwynen Wen**
   fusca (Brown Beak-sedge) .... **Corsfrwynen Losg**
Ribes alpinum (Mountain Currant) .... **Rhyfon Mynydd**, Rhyfon Mynyddol, Rhyfwydden
                     Fynyddol
   nigrum (Black Currant) .... **Rhyfon Duon**, Coeden Gyrains, Cyrains Duon,
                     Eurddraenen Ddu, Rhesinwydd Du, Rhesinwydd
                     Duon, Rhyfwydd Duon, Rhyfwydden Ddu
   rubrum (Red Currant) .... **Rhyfon Coch**, Cyrains Cochion, Rhesinwydd Coch,
                     Rhyfon Cochion, Rhyfwydd Cochion
   sanguineum (Flowering Currant) .... **Rhyfon Blodeuog**
   spicatum (Downy Currant) .... **Rhyfon Gwlanog**
   uva-crispa (Gooseberry) .... **Gwsberis**, Eirin Mair, Eirinen Fair, Eurberth,
                     Eurddraen, Eurddraenen, Grwysen, Grwyswydd,
                     Grwyswydden, Gwsberins, Gwyfon,
                     Gwyfonwydd, Perth Eurddraen, Pren Ffebrins
Ricinus communis (Castor-oil-plant) .... **Trogenllys**
Robinia pseudoacacia (False-acacia) .... **Ffug-acesia**
Roemeria hybrida (Violet Horned-poppy) .... **Pabi Corniog Dulas**
Romulea columnae (Sand Crocus) .... **Saffrwm y Tywod**
Rorippa amphibia (Great Yellow-cress) .... **Berwr Melyn Mwyaf y Dŵr**, Berw Melyn Mwyaf y
                     Dŵr, Berwr y Torlennydd
   austriaca (Austrian Yellow-cress) .... **Berwr Melyn Awstria**
   islandica (Northern Yellow-cress) .... **Berwr Melyn y Gogledd**
   microphylla (Narrow-fruited Water-cress) .... **Berwr Dŵr Lleiaf**, Berw'r Dwfr Lleiaf
   nasturtium-aquaticum (Water-cress) .... **Berwr y Dŵr**, Berw, Berw Mwyaf y Dŵr, Berw
                     Mwyaf y Ffynnon, Berwr, Berwr Dwfr, Berwr y
                     Ffynhonnau, Berwr y Ffynnon, Berwy y Ffynnon,
                     Berwy'r Dŵr, Bwyd y Tlawd
   palustris (Marsh Yellow-cress) .... **Berwr Melyn y Gors**, Berwr Melyn Blynyddol y
                     Dŵr
   × *sterilis* (Hybrid Water-cress) .... **Berwr Dŵr Croesryw**
   sylvestris (Creeping Yellow-cress) .... **Berwr Melyn Ymlusgol y Dŵr**, Berwr Melyn
                     Blynyddol y Dŵr, Berwy Melyn Ymlusgol y
                     Dwfr, Berwyr Melyn Blynyddol y Dŵr
Rosa agrestis (Small-leaved Sweet-briar) .... **Miaren Gulddail**
   arvensis (Field-rose) .... **Rhosyn Gwyn Gwyllt**, Ciros Gwyn, Marchfiaren
                     Ymlusgol, Rhosyn Gwyn Ymlusgaidd
   caesia subsp. *caesia* (Hairy Dog-rose) .... **Rhosyn Blewog**
   caesia subsp. *glauca* (Glaucous Dog-rose) .... **Rhosyn Llwydwyrdd**, Rhosyn Coesiog Bur, Rhosyn
                     Glasbeilliog, Rhosyn Glaswyrdd

canina (Dog-rose) .... **Rhosyn Coch Gwyllt**, Breila, Breilw, Ciros, Egroes,
Egroeswydd, March y Mieri, Marchfiaren,
Merddrain, Mieri Ffrenig, Ogfaenllwyn, Rhos y
Cŵn Coch, Rhosyn Gwyllt, Rhosyn y Cŵn
micrantha (Small-flowered Sweet-briar) .... **Rhoslwyn Pêr**, Drysni Pêr, Dyrysien Bêr Lleiaf,
Miaren Lleiaf, Mieren Fair
mollis (Soft Downy-rose) .... **Rhosyn Deilen Feddal**, Rhosyn Gwlanog, Rhosyn
Lledwlanog
multiflora (Many-flowered Rose) .... **Rhosyn Lluosflod**
obtusifolia (Round-leaved Dog-rose) .... **Rhosyn Deilen Llawban**
pimpinellifolia (Burnet Rose) .... **Rhosyn Draenllwyn**, Mwcog, Rhosyn Burnet,
Rhosyn Bwrned, Rhosyn Coesgoch
rubiginosa (Sweet-briar) .... **Drysen Bêr**, Afalau'r Bwci, Bochgoch, Drysien Bêr,
Dyrysien Bêr, Dyryslwyn, Egroes, Miaren, Miaren
Bêr, Miaren Mair, Mieri, Mieryn Llwyn,
Pêr-freilen, Rhoslwyn Pêr, Rhosllwyn Bêr
rugosa (Japanese Rose) .... **Rhosyn Japan**
sherardii (Sherard's Downy-rose) .... **Rhosyn Sherard**
stylosa (Short-styled Field-rose) .... **Rhosyn Ungolofn**
tomentosa (Harsh Downy-rose) .... **Rhosyn Lledwlanog**, Brail Panog, Rhosyn Gwlanog,
Rhosyn Lled-wlanog
virginiana (Virginian Rose) .... **Rhosyn Virginia**
Rosmarinus officinalis (Rosemary) .... **Rhos Mari**, Rhos Mair, Ysbwynwydd
Rubia peregrina (Wild Madder) .... **Cochwraidd Gwyllt**, Cochlys, Cochwraidd,
Cochwraidd y Môr, Gwreiddrudd, Gwreiddrudd
Gwyllt, Gwreiddrudd y Môr, Lliwcoch, Madr,
Madyr
Rubus caesius (Dewberry) .... **Mwyaren Fair**, Mwyaren Laslwyd, Mwyaren Mair,
Mwyaren y Tywod, Mwyarllwyn Glas
chamaemorus (Cloudberry) .... **Mwyaren y Berwyn**, Afal y Berwyn, Miaren Gor,
Miaren y Mynydd, Mwyar Doewan, Mwyar
Gleision, Mwyar y Berwyn, Mwyaren Doewan
fruticosus (Bramble) .... **Mwyaren Ddu**, Draen Mieri, Drain Morddyon,
Drysien, Dyrysien, Dyryslwyn, Mafon Duon,
Miaren, Mieren, Mierien, Mierllwyn,
Mierynllwyn, Mwyar Duon, Mwyaren
idaeus (Raspberry) .... **Afanen**, Afan, Afanllwyn, Afanwydd, Mafon
Cochion, Mafon Gwylltion, Mafonen,
Mafonllwyn, Mafonwydd, Meifon, Meifonen,
Mwyar Cochion
phoenicolasius (Japanese Wineberry) .... **Mafonen Flewgoch**
saxatilis (Stone Bramble) .... **Corfwyaren**, Drysien, Miaren, Mwyaren y Cerrig
spectabilis (Salmonberry) .... **Mwyaren Oren**
Rudbeckia laciniata (Coneflower) .... **Cônlys**
Rumex acetosa (Common Sorrel) .... **Suran y Cŵn**, Main Suran, Suran y Frân, Suran y
Maes, Suran y Waun
acetosa subsp. *ambiguus* (Garden Sorrel) .... **Suran yr Ardd**
acetosa subsp. *biformis* [Sea Sorrel] .... **Suran Arfor**
acetosa subsp. *hibernicus* (Irish Sorrel) .... **Suran Wyddelig**
acetosella (Sheep's Sorrel) .... **Suran yr Ŷd**, Dail Surion Bach, Drigon, Dringol,
Tringol, Suran Culddail
aquaticus (Scottish Dock) .... **Tafolen yr Alban**, Tafolen y Dŵr
brownii (Hooked Dock) .... **Tafol Bachog**
conglomeratus (Clustered Dock) .... **Tafol Blaen**, Chwysoglen, Tafol Llym, Tafol Mair,
Tafolen, Tafolen Mair, Turth, Trython
crispus (Curled Dock) .... **Tafol Crych**, Tafol Crychion, Tafolen Grych
cristatus (Greek Dock) .... **Tafol Groeg**
frutescens (Argentine Dock) .... **Tafol yr Ariannin**
hydrolapathum (Water Dock) .... **Tafol y Dŵr**, Gwaedllys, Suran Hir, Suran Hirian,
Tafol Hir, Tafolen Hir, Tafolen y Dŵr
longifolius (Northern Dock) .... **Tafolen Hir**, Suran Hir
maritimus (Golden Dock) .... **Tafol Arfor**, Tafolen y Gors, Tafolen y Môr
obovatus (Obovate-leaved Dock) .... **Tafol Gwrthwylun**
obtusifolius (Broad-leaved Dock) .... **Dail Tafol**, Tafol, Tafol y Cŵn, Tafolen Gyffredin,
Tafolen Lydanddail, Tafolen y Cŵn
patientia (Patience Dock) .... **Tafol y Bragdy**
palustris (Marsh Dock) .... **Tafol y Llaid**
× *pratensis* (Meadow Dock) .... **Tafol y Maes**

a, b, c, ch, d, dd, e, f, ff, g, ng, h, i, j, l, ll, m, n, o, p, ph, r, rh, s, t, th, u, w, y

pseudoalpinus (Monk's-rhubarb)	**Rhiwbob y Mynach**
pulcher (Fiddle Dock)	**Tafol Crwth-ddail**
rupestris (Shore Dock)	**Tafolen y Traeth**
salicifolius (Willow-leaved Dock)	**Tafol Helygddail**
sanguineus var. *sanguineus* (Blood-veined Dock)	**Tafolen Gwythien-goch**, Tafol Coch, Tafolen Goch, Tafolen Waedlyd
sanguineus var. *viridis* (Wood Dock)	**Tafol y Coed**
scutatus (French Sorrel)	**Suran Ffrengig**
Ruppia cirrhosa (Spiral Tasselweed)	**Tusw Troellog**
maritima (Beaked Tasselweed)	**Tusw Dyfrllys**, Rwpia'r Môr, Rwppia Morawl, Tusw-dyfr-llys
Ruscus aculeatus (Butcher's-broom)	**Celynnen Fair**, Banadl Pigog, Banhadlen Bigog, Bruesg, Bruseg, Bryseg, Celynnen Ffrainc, Celynnen Mair, Gewynllys, Gieulys, Llys y Giau, Llysiau'r Giau, Pryseg, Ysgubell y Cigydd
hypoglossum (Spineless Butcher's-broom)	**Celynnen Fair Diniwed**
Ruta graveolens (Rue)	**Rhutain**, Gorddawn, Gorddon, Llysyr Echryshaint, Rhyw, Torwenwyn
Sagina apetala (Annual Pearlwort)	**Corwlyddyn Anaf-flodeuog**, Corwlyddyn Blynyddol, Corwlyddyn Diarlenog
maritima (Sea Pearlwort)	**Corwlyddyn Arfor**, Corwlyddyn y Morgreigiau
nivalis (Snow Pearlwort)	**Corwlyddyn yr Eira**
nodosa (Knotted Pearlwort)	**Corwlyddyn Clymog**, Corwlydd Clymog, Troellig Clymog
× *normaniana* (Scottish Pearlwort)	**Corwlyddyn yr Alban**
procumbens (Procumbent Pearlwort)	**Corwlyddyn Gorweddol**, Corwlyddyn Cyffredin
saginoides (Alpine Pearlwort)	**Corwlyddyn Alpaidd**, Troellig Mynawydaidd Esmwyth
subulata (Heath Pearlwort)	**Corwlyddyn Mynawydaidd**, Troellig Mynawydaidd Crych
Sagittaria rigida (Canadian Arrowhead)	**Saethlys Canada**
sagittifolia (Arrowhead)	**Saethlys**, Saeth y Dwfr, Saethlys Saethddeilaidd
Salicornia dolichostachya [Long-spiked Glasswort]	**Llyrlys Canghennog**, Corn Carw'r Môr
europaea [Common Glasswort]	**Llyrlys**, Chwyn Hallt, Llyrlys Llysieuol
fragilis [Yellow Glasswort]	**Llyrlys Brau**
ramosissima [Purple Glasswort]	**Llyrlys Gorweddol**
Salix alba (White Willow)	**Helygen Wen**
alba var. *caerulea* (Cricket-bat Willow)	**Helygen Las**
alba var. *vitellina* (Golden Willow)	**Helygen Aur**
arbuscula (Mountain Willow)	**Helygen Fach y Mynydd**
aurita (Eared Willow)	**Helygen Grynglustiog**, Helygen Glustennog, Helygen Grych Grynddail
caprea (Goat Willow)	**Helygen Grynddail Fwyaf**, Helygen Crynddail, Helygen Fwyaf, Helygen y Geifr
cinerea subsp. *cinerea* (Grey Willow)	**Helygen Lwyd**
cinerea subsp. *oleifolia* (Rusty Willow)	**Helygen Olewydd-ddail**, Helygen Gyffredin, Helygen Lwyd Gyffredin
daphnoides (European Violet-willow)	**Helygen Borffor**
fragilis var. *fragilis* (Crack Willow)	**Helygen Frau**
fragilis var. *decipiens* (Welsh Willow)	**Helygen Gymreig**
fragilis var. *russelliana* (Bedford Willow)	**Helygen y Dug**
herbacea (Dwarf Willow)	**Helygen Leiaf**, Helygen Gelltydd Mynyddog
lanata (Woolly Willow)	**Helygen Wlanog**
lapponum (Downy Willow)	**Helygen Wlanog Hirddail**
myrsinifolia (Dark-leaved Willow)	**Helygen Dywyll**
myrsinites (Whortle-leaved Willow)	**Helygen Fyrtwydd**
pentandra (Bay Willow)	**Helygen Beraroglaidd**
phylicifolia (Tea-leaved Willow)	**Helygen Dail-te**
purpurea (Purple Willow)	**Helygen Gochlas**
repens (Creeping Willow)	**Corhelygen**, Cor Helygen, Cors Helygen, Helyg Rhedegog, Helygen y Cŵn
reticulata (Net-leaved Willow)	**Helygen Rwydog**
× *rubra* (Green-leaved Willow)	**Helygen Werdd**
× *smithiana* (Silky-leaved Osier)	**Helygen Sidanddail**, Helygen Smith
×'*stipularis* (Eared Osier)	**Helygen Glustennog**
triandra (Almond Willow)	**Helygen Drigwryw**, Helyg Tribrigerog, Helygen Deir-gwryw Hirddail, Helygen Dri-gwryw Hirddail

---

a, b, c, ch, d, dd, e, f, ff, g, ng, h, i, j, l, ll, m, n, o, p, ph, r, rh, s, t, th, u, w, y

viminalis (Osier) .... **Helygen Wiail**, Blodau'r Gwyddau Bach, Cywion Gwyddau, Gwialen Eilio, Helyg Gwiail, Helyg Gwialog, Helygen Afonol, Helygen Felen, Helygen Gyffredin Afonol, Merhelygen Gyffredin, Pren Gwyddau Bach

Salpichroa origanifolia (Cock's-eggs) .... **Addurnwy**

Salsola kali subsp. *kali* (Prickly Saltwort) .... **Helys Ysbigog**

kali subsp. *ruthenica* (Spineless Saltwort) .... **Helys Dibigog**

Salvia officinalis (Sage) .... **Saets**, Ceidwad

pratensis (Meadow Clary) .... **Saets y Waun**, Clais y Moch, Gwerddonell y Waun

reflexa (Mintweed) .... **Saets Prin-flodeuog**

verbenaca (Wild Clary) .... **Saets Gwyllt**, Claer, Claes Mair, Clais Mair, Clais y Moch, Clari Dwbl, Clych Duran, Golwg Crist, Gorchwraidd, Gorchwyraid, Gorchwyrydd, Gwerddonell, Had y Llygaid, Llygad Crist, Torfagl, Ysglarei

verticillata (Whorled Clary) .... **Troellennog**, Blodrwyog, Dail Saeds, Gwerdonell

Sambucus canadensis (American Elder) .... **Ysgawen Borffor**

ebulus (Dwarf Elder) .... **Ysgawen Fair**, Corysgaw, Corysgawen, Creulif Mair, Creulys Mawr, Gwaed y Gwŷr, Walwrt, Ysgaw Fair, Ysgaw Mair, Ysgaw'r Ddaear, Ysgawen Bendiged, Ysgawen Fendigaid, Ysgawen y Ddaear

nigra (Elder) .... **Ysgawen**, Dagrau Iesu, Pren Ysgaw, Pren Ysgo, Ysgawen Gyffredin, Ysgawlwyn Cyffredin

racemosa (Red-berried Elder) .... **Ysgawen Goch**

Samolus valerandi (Brookweed) .... **Claerlys**, Clairllysg, Clerllysg, Cleyrllys, Ffrydlys, Samwl, Samylen

Sanguisorba canadensis (White Burnet) .... **Gwyddlwdn Gwyn**

minor subsp. *minor* (Salad Burnet) .... **Gwyddlwdn Cyffredin**, Burnet, Bwrned, Gwyddlwdn Lleiaf, Gwyddlwyn Cyffredin

minor subsp. *muricata* (Fodder Burnet) .... **Gwyddlwdn Tramor**

officinalis (Great Burnet) .... **Llysyrlys**, Burnet Mawr, Bwrned Mawr, Llus yr Awd Fwyaf, Llysuawg, Llysuog, Llysyrawt, Llysyrllys

Sanicula europaea (Sanicle) .... **Clust yr Arth**, Deilen Dda, Golcheuraid, Golcheuraid y Coed, Golchwraidd, Golchyddes, Gwengraith, Olch-euraidd

Santolina chamaecyparissus (Lavender-cotton) .... **Llwyn Cotymog**

Saponaria ocymoides (Rock Soapwort) .... **Sebonllys y Graig**

officinalis (Soapwort) .... **Sebonllys**, Sebonllys Meddygol

Sarcocornia perennis (Perennial Glasswort) .... **Llyrlys Bythol**, Llyrlys, Corn Carw'r Môr

Sarracenia flava (Trumpets) .... **Ffiolys Melyn**

purpurea (Pitcherplant) .... **Ffiolys**

Sasa palmata (Broad-leaved Bamboo) .... **Bambŵ**, Corsen y Trofannau

Satureja hortensis (Summer Savory) .... **Safri Fach Flynyddol**

montana (Winter Savory) .... **Safri Fach**, Safri, Sewyrllys

Saussurea alpina (Alpine Saw-wort) .... **Lliflys Mynyddig**, Dant y Pysgodyn Mynyddig, Dant y Pysgodyn Mynyddog

Saxifraga aizoides (Yellow Saxifrage) .... **Tormaen Melyn Mynyddig**

cernua (Drooping Saxifrage) .... **Tormaen Crwn Gogwyddol**

cespitosa (Tufted Saxifrage) .... **Tormaen Siobynnog**

cymbalaria (Celandine Saxifrage) .... **Tormaen Deilaren**

granulata (Meadow Saxifrage) .... **Tormaen Gwyn y Gweunydd**, Clôr y Brain, Llyfenwy, Tormaen Gwyn, Tormaen y Weirglodd

hirculus (Marsh Saxifrage) .... **Tormaen Melyn y Gors**

hirsuta (Kidney Saxifrage) .... **Tormaen Elwlenddail**, Tormaen Blewog Dail Hirgrwm

hypnoides (Mossy Saxifrage) .... **Tormaen Llydandroed**, Mwsog y Moelydd, Tormaen Mwsoglaidd

nivalis (Alpine Saxifrage) .... **Tormaen yr Eira**, Llyfenwy yr Eira, Tormaen Mynyddog Sypiog

oppositifolia (Purple Saxifrage) .... **Tormaen Cyferbynddail**, Tormaen, Tormaen Glasgoch, Tormaen y Mynydd, Tormaen Porffor

rivularis (Highland Saxifrage) .... **Tormaen Mynyddig y Ffrwd**

rosacea (Irish Saxifrage) .... **Tormaen Crymddail**, Tormaen Mynyddig Blewog, Tormaen Mynyddig Ymylgrych

spathularis (St Patrick's-cabbage) .... **Tormaen St Padrig**

stellaris (Starry Saxifrage) .... **Tormaen Serennog**, Llyfenwy y Goferau

a, b, c, ch, d, dd, e, f, ff, g, ng, h, i, j, l, ll, m, n, o, p, ph, r, rh, s, t, th, u, w, y

tridactylites (Rue-leaved Saxifrage) .... **Tormaen Tribys**, Llyfenwy Bach Tribys, Tormaen Torwenwynddail
umbrosa (Pyrenean Saxifrage) .... **Tormaen Pyreneaidd**
× *urbium* (Londonpride) .... **Balchder Llundain**
Scabiosa atropurpurea (Sweet Scabious) .... **Clafrllys yr Ardd**
columbaria (Small Scabious) .... **Clafrllys Bychan**, Clafrllys Lleiaf
Scandix pecten-veneris (Shepherd's-needle) .... **Crib Gwener**, Creithig, Crib Mair, Greithwar, Nodwydd y Bugail, Pencnell, Picod
Scheuchzeria palustris (Rannoch-rush) .... **Brwynen Rannoch**
Schoenoplectus lacustris (Common Club-rush) .... **Llafrwynen**, Llafrwyn, Tostfrwynen
pungens (Sharp Club-rush) .... **Llafrwynen Finiog**
tabernaemontani (Grey Club-rush) .... **Llafrwynen Arfor**, Clwbfrwynen Glasbeilliog, Clwbfrwynen Llwydwyrdd, Clwbfrwynen Oleulas, Tostfrwynen Arfor
triqueter (Triangular Club-rush) .... **Llafrwynen Drichornel**
Schoenus ferrugineus (Brown Bog-rush) .... **Corsfrwynen Rudd**
nigricans (Black Bog-rush) .... **Corsfrwynen Ddu**, Brwyn Du y Gors, Brwynwellt Du, Corsfrwynen, Llymddreiniog, Pibfrwyn
Scilla autumnalis (Autumn Squill) .... **Seren yr Hydref**
verna (Spring Squill) .... **Seren y Gwanwyn**, Serennyn, Serennyn y Gwanwyn, Wynwyn y Môr
Scirpoides holoschoenus (Round-headed Club-rush) .... **Clwbfrwynen Bengrwn**, Clwbfrwynen Sypynog
Scirpus sylvaticus (Wood Club-rush) .... **Clwbfrwynen y Coed**, Clwbfrwynen y Goedwig
Scleranthus annuus (Annual Knawel) .... **Dinodd Blynyddol**, Dinodd Flynyddol, Dinodd y Flwyddyn
perennis (Perennial Knawel) .... **Dinodd Parhaol**, Dinodd Barhaol
Scorzonera humilis (Viper's-grass) .... **Llys y Wiber**
Scrophularia auriculata (Water Figwort) .... **Gornerth y Dŵr**, Danhogen y Dŵr, Dannogen y Dŵr, Danogen y Dwfr, Goreunerth y Dŵr
canina (French Figwort) .... **Gornerth Ffrengig**
nodosa (Common Figwort) .... **Gornerth**, Dail Duon Bach, Dail Duon Da, Deilen Ddu Dda, Goreunerth, Gwenith y Gog, Meddyges Dda, Melyn y Gwanwyn, Milfyw
scorodonia (Balm-leaved Figwort) .... **Gornerth Gwenynddail**
umbrosa (Green Figwort) .... **Gornerth Gorllewinol**
vernalis (Yellow Figwort) .... **Gornerth Melyn**, Gornerth Felen
Scutellaria altissima (Somerset Skullcap) .... **Cwcwll Gwlad yr Haf**, Cycyllog Gwlad yr Haf
galericulata (Skullcap) .... **Cwcwll**, Cycyll-lys, Cycyll-lys Mwyaf, Cycyllog, Cycyllog Mwyaf, Cap Nos Tadcu
hastifolia (Norfolk Skullcap) .... **Cwcwll y Coed**, Cycyllog y Coed
minor (Lesser Skullcap) .... **Cwcwll Bach**, Cycyll-lys Lleiaf, Cycyllog Bach, Cycyllog Lleiaf
Secale cereale (Rye) .... **Rhyg**
Sedum acre (Biting Stonecrop) .... **Pupur y Fagwyr**, Briweg y Cerrig, Bywfyth Leiaf, Bywlys, Bywydog Boeth, Claearllys, Grawnwin Rhad, Manion y Cerrig
album (White Stonecrop) .... **Gwenith y Gwylanod**
anglicum (English Stonecrop) .... **Briweg y Cerrig**, Gwenith y Brain
dasyphyllum (Thick-leaved Stonecrop) .... **Briweg Praffddail**
forsterianum (Rock Stonecrop) .... **Briweg Cymreig**, Bywydog Cymreig
rupestre (Reflexed Stonecrop) .... **Llwynau'r Fagwyr**, Bywydog, Canewin y Fagwyr, Ewinedd y Gath, Glys, Glyserin, Llwyn y Gyfagwy, Llysiau y Fagwyr, Lysogen, Pidyn fy Modryb, Pig yr Aderyn, Pricconed
rosea (Roseroot) .... **Pren y Ddannoedd**, Pren y Ddanodd, Rhoslys
sexangulare (Tasteless Stonecrop) .... **Briweg Diflas**
spathulifolium (Colorado Stonecrop) .... **Briweg Llwyddail**
spectabile (Butterfly Stonecrop) .... **Briweg Iar Fach yr Haf**
spurium (Caucasian Stonecrop) .... **Briweg Rwsieg**
telephium (Orpine) .... **Berwr Taliesin**, Bywlys, Bywlys Llydanddail, Bywydog Llydanddail, Canewin, Ffaen Taliesin, Llydanddail, Llysiau Taliesin, Orpin
villosum (Hairy Stonecrop) .... **Briweg Blewog**
Selaginella kraussiana (Kraus's Clubmoss) .... **Cnwpfwsogl Kraus**
selaginoides (Lesser Clubmoss) .... **Cnwpfwsogl Bach**, Cnwbfusogl Bach, Cnwpfwsogl Siderog, Cnwpfwsogl Syth Lleiaf
Selinum carvifolia (Cambridge Milk-parsley) .... **Pyglys Mignen Caergrawnt**

---

a, b, c, ch, d, dd, e, f, ff, g, ng, h, i, j, l, ll, m, n, o, p, ph, r, rh, s, t, th, u, w, y

Sempervivum tectorum (House-leek) .... **Llysiau Pen Tai**, Byddarllys, Bywfyth, Bywlys, Cwlwm y To, Cyfagwy, Cynffon y Llygoden, Dail Llygaid, Dilosg, Irddail, Llys Pen Tai, Llysiau'r Gwayw, Llysiau y Gwaew, Llysiau y Gwayw, Mochyn To, Tewddail y Muriau

Senecio aquaticus (Marsh Ragwort) .... **Creulys y Gors**, Carnedd y Gors, Greulys y Gors, Penfelen y Gors

cambrensis (Welsh Groundsel) .... **Creulys Cymreig**

cineraria (Silver Ragwort) .... **Llys y Lludw**, Chweinllys, Magl Chwannen

doria (Golden Ragwort) .... **Creulys Aur**

erucifolius (Hoary Ragwort) .... **Creulys Llwyd**, Greulys Lledlwyd, Greulys Lledlwyd Culddail, Penfelen Ledlwyd, Penfelen Ledlwyd Culddail

fluviatilis (Broad-leaved Ragwort) .... **Creulys Llydanddail**

jacobaea (Common Ragwort) .... **Creulys Iago**, Carnedd Felen Wryw, 'Cowmon' Bach Melyn, Eirin y Ci, Greulys, Greulys Felen Wryw, Llys Iago, Llys Jacob, Llys y Gingroen, Llysiau Iago, Llysiau'r Gingroen, Llysiau'r Ysgyfarnog, Penfelen, Ragwrt, Troed y Frân

paludosus (Fen Ragwort) .... **Creulys y Ffos**

palustris (Marsh Fleawort) .... **Chweinllys y Morfa**

smithii (Magellan Ragwort) .... **Creulys y Wladfa**

squalidus (Oxford Ragwort) .... **Creulys Rhydychen**, Penfelen Hardd, Penfelen Prydferth, Penfelen y Muriau

sylvaticus (Heath Groundsel) .... **Creulys y Rhosydd**, Carnedd Felen Fenyw, Creulys y Coed, Greulys, Greulys Fynyddol, Greulys y Coed, Greulys y Mynydd, Greulys y Rhosydd, Penfelen Fynyddol, Penfelen y Coed, Penfelen y Rhosydd

viscosus (Sticky Groundsel) .... **Creulys Gludiog**, Creulys Ludiog, Penfelen Gludiog

vulgaris (Groundsel) .... **Creulys Cyffredin**, Bwyd yr Adar, Carnedd, Carnedd Felen, Carnedd Felen Fenyw, Carnedd Penfelen Fenyw, Creulys Penfelen Fenyw, Greulys, Grwmsyl, Penfelen, Penfelen Fenyw

Sequoia sempervirens (Coastal Redwood) .... **Cochwydden Arfor**

Sequoiadendron giganteum (Wellingtonia) .... **Cochwydden Sierra**

Seriphidium maritimum (Sea Wormwood) .... **Wermod y Môr**, Chwerlys Arfor, Chwerwlys Arfor, Chwerwlys y Môr, Chwerwlys y Môr Ogwyddflodeuog, Wermod Arfor Syth Flodeuog, Wermod y Môr Ogwyddflodeuog

Serratula tinctoria (Saw-wort) .... **Dant y Pysgodyn**, Lliflys, Lliflys Cyffredin

Seseli libanotis (Moon Carrot) .... **Moronen y Sialc**

Sesleria caerulea (Blue Moor-grass) .... **Corswelltyn Rhuddlas**, Corswellt Anuddlas, Corswellt Llwydlas, Corswellt Rhuddlas, Sesleria

Setaria italica (Foxtail Bristle-grass) .... **Cibogwellt Cynffonnog**

pumila (Yellow Bristle-grass) .... **Cibogwellt Melyn**

verticillata (Rough Bristle-grass) .... **Cibogwellt Troellog**, Cibog

viridis (Green Bristle-grass) .... **Cibogwellt Gwyrddlas**

Sherardia arvensis (Field Madder) .... **Mandon Las yr Ŷd**, Sherardia Glas, Corwreiddrudd

Sibbaldia procumbens (Sibbaldia) .... **Pumbys yr Alban**

Sibthorpia europaea (Cornish Moneywort) .... **Ceinioglys**

Silaum silaus (Pepper-saxifrage) .... **Ffenigl yr Hwch**, Ffenigl y Moch, Pyglys

Silene acaulis (Moss Campion) .... **Gludlys Mwsoglyd**, Gludlys Mwsogl

armeria (Sweet-William Catchfly) .... **Gludlys Crynswth**, Gludlys Cyffredin

conica (Sand Catchfly) .... **Gludlys Rhesog**, Gludlys Rheianog, Gludlys Rhesenog, Rhesenog

dichotoma (Forked Catchfly) .... **Gludlys Fforchog**

dioica (Red Campion) .... **Gludlys Coch**, Blodeuyn Rhudd, Blodyn Crach, Blodyn Neidr, Blodyn Taranau, Blodyn y Neidr, Botwm Mab Ieuanc, Ceiliog Coch, Coch y Taranau, Lluglys Blodeuyn Rhudd, Lluglys Ysgar, Llys yr Ychain, Llys yr Ychen, Llysiau Robin

gallica (Small-flowered Catchfly) .... **Gludlys Amryliw**, Gludlys Brutanaidd

italica (Italian Catchfly) .... **Gludlys yr Eidal**

latifolia (White Campion) .... **Gludlys Gwyn**, Amrywiaeth Gwynflodeuog, Gludlys Hwyrol, Lluglys Gwyn, Lluglys Gwyn Blodeuog, Lluglys Hwyrol

---

a, b, c, ch, d, dd, e, f, ff, g, ng, h, i, j, l, ll, m, n, o, p, ph, r, rh, s, t, th, u, w, y

noctiflora (Night-flowering Catchfly) .... **Gludlys Nos-flodeuol**, Blodyn y Gwyll, Gelyn y
Cler, Gludlys Nos-flodeuol Peraroglaidd
nutans (Nottingham Catchfly) .... **Gludlys Gogwyddol**, Gludlys Pengogwyddawl
otites (Spanish Catchfly) .... **Gludlys Ysbaenaidd**
uniflora (Sea Campion) .... **Gludlys Arfor**, Codrwth y Môr, Gwlydd y Geifr,
Gwniadur y Wrach
vulgaris (Bladder Campion) .... **Gludlys Codrwth**, Codrwth, Gludlys Cyffredin, Llys
y Poer, Llysiau Saith Gwlwm Synnwyr, Menyg y
Gog, Menyg y Merched
Silybum marianum (Milk Thistle) .... **Ysgallen Fair**, Cribau Mair, Ysgall Ddrain Gwyn,
Ysgallen Fendigaid, Ysgallen Fraith, Ysgallen
Wen
Simethis planifolia (Kerry Lily) .... **Lili Kerry**
Sinapis alba (White Mustard) .... **Cedw Gwyn**, Cedu Gwyn, Mwstard Gwyn
arvensis (Charlock) .... **Cedw Gwyllt**, Aur yr Ŷd, Cadafarch, Cadafarth,
Cedu Gwyllt, Cedu yr Ŷd, Cedw yr Ŷd, Cethrw yr
Ŷd, Esgynnydd, Maip Gwylltion, Ysnaib yr Ŷd
Sison amomum (Stone Parsley) .... **Githran**, Creigberllys, Githrog, Rhawn yr Ebol
Sisymbrium altissimum (Tall Rocket) .... **Berwr Treigledigol**
irio (London-rocket) .... **Berwr Caersalem**, Berwy Caersalem
loeselii (False London-rocket) .... **Gauferwr**
officinale (Hedge Mustard) .... **Cedw'r Berth**, Arfog, Arfog Meddygawl, Arfog
Meddygol, Cedw'r Gwrych, Ceddw'r Berth
orientale (Eastern Rocket) .... **Berwr Dwyreiniol**
strictissimum (Perennial Rocket) .... **Cedw Bythol**
Sisyrinchium bermudiana (Blue-eyed-grass) .... **Glaswellt Llygatlas**
californicum (Yellow-eyed-grass) .... **Glaswellt Melynlygad**
montanum (American Blue-eyed-grass) .... **Llygatlas America**
Sium latifolium (Greater Water-parsnip) .... **Pannas y Dŵr Llydanddail**, Dwfr-foronen Mwyaf,
Dyfr-foronen, Dyfr-foronen Llydanddail,
Moronen y Dŵr Llydanddail, Pannas y Dŵr
Mwyaf, Panasen y Dŵr
Smyrnium olusatrum (Alexanders) .... **Dulys**, Alisantr, Alisantr y Ddulys, Alisantri, Bwydlys
y Mynachod, Dulys Cyffredin, Elisandyr,
Gauhelogan, Llysiau Crochan Ddu
perfoliatum (Perfoliate Alexanders) .... **Dulys Trydwll**
Solanum dulcamara (Bittersweet) .... **Codwarth Caled**, Elinog, Manyglog, Mynyglog,
Chwerw-melys
nigrum (Black Nightshade) .... **Codwarth Du**, Codwarth Caled, Cysgadur,
Cysgiadur, Gedawrach, Gedorwrach, Llysiau'r
Moch, Melys a Chwerw, Mochlys, Mochlys
Cyffredin, Mochlys Duon, Mochlys Grawnddu
sarrachoides (Green Nightshade) .... **Codwarth Gwyrdd**
triflorum (Three-flowered Nightshade) .... **Codwarth Triblodeuog**
tuberosum (Potato) .... **Taten**, Pytaten
Soleirolia soleirolii (Mind-your-own-business) .... **Mam Miloedd**
Solidago canadensis (Canadian Goldenrod) .... **Eurwialen Canada**
gigantea (Early Goldenrod) .... **Eurwialen Gynnar**
rugosa (Rough-stemmed Goldenrod) .... **Eurwialen yr Ardd**
virgaurea (Goldenrod) .... **Eurwialen**, Cannwyll Fair, Eurwialen Gyffredin,
Eurwialen Melyneuraidd, Gwialen Aur, Gwialen
Euraid, Melyneuraid
Sonchus arvensis (Perennial Sow-thistle) .... **Llaethysgallen yr Ŷd**, Llaeth Ysgallen yr Âr,
Ysgallen yr Ŷd, Moch Ysgallen yr Âr
asper (Prickly Sow-thistle) .... **Llaethysgallen Arw**, Llaethysgallen, Ysgall yr
Ysgyfarnog, Ysgallen Bigog
oleraceus (Smooth Sow-thistle) .... **Llaethysgallen**, Llaethysgallen Gyffredin,
Llymeidfwyd, Mochysgallen, Mochysgallen
Gyffredin, Ysgallen Goch, Ysgallen y Moch
palustris (Marsh Sow-thistle) .... **Llaethysgallen y Dŵr**
Sorbus anglica [English Whitebeam] .... **Cerddinen Seisnig**
aria (Common Whitebeam) .... **Cerddinen Wen**, Cerdin Wen, Criafallen Gyffredin,
Criafallen Wen, Criafol Wen, Criafolen Wen,
Gwyn y Dillad, Rhwnwydd Gwyn
aucuparia (Rowan) .... **Cerddinen**, Cerdin, Cerddin, Ceri, Criafallen, Criafol,
Criafolen, Cyrawel, Cyriawol, Pren Ceri, Pren
Criafol
domestica (Service-tree) .... **Cerddinen Ddof**, Sarff, Sarffwydden

a, b, c, ch, d, dd, e, f, ff, g, ng, h, i, j, l, ll, m, n, o, p, ph, r, rh, s, t, th, u, w, y

eminens [Wye Valley Whitebeam] .... **Cerddinen Mynwy**
intermedia (Swedish Whitebeam) .... **Cerddinen Dramor**
latifolia (Broad-leaved Whitebeam) .... **Cerddinen Lydanddail**
leptophylla [Welsh Whitebeam] .... **Cerddinen Gymreig**
leyana [Ley's Whitebeam] .... **Cerddinen Darren Fach**; Cerdin Darren Fach
minima [Lesser Whitebeam] .... **Cerddinen Wen Leiaf**, Cerdin Craig y Cilau, Cerdin
                                                                  Wen Lleiaf
porrigentiformis [Spreading Whitebeam] .... **Cerddinen Ymledol**
rupicola (Rock Whitebeam) .... **Cerddinen y Graig**
torminalis (Wild Service-tree) .... **Cerddinen Folwst**, Cerddinen Wyllt, Criafallen
                                                                  Wyllt, Criafolen, Criafolen Wyllt
Sparganium angustifolium (Floating Bur-reed) .... **Cleddlys Culddail**, Cleddyflys Undwf Nofiadwy
emersum (Unbranched Bur-reed) .... **Cleddlys Di-gainc**, Cleddlys Undwf Syth, Cleddyflys
                                                                  Undwf Syth
erectum (Branched Bur-reed) .... **Cleddlys Canghennog**, Cadwen, Cawen, Cawen
                                                                  Ganghennog, Cawn, Cleddlys, Cleddyfhesg,
                                                                  Cleddyflys, Cleddyflys Canghennog
natans (Least Bur-reed) .... **Cleddlys Bach**, Cleddyflys Lleiaf, Cleddyflys Undwf
                                                                  Nofiadwy
Spartina alterniflora (Smooth Cord-grass) .... **Cordwellt Llyfn**
anglica (Common Cord-grass) .... **Cordwellt**, Cortwellt
maritima (Small Cord-grass) .... **Cordwellt Bach**, Spartina
pectinata (Prairie Cord-grass) .... **Cordwellt y Paith**
× *townsendii* (Townsend's Cord-grass) .... **Cordwellt Townsend**, Spartina, Spartina Townsend
Spartium junceum (Spanish Broom) .... **Banadl Sbaeneg**
Spergula arvensis (Corn Spurrey) .... **Troellig yr Ŷd**, Cedor y Wrach, Chwyn yr Ŷd,
                                                                  Llindro, Troellig, Troellig Mwyaf, Ydwyn
Spergularia bocconii (Greek Sea-spurrey) .... **Troellys Boccone**
marina (Lesser Sea-spurrey) .... **Troellys Bach**, Tywodwlydd y Morfa Lleiaf
media (Greater Sea-spurrey) .... **Troellys Mawr**, Troellys Lluosflwydd, Tywodwlydd
                                                                  y Morfa Mwyaf
rubra (Sand Spurrey) .... **Troellys Coch**, Tywodlys Rhuddlas, Tywodwlydd
                                                                  Glasrudd
rupicola (Rock Sea-spurrey) .... **Troellys y Morgreigiau**, Tywodwlydd y Morgreigiau
Spinacia oleracea (Spinach) .... **Nyddoes**, Yspigawglys
Spiraea salicifolia (Bridewort) .... **Erwain Helygddail**
Spiranthes aestivalis (Summer Lady's-tresses) .... **Troellog yr Haf**
romanzoffiana (Irish Lady's-tresses) .... **Troellog Gwyddelig**
spiralis (Autumn Lady's-tresses) .... **Caineirian Troellog**, Caineirian Nydd-dro,
                                                                  Caineirian Nydd-droedig, Ceineirian Troellog,
                                                                  Teircaill
Spirodela polyrhiza (Greater Duckweed) .... **Llinad Mawr**, Bwyd-hwyaid Mawr, Llinad y Dŵr
                                                                  Mwyaf, Llinhad y Dŵr Mwyaf
Stachys alpina (Limestone Woundwort) .... **Briwlys y Calchfaen**
× *ambigua* (Hybrid Woundwort) .... **Briwlys Croesryw**
annua (Annual Yellow-woundwort) .... **Briwlys-melyn Blynyddol**
arvensis (Field Woundwort) .... **Briwlys yr Ŷd**, Archoll yr Ŷd, Briwlys yr Âr,
                                                                  Briwlys yr Ardd
byzantina (Lambsear) .... **Clust yr Oen**
germanica (Downy Woundwort) .... **Briwlys Tewbannog**
officinalis (Betony) .... **Cribau San Ffraid**, Cribau Shôn Ffred, Danhogen,
                                                                  Dannogen y Coed, Dwyfog, Llys Dwyfog,
                                                                  Meddyges Lwyd
palustris (Marsh Woundwort) .... **Briwlys y Gors**, Briwlys y Taeog, Briwlys yr Afon,
                                                                  Llys yr Archoll
recta (Perennial Yellow-woundwort) .... **Briwlys-melyn Bythol**
sylvatica (Hedge Woundwort) .... **Briwlys y Gwrych**, Briwlys y Goedwig
Staphylea pinnata (Bladdernut) .... **Dagrau Addaf**, Cnau Aur Onnenddail
Stellaria graminea (Lesser Stitchwort) .... **Serenllys Gwelltog**, Manllys y Neidr, Serenllys y
                                                                  Bryniau, Tafod yr Edn Lleiaf
holostea (Greater Stitchwort) .... **Serenllys Mawr**, Bara Can a Llaeth, Bara Caws a
                                                               Llaeth, Blodau'r Neidr, Bwyd y Gog, Bwyd y
                                                              Neidr, Llysiau Clee, Llysiau'r Glust, Serenllys
                                                              Mwyaf, Serenllys y Gwrych, Tafod yr Edn Mwyaf
media (Common Chickweed) .... **Brechlys**, Gwlydd y Cywion, Gwlydd y Dom,
                                                                Gwlydd y Gwyddau, Gwlydd yr Ieir, Llynorlys,
                                                              Llysiau'r Dom, Tafod yr Edn Canolig
neglecta (Greater Chickweed) .... **Brechlys Mwyaf**

a, b, c, ch, d, dd, e, f, ff, g, ng, h, i, j, l, ll, m, n, o, p, ph, r, rh, s, t, th, u, w, y

nemorum (Wood Stitchwort) .... **Serenllys y Coed**, Serenllys, Tafod yr Edn y Goedwig
pallida (Lesser Chickweed) .... **Gwlydd y Tywod**
palustris (Marsh Stitchwort) .... **Serenllys Llwydlas**, Tafod yr Edn Llwydlas
uliginosa (Bog Stitchwort) .... **Serenllys y Gors**, Blaen Gwayw, Botwm Crys, Llygad Madfall, Llysiau Blaen Gwayw, Tafod yr Edn y Gors, Tafod-edn y Gors
Stratiotes aloides (Water-soldier) .... **Alaw Diosgo**, Alaw Ddiosgo, Clych Dŵr yr Eos, Craf Cranc, Craf Crancod
Suaeda maritima (Annual Sea-blite) .... **Helys Unflwydd**, Gŵydd-droed Arfor, Troed yr Ŵydd Arfor
vera (Shrubby Sea-blite) .... **Llwynhelys**
Subularia aquatica (Awlwort) .... **Mynawydlys Dyfrdrig**
Succisa pratensis (Devil's-bit Scabious) .... **Tamaid y Cythraul**, Bara y Cythraul, Bara'r Cythraul, Calon Afal, Caswenwyn, Clafrllys Gwreidd-don, Clais, Claiswenwyn, Coryn Afal, Glaswenwyn, Gwreidd-don, Gwreidd-dwn, Tamaid y Diafol, Poer y Diafol
Symphoricarpos albus (Snowberry) .... **Llus Eira**, Llys Eira, Pel-eira'r Perthi
   × *chenaultii* (Pink Snowberry) .... **Llus Eira Pinc**
Symphytum asperum (Rough Comfrey) .... **Cyfardwf Garw**
   bulbosum (Bulbous Comfrey) .... **Cyfardwf Crwn**
   caucasicum (Caucasian Comfrey) .... **Cyfardwf y Caucasus**
   grandiflorum (Creeping Comfrey) .... **Cyfardwf Llusg**
   officinale (Common Comfrey) .... **Llysiau'r Cwlwm**, Cwmffri, Cyfardwf, Cyfardwy, Dail Cwlwm yr Asgwrn, Dail Cwmffri, Llysiau'r Lawlwm
   orientale (White Comfrey) .... **Cyfardwf Gwyn**
   tauricum (Crimean Comfrey) .... **Cyfardwf y Crimea**, Cyfardwf Gaucasaidd
   tuberosum (Tuberous Comfrey) .... **Cyfardwf Oddfynog**, Llysiau'r Cwlwm
   × *uplandicum* (Russian Comfrey) .... **Cyfardwf Glas**
Syringa vulgaris (Lilac) .... **Leilac**, Lelog
Tamarix africana (African Tamarisk) .... **Grugbren Affrica**
   gallica (Tamarisk) .... **Grugbren**, Tamarisc, Tamarisg, Tamarix
Tamus communis (Black Bryony) .... **Gwinwydden Ddu**, Afal Adda, Afal Addaf, Coed Rwym, Coedgwlwm, Cwlwm y Coed, Cwlwm y Gwŷdd, Eirin Gwion, Erfinen Fair, Erfinen y Coed, Grawn y Perthi, Gwion y Perthi, Maip Adda, Maip Mair, Meipen Fair, Paderau'r Gath, Rhwymyn y Coed, Rhwymyn y Gwŷdd, Taglys Du
Tanacetum balsamita (Costmary) .... **Mintys Mair**, Llys Mair Fadlen
   parthenium (Feverfew) .... **Wermod Wen**, Chweryn Gwyn, Chwerwyn yr Ardd, Llysiau'r Fam, Meddygon Menyw, Tarfgryd, Tormwyth, Tormyth
   vulgare (Tansy) .... **Tanclys**, Dibynlor, Cynhowlen, Gwenwialen, Gwiniolen, Gwiniolwydd, Gwroeth, Gwroith, Gwyn y Merched, Gyslys, Gystlys, Gystlys Cyffredin, Mas, Masarnwydden Leiaf, Tansi, Wroith, Ystrewlys
Taraxacum sect. Erythrosperma (Lesser Dandelion) .... **Dant y Llew Lleiaf**
   sect. *Palustre* (Narrow-leaved Marsh-dandelion) .... **Dant y Llew y Gors**, Dant y Llew y Ddôl
   sect. *Ruderalia* (Common Dandelion) .... **Dant y Llew**, Adain y Llew, Blodyn Crach, Dail Clais, Dant y Ci, Dant y Llew Cyffredin
   sect. *Spectabilia* (Red-veined Dandelion) .... **Dant y Llew Cochwythien**
Taxus baccata (Yew) .... **Ywen**, Pren Yw, Yw
Teesdalia nudicaulis (Shepherd's Cress) .... **Berwr Coesnoeth**, Beryn Coesnoeth, Beryn y Bugail
Telekia speciosa (Yellow Oxeye) .... **Llygad Llo Melyn**
Tellima grandiflora (Fringe-cups) .... **Clychau'r Clawdd**
Tephroseris integrifolia (Field Fleawort) .... **Chweinllys Arfor**, Chweinllys y Maes
Tetragonolobus maritimus (Dragon's-teeth) .... **Coden Onglog**
Teucrium botrys (Cut-leaved Germander) .... **Chwerwlys Torddail**
   chamaedrys (Wall Germander) .... **Chwerwlys y Mur**, Chwerwlys y Muriau, Derlys, Derlys y Fagwyr, Derwlys, Llys Cadwaladr, Llysiau Cadwaladr
   scordium (Water Germander) .... **Chwerwlys y Dŵr**, Chwerwlys y Twyn, Derlys, Derlys y Dŵr, Derwen y Ddaear, Derwlys, Derwlys y Dŵr, Saets Gwyllt, Triagl y Cymro, Ysgordiwm, Ysgyr

---

a, b, c, ch, d, dd, e, f, ff, g, ng, h, i, j, l, ll, m, n, o, p, ph, r, rh, s, t, th, u, w, y

scorodonia (Wood Sage) .... **Chwerwlys yr Eithin**, Baddon y Coed, Chwerwlys, Chwerwlys y Twyn, Chwerwyn y Twyn, Chwilys yr Eithin, Chwrlas yr Eithin, Derlys y Dŵr, Derlys y Goedwig, Derwen y Ddaear, Derwlys y Dŵr, Llwyd yr Eithin, Milrym, Saeds y Coed, Saeds yr Eithin, Triagl y Cymro, Yscordiwm, Ysgyrr

Thalictrum alpinum (Alpine Meadow-rue) .... **Arianllys y Mynydd**, Arianllys

flavum (Common Meadow-rue) .... **Arianllys**, Arianllys Cyffredin, Echryshaint, Llys y Pla, Troed y Barcud

minus (Lesser Meadow-rue) .... **Arianllys Bach**, Arianllys Bychan, Troed y Barcud Lleiaf

minus subsp. *majus* (Great Meadow-rue) .... **Arianllys Mawr**, Arianllys Mwyaf

Thelypteris palustris (Marsh Fern) .... **Marchredynen y Gors**

Thesium humifusum (Bastard-toadflax) .... **Geulin y Forwyn**

Thlaspi alliaceum (Garlic Penny-cress) .... **Codwasg Craf**

arvense (Field Penny-cress) .... **Codwasg**, Codwasg y Maes

caerulescens (Alpine Penny-cress) .... **Codwasg y Mynydd**, Codwasg Creigiog Mynyddog

macrophyllum (Caucasian Penny-cress) .... **Codwasg Caucasaidd**

perfoliatum (Perfoliate Penny-cress) .... **Codwasg Trydwll**

Thuja occidentalis (Northern White-cedar) .... **Cedrwydden Wen**

plicata (Western Red-cedar) .... **Cedrwydden Goch**

Thymus × *citriodorus* (Lemon Thyme) .... **Gruw Lemwn**

polytrichus (Wild Thyme) .... **Gruw Gwyllt**, Gruwlys Gwyllt, Gruwlys Gwyllt Lleiaf, Teim Gwyllt, Teim Gwyllt Lleiaf

pulegioides (Large Thyme) .... **Gruwlys Gwyllt Mwyaf**, Gruwlys Mwyaf

serpyllum (Breckland Thyme) .... **Gruw Breckland**

vulgaris (Thyme) .... **Gruw**, Teim

Tilia cordata (Small-leaved Lime) .... **Pisgwydden Deilen Fach**, Pisgen, Pisgwydden

platyphyllos (Large-leaved Lime) .... **Pisgwydden Deilen Fawr**, Eurwernen, Gwaglwyfen, Pisgen, Pisgwydd, Plisgwrn, Plisgwrnen, Plisgyrnen

× *vulgaris* (Lime) .... **Pisgwydden**, Eurwernen, Gwaglwyfen, Pisgen

Tofieldia pusilla (Scottish Asphodel) .... **Bladurwellt y Mynydd**

Tolmiea menziesii (Pick-a-back-plant) .... **Crudlys**

Tordylium maximum (Hartwort) .... **Carwlys Mawr**, Carwlys, Carllys Mawr

Torilis arvensis (Spreading Hedge-parsley) .... **Troed-y-cyw Ymdaenol**, Eilunberllys, Troed y Cyw

japonica (Upright Hedge-parsley) .... **Troed-y-cyw Syth**, Eilunberllys, Eilunberllys Unionsyth

nodosa (Knotted Hedge-parsley) .... **Troed-y-cyw Clymog**, Berllys, Cwlwm Eilun, Clwm Eilun-Berllys, Eilun, Troed y Cyw Clymog, Oliaren Glymog

Trachystemon orientalis (Abraham-Isaac-Jacob) .... **Abraham-Isaac-Jacob**

Tragopogon porrifolius (Salsify) .... **Barf yr Afr Gochlas**, Barf yr Afr Geninddail

pratensis (Goat's-beard) .... **Barf yr Afr Felen**, Barf yr Afr, Barf yr Afr Felen Lleiaf, Barf y Bwch

Trichomanes speciosum (Killarney Fern) .... **Rhedynen Wrychog**, Llugwe Fawr, Rhedyn Gwrychog

Trichophorum cespitosum (Deergrass) .... **Clwbfrwynen y Mawn**, Brwyn Clwbfwsgol y Waun, Clwbfrwynen y Fawnog, Clwpfrwynen y Fawnog

Trientalis europaea (Chickweed Wintergreen) .... **Gwerddig**

Trifolium arvense (Hare's-foot Clover) .... **Meillionen Gedenog**, Clust yr Ysgyfarnog, Meillion Cedenog, Meillion Cedenog yr Ŷd, Troed yr Ysgyfarnog

aureum (Large Trefoil) .... **Meillionen Fawr**

bocconei (Twin-headed Clover) .... **Meillionen Ddeuben**

campestre (Hop Trefoil) .... **Meillionen Hopys**, Clofer Hopys, Hopen Goeg, Meillion Hopys, Meillionen Felynbach, Meillionen Hopysaidd, Meillionen Pensag

dubium (Lesser Trefoil) .... **Meillionen Felen Fechan**, Gwe Felen, Meillionen Felen Fychan, Meillionen Gwe Felen

fragiferum (Strawberry Clover) .... **Meillionen Fefusaidd**, Meillionen Pen-Mefusaidd

glomeratum (Clustered Clover) .... **Meillionen Ben-wastad**, Meillionen Gwastadwedd

hybridum subsp. *elegans* (Lesser Alsike Clover) .... **Meillionen Fawr-orweddol**

hybridum subsp. *hybridum* (Alsike Clover) .... **Meillionen Alsike**

incarnatum subsp. *incarnatum* (Crimson Clover) .... **Meillionen Ysgarlad**

incarnatum subsp. *molinerii* (Long-headed Clover) .... **Meillionen Hirben** *medium* (Zigzag Clover) .... **Meillionen Wyrgam**, Buchlaswellt, Buchwellt, Maill Gwyrgam, Meillion Gwyrgam

micranthum (Slender Trefoil) .... **Meillionen Felen Eiddil**, Gwe Felen Eiddil, Gwe Felen Leiaf, Meillion Eiddil, Meillionen Felen Fychan

occidentale (Western Clover) .... **Meillionen y Gorllewin**

ochroleucon (Sulphur Clover) .... **Meillionen Felenwelw**

ornithopodioides (Bird's-foot Clover) .... **Corfeillionen Wen**, Corfeillion Gwyn, Cor y Gwyran, Troed yr Aderyn

pratense (Red Clover) .... **Meillionen Goch**, Clofer Coch, Maill Coch, Marchfeillionen, Meillion Coch

repens (White Clover) .... **Meillionen Wen**, Bara Caws y Defaid, Maillgwyn, Meillion Gwyn, Meillion Rhedegog, Meillionen Olwen, Meillionen Wen y Waun, Millfeillionen

resupinatum (Reversed Clover) .... **Meillionen Dinlan**

scabrum (Rough Clover) .... **Meillionen Ger y Môr**

squamosum (Sea Clover) .... **Meillionen y Morfa**, Meillionen Pencribau

stellatum (Starry Clover) .... **Meillionen Serennog**

striatum (Knotted Clover) .... **Meillionen Rychog**

strictum (Upright Clover) .... **Meillionen Unionsyth**

subterraneum (Subterranean Clover) .... **Meillionen Wen Ymgudd**

suffocatum (Suffocated Clover) .... **Meillionen Fygiedig**, Meillion Fygiedig

tomentosum (Woolly Clover) .... **Meillionen Wlanog**

Triglochin maritima (Sea Arrowgrass) .... **Saethbennig Arfor**, Saethbennig y Morfa

palustris (Marsh Arrowgrass) .... **Saethbennig y Gors**

Trinia glauca (Honewort) .... **Githrog**, Githran, Ithrog

Tripleurospermum inodorum (Scentless Mayweed) .... **Ffenigl y Cŵn**, Amranwen, Ffenigl Cochion, , Ffenigl Rhuddion

maritimum (Sea Mayweed) .... **Ffenigl Arfor**

Trisetum flavescens (Yellow Oat-grass) .... **Ceirchwellt Melyn**, Ceirchwellt Melynaidd

Triticum aestivum (Bread Wheat) .... **Gwenith**, Gwenithen

turgidum (Rivet Wheat) .... **Gwenith Barfog**

Trollius europaeus (Globeflower) .... **Cronnell**, Blodeuyn y Gronnell, Cronnell yr Afon, Lamp y Wig, Melyn Euraidd, Olbrain, Peneuraid, Ymenyn y Coed

Tropaeolum majus (Nasturtium) .... **Meri a Mari**, Copa Cornicyll

Tsuga canadensis (Eastern Hemlock-spruce) .... **Hemlog y Dwyrain**

heterophylla (Western Hemlock-spruce) .... **Hemlog y Gorllewin**

Tuberaria guttata (Spotted Rock-rose) .... **Cor-rosyn Rhuddfannog**, Cor-rosyn, Rhosyn y Creigiau

Tulipa sylvestris (Wild Tulip) .... **Tiwlip Gwyllt**

Turgenia latifolia (Greater Bur-parsley) .... **Eilunberllys Mawr**

Tussilago farfara (Colt's-foot) .... **Carn yr Ebol**, Alan, Alan Bychan, Dail Baco, Dail Bacw, Dail Carn yr Ebol, Dail Troed yr Ebol, Dail yr Ebol, Ebolgarn, Llun Troed yr Ebol, Llwyd Troed, Pesychlys, Troed y Tarw, Troed yr Ebol

Typha angustifolia (Lesser Bulrush) .... **Cynffon y Gath Gulddail**, Cynffon y Gath Leiaf, Ffon y Plant, Ffynwewyr Ellyllon, Ffynwewyr y Plant, Hesgen Felfedog, Hesgen Felfedog Goraidd, Hesgen Felfedog Leiaf, Rhodell, Rholbren Calfelfed, Tapr y Dŵr

latifolia (Bulrush) .... **Cynffon y Gath**, Ffon y Plant, Ffynwewyr Ellyllon, Ffynwewyr y Plant, Hesgen Felfedog Fwyaf, Llafrwynen, Penmelfed, Rhodell, Rholbren Calfelfed, Tapr y Dŵr

Ulex europaeus (Gorse) .... **Eithin**, Aith, Eithin Bigog, Eithin Ffreinig, Eithin y Fro, Eithinen, Eithinen Ffrengig

gallii (Western Gorse) .... **Eithin y Mynydd**, Dwarfor, Eithin Ffreinig

minor (Dwarf Gorse) .... **Eithin Mân**, Aith, Eithin Bychan, Eithinen Goraidd

Ulmus glabra (Wych Elm) .... **Llwyfen Lydanddail**, Glaswydd, Llwyfanen â Dail Llyfnion, Llwyfanen Lydanddail, Llwyfen

minor (Small-leaved Elm) .... **Pren Llwyf**

plotii (Plot's Elm) .... **Llwyfen Plot**

procera (English Elm) .... **Llwyfen Gyffredin**, Llwyf Cyffredin, Llwyfain Rhufain, Llwyfanen Britanaidd, Llwyfanen Gyffredin, Llwyfen a Dail Gwalltog

Umbilicus rupestris (Navelwort) .... **Deilen Gron**, Bara Ceiniogen, Bogail Gwener, Bogail y Bugail, Bogail y Forwyn, Bogeil-lys, Bogel Gwener, Bogel y Forwyn, Ceiniogllys y Fagwyr, Crondoddaidd, Dail Ceiniog, Llysiau Ceiniog, Llysiau y Fogel

Urtica dioica (Common Nettle) .... **Danhadlen**, Dail Poethion, Danadl Cyffredin, Danadl Poethion, Danadl Ysgar, Danadlen, Danadlen Fwyaf, Danadlen Ysgar, Dryned, Dynaid, Dynat, Dyned, Dynent, Dynhaden, Dynhaden Fwyaf, Dynhaden Ysgar

    pilulifera (Roman Nettle) .... **Danhadlen Belaidd**, Danadlen Belaidd, Dynhaden Belaidd

    urens (Small Nettle) .... **Danhadlen Leiaf**, Danad Lleiaf, Danadl Bach Blynyddol, Danadlen, Danadlen Leiaf, Dryned, Dynhaden, Dynhaden Lleiaf

Utricularia australis (Bladderwort) .... **Swigenddail**, Chwysig-wraidd, Chwysigenwraidd Cyffredin

    intermedia (Intermediate Bladderwort) .... **Swigenddail Canolig**

    minor (Lesser Bladderwort) .... **Swigenddail Lleiaf**, Chwysigenddail Lleiaf, Chwysigenwraidd Lleiaf

    ochroleuca (Pale Bladderwort) .... **Swigenddail Gwelw**

    stygia (Nordic Bladderwort) .... **Swigenddail Llychlynaidd**

    vulgaris (Greater Bladderwort) .... **Swigenddail Mwyaf**, Chwysigenddail Mwyaf, Chwysigenwraidd Mwyaf

Vaccaria hispanica (Cowherb) .... **Buwlys**

Vaccinium macrocarpon (American Cranberry) .... **Llygaeron America**

    microcarpum (Small Cranberry) .... **Llygaeron Bach**

    myrtillus (Bilberry) .... **Llus**, Llusen, Llusi Duon Bach, Lluswydd Cyffredin, Lluswydden, Llysau Duon Bach, Mwyar y Brain

    oxycoccus (Cranberry) .... **Llygaeron**, Ceirios y Waun, Llugaeron, Llyg Aeron, Llyg Eirinen, Llygad Aeron, Llygad Eirian, Llygad Eirin, Llygad yr Aeron

    uliginosum (Bog Bilberry) .... **Lluswydden Fawr**, Lluswydd Mwyaf

    vitis-idaea (Cowberry) .... **Llus Coch**, Llus y Geifr, Lluswydden y Geifr

Valeriana dioica (Marsh Valerian) .... **Triaglog y Gors**, Bychan y Gors, Driacloc, Triaglog Bychan y Gors, Triaglog Fechan y Gors

    officinalis (Common Valerian) .... **Triaglog**, Cynffon y Cabwllt, Cynffon y Capwllt, Cynffon y Ceiliog, Falerian, Gwell na'r Aur, Llys Cadwgan, Llysiau Cadwgan, Yr Efail Arian

    pyrenaica (Pyrenean Valerian) .... **Triaglog Pyreneaidd**

Valerianella carinata (Keeled-fruited Cornsalad) .... **Llysiau'r Oen Rhychiog**

    dentata (Narrow-fruited Cornsalad) .... **Gwylaeth yr Oen Deintiog**

    eriocarpa (Hairy-fruited Cornsalad) .... **Gwylaeth yr Oen Gwlanog**

    locusta (Common Cornsalad) .... **Llysiau'r Oen**, Diadwyth, Diodwyth, Gwylaeth Wyllt, Gwylaeth yr Oen, Gwylaeth yr Ŵyn, Gwylaeth yr Ŷd

    rimosa (Broad-fruited Cornsalad) .... **Gwylaeth yr Oen Llyfn**

Vallisneria spiralis (Tapegrass) .... **Ruban y Dŵr**

Verbascum blattaria (Moth Mullein) .... **Gwyfynog**

    chaixii subsp. *chaixii* (Nettle-leaved Mullein) .... **Pannog Danadl-ddail**

    lychnitis (White Mullein) .... **Pannog Gwyn**, Hanner Pan, Pannog Gwyn Gwryw

    nigrum (Dark Mullein) .... **Pannog Tywyllddu**

    phlomoides (Orange Mullein) .... **Pannog Oren**

    phoeniceum (Purple Mullein) .... **Pannog Brithgoch**

    pulverulentum (Hoary Mullein) .... **Pannog Blawrwyn**

    thapsus (Great Mullein) .... **Pannog Melyn**, Blewog, Cannwyll yr Adar, Clust y Fuwch, Clust yr Oen, Clust y Tarw, Chwyn Ffagl, Dail y Dargod, Dail Melfed, Hanner Pan, Llafn Ffagl, Llwgr y Tewlaeth, Llwyn y Tewlaeth, Melfedog, Rhosgampau, Siaced y Melinydd, Sircyn y Melinydd, Tapr Dunos, Tapr Mair, Tapr Mawr, Tewbannog, Tewbannog Blewog

    virgatum (Twiggy Mullein) .... **Tewbannog**, Brigynog, Gwyfynnog

Verbena officinalis (Vervain) .... **Briw'r March**, Cas-gan-gythraul, Derwen Fendigaid, Derwen y Ddaear, Ferfaen, Gwaedlys Gwyn, Hudlys, Llys yr Hudol, Llysiau'r Hudol

Veronica agrestis (Green Field-speedwell) .... **Rhwyddlwyn Gorweddol**, Rhwyddlwyn Gorweddog, Rhwyddlwyn Gwyrdd Gorweddol

---

a, b, c, ch, d, dd, e, f, ff, g, ng, h, i, j, l, ll, m, n, o, p, ph, r, rh, s, t, th, u, w, y

alpina (Alpine Speedwell) .... **Rhwyddlwyn Alpaidd**
anagallis-aquatica (Blue Water-speedwell) .... **Graeanllys y Dŵr**, Graeanllys y Dŵr Glaswelw
arvensis (Wall Speedwell) .... **Rhwyddlwyn y Mur**, Mur-rwyddlwyn, Rhwyddlwyn
      y Fagwyr, Rhwyddlwyn y Sychdir
beccabunga (Brooklime) .... **Llysiau Taliesyn**, Goferini, Gorferini, Llychlyn y
      Dŵr, Yr Henwr
catenata (Pink Water-speedwell) .... **Graeanllys y Dŵr Rhuddgoch**
chamaedrys (Germander Speedwell) .... **Llygad Doli**, Craith Unnos, Derlys Gwyllt, Llygad
      Glas, Llygad y Deryn Bach, Llygad y Gath,
      Llygad y Tarw, Llygad yr Angel, Llysiau
      Llywelyn, Rhwyddlwyn Blewynog, Rhwyddlwyn
      y Ddeilen Ddu Dda
filiformis (Slender Speedwell) .... **Rhwyddlwyn Crwnddail**
fruticans (Rock Speedwell) .... **Rhwyddlwyn y Graig**
hederifolia (Ivy-leaved Speedwell) .... **Rhwyddlwyn Eiddewddail**, Eiddew y Llawr,
      Rhwyddlwyn Daileiddew
montana (Wood Speedwell) .... **Rhwyddlwyn y Gwrych**, Rhwyddlwyn Mynyddig,
      Rhwyddlwyn Mynyddol, Rhwyddlwyn y Bryniau
officinalis (Heath Speedwell) .... **Rhwyddlwyn Meddygol**, Feronica Cyffredin,
      Gwrnerth, Ieuawdd, Ieudawdd, Ieutawd,
      Ieutawdd, Llys Llewelyn, Rhwyddlwyn Cyffredin
peregrina (American Speedwell) .... **Rhwyddlwyn Tramor**
persica (Common Field-speedwell) .... **Rhwyddlwyn y Gerddi**
polita (Grey Field-speedwell) .... **Rhwyddlwyn Llwyd**
praecox (Breckland Speedwell) .... **Rhwyddlwyn Breckland**
reptans (Corsican Speedwell) .... **Rhwyddlwyn Corsica**
scutellata (Marsh Speedwell) .... **Rhwyddlwyn y Gors**, Rhwyddlwyn Culddail y Gors
serpyllifolia (Thyme-leaved Speedwell) .... **Rhwyddlwyn Gruwddail**
spicata (Spiked Speedwell) .... **Rhwyddlwyn Pigog**
triphyllos (Fingered Speedwell) .... **Rhwyddlwyn Byseddog**
verna (Spring Speedwell) .... **Rhwyddlwyn y Gwanwyn**
Viburnum lantana (Wayfaring-tree) .... **Gwifwrnwydden**, Gwifwrnwydd Blawdog
opulus (Guelder-rose) .... **Corswigen**, Gwifwrnwydd y Gors, Rhosyn y
      Gau-ysgawen, Ysgawen y Gors
rhytidophyllum (Wrinkled Viburnum) .... **Gwifwrnwydden Grychog**
tinus (Laurustinus) .... **Tinws**
Vicia bithynica (Bithynian Vetch) .... **Ffugbysen Ruddlas Arw-godog**
cassubica (Danzig Vetch) .... **Ffugbysen Fer-godog**
cracca (Tufted Vetch) .... **Tagwyg Bysen**, Ffacbysen y Berth, Gwyg,
      Gwygbysen, Pys y Gath, Pys y Llygod Bach,
      Tagwyg
faba (Broad Bean) .... **Ffaen**, Ponar
hirsuta (Hairy Tare) .... **Corbysen Flewog**, Corbys Blewog
hybrida (Hairy Yellow-vetch) .... **Ffugbysen Felen Flewog**, Ffugbysen Cymysgryw
lathyroides (Spring Vetch) .... **Ffugbysen y Gwanwyn**, Ffacbys y Gwanwyn
lutea (Yellow-vetch) .... **Ffugbysen Felen Arw-godog**, Eurbys, Eurlys
orobus (Wood Bitter-vetch) .... **Pysen y Coed**, Chwerbys y Coed, Ffacbys Chwerw,
      Pys y Garanod, Pys y Maes, Pysen yr Aran
parviflora (Slender Tare) .... **Corbysen Fain**
sativa subsp. *nigra* (Narrow-leaved Vetch) .... **Ffugbysen Gulddail Ruddog**, Ffugbysen Wyllt,
      Ffugbysen Faethol Gyffredin
sativa subsp. *sativa* (Common Vetch) .... **Ffugbysen Faethol**, Ffugbys Cyffredin, Pupys
sepium (Bush Vetch) .... **Ffugbysen y Cloddiau**, Ffucbysen y Cloddiau,
      Ffugbys y Clawdd, Pys y Berth
sylvatica (Wood Vetch) .... **Ffugbysen y Wig**, Ffacbys, Ffacbys y Wig,
      Ffacbysen y Wig, Ffagbysen y Wig
tenuifolia (Fine-leaved Vetch) .... **Ffugbysen Feinddail**
tetrasperma (Smooth Tare) .... **Corbysen Lefn Ronynnog**, Corbysen Lefn
      Bedair-ronynnog, Corbysen Lefn
      Bedwar-ronynnog
villosa (Fodder Vetch) .... **Ffugbysen yr Âr**
Vinca major (Greater Periwinkle) .... **Perfagl Mwyaf**, Erllysg, Erllysg Fwyaf, Gwanwdon,
      Gwanwdon Mwyaf, Llawrig, Llowrig, Perfagl
      Fwyaf, Ysgarllys
minor (Lesser Periwinkle) .... **Perfagl**, Erllysg Lleiaf, Gwanwden Lleiaf, Llowrig
      Lleiaf, Ysgarllys Bychan
Viola arvensis (Field Pansy) .... **Ofergaru**, Blodyn Wyneb Mwnci, Cennin Trilliw,
      Llysiau y Drindod, Trilliw yr Âr

---

a, b, c, ch, d, dd, e, f, ff, g, ng, h, i, j, l, ll, m, n, o, p, ph, r, rh, s, t, th, u, w, y

canina (Heath Dog-violet) .... **Fioled y Cŵn**, Dail Pen Neidr, Esgid y Gog, Fiolet y Gwrych, Fiolydd y Cŵn, Fiolydd y Neidr, Pen y Neidr, Sanau'r Gwcw

cornuta (Horned Pansy) .... **Fioled Gorniog**

hirta (Hairy Violet) .... **Gwiolydd Flewog**, Crynllys Blewog, Fioled Flewog

kitaibeliana (Dwarf Pansy) .... **Fioled Fechan**

lactea (Pale Dog-violet) .... **Millyn Gwelw Grugog**, Myllynen Melynwen

lutea (Mountain Pansy) .... **Fioled y Mynydd**, Crinllys Melyn Mynyddog, Fioled Felen, Millynen Felen

odorata (Sweet Violet) .... **Fioled Bêr**, Craith Unnos, Crinllys, Crinllys Aroglys, Crinllys Pêr, Crinllys Perarogl, Esgidiau'r Gog, Gwiolydd, Meddyges Wen, Meddygyn, Millyn, Millyn Aroglys, Millyn Glas, Millyn Gwyn, Millynen

palustris (Marsh Violet) .... **Fioled y Gors**, Gwiolydd y Gors, Gwythdydd, Millyn y Gors

persicifolia (Fen Violet) .... **Fioled y Fignen**

reichenbachiana (Early Dog-violet) .... **Gwiolydd y Goedwig**, Gwiolydd, Millyn Glaswelw, Millyn y Goedwig

riviniana (Common Dog-violet) .... **Gwiolydd Gyffredin**, Esgidiau a Sanau y Gog, Millyn Glasog y Gelltydd, Pen y Neidr, Sanau'r Gog, Sanau'r Gwcw

rupestris (Teesdale Violet) .... **Fioled y Graig**

tricolor subsp. *curtisii* (Dune Pansy) .... **Trilliw y Tywyn**, Millyn y Traeth, Millyn y Twynau

tricolor subsp. *tricolor* (Wild Pansy) .... **Trilliw**, Blodeuyn Wyneb Mair, Caru'n Ofer, Fioled Dauwynebog, Fioled Fraith, Fioled Trilliw, Llysiau'r Drindod, Llysiau'r Drindod Trilliw, Llysieuyn y Drindod, Mam yng Nghyfraith, Ofer Garu, Ofergaru Gwyllt

× *wittrockiana* (Garden Pansy) .... **Pansi**

Viscum album (Mistletoe) .... **Uchelwydd**, Darllys Awelfar, Gwysglys, Gwysonllys, Heonllys, Holliach, Pren-awyr, Uchelawr, Uchelawyr, Uchelfa, Uchelfar, Uchelog

Vitis vinifera (Grape-vine) .... **Gwinwydden**, Gwinien

Vulpia bromoides (Squirreltail Fescue) .... **Peisgwellt Anhiliog**, Peisgwellt â Chynffon Gwiwer

ciliata subsp. *ambigua* (Bearded Fescue) .... **Peisgwellt Barfog**

fasciculata (Dune Fescue) .... **Peisgwellt Uncib**, Peisgwellt y Traeth

myuros (Rat's-tail Fescue) .... **Peisgwellt y Fagwyr**, Peisgwellt â Chynffon Llygod Mawr

unilateralis (Mat-grass Fescue) .... **Peisgwellt Unochrog**

Wahlenbergia hederacea (Ivy-leaved Bellflower) .... **Clychlys Eiddew**, Clychau Ilan, Clychau'r Cawr, Clychau'r Iorwg, Clychlys Eiddewddail

Wolffia arrhiza (Rootless Duckweed) .... **Llinad Diwraidd**

Woodsia alpina (Alpine Woodsia) .... **Coredynen Alpaidd**

ilvensis (Oblong Woodsia) .... **Coredynen Hirgul**

Xanthium spinosum (Spiny Cocklebur) .... **Cacamwci Pigog**

strumarium (Rough Cocklebur) .... **Cacamwci Lleiaf**

Yucca gloriosa (Spanish-dagger) .... **Dagr Sbaen**

recurvifolia (Curved-leaved Spanish-dagger) .... **Dagr Sbaen Dailardro**

Zannichellia palustris (Horned Pondweed) .... **Cornwlyddyn**, Cornwlydd y Gors, Llynddail Corniog, Llynwlyddyn Corniog

Zostera angustifolia (Narrow-leaved Eelgrass) .... **Gwellt y Gamlas Culddail**

marina (Eelgrass) .... **Gwellt y Gamlas**, Glasnoden y Môr, Ysnoden Laswerdd y Môr

noltii (Dwarf Eelgrass) .... **Corwellt y Gamlas**

Zea mays (Maize) .... **Indrawn**

---

a, b, c, ch, d, dd, e, f, ff, g, ng, h, i, j, l, ll, m, n, o, p, ph, r, rh, s, t, th, u, w, y

Rhan SAESNEG – Lladin – Cymraeg
ENGLISH – Latin – Welsh Section

Abraham-Isaac-Jacob (*Trachystemon orientalis*) .... **Abraham-Isaac-Jacob**
Aconite, Winter (*Eranthis hyemalis*) .... **Bleidd-dag y Gaeaf**
Adder's-tongue (*Ophioglossum vulgatum*) .... **Tafod y Neidr**
    Least (*Ophioglossum lusitanicum*) .... **Tafod y Neidr Lleiaf**
    Small (*Ophioglossum azoricum*) .... **Tafod y Neidr Bach**
Agrimony (*Agrimonia eupatoria*) .... **Llys y Dryw**
    Bastard (*Aremonia agrimonioides*) .... **Ffuglys y Dryw**
    Fragrant (*Agrimonia procera*) .... **Llys y Dryw Peraroglus**
Alder (*Alnus glutinosa*) .... **Gwernen**
    Grey (*Alnus incana*) .... **Gwernen Lwyd**
Alexanders (*Smyrnium olusatrum*) .... **Dulys**
    Perfoliate (*Smyrnium perfoliatum*) .... **Dulys Trydwll**
Alison, Hoary (*Berteroa incana*) .... **Cuddlin Llwyd**
    Small (*Alyssum alyssoides*) .... **Cuddlin Bach**
    Sweet (*Lobularia maritima*) .... **Cuddlin**
Alkanet (*Anchusa officinalis*) .... **Alcanet**
    Green (*Pentaglottis sempervirens*) .... **Llys y Gwrid**
Allseed (*Radiola linoides*) .... **Gorhilig**
    Four-leaved (*Polycarpon tetraphyllum*) .... **Gorhadog**
Almond (*Prunus dulcis*) .... **Almonwydd**
Alpine-clubmoss (*Diphasiastrum alpinum*) .... **Cnwpfwsogl Alpaidd**
    Hybrid (*Diphasiastrum complanatum*) .... **Cnwpfwsogl Alpaidd Croesryw**
Alpine-sedge, Black (*Carex atrata*) .... **Hesgen Ddu Alpaidd**
    Close-headed (*Carex norvegica*) .... **Hesgen Alpaidd**
    Scorched (*Carex atrofusca*) .... **Hesgen Alpaidd Losg**
Amaranth, Common (*Amaranthus retroflexus*) .... **Chwyn Moch**
    Green (*Amaranthus hybridus*) .... **Chwyn Moch Gwyrdd**
    White (*Amaranthus albus*) .... **Chwyn Moch Gwyn**
Anemone, Blue (*Anemone apennina*) .... **Blodyn y Gwynt Glas**
    Wood (*Anemone nemorosa*) .... **Blodyn y Gwynt**
    Yellow (*Anemone ranunculoides*) .... **Blodyn y Gwynt Melyn**
Angelica, Garden (*Angelica archangelica*) .... **Talfedel**
    Wild (*Angelica sylvestris*) .... **Llys yr Angel**
Apple (*Malus domestica*) .... **Pren Afalau**
    Crab (*Malus sylvestris*) .... **Pren Afal Sur**
Apple-of-Peru (*Nicandra physalodes*) .... **Afal Periw**
Apricot (*Prunus armeniaca*) .... **Bricyllwydden**
Arabis, Garden (*Arabis caucasica*) .... **Arabis yr Ardd**
Archangel, Variegated Yellow (*Lamiastrum galeobdolon* subsp.
    argentatum) .... **Marddanhadlen Felen Arianddail**
    Yellow (*Lamiastrum galeobdolon*) .... **Marddanhadlen Felen**
Arrowgrass, Marsh (*Triglochin palustris*) .... **Saethbennig y Gors**
    Sea (*Triglochin maritima*) .... **Saethbennig Arfor**
Arrowhead (*Sagittaria sagittifolia*) .... **Saethlys**
    Canadian (*Sagittaria rigida*) .... **Saethlys Canada**
Artichoke, Globe (*Cynara scolymus*) .... **Marchysgallen y Gerddi**
    Jerusalem (*Helianthus tuberosus*) .... **Artisiog Caersalem**
Arum, Bog (*Calla palustris*) .... **Pidyn y Gors**
Asarabacca (*Asarum europaeum*) .... **Carn Ebol y Gerddi**
Ash (*Fraxinus excelsior*) .... **Onnen**
    Manna (*Fraxinus ornus*) .... **Onnen Eiddil**
Asparagus, Garden (*Asparagus officinalis* subsp. *officinalis*) ..... **Merllys**
    Wild (*Asparagus officinalis* subsp. *prostratus*) .... **Merllys Gorweddol**
Aspen (*Populus tremula*) .... **Aethnen**
Asphodel, Bog (*Narthecium ossifragum*) .... **Llafn y Bladur**
    Scottish (*Tofieldia pusilla*) .... **Bladurwellt y Mynydd**
Aster, Goldilocks (*Aster linosyris*) .... **Gold y Môr**
    Sea (*Aster tripolium*) .... **Seren y Morfa**
Astrantia (*Astrantia major*) .... **Astrantia**
Aubretia (*Aubrieta deltoidea*) .... **Obrisia**
Avens, Hybrid (*Geum* × *intermedium*) .... **Mapgoll Croesryw**
    Mountain (*Dryas octopetala*) .... **Derig**
    Water (*Geum rivale*) .... **Mapgoll Glan y Dŵr**
    Wood (*Geum urbanum*) .... **Mapgoll**

Awlwort (*Subularia aquatica*) .... Mynawydlys Dyfrdrig
Azalea, Trailing (*Loiseleuria procumbens*) .... Eilgorros
    Yellow (*Rhododendron luteum*) .... Rhododendron Melyn
Balm (*Melissa officinalis*) .... Gwenynddail
    Bastard (*Melittis melissophyllum*) .... Gwenynog
Balm-of-Gilead (*Populus candicans*) .... Poplysen Gilead
Balsam, Indian (*Impatiens glandulifera*) .... Jac y Neidiwr
    Orange (*Impatiens capensis*) .... Ffromlys Oren
    Small (*Impatiens parviflora*) .... Ffromlys Bach
    Touch-me-not (*Impatiens noli-tangere*) .... Ffromlys Melyn Gwyllt
Balsam-poplar, Western (*Populus trichocarpa*) .... Poplysen Gilead y Gorllewin
Bamboo, Broad-leaved (*Sasa palmata*) .... Bambŵ
Baneberry (*Actaea spicata*) .... Llysiau Cristoffis
Barberry (*Berberis vulgaris*) .... Eurdrain
    Great (*Berberis glaucocarpa*) .... Eurdrain Mwyaf
Barley, Foxtail (*Hordeum jubatum*) .... Heiddwellt Cribog
    Meadow (*Hordeum secalinum*) .... Heiddwellt y Maes
    Sea (*Hordeum marinum*) .... Heiddwellt y Morfa
    Six-rowed (*Hordeum vulgare*) .... Haidd
    Two-rowed (*Hordeum distichon*) .... Haidd Dwy-resog
    Wall (*Hordeum murinum*) .... Heiddwellt y Mur
    Wood (*Hordelymus europaeus*) .... Heiddwellt y Coed
Barren-wort (*Epimedium alpinum*) .... Anhiliog
Bartsia, Alpine (*Bartsia alpina*) .... Llanc Swil
    Red (*Odontites vernus*) .... Gorudd
    Yellow (*Parentucellia viscosa*) .... Gorudd Melyn
Basil, Wild (*Clinopodium vulgare*) .... Brenhinllys Gwyllt
Bastard-toadflax (*Thesium humifusum*) .... Geulin y Forwyn
Bay (*Laurus nobilis*) .... Llawrwydden
Beak-sedge, Brown (*Rhyncospora fusca*) .... Corsfrwynen Losg
    White (*Rhyncospora alba*) .... Corsfrwynen Wen
Bean, Broad (*Vicia faba*) .... Ffaen
    French (*Phaseolus vulgaris*) .... Ffaen Ffrengig
    Runner, (*Phaseolus coccineus*) .... Ffaen Ddringo
Bearberry (*Arctostaphylos uva-ursi*) .... Llus yr Arth
    Alpine (*Arctostaphylos alpinus*) .... Llus yr Arth Alpaidd
Beard-grass, Annual (*Polypogon monspeliensis*) .... Barfwellt Blynyddol
    Perennial (× *Agropogon littoralis*) .... Barfwellt Bythol
Bear's-breech (*Acanthus mollis*) .... Drainllys
    Spiny (*Acanthus spinosus*) .... Drainllys Pigog
Bedstraw, Fen (*Galium uliginosum*) .... Briwydden y Fign
    Heath (*Galium saxatile*) .... Briwydden y Rhosdir
    Lady's (*Galium verum*) .... Briwydden Felen
    Limestone (*Galium sterneri*) .... Briwydden y Garreg Galch
    Northern (*Galium boreale*) .... Briwydden Fynyddig
    Slender (*Galium pumilum*) .... Briwydden Feindwf
    Wall (*Galium parisiense*) .... Briwydden y Mur
Beech (*Fagus sylvatica*) .... Ffawydden
Beet (*Beta vulgaris*) .... Betys
    Sea (*Beta vulgaris* subsp. *maritima*) .... Betys Gwyllt
Beggarticks (*Bidens frondosa*) .... Llau'r Crwydryn
Bellflower, Adria (*Campanula portenschlagiana*) .... Clychlys Adria
    Clustered (*Campanula glomerata*) .... Clychlys Clwstwr
    Creeping (*Campanula rapunculoides*) .... Clychlys Llusg
    Giant (*Campanula latifolia*) .... Clychlys Mawr
    Ivy-leaved (*Wahlenbergia hederacea*) .... Clychlys Eiddew
    Nettle-leaved (*Campanula trachelium*) .... Clychlys Danadl
    Peach-leaved (*Campanula persicifolia*) .... Clychlys Peatws-ddail
    Rampion (*Campanula rapunculus*) .... Clychlys Erfin
    Spreading (*Campanula patula*) .... Clychlys Lledaenol
    Trailing (*Campanula poscharskyana*) .... Clychlys Ymlusgol
Bent, Black (*Agrostis gigantea*) .... Maeswellt Mawr
    Bristle (*Agrostis curtisii*) .... Maeswellt Gwrychog
    Brown (*Agrostis vinealis*) .... Maeswellt y Cŵn
    Common (*Agrostis capillaris*) .... Maeswellt Cyffredin
    Creeping (*Agrostis stolonifera*) .... Maeswellt y Gwlypdir
    Velvet (*Agrostis canina*) .... Maeswellt y Rhos
    Water (*Polypogon viridis*) .... Barfwellt Diffaith

Bermuda-buttercup (*Oxalis pes-caprae*) .... Suran Felen Ddigoes
Bermuda-grass (*Cynodon dactylon*) .... Gwair Bermuda
Betony (*Stachys officinalis*) .... Cribau San Ffraid
Bilberry (*Vaccinium myrtillus*) .... Llus
    Bog (*Vaccinium uliginosum*) .... Lluswydden Fawr
Bindweed, Field (*Convolvulus arvensis*) .... Cwlwm y Cythraul
    Hairy (*Calystegia pulchra*) .... Taglys Blewog
    Hedge (*Calystegia sepium*) .... Taglys Mawr
    Large (*Calystegia silvatica*) .... Taglys Estron
    Sea (*Calystegia soldanella*) .... Taglys Arfor
Birch, Downy (*Betula pubescens*) .... Bedwen Lwyd
    Dwarf (*Betula nana*) .... Corfedwen
    Silver (*Betula pendula*) .... Bedwen Arian
Bird-in-a-bush (*Corydalis solida*) .... Caledwraidd
Bird's-foot (*Ornithopus perpusillus*) .... Troed yr Aderyn
    Orange (*Ornithopus pinnatus*) .... Troededn Oren
Bird's-foot-trefoil, Common (*Lotus corniculatus*) .... Pysen y Ceirw
    Greater (*Lotus pedunculatus*) .... Pysen y Ceirw Fwyaf
    Hairy (*Lotus subbiflorus*) .... Pysen y Ceirw Flewog
    Narrow-leaved (*Lotus glaber*) .... Troed Aderyn Culddail
    Slender (*Lotus angustissimus*) .... Pysen y Ceirw Eiddilaidd
Bird's-nest, Yellow (*Monotropa hypopitys*) .... Cytwf
Birthwort (*Aristolochia clematitis*) .... Afal Daear
Bistort, Alpine (*Persicaria vivipara*) .... Neidrlys Mynyddig
    Amphibious (*Persicaria amphibia*) .... Canwraidd Goch
    Common (*Persicaria bistorta*) .... Llys y Neidr
    Red (*Persicaria amplexicaulis*) .... Neidrlys Coch
Bitter-cress, Hairy (*Cardamine hirsuta*) .... Berwr Blewog
    Large (*Cardamine amara*) .... Berwr Chwerw
    Narrow-leaved (*Cardamine impatiens*) .... Berwr Chwerw Culddail
    Wavy (*Cardamine flexuosa*) .... Berwr Cam
Bittersweet (*Solanum dulcamara*) .... Codwarth Caled
Bitter-vetch (*Lathyrus linifolius*) .... Pysen y Coed Gnapwreiddiog
    Wood (*Vicia orobus*) .... Pysen y Coed
Black-bindweed (*Fallopia convolvulus*) .... Taglys yr Ŷd
Black-grass (*Alopecurus myosuroides*) .... Cynffonwellt Du
Blackthorn (*Prunus spinosa*) .... Draenen Ddu
Bladder-fern, Brittle (*Cystopteris fragilis*) .... Rhedynen Frau
    Dickie's (*Cystopteris dickieana*) .... Ffiolredynen Arfor
    Mountain (*Cystopteris montana*) .... Ffiolredynen y Mynydd
Bladdernut (*Staphylea pinnata*) .... Dagrau Addaf
Bladder-sedge (*Carex vesicaria*) .... Hesgen Chwysigennaidd
    Mountain (*Carex × grahamii*) .... Hesgen Chwysigennaidd y Mynydd
Bladderseed (*Physospermum cornubiense*) .... Chwyddhad
Bladder-senna (*Colutea arborescens*) .... Llwyn Senna
Bladderwort (*Utricularia australis*) .... Swigenddail
    Greater (*Utricularia vulgaris*) .... Swigenddail Mwyaf
    Intermediate (*Utricularia intermedia*) .... Swigenddail Canolig
    Lesser (*Utricularia minor*) .... Swigenddail Lleiaf
    Nordic (*Utricularia stygia*) .... Swigenddail Llychlynaidd
    Pale (*Utricularia ochroleuca*) .... Swigenddail Gwelw
Blinks (*Montia fontana*) .... Gwlyddyn y Ffynnon
Blood-drop-emlets (*Mimulus luteus*) .... Dafnau Gwaed
Bluebell (*Hyacinthoides non-scripta*) .... Clychau'r Gog
    Spanish (*Hyacinthoides hispanica*) .... Clychau Cog Sbaen
Blue-eyed-grass (*Sisyrinchium bermudiana*) .... Glaswellt Llygatlas
    American (*Sisyrinchium montanum*) .... Llygatlas America
Blue-eyed-Mary (*Omphalodes verna*) .... Mari Lygatlas
Blue-sow-thistle, Alpine (*Cicerbita alpina*) .... Llaethysgallen-las Alpaidd
    Common (*Cicerbita macrophylla*) .... Llaethysgallen-las
    Hairless (*Cicerbita plumieri*) .... Llaethysgallen-las Foel
    Pontic (*Cicerbita bourgaei*) .... Llaethysgallen-las Georgia
Bogbean (*Menyanthes trifoliata*) .... Ffa'r Gors
Bog-myrtle (*Myrica gale*) .... Helygen Fair
Bog-rosemary (*Andromeda polifolia*) .... Rhosmari Gwyllt
Bog-rush, Black (*Schoenus nigricans*) .... Corsfrwynen Ddu
    Brown (*Schoenus ferrugineus*) .... Corsfrwynen Rudd
Bog-sedge (*Carex limosa*) .... Hesgen Eurwerdd

Mountain (*Carex rariflora*) .... Hesgen Eurwerdd y Mynydd
Tall (*Carex magellanica*) .... Hesgen Eurwerdd Lefn
Borage (*Borago officinalis*) .... Tafod y Fuwch
Boston-ivy (*Parthenocissus tricuspidata*) .... Dringwr Fflamgoch Triphigyn
Box (*Buxus sempervirens*) .... Pren Bocs
Bracken (*Pteridium aquilinum*) .... Rhedynen Gyffredin
Bramble (*Rubus fruticosus*) .... Mwyaren Ddu
   Stone (*Rubus saxatilis*) .... Corfwyaren
Bridewort (*Spiraea salicifolia*) .... Erwain Helygddail
Bristle-grass, Foxtail (*Setaria italica*) .... Cibogwellt Cynffonnog
   Green (*Setaria viridis*) .... Cibogwellt Gwyrddlas
   Rough (*Setaria verticillata*) .... Cibogwellt Troellog
   Yellow (*Setaria pumila*) .... Cibogwellt Melyn
Brome, Barren (*Anisantha sterilis*) .... Pawrwellt Hysb
   California (*Ceratochloa carinata*) .... Pawrwellt California
   Compact (*Anisantha madritensis*) .... Pawrwellt Dwysedig
   Drooping (*Anisantha tectorum*) .... Pawrwellt Llipa
   False (*Brachypodium sylvaticum*) .... Breichwellt y Coed
   Field (*Bromus arvensis*) .... Pawrwellt y Maes
   Great (*Anisantha diandra*) .... Pawrwellt Mawr
   Hungarian (*Bromopsis inermis*) .... Pawrwellt Hwngari
   Interrupted (*Bromus interruptus*) .... Pawrwellt Coll
   Meadow (*Bromus commutatus*) .... Pawrwellt Mwyaf y Maes
   Rescue (*Ceratochloa cathartica*) .... Pawrwellt America
   Ripgut (*Anisantha rigida*) .... Pawrwellt Union
   Rye (*Bromus secalinus*) .... Pawrwellt Ller
   Smith's (*Bromus pseudosecalinus*) .... Pawrwellt Smith
   Smooth (*Bromus racemosus*) .... Pawrwellt Llyfn
   Upright (*Bromopsis erecta*) .... Pawrwellt Unionsyth
Brooklime (*Veronica beccabunga*) .... Llysiau Taliesyn
Brookweed (*Samolus valerandi*) .... Claerlys
Broom (*Cytisus scoparius* subsp. *scoparius*) .... Banadl
   Hairy-fruited (*Cytisus striatus*) .... Banadl Blewog
   Prostrate (*Cytisus scoparius* subsp. *maritimus*) .... Banadl Gorweddol
   Spanish (*Spartium junceum*) .... Banadl Sbaeneg
   White (*Cytisus multiflorus*) .... Banadl Gwyn
Broomrape, Bedstraw (*Orobanche caryophyllacea*) .... Gorfanc Briwydd
   Carrot (*Orobanche minor* var. *maritima*) .... Gorfanc Moron
   Common (*Orobanche minor*) .... Gorfanc Lleiaf
   Greater (*Orobanche rapum-genistae*) .... Gorfanc Mwyaf
   Hemp (*Orobanche ramosa*) .... Gorfanc Canghennog
   Ivy (*Orobanche hederae*) .... Gorfanc Eiddew
   Knapweed (*Orobanche elatior*) .... Gorfanc Hir
   Oxtongue (*Orobanche artemisiae-campestris*) .... Gorfanc Gwalchlys
   Thistle (*Orobanche reticulata*) .... Gorfanc Ysgall
   Thyme (*Orobanche alba*) .... Gorfanc Coch
   Yarrow (*Orobanche purpurea*) .... Gorfanc Glasgoch
Bryony, Black (*Tamus communis*) .... Gwinwydden Ddu
   White (*Bryonia dioica*) .... Bloneg y Ddaear
Buckler-fern, Broad (*Dryopteris dilatata*) .... Marchredynen Lydan
   Crested (*Dryopteris cristata*) .... Marchredynen Gribog
   Hay-scented (*Dryopteris aemula*) .... Marchredynen Aroglus
   Narrow (*Dryopteris carthusiana*) .... Marchredynen Gul
   Northern (*Dryopteris expansa*) .... Marchredynen y Gogledd
   Rigid (*Dryopteris submontana*) .... Marchredynen Anhyblyg
Buckthorn (*Rhamnus cathartica*) .... Rhafnwydden
   Alder (*Frangula alnus*) .... Breuwydden
   Mediterranean (*Rhamnus alaternus*) .... Rhafnwydden Fythwyrdd
Buckwheat (*Fagopyrum esculentum*) .... Gwenith yr Hydd
   Green (*Fagopyrum tataricum*) .... Hyddwenith Gwyrdd
Bugle (*Ajuga reptans*) .... Glesyn y Coed
   Cornish (*Ajuga genevensis*) .... Glesyn Cernyw
   Pyramidal (*Ajuga pyramidalis*) .... Glesyn Gwelw
Bugloss (*Anchusa arvensis*) .... Bleidd-drem
Bullace (*Prunus domestica* subsp. *insititia*) .... Eirinen Fulas
Bullwort (*Ammi majus*) .... Esgoblys
Bulrush (*Typha latifolia*) .... Cynffon y Gath
   Lesser (*Typha angustifolia*) .... Cynffon y Gath Gulddail

Sea (*Daucus carota* subsp. *gummifer*) .... Moronen y Môr
Wild (*Daucus carota* subsp. *carota*) .... Moronen y Maes
Castor-oil-plant (*Ricinus communis*) .... Trogenllys
Catchfly, Alpine (*Lychnis alpina*) .... Lluglys Mynyddig
   Berry (*Cucubalus baccifer*) .... Gwlydd Conynnog
   Forked (*Silene dichotoma*) .... Gludlys Fforchog
   Italian (*Silene italica*) .... Gludlys yr Eidal
   Night-flowering (*Silene noctiflora*) .... Gludlys Nos-flodeuol
   Nottingham (*Silene nutans*) .... Gludlys Gogwyddol
   Sand (*Silene conica*) .... Gludlys Rhesog
   Small-flowered (*Silene gallica*) .... Gludlys Amryliw
   Spanish (*Silene otites*) .... Gludlys Ysbaenaidd
   Sticky (*Lychnis viscaria*) .... Lluglys Gludiog
   Sweet-William (*Silene armeria*) .... Gludlys Crynswth
Cat-mint (*Nepeta cataria*) .... Mintys y Gath
Cat's-ear (*Hypochoeris radicata*) .... Melynydd
   Smooth (*Hypochoeris glabra*) .... Melynydd Moel
   Spotted (*Hypochoeris maculata*) .... Melynydd Brych
Cat's-tail, Alpine (*Phleum alpinum*) .... Rhonwellt Alpaidd
   Purple-stem (*Phleum phleoides*) .... Rhonwellt Coesddu
   Sand (*Phleum arenarium*) .... Rhonwellt y Tywyn
   Smaller (*Phleum bertolonii*) .... Rhonwellt Penfain
Cedar-of-Lebanon (*Cedrus libani*) .... Cedrwydden Libanus
Celandine, Greater (*Chelidonium majus*) .... Dilwydd
   Lesser (*Ranunculus ficaria*) .... Llygad Ebrill
Celery, Wild (*Apium graveolens*) .... Perllys y Morfa
Centaury, Broad-leaved (*Centaurium latifolium*) .... Canri Goch Lydanddail
   Common (*Centaurium erythraea*) .... Canri Goch
   Guernsey (*Exaculum pusillum*) .... Canri Guernsey
   Lesser (*Centaurium pulchellum*) .... Canri Leiaf
   Perennial (*Centaurium scilloides*) .... Canri Dryflwyddol
   Seaside (*Centaurium littorale*) .... Canri Goch Arfor
   Slender (*Centaurium tenuiflorum*) .... Canri Fain
   Tufted (*Centaurium erythraea* var. *capitatum*) .... Canri Dywarchog
   Yellow (*Cicendia filiformis*) .... Canri Felen Eiddil
Chaffweed (*Anagallis minima*) .... Corfrilys
Chamomile (*Chamaemelum nobile*) .... Camri
   Corn (*Anthemis arvensis*) .... Camri'r Ŷd
   False (*Boltonia asteroides*) .... Gaugamri
   Sicilian (*Anthemis punctata*) .... Camri Arfor
   Stinking (*Anthemis cotula*) .... Camri'r Cŵn
   Yellow (*Anthemis tinctoria*) .... Camri Melyn
Charlock (*Sinapis arvensis*) .... Cedw Gwyllt
Cherry, Bird (*Prunus padus*) .... Ceiriosen yr Adar
   Dwarf (*Prunus cerasus*) .... Ceiriosen
   Rum (*Prunus serotina*) .... Ceiriosen Hwyrddail
   Wild (*Prunus avium*) .... Ceiriosen Ddu
Chervil, Bur (*Anthriscus caucalis*) .... Gorthyfail Cyffredin
   Garden (*Anthriscus cerefolium*) .... Gorthyfail y Gerddi
   Golden (*Chaerophyllum aureum*) .... Perllys Aur
   Hairy (*Chaerophyllum hirsutum*) .... Perllys Blewog
   Rough (*Chaerophyllum temulum*) .... Perllys y Perthi
Chestnut, Sweet (*Castanea sativa*) .... Castanwydden
Chickweed, Common (*Stellaria media*) .... Brechlys
   Greater (*Stellaria neglecta*) .... Brechlys Mwyaf
   Jagged (*Holosteum umbellatum*) .... Gwlydd Llydanfrig
   Lesser (*Stellaria pallida*) .... Gwlydd y Tywod
   Upright (*Moenchia erecta*) .... Cornwlyddyn Syth
   Water (*Myosoton aquaticum*) .... Llinesg y Dŵr
Chicory (*Cichorium intybus*) .... Ysgellog
Chives (*Allium schoenoprasum*) .... Cennin Syfi
Cicely, Sweet (*Myrrhis odorata*) .... Cegiden Bêr
Cinquefoil, Alpine (*Potentilla crantzii*) .... Pumbys Gwyrdd
   Creeping (*Potentilla reptans*) .... Pumdalen Ymlusgol
   Hoary (*Potentilla argentea*) .... Pumbys Arian-ddail
   Marsh (*Potentilla palustris*) .... Pumdalen y Gors
   Rock (*Potentilla rupestris*) .... Pumdalen y Graig
   Shrubby (*Potentilla fruticosa*) .... Llwyn Pumbys

Copse-bindweed (*Fallopia dumetorum*) .... **Taglys y Berth**
Coral-necklace (*Illecebrum verticillatum*) .... **Clymogyn Troellog**
Coralroot (*Cardamine bulbifera*) .... **Deintwraidd**
Cord-grass, Common (*Spartina anglica*) .... **Cordwellt**
 Prairie (*Spartina pectinata*) .... **Cordwellt y Paith**
 Small (*Spartina maritima*) .... **Cordwellt Bach**
 Smooth (*Spartina alterniflora*) .... **Cordwellt Llyfn**
 Townsend's (*Spartina × townsendii*) .... **Cordwellt Townsend**
Coriander (*Coriandrum sativum*) .... **Brwysgedlys**
Corncockle (*Agrostemma githago*) .... **Bulwg yr Ŷd**
Cornel, Dwarf (*Cornus suecica*) .... **Corwyros**
Cornflower (*Centaurea cyanus*) .... **Penlas yr Ŷd**
 Perennial (*Centaurea montana*) .... **Penlas Fythol**
Cornsalad, Broad-fruited (*Valerianella rimosa*) .... **Gwylaeth yr Oen Llyfn**
 Common (*Valerianella locusta*) .... **Llysiau'r Oen**
 Hairy-fruited (*Valerianella eriocarpa*) .... **Gwylaeth yr Oen Gwlanog**
 Keeled-fruited (*Valerianella carinata*) .... **Llysiau'r Oen Rhychiog**
 Narrow-fruited (*Valerianella dentata*) .... **Gwylaeth yr Oen Deintiog**
Corydalis, Climbing (*Ceratocapnos claviculata*) .... **Mwg y Ddaear Gafaelgar**
 Fern-leaved (*Corydalis cheilanthifolia*) .... **Corydalis Rhedynddail**
 Pale (*Pseudofumaria alba*) .... **Mwg y Ddaear Gwelw**
 Yellow (*Pseudofumaria lutea*) .... **Mwg y Ddaear Melyn**
Costmary (*Tanacetum balsamita*) .... **Mintys Mair**
Cotoneaster, Himalayan (*Cotoneaster simonsii*) .... **Cotoneaster y Graig**
 Lleyn (*Cotoneaster villosulus*) .... **Cotoneaster Llŷn**
 Shiny (*Cotoneaster lucidus*) .... **Cotoneaster Llachar**
 Small-leaved (*Cotoneaster integrifolius*) .... **Cotoneaster Dail Bach**
 Wall (*Cotoneaster horizontalis*) .... **Cotoneaster y Mur**
 Wild (*Cotoneaster cambricus*) .... **Cotoneaster y Gogarth**
Cottongrass, Broad-leaved (*Eriophorum latifolium*) .... **Plu'r Gweunydd Llydanddail**
 Common (*Eriophorum angustifolium*) .... **Plu'r Gweunydd**
 Hares'-tail (*Eriophorum vaginatum*) .... **Plu'r Gweunydd Unben**
 Slender (*Eriophorum gracile*) .... **Plu'r Gweunydd Eiddil**
Cottonweed (*Otanthus maritimus*) .... **Edafeddog y Môr**
Couch, Bearded (*Elymus caninus*) .... **Marchwellt y Coed**
 Common (*Elytrigia repens*) .... **Marchwellt**
 Sand (*Elytrigia juncea*) .... **Marchwellt Tywyn**
 Sea (*Elytrigia atherica*) .... **Marchwellt Arfor**
Cowbane (*Cicuta virosa*) .... **Buladd**
Cowberry (*Vaccinium vitis-idaea*) .... **Llus Coch**
Cowherb (*Vaccaria hispanica*) .... **Buwlys**
Cowslip (*Primula veris*) .... **Briallu Mair**
Cow-wheat, Common (*Melampyrum pratense*) .... **Gliniogai**
 Crested (*Melampyrum cristatum*) .... **Gliniogai Cribog**
 Field (*Melampyrum arvense*) .... **Gliniogai'r Maes**
 Small (*Melampyrum sylvaticum*) .... **Gliniogai'r Coed**
Cranberry (*Vaccinium oxycoccus*) .... **Llygaeron**
 American (*Vaccinium macrocarpon*) .... **Llygaeron America**
 Small (*Vaccinium microcarpum*) .... **Llygaeron Bach**
Crane's-bill, Bloody (*Geranium sanguineum*) .... **Pig yr Aran Rhuddgoch**
 Cut-leaved (*Geranium dissectum*) .... **Pig yr Aran Llarpiog**
 Dove's-foot (*Geranium molle*) .... **Troed y Golomen**
 Dusky (*Geranium phaeum*) .... **Gweddw Galarus**
 French (*Geranium endressii*) .... **Troedrudd Ffrengig**
 Hedgerow (*Geranium pyrenaicum*) .... **Pig Garan y Gwrych**
 Knotted (*Geranium nodosum*) .... **Pig yr Aran Clymog**
 Long-stalked (*Geranium columbinum*) .... **Pig yr Aran Hirgoesog**
 Meadow (*Geranium pratense*) .... **Pig yr Aran y Weirglodd**
 Pencilled (*Geranium versicolor*) .... **Pig yr Aran Llinellgoch**
 Purple (*Geranium × magnificum*) .... **Pig yr Aran Porffor**
 Round-leaved (*Geranium rotundifolium*) .... **Pig yr Aran Crynddail**
 Shining (*Geranium lucidum*) .... **Pig yr Aran Disglair**
 Small-flowered (*Geranium pusillum*) .... **Pig yr Aran Mânflodeuog**
 Wood (*Geranium sylvaticum*) .... **Pig Garan y Goedwig**
Creeping-Jenny (*Lysimachia nummularia*) .... **Siani Lusg**
Cress, Garden (*Lepidium sativum*) .... **Berwr Gardd**
 Hoary (*Lepidium draba*) .... **Pupurlys Llwyd**
 Shepherd's (*Teesdalia nudicaulis*) .... **Berwr Coesnoeth**

Thale (*Arabidopsis thaliana*) .... Berwr y Fagwyr
Tower (*Arabis turrita*) .... Berwr Tyrrog
Trefoil (*Cardamine trifolia*) .... Berwr Tribys
Crocus, Autumn (*Crocus nudiflorus*) .... Saffrwm Noeth-flodeuog
Saffron (*Crocus sativus*) .... Saffyr Meddygol
Sand (*Romulea columnae*) .... Saffrwm y Tywod
Spring (*Crocus vernus* subsp. *vernus*) .... Saffrwm y Gwanwyn
Crosswort (*Cruciata laevipes*) .... Croeslys
Crowberry (*Empetrum nigrum* subsp. *nigrum*) .... Creiglys
Mountain (*Empetrum nigrum* subsp. *hermaphroditum*) ...... Creiglys y Mynydd
Crowfoot, Ivy-leaved (*Ranunculus hederaceus*) .... Crafanc y Frân Eiddewddail
Round-leaved (*Ranunculus omiophyllus*) .... Egyllt y Rhosdir
Three-lobed (*Ranunculus tripartitus*) .... Crafanc Trillob
Cuckooflower (*Cardamine pratensis*) .... Blodyn y Gog
Cucumber (*Cucumis sativus*) .... Cucumer
Cudweed, Broad-leaved (*Filago pyramidata*) .... Edafeddog Llydanddail
Common (*Filago vulgaris*) .... Edafeddog
Dwarf (*Gnaphalium supinum*) .... Edafeddog Coraidd y Mynydd
Heath (*Gnaphalium sylvaticum*) .... Edafeddog y Rhosdir
Highland (*Gnaphalium norvegicum*) .... Edafeddog Alpaidd
Jersey (*Gnaphalium luteo-album*) .... Edafeddog Melynwyn
Marsh (*Gnaphalium uliginosum*) .... Edafeddog Canghennog
Narrow-leaved (*Filago gallica*) .... Edafeddog Culddail
Red-tipped (*Filago lutescens*) .... Edafeddog Blaengoch
Small (*Filago minima*) .... Edafeddog Lleiaf
Currant, Black (*Ribes nigrum*) .... Rhyfon Duon
Downy (*Ribes spicatum*) .... Rhyfon Gwlanog
Flowering (*Ribes sanguineum*) .... Rhyfon Blodeuog
Mountain (*Ribes alpinum*) .... Rhyfon Mynydd
Red (*Ribes rubrum*) .... Rhyfon Coch
Cut-grass (*Leersia oryzoides*) .... Reis y Gwter
Cyclamen (*Cyclamen hederifolium*) .... Bara'r Hwch
Cyphel (*Minuartia sedoides*) .... Eilun Briweg
Cypress, Lawson's (*Chamaecyparis lawsoniana*) .... Cypreswydden Lawson
Leyland (× *Cupressocyparis leylandii*) .... Cypreswydden Leyland
Monterey (*Cupressus macrocarpa*) .... Cypreswydden Monterey
Nootka (*Chamaecyparis nootkatensis*) .... Cypreswydden Nootka
Sawara (*Chamaecyparis pisifera*) .... Cypreswydden Sawara
Daffodil (*Narcissus pseudonarcissus* subsp. *pseudonarcissus*) ... Cenhinen Bedr
Bunch-flowered (*Narcissus tazetta*) .... Gylfinog Pwysi
Pheasant's-eye (*Narcissus poeticus*) .... Gylfinog Barddol
Spanish (*Narcissus pseudonarcissus* subsp. *major*) .... Cenhinen Sbaen
Tenby (*Narcissus pseudonarcissus* subsp. *obvallaris*) .... Cenhinen Dinbych y Pysgod
Daisy (*Bellis perennis*) .... Llygad y Dydd
Oxeye (*Leucanthemum vulgare*) .... Llygad Llo Mawr
Shasta (*Leucanthemum* × *superbum*) .... Llygad Ych Mawr
Dame's-violet (*Hesperis matronalis*) .... Disawr
Dandelion, Common (*Taraxacum* sect. *Ruderalia*) .... Dant y Llew
Lesser (*Taraxacum* sect. *Erythrosperma*) .... Dant y Llew Lleiaf
Red-veined (*Taraxacum* sect. *Spectabilia*) .... Dant y Llew Cochwythien
Darnel (*Lolium temulentum*) .... Efrau
Dead-nettle, Cut-leaved (*Lamium hybridum*) .... Marddanhadlen Rwygddail
Henbit (*Lamium amplexicaule*) .... Marddanhadlen Goch Gron
Northern (*Lamium confertum*) .... Marddanhadlen y Gogledd
Red (*Lamium purpureum*) .... Marddanhadlen Goch
Spotted (*Lamium maculatum*) .... Marddanhadlen Fraith
White (*Lamium album*) .... Marddanhadlen Wen
Deergrass (*Trichophorum cespitosum*) .... Clwbfrwynen y Mawn
Dewberry (*Rubus caesius*) .... Mwyaren Fair
Dew-plant, Deltoid-leaved (*Oscularia deltoides*) .... Chwyslys Trionglog
Pale (*Drosanthemum floribundum*) .... Chwyslys Gwelw
Purple (*Disphyma crassifolium*) .... Chwyslys Porffor
Rosy (*Lampranthus roseus*) .... Chwyslys Gwridog
Sickle-leaved (*Lampranthus falciformis*) .... Chwyslys Cilgannog
Diapensia (*Diapensia lapponica*) .... Diapensia
Dill (*Anethum graveolens*) .... Llys y Gwewyr
Dittander (*Lepidium latifolium*) .... Berwr Gwyllt
Dock, Argentine (*Rumex frutescens*) .... Tafol yr Ariannin

Blood-veined (*Rumex sanguineus* var. *sanguineus*) .... Tafolen Gwythien-goch
Broad-leaved (*Rumex obtusifolius*) .... Dail Tafol
Clustered (*Rumex conglomeratus*) .... Tafol Blaen
Curled (*Rumex crispus*) .... Tafol Crych
Fiddle (*Rumex pulcher*) .... Tafol Crwth-ddail
Golden (*Rumex maritimus*) .... Tafol Arfor
Greek (*Rumex cristatus*) .... Tafol Groeg
Hooked (*Rumex brownii*) .... Tafol Bachog
Marsh (*Rumex palustris*) .... Tafol y Llaid
Meadow (*Rumex* × *pratensis*) .... Tafol y Maes
Northern (*Rumex longifolius*) .... Tafolen Hir
Obovate-leaved (*Rumex obovatus*) .... Tafol Gwrthwylun
Patience (*Rumex patientia*) .... Tafol y Bragdy
Scottish (*Rumex aquaticus*) .... Tafolen yr Alban
Shore (*Rumex rupestris*) .... Tafolen y Traeth
Water (*Rumex hydrolaphathum*) .... Tafol y Dŵr
Willow-leaved (*Rumex salicifolius*) .... Tafol Helygddail
Wood (*Rumex sanguineus* var. *viridis*) .... Tafol y Coed
Dodder (*Cuscuta epithymum*) .... Llindag Lleiaf
Flax (*Cuscuta epilinum*) .... Llindag Llin Amaeth
Greater (*Cuscuta europaea*) .... Llindag Mwyaf
Yellow (*Cuscuta campestris*) .... Llindag Melyn
Dog-rose (*Rosa canina*) .... Rhosyn Coch Gwyllt
Glaucous (*Rosa caesia* subsp. *glauca*) .... Rhosyn Llwydwyrdd
Hairy (*Rosa caesia* subsp. *caesia*) .... Rhosyn Blewog
Round-leaved (*Rosa obtusifolia*) .... Rhosyn Deilen Llawban
Dog's-tail, Crested (*Cynosurus cristatus*) .... Rhonwellt y Ci
Rough (*Cynosurus echinatus*) .... Rhonwellt y Ci Pigog
Dog-violet, Common (*Viola riviniana*) .... Gwiolydd Gyffredin
Early (*Viola reichenbachiana*) .... Gwiolydd y Goedwig
Heath (*Viola canina*) .... Fioled y Cŵn
Pale (*Viola lactea*) .... Millyn Grugog
Dogwood (*Cornus sanguinea*) .... Cwyros
Red-osier (*Cornus sericea*) .... Cwyros Coch
Downy-rose, Harsh (*Rosa tomentosa*) .... Rhosyn Lledwlanog
Sherard's (*Rosa sherardii*) .... Rhosyn Sherard
Soft (*Rosa mollis*) .... Rhosyn Deilen Feddal
Dragon's-teeth (*Tetragonolobus maritimus*) .... Coden Onglog
Dropwort (*Filipendula vulgaris*) .... Crogedyf
Duckweed, Common (*Lemna minor*) .... Llinad
Fat (*Lemna gibba*) .... Llinad Crythog
Greater (*Spirodela polyrhiza*) .... Llinad Mawr
Ivy-leaved (*Lemna trisulca*) .... Llinad Eiddew
Least (*Lemna minuta*) .... Corlinad
Rootless (*Wolffia arrhiza*) .... Llinad Diwraidd
Eelgrass (*Zostera marina*) .... Gwellt y Gamlas
Dwarf (*Zostera noltii*) .... Corwellt y Gamlas
Narrow-leaved (*Zostera angustifolia*) .... Gwellt y Gamlas Culddail
Elder (*Sambucus nigra*) .... Ysgawen
American (*Sambucus canadensis*) .... Ysgawen Borffor
Dwarf (*Sambucus ebulus*) .... Ysgawen Fair
Red-berried (*Sambucus racemosa*) .... Ysgawen Goch
Elecampane (*Inula helenium*) .... Marchalan
Elm, English (*Ulmus procera*) .... Llwyfen Gyffredin
Plot's (*Ulmus plotii*) .... Llwyfen Plot
Small-leaved (*Ulmus minor*) .... Pren Llwyf
Wych (*Ulmus glabra*) .... Llwyfen Lydanddail
Enchanter's-nightshade (*Circaea lutetiana*) .... Llysiau Steffan
Alpine (*Circaea alpina*) .... Llysiau Steffan Mynyddig
Upland (*Circaea* × *intermedia*) .... Gwynlys Mynydd-dir
Endive (*Cichorium endiva*) .... Ysgallen y Meirch
Eryngo, Field (*Eryngium campestre*) .... Ysgallen Ganpen
Escallonia (*Escallonia macrantha*) .... Esgalonia
Evening-primrose, Common (*Oenothera biennis*) .... Melyn yr Hwyr
Fragrant (*Oenothera stricta*) .... Melyn yr Hwyr Peraroglus
Large-flowered (*Oenothera glazioviana*) .... Melyn yr Hwyr Mwyaf
Small-flowered (*Oenothera cambrica*) .... Melyn yr Hwyr Cymreig
Everlasting, Mountain (*Antennaria dioica*) .... Edafeddog y Mynydd

Pearly (*Anaphalis margaritacea*) .... **Edafeddog Tlysog**
Everlasting-pea, Broad-leaved (*Lathyrus latifolius*) .... **Ytbysen Barhaus Lydanddail**
  Narrow-leaved (*Lathyrus sylvestris*) .... **Ytbysen Barhaus Gulddail**
Eyebright, [Arctic] (*Euphrasia arctica*) .... **Effros â Gwallt Byr**
  [Common] (*Euphrasia rostkoviana* subsp. *rostkoviana*) ..... **Effros Blodau Bach Gludiog**
  [Dwarf] (*Euphrasia confusa*) .... **Effros Bach Gliniog**
  [English] (*Euphrasia anglica*) .... **Effros Chwareog Gwalltog**
  Irish (*Euphrasia salisburgensis*) .... **Effros Culddail**
  [Mountain] (*Euphrasia rostkoviana* subsp. *montana*) .... **Torfagl Mynyddog**
  [Northern] (*Euphrasia ostenfeldii*) .... **Effros â Dail Blewog**
  [Scottish] (*Euphrasia scottica*) .... **Effros Eiddil y Fignen Fynyddig**
  [Slender] (*Euphrasia micrantha*) .... **Gloywlys Eiddil Cyffredin**
  [Snowdon] (*Euphrasia rivularis*) .... **Effros yr Wyddfa**
  [Welsh] (*Euphrasia cambrica*) .... **Coreffros Cymreig**
  [Western] (*Euphrasia tetraquetra*) .... **Torfagl ar Graig y Don**
  [Woodland] (*Euphrasia nemorosa*) .... **Llygad Effros**
False-acacia (*Robinia pseudoacacia*) .... **Ffug-acesia**
Fat-hen (*Chenopodium album*) .... **Tafod yr Oen**
Fennel (*Foeniculum vulgare*) .... **Ffenigl**
  Hog's (*Peucedanum officinale*) .... **Pyglys**
Fen-sedge, Great (*Cladium mariscus*) .... **Corsfrwynen**
Fern, Beech (*Phegopteris connectilis*) .... **Rhedynen y Graig**
  Cretan (*Pteris cretica*) .... **Rhedynen Creta**
  Hard (*Blechnum spicant*) .... **Gwibredynen**
  Holly (*Polystichum lonchitis*) .... **Celynredynen**
  Jersey (*Anogramma leptophylla*) .... **Rhedynen Fach Jersey**
  Killarney (*Trichomanes speciosum*) .... **Rhedynen Wrychog**
  Lemon scented (*Oreopteris limbosperma*) .... **Marchredynen y Mynydd**
  Limestone (*Gymnocarpium robertianum*) .... **Llawredynen y Calchfaen**
  Maidenhair (*Adiantum capillus-veneris*) .... **Briger Gwener**
  Marsh (*Thelypteris palustris*) .... **Marchredynen y Gors**
  Oak (*Gymnocarpium dryopteris*) .... **Llawredynen y Derw**
  Ostrich (*Matteuccia struthiopteris*) .... **Rhedynen Estrys**
  Parsley (*Cryptogramma crispa*) .... **Rhedynen Bersli**
  Royal (*Osmunda regalis*) .... **Rhedynen Gyfrdwy**
  Sensitive (*Onoclea sensibilis*) .... **Rhedynen Groendenau**
  Water (*Azolla filiculoides*) .... **Rhedynen y Dŵr**
Fern-grass (*Catapodium rigidum*) .... **Gwenithwellt Caled**
  Sea (*Catapodium marinum*) .... **Corwenithwellt y Morfa**
Fescue, Bearded (*Vulpia ciliata* subsp. *ambigua*) .... **Peisgwellt Barfog**
  Blue (*Festuca longifolia*) .... **Peisgwellt Glas**
  Breton (*Festuca armoricana*) .... **Peisgwellt Llydaw**
  Chewings (*Festuca rubra* subsp. *commutata*) .... **Peisgwellt Culddail**
  Dune (*Vulpia fasciculata*) .... **Peisgwellt Uncib**
  Giant (*Festuca gigantea*) .... **Peisgwellt Mawr**
  Hard (*Festuca brevipila*) .... **Peisgwellt Caledaidd**
  Hybrid (× *Festulolium loliaceum*) .... **Peisgwellt Croesryw**
  Mat-grass (*Vulpia unilateralis*) .... **Peisgwellt Unochrog**
  Meadow (*Festuca pratensis*) .... **Peisgwellt y Waun**
  Rat's-tail (*Vulpia myuros*) .... **Peisgwellt y Fagwyr**
  Red (*Festuca rubra*) .... **Peisgwellt Coch**
  Rush-leaved (*Festuca arenaria*) .... **Peisgwellt Brwynddail**
  Squirreltail (*Vulpia bromoides*) .... **Peisgwellt Anhiliog**
  Tall (*Festuca arundinacea*) .... **Peisgwellt Tal**
  Various-leaved (*Festuca heterophylla*) .... **Peisgwellt Amryddail**
  Viviparous (*Festuca vivipara*) .... **Peisgwellt Eginol**
  Wood (*Festuca altissima*) .... **Peisgwellt y Gwigoedd**
Feverfew (*Tanacetum parthenium*) .... **Wermod Wen**
Fiddleneck, Common (*Amsinckia micrantha*) .... **Ffidilwar**
  Scarce (*Amsinckia lycopsoides*) .... **Ffidilwar Blewog**
Field-rose (*Rosa arvensis*) .... **Rhosyn Gwyn Gwyllt**
  Short-styled (*Rosa stylosa*) .... **Rhosyn Ungolofn**
Field-speedwell, Common (*Veronica persica*) .... **Rhwyddlwyn y Gerddi**
  Green (*Veronica agrestis*) .... **Rhwyddlwyn Gorweddol**
  Grey (*Veronica polita*) .... **Rhwyddlwyn Llwyd**
Fig (*Ficus carica*) .... **Ffigysbren**
Figwort, Balm-leaved (*Scrophularia scorodonia*) .... **Gornerth Gwenynddail**
  Common (*Scrophularia nodosa*) .... **Gornerth**

French (*Scrophularia canina*) .... **Gornerth Ffrengig**
Green (*Scrophularia umbrosa*) .... **Gornerth Gorllewinol**
Water (*Scrophularia auriculata*) .... **Gornerth y Dŵr**
Yellow (*Scrophularia vernalis*) .... **Gornerth Melyn**
Filmy-fern, Tunbridge (*Hymenophyllum tunbrigense*) .... **Rhedynach Teneuwe**
Wilson's (*Hymenophyllum wilsonii*) .... **Rhedynach Teneuwe Wilson**
Finger-grass, Hairy (*Digitaria sanguinalis*) .... **Byswellt Blewog**
Smooth (*Digitaria ischaemum*) .... **Byswellt Llyfn**
Fir, Caucasian (*Abies nordmanniana*) .... **Ffynidwydden Gaucasaidd**
Douglas (*Pseudotsuga menziesii*) .... **Ffynidwydden Douglas**
Giant (*Abies grandis*) .... **Ffynidwydden Fawr**
Noble (*Abies procera*) .... **Ffynidwydden Urddasol**
Firethorn (*Pyracantha coccinea*) .... **Llosgddraenen**
Flat-sedge (*Blysmus compressus*) .... **Corsfrwynen Arw**
Saltmarsh (*Blysmus rufus*) .... **Corsfrwynen y Morfa**
Flax (*Linum usitatissimum*) .... **Llin Amaeth**
Fairy (*Linum catharticum*) .... **Llin y Tylwyth Teg**
Lesser New Zealand (*Phormium cookianum*) .... **Llin Bach Seland Newydd**
New Zealand (*Phormium tenax*) .... **Llin Seland Newydd**
Pale (*Linum bienne*) .... **Llin Culddail**
Perennial (*Linum perenne* subsp. *anglicum*) .... **Llin Parhaol**
Fleabane, Alpine (*Erigeron borealis*) .... **Amrhydlwyd y Mynydd**
Argentine (*Conyza bonariensis*) .... **Cedowydd yr Ariannin**
Blue (*Erigeron acer*) .... **Cedowydd Glas**
Canadian (*Conyza canadensis*) .... **Amrhydlwyd Canada**
Common (*Pulicaria dysenterica*) .... **Cedowydd**
Irish (*Inula salicina*) .... **Cedowydd Gwyddelig**
Mexican (*Erigeron karvinskianus*) .... **Cedowydd y Clogwyn**
Small (*Pulicaria vulgaris*) .... **Cedowydd Bach**
Fleawort, Field (*Tephroseris integrifolia*) .... **Chweinllys Arfor**
Marsh (*Senecio palustris*) .... **Chweinllys y Morfa**
Flixweed (*Descurainia sophia*) .... **Berwr y Fam**
Flowering-rush (*Butomus umbellatus*) .... **Engraff**
Fluellen, Round-leaved (*Kickxia spuria*) .... **Llysiau Llywelyn Crwnddail**
Sharp-leaved (*Kickxia elatine*) .... **Llysiau Llywelyn**
Forget-me-not, Alpine (*Myosotis alpestris*) .... **Ysgorpionllys y Creigiau**
Changing (*Myosotis discolor*) .... **Ysgorpionllys Amryliw**
Creeping (*Myosotis secunda*) .... **Ysgorpionllys Ymlusgaidd**
Early (*Myosotis ramosissima*) .... **Ysgorpionllys Cynnar**
Field (*Myosotis arvensis*) .... **Ysgorpionllys y Meysydd**
Jersey (*Myosotis sicula*) .... **Ysgorpionllys Jersey**
Pale (*Myosotis stolonifera*) .... **Ysgorpionllys Gwelw**
Tufted (*Myosotis laxa* subsp. *caespitosa*) .... **Ysgorpionllys Siobynnog**
Water (*Myosotis scorpioides*) .... **Ysgorpionllys y Gors**
Wood (*Myosotis sylvatica*) .... **Ysgorpionllys y Coed**
Fox-and-cubs (*Pilosella aurantiaca*) .... **Heboglys Euraid**
Foxglove (*Digitalis purpurea*) .... **Bysedd y Cŵn**
Fairy (*Erinus alpinus*) .... **Clychau'r Tylwyth Teg**
Fox-sedge, False (*Carex otrubae*) .... **Hesgen Dywysennog**
True (*Carex vulpina*) .... **Hesgen Dywysennog Fwyaf**
Foxtail, Alpine (*Alopecurus borealis*) .... **Cynffonwellt Alpaidd**
Bulbous (*Alopecurus bulbosus*) .... **Cynffonwellt Oddfog**
Marsh (*Alopecurus geniculatus*) .... **Cynffonwellt Elinog**
Meadow (*Alopecurus pratensis*) .... **Cynffonwellt y Maes**
Orange (*Alopecurus aequalis*) .... **Cynffonwellt y Llyn**
Fringe-cups (*Tellima grandiflora*) .... **Clychau'r Clawdd**
Fritillary (*Fritillaria meleagris*) .... **Britheg**
Frogbit (*Hydrocharis morsus-ranae*) .... **Alaw Lleiaf**
Fuchsia (*Fuchsia magellanica*) .... **Ffwsia**
Fumitory, Common (*Fumaria officinalis*) .... **Mwg y Ddaear**
Dense-flowered (*Fumaria densiflora*) .... **Mwg y Ddaear Trwchflodeuog**
Few-flowered (*Fumaria vaillantii*) .... **Mwg y Ddaear Prinflodeuog**
Fine-leaved (*Fumaria parviflora*) .... **Mwg y Ddaear Manflodeuog**
Galingale (*Cyperus longus*) .... **Ysnoden Fair**
Brown (*Cyperus fuscus*) .... **Ysnoden Fair Lwytgoch**
Pale (*Cyperus eragrostis*) .... **Ysnoden Fair Welw**
Garlic (*Allium sativum*) .... **Garlleg**
Field (*Allium oleraceum*) .... **Garlleg Rhesog y Maes**

Guelder-rose (*Viburnum opulus*) .... Corswigen
Hair-grass, Alpine (*Deschampsia cespitosa* subsp. *alpina*) .... Brigwellt Alpaidd
  Bog (*Deschampsia setacea*) .... Brigwellt y Gors
  Crested (*Koeleria macrantha*) .... Cribwellt
  Early (*Aira praecox*) .... Brigwellt y Gwanwyn
  Grey (*Corynephorus canescens*) .... Brigwellt Llwyd
  Silver (*Aira caryophyllea*) .... Brigwellt Arian
  Somerset (*Koeleria vallesiana*) .... Cribwellt Oddfog
  Tufted (*Deschampsia cespitosa*) .... Brigwellt Cudynnog
  Wavy (*Deschampsia flexuosa*) .... Brigwellt Main
Hairy-brome (*Bromopsis ramosa*) .... Pawrwellt Blewog
  Lesser (*Bromopsis benekenii*) .... Pawrwellt Blewog Lleiaf
Hampshire-purslane (*Ludwigia palustris*) .... Gwlyddyn Dŵr Sur
Hard-grass (*Parapholis strigosa*) .... Corwelltyn y Morfa
  Curved (*Parapholis incurva*) .... Corwelltyn Camaidd
Harebell (*Campanula rotundifolia*) .... Cloch y Bugail
Hare's-ear, Shrubby (*Bupleurum fruticosum*) .... Llwyn Paladr Trwyddo
  Sickle-leaved (*Bupleurum falcatum*) .... Paladr Trwyddo Crymanddail
  Slender (*Bupleurum tenuissimum*) .... Paladr Trwyddo Eiddilddail
  Small (*Bupleurum baldense*) .... Paladr Trwyddo Bach
Hare's-tail (*Lagurus ovatus*) .... Cwt Ysgyfarnog
Hart's-tongue (*Phyllitis scolopendrium*) .... Tafod yr Hydd
Hartwort (*Tordylium maximum*) .... Carwlys Mawr
Hawkbit, Autumn (*Leontodon autumnalis*) .... Peradyl yr Hydref
  Lesser (*Leontodon saxatilis*) .... Peradyl Lleiaf
  Rough (*Leontodon hispidus*) .... Peradyl Garw
Hawk's-beard, Beaked (*Crepis vesicaria*) .... Gwalchlys Gylfinhir
  Bristly (*Crepis setosa*) .... Gwalchlys Pigog
  Marsh (*Crepis paludosa*) .... Gwalchlys y Gors
  Narrow-leaved (*Crepis tectorum*) .... Gwalchlys Culddail
  Northern (*Crepis mollis*) .... Gwalchlys y Gogledd
  Rough (*Crepis biennis*) .... Gwalchlys Garw
  Smooth (*Crepis capillaris*) .... Gwalchlys Llyfn
  Stinking (*Crepis foetida*) .... Gwalchlys Drewllyd
Hawkweed, [Alpine] (*Hieracium alpinum*) .... Heboglys Mynyddig
  [Beautiful] (*Hieracium holosericeum*) .... Heboglys Hardd
  Common (*Hieracium vulgatum*) .... Llys yr Hebog
  Mouse-ear (*Pilosella officinarum*) .... Clust y Llygoden
  [Narrow-leaved] (*Hieracium umbellatum*) .... Heboglys Culddail
  Spotted (*Hieracium maculatum*) .... Heboglys Brith
  [Silver] (*Hieracium argenteum*) .... Heboglys Arian
Hawthorn (*Crataegus monogyna*) .... Draenen Wen
  Midland (*Crataegus laevigata*) .... Draenen Ysbyddaden
Hazel (*Corylus avellana*) .... Collen
Heath, Blue (*Phyllodoce caerulea*) .... Gruglas
  Cornish (*Erica vagans*) .... Grug Cernyw
  Corsican (*Erica terminalis*) .... Grug Corsica
  Cross-leaved (*Erica tetralix*) .... Grug Deilgroes
  Dorset (*Erica ciliaris*) .... Grug Dorset
  Irish (*Erica erigena*) .... Grug Gwyddelig
  Mackay's (*Erica mackaiana*) .... Grug Mackay
  Portuguese (*Erica lusitanica*) .... Grug Lusitanaidd
  Prickly (*Gaultheria mucronata*) .... Gwaunlwyn Pigog
  St Dabeoc's (*Daboecia cantabrica*) .... Grug Sant Dabeoc
Heather (*Calluna vulgaris*) .... Grug
  Bell (*Erica cinerea*) .... Clychau'r Grug
Heath-grass (*Danthonia decumbens*) .... Glaswellt y Rhos
Hebe, Barker's (*Hebe barkeri*) .... Hebe Barker
  Dieffenbach's (*Hebe dieffenbachi*) .... Hebe Dieffenbach
  Hooker's (*Hebe brachysiphon*) .... Hebe Hooker
  Lewis's (*Hebe × lewisii*) .... Hebe Lewis
Hedge-bedstraw (*Galium mollugo*) .... Briwydden y Clawdd
  Upright (*Galium mollugo* subsp. *erectum*) .... Briwydden Syth
Hedge-parsley, Knotted (*Torilis nodosa*) .... Troed-y-cyw Clymog
  Spreading (*Torilis arvensis*) .... Troed-y-cyw Ymdaenol
  Upright (*Torilis japonica*) .... Troed-y-cyw Syth
Heliotrope, Winter (*Petasites fragrans*) .... Alan Mis Bach
Hellebore, Black (*Helleborus niger*) .... Pelydr Du

Green (*Helleborus viridis*)	Pelydr Gwyrdd
Stinking (*Helleborus foetidus*)	Palf yr Arth Ddrewedig
Helleborine, Broad-leaved (*Epipactis helleborine*)	Caldrist Llydanddail
Dark-red (*Epipactis atrorubens*)	Caldrist Rhuddgoch
Green-flowered (*Epipactis phyllanthes*)	Caldrist Melynwyrdd
Marsh (*Epipactis palustris*)	Caldrist y Gors
Narrow-leaved (*Cephalanthera longifolia*)	Caldrist Culddail
Narrow-lipped (*Epipactis leptochila*)	Caldrist Gwefus-gul
Red (*Cephalanthera rubra*)	Caldrist Coch
Violet (*Epipactis purpurata*)	Caldrist Porffor
White (*Cephalanthera damasonium*)	Caldrist Gwyn
Hemlock (*Conium maculatum*)	Cegiden
Hemlock-spruce, Eastern (*Tsuga canadensis*)	Hemlog y Dwyrain
Western (*Tsuga heterophylla*)	Hemlog y Gorllewin
Hemp (*Cannabis sativa*)	Cywarch
Hemp-agrimony (*Eupatorium cannabinum*)	Byddon Chwerw
Hemp-nettle, Broad-leaved (*Galeopsis ladanum*)	Penboeth Llydanddail
Common (*Galeopsis tetrahit*)	Penboeth
Downy (*Galeopsis segetum*)	Penboeth yr Ŷd
Large-flowered (*Galeopsis speciosa*)	Penboeth Amryliw
Lesser (*Galeopsis bifida*)	Penboeth Lleiaf
Red (*Galeopsis angustifolia*)	Penboeth Culddail
Henbane (*Hyoscyamus niger*)	Ffa'r Moch
Herb-Paris (*Paris quadrifolia*)	Cwlwm Cariad
Herb-Robert (*Geranium robertianum*)	Llys y Llwynog
Hogweed (*Heracleum sphondylium*)	Efwr
Giant (*Heracleum mantegazzianum*)	Efwr Enfawr
Hollow-root (*Corydalis cava*)	Gwagwraidd
Holly (*Ilex aquifolium*)	Celynnen
Hollyhock (*Alcea rosea*)	Hocysen Fendigaid
Holy-grass (*Hierochloe odorata*)	Perwellt Sanctaidd
Honesty (*Lunaria annua*)	Swllt Dyn Tlawd
Honewort (*Trinia glauca*)	Githrog
Honeysuckle (*Lonicera periclymenum*)	Gwyddfid
Californian (*Lonicera involucrata*)	Gwyddfid California
Fly (*Lonicera xylosteum*)	Gwyddfid Syth
Himalayan (*Leycesteria formosa*)	Bachgen Llwm
Perfoliate (*Lonicera caprifolium*)	Gwyddfid Trydwll
Wilson's (*Lonicera nitida*)	Gwyddfid Wilson
Hop (*Humulus lupulus*)	Hopysen
Japanese (*Humulus japonicus*)	Hopysen Japaneaidd
Horehound, Black (*Ballota nigra*)	Marddanhadlen Ddu
White (*Marrubium vulgare*)	Llwyd y Cŵn
Hornbeam (*Carpinus betulus*)	Oestrwydden
Horned-poppy, Red (*Glaucium corniculatum*)	Pabi Corniog Coch
Violet (*Roemeria hybrida*)	Pabi Corniog Dulas
Yellow (*Glaucium flavum*)	Pabi'r Môr
Hornwort, Rigid (*Ceratophyllum demersum*)	Cyrnddail
Soft (*Ceratophyllum submersum*)	Cyrnddail Trifforch
Horse-chestnut (*Aesculus hippocastanum*)	Castanwydden y Meirch
Horse-radish (*Armoracia rusticana*)	Rhuddygl Poeth
Horsetail, Field (*Equisetum arvense*)	Marchrawn yr Ardir
Great (*Equisetum telmateia*)	Marchrawn Mawr
Marsh (*Equisetum palustre*)	Marchrawn y Gors
Rough (*Equisetum hyemale*)	Marchrawn y Gaeaf
Shady (*Equisetum pratense*)	Marchrawn y Cysgod
Variegated (*Equisetum variegatum*)	Marchrawn Amrywiol
Water (*Equisetum fluviatile*)	Marchrawn yr Afon
Wood (*Equisetum sylvaticum*)	Marchrawn y Coed
Hottentot-fig (*Carpobrotus edulis*)	Ffigysen Felen
Hound's-tongue (*Cynoglossum officinale*)	Tafod y Bytheiad
Green (*Cynoglossum germanicum*)	Tafod y Bytheiad Gwyrdd-ddail
House-leek (*Sempervivum tectorum*)	Llysiau Pen Tai
Hutchinsia (*Hornungia petraea*)	Beryn Creigiog
Hydrilla (*Hydrilla verticillata*)	Alaw Gwelw
Hyssop (*Hyssopus officinalis*)	Isop
Iceland-purslane (*Koenigia islandica*)	Gwlyddyn Gwlad yr Iâ
Iris, Blue (*Iris spuria*)	Iris Las

Flag (*Iris germanica*) .... Iris Farfog
Purple (*Iris versicolor*) .... Iris Borffor
Snake's-head (*Hermodactylus tuberosus*) .... Iris Balfaidd
Stinking (*Iris foetidissima*) .... Iris Ddrewllyd
Yellow (*Iris pseudacorus*) .... Iris Felen
Ivy (*Hedera helix*) .... Iorwg
    Irish (*Hedera hibernica*) .... Iorwg Gwyddelig
Jacob's-ladder (*Polemonium caeruleum*) .... Ysgol Jacob
Japanese-lantern (*Physalis alkekengi*) .... Suran Godog
Jasmine, White (*Jasminum officinale*) .... Siasmin Gwyn
Jonquil (*Narcissus jonquilla*) .... Joncwil
Juneberry (*Amelanchier lamarkii*) .... Hefinwydden
Juniper (*Juniperus communis*) .... Merywen
    Dwarf (*Juniperus communis* subsp. *alpina*) ..... Merywen Goraidd Fynyddig
Karo (*Pittosporum crassifolium*) .... Caro
Knapweed, Brown (*Centaurea jacea*) .... Pengaled Llwytgoch
    Common (*Centaurea nigra*) .... Pengaled
    Greater (*Centaurea scabiosa*) .... Pengaled Mawr
    Jersey (*Centaurea paniculata*) .... Pengaled Jersey
Knawel, Annual (*Scleranthus annuus*) .... Dinodd Blynyddol
    Perennial (*Scleranthus perennis*) .... Dinodd Parhaol
Knotgrass (*Polygonum aviculare*) .... Canclwm
    Cornfield (*Polygonum rurivagum*) .... Canclwm Tir Âr
    Equal-leaved (*Polygonum arenastrum*) .... Clymog â Dail Bach
    Northern (*Polygonum boreale*) .... Canclwm y Gogledd
    Ray's (*Polygonum oxyspermum* subsp. *raii*) ..... Canclwm Ray
    Sea (*Polygonum maritimum*) .... Canclwm Arfor
Knotweed, Alpine (*Persicaria alpina*) .... Clymlys Alpaidd
    Giant (*Fallopia sachalinensis*) .... Clymog Sachalin
    Himalayan (*Persicaria wallichii*) .... Clymog yr Himalaya
    Japanese (*Fallopia japonica*) .... Pysen Saethwr
    Lesser (*Persicaria campanulata*) .... Clylys Lleiaf
Koromiko (*Hebe salicifolia*) .... Coromico
Labrador-tea (*Ledum palustre*) .... Llwyn y Gors
Laburnum (*Laburnum anagyroides*) .... Tresi Aur
Lady-fern (*Athyrium filix-femina*) .... Rhedynen Fair
    Alpine (*Athyrium distentifolium*) .... Rhedynen Fair Alpaidd
Lady's-mantle (*Alchemilla vulgaris*) .... Mantell Fair
    Alpine (*Alchemilla alpina*) .... Mantell Fair y Mynydd
    Hairy (*Alchemilla filicaulis*) .... Mantell Fair Flewog
    Intermediate (*Alchemilla xanthochlora*) .... Mantell Fair Gyfryngol
    Smooth (*Alchemilla glabra*) .... Mantell Fair y Nant
Lady's-slipper (*Cypripedium calceolus*) .... Esgid Fair
Lady's-tresses, Autumn (*Spiranthes spiralis*) .... Caineirian Troellog
    Creeping (*Goodyera repens*) .... Troellog y Pîn
    Irish (*Spiranthes romanzoffiana*) .... Troellog Gwyddelig
    Summer (*Spiranthes aestivalis*) .... Troellog yr Haf
Lambsear (*Stachys byzantina*) .... Clust yr Oen
Larch, European (*Larix decidua*) .... Llarwydden Ewrop
    Hybrid (*Larix* × *marschlinsii*) .... Llarwydden Groesryw
    Japanese (*Larix kaempferi*) .... Llarwydden Japan
Larkspur (*Consolida ajacis*) .... Llyshedydd
    Eastern (*Consolida orientalis*) .... Llyshedydd y Dwyrain
    Forking (*Consolida regalis*) .... Ysbardun y Marchog
Laurel, Cherry (*Prunus laurocerasus*) .... Llawr-sirianen
    Portugal (*Prunus lusitanica*) .... Llawr-sirianen Portiwgal
Laurustinus (*Viburnum tinus*) .... Tinws
Lavender, Garden (*Lavandula* × *intermedia*) .... Lafant
Lavender-cotton (*Santolina chamaecyparissus*) .... Llwyn Cotymog
Leek (*Allium porrum*) .... Cenhinen
    Babington's (*Allium ampeloprasum* var. *babingtonii*) ...... Cenhinen Aran
    Few-flowered (*Allium paradoxum*) .... Cenhinen Brin-flodeuog
    Round-headed (*Allium sphaerocephalon*) .... Cenhinen Bengrwn
    Sand (*Allium scorodoprasum*) .... Craf y Nadroedd
    Three-cornered (*Allium triquetrum*) .... Cenhinen Drichornel
    Wild (*Allium ampeloprasum* var. *ampeloprasum*) .... Cenhinen Wyllt
Leopard's-bane (*Doronicum pardalianches*) .... Llysiau y Llewpard
    Plantain-leaved (*Doronicum plantagineum*) .... Llysiau'r Llewpard Llwynhidydd-ddail

Lettuce, Blue (*Lactuca tatarica*)	Gwylaeth Las
Garden (*Lactuca sativa*)	Gwylaeth
Great (*Lactuca virosa*)	Gwylaeth Chwerwaidd
Least (*Lactuca saligna*)	Gwylaeth Leiaf
Prickly (*Lactuca serriola*)	Gwylaeth Bigog
Wall (*Mycelis muralis*)	Gwylaeth y Fagwyr
Lilac (*Syringa vulgaris*)	Leilac
Lily, Kerry (*Simethis planifolia*)	Lili Kerry
Martagon (*Lilium martagon*)	Cap y Twrc
May (*Maianthemum bifolium*)	Lili Fai
Pyrenean (*Lilium pyrenaicum*)	Cap y Twrc Melyn
Snowdon (*Lloydia serotina*)	Lili'r Wyddfa
Lily-of-the-valley (*Convallaria majalis*)	Clych Enid
Lime (*Tilia × vulgaris*)	Pisgwydden
Large-leaved (*Tilia platyphyllos*)	Pisgwydden Deilen Fawr
Small-leaved (*Tilia cordata*)	Pisgwydden Deilen Fach
Liquorice, Wild (*Astragalus glycophyllos*)	Llaethwyg
Little-Robin (*Geranium purpureum*)	Llys Robert Bychan
Lobelia, Heath (*Lobelia urens*)	Bidoglys Chwerw
Water (*Lobelia dortmanna*)	Bidoglys y Dŵr
Londonpride (*Saxifraga × urbium*)	Balchder Llundain
London-rocket (*Sisymbrium irio*)	Berwr Caersalem
False (*Sisymbrium loeselii*)	Gauferwr
Longleaf (*Falcaria vulgaris*)	Hirddail
Loosestrife, Dotted (*Lysimachia punctata*)	Trewynyn Brych
Fringed (*Lysimachia ciliata*)	Trewynyn Eddïog
Lake (*Lysimachia terrestris*)	Trewynyn y Llyn
Tufted (*Lysimachia thyrsiflora*)	Trewynyn Sypflodeuog
Yellow (*Lysimachia vulgaris*)	Trewynyn
Lords-and-Ladies (*Arum maculatum*)	Pidyn y Gog
Italian (*Arum italicum*)	Pidyn y Gog Eidalaidd
Lousewort (*Pedicularis sylvatica*)	Melog y Cŵn
Marsh (*Pedicularis palustris*)	Melog y Waun
Lovage (*Levisticum officinale*)	Llwfach
Scots (*Ligusticum scoticum*)	Llwfach Albanaidd
Lucerne (*Medicago sativa* subsp. *sativa*)	Maglys Rhuddlas
Lungwort (*Pulmonaria officinalis*)	Llys yr Ysgyfaint
Narrow-leaved (*Pulmonaria longifolia*)	Llys yr Ysgyfaint Culddail
Lupin, Garden (*Lupinus polyphyllus*)	Pys Blaidd yr Ardd
Nootka (*Lupinus nootkatensis*)	Pys y Blaidd
Tree (*Lupinus arboreus*)	Coeden Bys y Blaidd
Lyme-grass (*Leymus arenarius*)	Amdowellt
Madder, Field (*Sherardia arvensis*)	Mandon Las yr Ŷd
Wild (*Rubia peregrina*)	Cochwraidd Gwyllt
Madwort (*Asperugo procumbens*)	Cynghafan Mwyaf
Maize (*Zea mays*)	Indrawn
Male-fern (*Dryopteris filix-mas*)	Marchredynen
[Borrer's] (*Dryopteris affinis* subsp. *borreri*)	Marchredynen Feddal
Mountain (*Dryopteris oreades*)	Marchredynen Fach y Mynydd
Scaly (*Dryopteris affinis*)	Marchredynen Euraid
Mallow, Chinese (*Malva verticillata*)	Hocysen Droellog
Common (*Malva sylvestris*)	Hocysen Gyffredin
Dwarf (*Malva neglecta*)	Hocys Bychan
Least (*Malva parviflora*)	Hocysen Leiaf
Musk (*Malva moschata*)	Hocysen Fwsg
Small (*Malva pusilla*)	Hocys Blodau Bychan
Maple, Field (*Acer campestre*)	Masarnen Leiaf
Norway (*Acer platanoides*)	Masarnen Norwy
Mare's-tail (*Hippuris vulgaris*)	Rhawn y Gaseg
Marigold, Corn (*Chrysanthemum segetum*)	Melyn yr Ŷd
Field (*Calendula arvensis*)	Melyn Mair yr Âr
Pot (*Calendula officinalis*)	Melyn Mair
Marjoram (*Origanum vulgare*)	Penrhudd
Sweet (*Origanum majorana*)	Penrhudd yr Ardd
Marram (*Ammophila arenaria*)	Moresg
Purple (*× Calammophila baltica*)	Moresg Porffor
Marrow (*Cucurbita pepo*)	Pwmpen
Marsh-bedstraw, Common (*Galium palustre*)	Briwydden y Gors

Great (*Galium palustre* subsp. *elongatum*)	Briwydden Fawr y Llyn
Slender (*Galium constrictum*)	Briwydden Fain y Llyn
Marsh-dandelion, Narrow-leaved (*Taraxacum* sect. *Palustre*)	Dant y Llew y Gors
Marsh-mallow (*Althaea officinalis*)	Hocys y Morfa
Rough (*Althaea hirsuta*)	Hocysen Flewog
Marsh-marigold (*Caltha palustris*)	Melyn y Gors
Marsh-orchid, Broad-leaved (*Dactylorhiza majalis*)	Tegeirian Llydanddail y Gors
Early (*Dactylorhiza incarnata*)	Tegeirian Rhuddgoch
Flecked (*Dactylorhiza incarnata* subsp. *cruenta*)	Tegeirian Mannog y Gors
Narrow-leaved (*Dactylorhiza traunsteineri*)	Tegeirian Rhuddgoch Culddail
Northern (*Dactylorhiza purpurella*)	Tegeirian y Fign
Southern (*Dactylorhiza praetermissa*)	Tegeirian y Gors
[Welsh] (*Dactylorhiza majalis* subsp. *cambrensis*)	Tegeirian y Gors Cymreig
Marshwort, Creeping (*Apium repens*)	Dwrforonen Lusg
Lesser (*Apium inundatum*)	Dyfrforonen Leiaf
Masterwort (*Peucedanum ostruthium*)	Llysiau'r Ddannoedd
Mat-grass (*Nardus stricta*)	Cawnen Ddu
Mayweed, Scented (*Matricaria recutita*)	Amranwen
Scentless (*Tripleurospermum inodorum*)	Ffenigl y Cŵn
Sea (*Tripleurospermum maritimum*)	Ffenigl Arfor
Meadow-grass, Alpine (*Poa alpina*)	Gweunwellt Alpaidd
Annual (*Poa annua*)	Gweunwellt Unflwydd
Broad-leaved (*Poa chaixii*)	Gweunwellt Llydanddail
Bulbous (*Poa bulbosa*)	Gweunwellt Oddfog
Early (*Poa infirma*)	Gweunwellt Cynnar
Flattened (*Poa compressa*)	Gweunwellt Cywasg
Glaucous (*Poa glauca*)	Gweunwellt Llwydwyrdd
Narrow-leaved (*Poa angustifolia*)	Gweunwellt Culddail
Rough (*Poa trivialis*)	Gweunwellt Lledarw
Smooth (*Poa pratensis*)	Gweunwellt Llyfn
Spreading (*Poa humilis*)	Gweunwellt Helaeth
Swamp (*Poa palustris*)	Gweunwellt yr Afon
Wavy (*Poa flexuosa*)	Gweunwellt Crychog
Wood (*Poa nemoralis*)	Gweunwellt y Coed
Meadow-rue, Alpine (*Thalictrum alpinum*)	Arianllys y Mynydd
Common (*Thalictrum flavum*)	Arianllys
Great (*Thalictrum minus* subsp. *majus*)	Arianllys Mawr
Lesser (*Thalictrum minus*)	Arianllys Bach
Meadowsweet (*Filipendula ulmaria*)	Erwain
Medick, Black (*Medicago lupulina*)	Maglys
Bur (*Medicago minima*)	Maglys Bach
Sickle (*Medicago sativa* subsp. *falcata*)	Meillionen Gorniog
Spotted (*Medicago arabica*)	Maglys Amrywedd
Toothed (*Medicago polymorpha*)	Maglys Eiddiog
Medlar (*Mespilus germanica*)	Merysbren
Melick, Mountain (*Melica nutans*)	Meligwellt Gogwydd
Wood (*Melica uniflora*)	Meligwellt
Melilot, Furrowed (*Melilotus sulcatus*)	Gwydro Rhychog
Ribbed (*Melilotus officinalis*)	Gwydro Rhesog
Small (*Melilotus indicus*)	Gwydro Blodau Bach
Tall (*Melilotus altissimus*)	Meillionen y Ceirw
White (*Melilotus albus*)	Meillionen Tair Dalen Wen
Mercury, Annual (*Mercurialis annua*)	Bresych y Cŵn Blynyddol
Dog's (*Mercurialis perennis*)	Bresych y Cŵn
Mezereon (*Daphne mezereum*)	Bliwlys
Michaelmas-daisy (*Aster novi-belgii*)	Blodyn Mihangel
Hairy (*Aster novi-angliae*)	Blodyn Mihangel Blewog
Mignonette, Corn (*Reseda phyteuma*)	Melengu'r Ŷd
Garden (*Reseda odorata*)	Melengu Bersawr
White (*Reseda alba*)	Melengu Wen Unionsyth
Wild (*Reseda lutea*)	Melengu Wyllt Ddisawr
Milfoil, Yellow (*Achillea tomentosa*)	Gwilffrai Melyn Gwlanog
Milk-parsley (*Peucedanum palustre*)	Pyglys y Fignen
Cambridge (*Selinum carvifolia*)	Pyglys Mignen Caergrawnt
Milk-vetch, Alpine (*Astragalus alpinus*)	Llaethwyg Mynyddig
Purple (*Astragalus danicus*)	Llaethwyg Rhuddlas
Milkwort, Chalk (*Polygala calcarea*)	Amlaethai'r Garreg Galch
Common (*Polygala vulgaris*)	Llysiau Crist

Dwarf (*Polygala amarella*) .... Coramlaethai
Heath (*Polygala serpyllifolia*) .... Llysiau'r Groes
Millet, Common (*Panicum miliaceum*) .... Miled
    Early (*Milium vernale*) .... Miledwellt Cynnar
    Wood (*Milium effusum*) .... Miledwellt
Mind-your-own-business (*Soleirolia soleirolii*) .... Mam Miloedd
Mint, Apple (*Mentha* × *villosa*) .... Mintys Lled-grynddail
    Bushy (*Mentha* × *gracilis*) .... Mintys Culddail
    Corn (*Mentha arvensis*) .... Mintys yr Ŷd
    Corsican (*Mentha requienii*) .... Mintys Corsica
    Round-leaved (*Mentha suaveolens*) .... Mintys Deilgrwn
    Spear (*Mentha spicata*) .... Mintys Ysbigog
    Tall (*Mentha* × *smithiana*) .... Mintys Coch
    Water (*Mentha aquatica*) .... Mintys y Dŵr
    Whorled (*Mentha* × *verticillata*) .... Mintys Troellaidd
Mintweed (*Salvia reflexa*) .... Saets Prin-flodeuog
Mistletoe (*Viscum album*) .... Uchelwydd
Moneywort, Cornish (*Sibthorpia europaea*) .... Ceinioglys
Monkeyflower (*Mimulus guttatus*) .... Blodyn y Mwnci
Monkey-puzzle (*Araucaria araucana*) .... Pinwydden Chile
Monk's-hood (*Aconitum napellus*) .... Cwcwll y Mynach
Monk's-rhubarb (*Rumex pseudoalpinus*) .... Rhiwbob y Mynach
Montbretia (*Crocosmia* × *crocosmiiflora*) .... Montbretlys
Moonwort (*Botrychium lunaria*) .... Lloerlys
Moor-grass, Blue (*Sesleria caerulea*) .... Corswelltyn Rhuddlas
    Purple (*Molinia caerulea*) .... Glaswellt y Gweunydd
Moschatel (*Adoxa moschatellina*) .... Mwsglys
Motherwort (*Leonurus cardiaca*) .... Mamlys
Mouse-ear, Alpine (*Cerastium alpinum*) .... Clust Llygoden Mynyddig
    Arctic (*Cerastium arcticum*) .... Clust Llygoden Mynyddig Llydanddail
    Common (*Cerastium fontanum*) .... Clust Llygoden Culddail
    Dwarf (*Cerastium pumilum*) .... Clust Llygoden Bitw
    Field (*Cerastium arvense*) .... Clust Llygoden y Caeau
    Grey (*Cerastium brachypetalum*) .... Clust Llygoden Llwyd
    Little (*Cerastium semidecandrum*) .... Clust Llygoden Bach
    Sea (*Cerastium diffusum*) .... Clust Llygoden Arfor
    Shetland (*Cerastium nigrescens*) .... Clust Llygoden Shetland
    Starwort (*Cerastium cerastoides*) .... Tafod yr Edn Mynyddig
    Sticky (*Cerastium glomeratum*) .... Clust Llygoden Llydanddail
Mousetail (*Myosurus minimus*) .... Cynffon Llygoden
Mudwort (*Limosella aquatica*) .... Lleidlys
    Welsh (*Limosella australis*) .... Lleidlys Cymreig
Mugwort (*Artemisia vulgaris*) .... Beidiog Lwyd
    Chinese (*Artemisia verlotiorum*) .... Beidiog Ferlot
    Hoary (*Artemisia stelleriana*) .... Beidiog Wen
    Norwegian (*Artemisia norvegica*) .... Beidog Norwy
    Slender (*Artemisia biennis*) .... Beidiog Fain
Mulberry, Black (*Morus nigra*) .... Morwydden
Mullein, Dark (*Verbascum nigrum*) .... Pannog Tywyllddu
    Great (*Verbascum thapsus*) .... Pannog Melyn
    Hoary (*Verbascum pulverulentum*) .... Pannog Blawrwyn
    Moth (*Verbascum blattaria*) .... Gwyfynog
    Nettle-leaved (*Verbascum chaixii*) .... Pannog Danadl-ddail
    Orange (*Verbascum phlomoides*) .... Pannog Oren
    Purple (*Verbascum phoeniceum*) .... Pannog Brithgoch
    Twiggy (*Verbascum virgatum*) .... Tewbannog
    White (*Verbascum lychnitis*) .... Pannog Gwyn
Musk (*Mimulus moschatus*) .... Mwsg
Mustard, Ball (*Neslia paniculata*) .... Cedw Crwn
    Black (*Brassica nigra*) .... Cedw Du
    Garlic (*Alliaria petiolata*) .... Garlleg y Berth
    Hare's-ear (*Conringia orientalis*) .... Cedw Clustiog
    Hedge (*Sisymbrium officinale*) .... Cedw'r Berth
    Hoary (*Hirschfeldia incana*) .... Cedw Penllwyd
    Tower (*Arabis glabra*) .... Twrged Esmwyth
    Treacle (*Erysimum cheiranthoides*) .... Triagl-arfog
    White (*Sinapis alba*) .... Cedw Gwyn
Naiad, Holly-leaved (*Najas marina*) .... Nymff Arfor

Slender (*Najas flexilis*) .... **Nymff Ystwyth**
Nasturtium (*Tropaeolum majus*) .... **Meri a Mari**
Navelwort (*Umbilicus rupestris*) .... **Deilen Gron**
Nettle, Common (*Urtica dioica*) .... **Danhadlen**
    Roman (*Urtica pilulifera*) .... **Danhadlen Belaidd**
    Small (*Urtica urens*) .... **Danhadlen Leiaf**
Niger (*Guizotia abyssinica*) .... **Olewlys**
Nightshade, Black (*Solanum nigrum*) .... **Codwarth Du**
    Deadly (*Atropa belladonna*) .... **Ceirios y Gŵr Drwg**
    Green (*Solanum sarrachoides*) .... **Codwarth Gwyrdd**
    Three-flowered (*Solanum triflorum*) .... **Codwarth Triblodeuog**
Nipplewort (*Lapsana communis*) .... **Cartheig**
    [Limestone] (*Lapsana communis* subsp. *intermedia*) .... **Cartheig y Calch**
    [Wood] (*Lapsana communis* subsp. *communis*) .... **Cartheig y Coed**
Nit-grass (*Gastridium ventricosum*) .... **Llauwair**
Oak, Evergreen (*Quercus ilex*) .... **Derwen Fythwyrdd**
    Pendunculate (*Quercus robur*) .... **Derwen Goesog**
    Red (*Quercus borealis* var. *maxima*) .... **Derwen Goch**
    Scarlet (*Quercus coccinea*) .... **Prinwydden**
    Sessile (*Quercus petraea*) .... **Derwen Ddigoes**
    Turkey (*Quercus cerris*) .... **Derwen Twrci**
Oat (*Avena sativa*) .... **Ceirch**
    Bristle (*Avena strigosa*) .... **Blewgeirch**
Oat-grass, Downy (*Helictotrichon pubescens*) .... **Ceirchwellt Blewog**
    False (*Arrhenatherum elatius*) .... **Ceirchwellt Tal**
    Meadow (*Helictotrichon pratense*) .... **Ceirchwellt Culddail**
    Yellow (*Trisetum flavescens*) .... **Ceirchwellt Melyn**
Onion (*Allium cepa*) .... **Wnionyn**
    Wild (*Allium vineale*) .... **Garlleg Gwyllt**
Orache, Babington's (*Atriplex glabriuscula*) .... **Llygwyn y Tywod**
    Common (*Atriplex patula*) .... **Llygwyn Culddail**
    Early (*Atriplex praecox*) .... **Llygwyn Cynnar**
    Frosted (*Atriplex laciniata*) .... **Llygwyn Ariannaidd**
    Garden (*Atriplex hortensis*) .... **Llygwyn yr Ardd**
    Grass-leaved (*Atriplex littoralis*) .... **Llygwyn Arfor**
    Long-stalked (*Atriplex longipes*) .... **Llygwyn Hirgoes**
    Shrubby (*Atriplex halimus*) .... **Llwyn Llygwyn**
    Spear-leaved (*Atriplex prostrata*) .... **Llygwyn Tryfal**
Orange-ball-tree (*Buddleja globosa*) .... **Peli Pili Pala**
Orchid, Bee (*Ophrys apifera*) .... **Tegeirian y Gwenyn**
    Bird's-nest (*Neottia nidus-avis*) .... **Tegeirian Nyth Aderyn**
    Bog (*Hammarbya paludosa*) .... **Gefell-lys y Gors**
    Burnt (*Orchis ustulata*) .... **Cordegeirian**
    Coralroot (*Corallorhiza trifida*) .... **Tegeirian Gwreiddgwrel**
    Dense-flowered (*Neotinea maculata*) .... **Tegeirian Gwyddelig**
    Early-purple (*Orchis mascula*) .... **Tegeirian Coch**
    Fen (*Liparis loeselii*) .... **Gefell-lys y Fignen**
    Fly (*Ophrys insectifera*) .... **Tegeirian Pryfyn**
    Fragrant (*Gymnadenia conopsea*) .... **Tegeirian Pêr**
    Frog (*Coeloglossum viride*) .... **Llys Ysgyfarnog**
    Ghost (*Epipogium aphyllum*) .... **Tegeirian y Cysgod**
    Green-winged (*Orchis morio*) .... **Tegeirian y Waun**
    Lady (*Orchis purpurea*) .... **Tegeirian Gwraig**
    Lizard (*Himantoglossum hircinum*) .... **Tegeirian Drewllyd**
    Loose-flowered (*Orchis laxiflora*) .... **Tegeirian Llacflodyn**
    Man (*Aceras anthropophorum*) .... **Tegeirian Gŵr**
    Military (*Orchis militaris*) .... **Tegeirian Milwrol**
    Monkey (*Orchis simia*) .... **Tegeirian Epa**
    Musk (*Herminium monorchis*) .... **Tegeirian Mwsg**
    Pyramidal (*Anacamptis pyramidalis*) .... **Tegeirian Bera**
    Small-white (*Pseudorchis albida*) .... **Tegeirian Broga Gwyn**
Oregon-grape (*Mahonia aquifolium*) .... **Llwyn Oregon**
    Newmarket (*Mahonia* × *decumbens*) .... **Llwyn Oregon Croesryw**
Orpine (*Sedum telephium*) .... **Berwr Taliesin**
Osier (*Salix viminalis*) .... **Helygen Wiail**
    Eared (*Salix* × *stipularis*) .... **Helygen Glustennog**
    Silky-leaved (*Salix* × *smithiana*) .... **Helygen Sidanddail**
Oxeye, Yellow (*Telekia speciosa*) .... **Llygad Llo Melyn**

Oxlip (*Primula elatior*) .... Briallu Tal
    False (*Primula* × *polyantha*) .... Briallu Tal Ffug
Oxtongue, Bristly (*Picris echioides*) .... Tafod y Llew
    Hawkweed (*Picris hieracioides*) .... Gwylaeth yr Hebog
Oxytropis, Purple (*Oxytropis halleri*) .... Meingil Porffor
    Yellow (*Oxytropis campestris*) .... Meingil Gwelw
Oysterplant (*Mertensia maritima*) .... Llys y Llymarch
Palm, Date (*Phoenix dactylifera*) .... Palmwydden
Pampas-grass (*Cortaderia selloana*) .... Paithwellt
Pansy, Dune (*Viola tricolor* subsp. *curtisii*) .... Trilliw y Tywyn
    Dwarf (*Viola kitaibeliana*) .... Fioled Fechan
    Field (*Viola arvensis*) .... Ofergaru
    Garden (*Viola* × *wittrockiana*) .... Pansi
    Horned (*Viola cornuta*) .... Fioled Gorniog
    Mountain (*Viola lutea*) .... Fioled y Mynydd
    Wild (*Viola tricolor* subsp. *tricolor*) .... Trilliw
Parsley, Corn (*Petroselinum segetum*) .... Eilunberllys
    Cow (*Anthriscus sylvestris*) .... Gorthyfail
    Fool's (*Aethusa cynapium*) .... Gauberllys
    Garden (*Petroselinum crispum*) .... Persli
    Stone (*Sison amomum*) .... Githran
Parsley-piert (*Aphanes arvensis*) .... Troed y Dryw
    Slender (*Aphanes inexspectata*) .... Troed y Dryw Fain
Parsnip, Wild (*Pastinaca sativa*) .... Panasen Wyllt
Pasqueflower (*Pulsatilla vulgaris*) .... Blodyn y Pasg
Pea, Black (*Lathyrus niger*) .... Pysen Borffor
    Garden (*Pisum sativum*) .... Pysen
    Marsh (*Lathyrus palustris*) .... Ytbysen Las y Morfa
    Sea (*Lathyrus japonicus*) .... Ytbysen y Môr
    Tuberous (*Lathyrus tuberosus*) .... Ytbysen Gnapiog
Peach (*Prunus persica*) .... Eirinen Wlanog
Peanut (*Arachis hypogaea*) .... Cneuen Bys
Pear (*Pyrus communis*) .... Gellygen
    Plymouth (*Pyrus cordata*) .... Gellygen Plymouth
    Wild (*Pyrus pyraster*) .... Gellygen Wyllt
Pearlwort, Alpine (*Sagina saginoides*) .... Corwlyddyn Alpaidd
    Annual (*Sagina apetala*) .... Corwlyddyn Anaf-flodeuog
    Heath (*Sagina subulata*) .... Corwlyddyn Mynawydaidd
    Knotted (*Sagina nodosa*) .... Corwlyddyn Clymog
    Procumbent (*Sagina procumbens*) .... Corwlyddyn Gorweddol
    Scottish (*Sagina* × *normaniana*) .... Corwlyddyn yr Alban
    Sea (*Sagina maritima*) .... Corwlyddyn Arfor
    Snow (*Sagina nivalis*) .... Corwlyddyn yr Eira
Pellitory-of-the-wall (*Parietaria judaica*) .... Murlys
Penny-cress, Alpine (*Thlaspi caerulescens*) .... Codywasg y Mynydd
    Caucasian (*Thlaspi macrophyllum*) .... Codywasg Caucasaidd
    Field (*Thlaspi arvense*) .... Codywasg
    Garlic (*Thlaspi alliaceum*) .... Codywasg Craf
    Perfoliate (*Thlaspi perfoliatum*) .... Codywasg Trydwll
Pennyroyal (*Mentha pulegium*) .... Brymlys
Pennywort, Hairy (*Hydrocotyle moschata*) .... Ceinioglys Blewog
    Marsh (*Hydrocotyle vulgaris*) .... Ceiniog y Gors
Peony (*Paeonia mascula*) .... Rhosyn Mynydd
Peppermint (*Mentha* × *piperita*) .... Mintys Poethion
Pepper-saxifrage (*Silaum silaus*) .... Ffenigl yr Hwch
Pepperwort, Field (*Lepidium campestre*) .... Codywasg y Maes
    Least (*Lepidium virginicum*) .... Pupurlys Lleiaf
    Narrow-leaved (*Lepidium ruderale*) .... Pupurlys Culddail
    Perfoliate (*Lepidium perfoliatum*) .... Pupurlys Trydwll
    Smith's (*Lepidium heterophyllum*) .... Pupurlys
    Tall (*Lepidium graminifolium*) .... Pupurlys Tal
Periwinkle, Greater (*Vinca major*) .... Perfagl Mwyaf
    Lesser (*Vinca minor*) .... Perfagl
Persicaria, Pale (*Persicaria lapathifolium*) .... Costog y Domen
Pheasant's-eye (*Adonis annua*) .... Llygad y Goediar
    Summer (*Adonis aestivalis*) .... Llygad y Goediar Hafaidd
Pick-a-back-plant (*Tolmiea menziesii*) .... Crudlys
Pigmyweed (*Crassula aquatica*) .... Corchwyn

Rampion, Round-headed (*Phyteuma orbiculare*) .... **Cyrnogyn Crynben**
    Spiked (*Phyteuma spicatum*) .... **Cyrnogyn Pigfain**
Ramsons (*Allium ursinum*) .... **Craf y Geifr**
Rannoch-rush (*Scheuchzeria palustris*) .... **Brwynen Rannoch**
Rape (*Brassica napus*) .... **Rêp**
Raspberry (*Rubus idaeus*) .... **Afanen**
Red-cedar, Japanese (*Cryptomeria japonica*) .... **Cedrwydden Goch Japan**
    Western (*Thuja plicata*) .... **Cedrwydden Goch**
Redshank (*Persicaria maculosa*) .... **Coesgoch**
Redwood, Coastal (*Sequoia sempervirens*) .... **Cochwydden Arfor**
Reed, Common (*Phragmites australis*) .... **Corsen**
Restharrow, Common (*Ononis repens*) .... **Tagaradr**
    Small (*Ononis reclinata*) .... **Tagaradr Bach**
    Spiny (*Ononis spinosa*) .... **Tagaradr Pigog**
Rhododendron (*Rhododendron ponticum*) .... **Rhododendron**
Rhubarb (*Rheum × hybridum*) .... **Rhiwbob**
Rock-cress, Alpine (*Arabis alpina*) .... **Berwr y Mynydd**
    Bristol (*Arabis scabra*) .... **Berwr Bryste**
    Hairy (*Arabis hirsuta*) .... **Berwr y Graig**
    Northern (*Arabis petraea*) .... **Berwr y Cerrig**
Rocket, Cress (*Carrichtera annua*) .... **Beryryn**
    Eastern (*Sisymbrium orientale*) .... **Berwr Dwyreiniol**
    Garden (*Eruca vesicaria* subsp. *sativa*) .... **Roced yr Ardd**
    Hairy (*Erucastrum gallicum*) .... **Berwr Ffrengig**
    Perennial (*Sisymbrium strictissimum*) .... **Cedw Bythol**
    Sea (*Cakile maritima*) .... **Hegydd Arfor**
    Tall (*Sisymbrium altissimum*) .... **Berwr Treigledigol**
    White (*Diplotaxis erucoides*) .... **Cedw Gwyn yr Âr**
Rock-rose, Common (*Helianthemum nummularium*) .... **Cor-rosyn Cyffredin**
    Hoary (*Helianthemum canum*) .... **Cor-rosyn Lledlwyd**
    Spotted (*Tuberaria guttata*) .... **Cor-rosyn Rhuddfannog**
    White (*Helianthemum apenninum*) .... **Cor-rosyn Gwyn y Mynydd**
Rose, Burnet (*Rosa pimpinellifolia*) .... **Rhosyn Draenllwyn**
    Japanese (*Rosa rugosa*) .... **Rhosyn Japan**
    Many-flowered (*Rosa multiflora*) .... **Rhosyn Lluosflod**
    Virginian (*Rosa virginiana*) .... **Rhosyn Virginia**
Rose-of-Sharon (*Hypericum calycinum*) .... **Rhosyn Saron**
Rosemary (*Rosmarinus officinalis*) .... **Rhos Mari**
Roseroot (*Sedum rosea*) .... **Pren y Ddannoedd**
Rowan (*Sorbus aucuparia*) .... **Cerddinen**
Rue (*Ruta graveolens*) .... **Rhutain**
Rupturewort, Fringed (*Herniaria ciliolata*) .... **Llys y Fors Eddïog**
    Hairy (*Herniaria hirsuta*) .... **Llys y Fors Blewog**
    Smooth (*Herniaria glabra*) .... **Llys y Fors**
Rush, Alpine (*Juncus alpinoarticulatus*) .... **Brwynen Alpaidd**
    Baltic (*Juncus balticus*) .... **Brwynen y Baltig**
    Blunt-flowered (*Juncus subnodulosus*) .... **Brwynen Flodbwl**
    Broad-leaved (*Juncus planifolius*) .... **Brwynen Lydanddail**
    Bulbous (*Juncus bulbosus*) .... **Brwynen Oddfog**
    Chestnut (*Juncus castaneus*) .... **Brwynen Gastanliw**
    Compact (*Juncus conglomeratus*) .... **Brwynen Bellennaidd**
    Diffuse (*Juncus × diffusus*) .... **Brwynen Dryledol**
    Dudley's (*Juncus tenuis* var. *dudleyi*) .... **Brwynen Dudley**
    Dwarf (*Juncus capitatus*) .... **Corfrwynen**
    Frog (*Juncus ambiguus*) .... **Brwynen y Broga**
    Hard (*Juncus inflexus*) .... **Brwynen Galed**
    Heath (*Juncus squarrosus*) .... **Brwynen Droellgorun**
    Jointed (*Juncus articulatus*) .... **Brwynen Gymalog**
    Leafy (*Juncus foliosus*) .... **Brwynen Ddeiliog**
    Marshall's (*Juncus nodulosus*) .... **Brwynen Marshall**
    Pigmy (*Juncus pygmaeus*) .... **Brwynen Fychan**
    Round-fruited (*Juncus compressus*) .... **Brwynen Dalgron**
    Saltmarsh (*Juncus gerardii*) .... **Brwynen Gerard**
    Sea (*Juncus maritimus*) .... **Brwynen Arfor**
    Sharp (*Juncus acutus*) .... **Llymfrwynen**
    Sharp-flowered (*Juncus acutiflorus*) .... **Brwynen Flodfain**
    Slender (*Juncus tenuis*) .... **Brwynen Fain**
    Somerset (*Juncus subulatus*) .... **Brwynen Gwlad yr Haf**

Thread (*Juncus filiformis*) .... **Brwynen Edeuffurf**
Three-flowered (*Juncus triglumis*) .... **Brwynen Dri-flodeuog**
Three-leaved (*Juncus trifidus*) .... **Brwynen Deirdalen**
Toad (*Juncus bufonius*) .... **Brwynen y Llyffant**
Two-flowered (*Juncus biglumis*) .... **Brwynen Ddeuflod**
Russian-vine (*Fallopia baldschuanica*) .... **Taglys Tibet**
Rustyback (*Ceterach officinarum*) .... **Rhedynen Gefngoch**
Rye (*Secale cereale*) .... **Rhyg**
Rye-grass, Italian (*Lolium multiflorum*) .... **Rhygwellt Eidalaidd**
Perennial (*Lolium perenne*) .... **Rhygwellt Lluosflwydd**
Safflower (*Carthamus tinctorius*) .... **Cochlys**
Downy (*Carthamus lanatus*) .... **Cochlys Gwlanog**
Saffron, Meadow (*Colchicum autumnale*) .... **Saffrwm y Gweunydd**
Sage (*Salvia officinalis*) .... **Saets**
Jerusalem (*Phlomis fruticosa*) .... **Saets Caersalem**
Wood (*Teucrium scorodonia*) .... **Chwerwlys yr Eithin**
Sainfoin (*Onobrychis viciifolia*) .... **Codog**
St John's-wort, Hairy (*Hypericum hirsutum*) .... **Eurinllys Blewog**
Imperforate (*Hypericum maculatum*) .... **Eurinllys Mawr**
Irish (*Hypericum canadense*) .... **Eurinllys Gwyddelig**
Marsh (*Hypericum elodes*) .... **Eurinllys y Gors**
Pale (*Hypericum montanum*) .... **Eurinllys Gwelw**
Perforate (*Hypericum perforatum*) .... **Eurinllys Trydwll**
Slender (*Hypericum pulchrum*) .... **Eurinllys Tlws**
Square-stalked (*Hypericum tetrapterum*) .... **Eurinllys Pedronglog**
Toadflax-leaved (*Hypericum linarifolium*) .... **Eurinllys Culddeiliog**
Trailing (*Hypericum humifusum*) .... **Eurinllys Mân Ymdaenol**
Wavy (*Hypericum undulatum*) .... **Eurinllys Tonnog-ddail**
St Patrick's-cabbage (*Saxifraga spathularis*) .... **Tormaen St. Padrig**
Sally-my-handsome (*Carpobrotus acinaciformis*) .... **Ffigysen Binc**
Salmonberry (*Rubus spectabilis*) .... **Mwyaren Oren**
Salsify (*Tragopogon porrifolius*) .... **Barf yr Afr Gochlas**
Saltmarsh-grass, Borrer's (*Puccinellia fasciculata*) .... **Gweunwellt Arfor Borrer**
Common (*Puccinellia maritima*) .... **Gweunwellt Arfor**
Northern (*Puccinellia distans* subsp. *borealis*) .... **Gweunwellt y Gogledd**
Reflexed (*Puccinellia distans* subsp. *distans*) .... **Gweunwellt Gwrthblygedigaidd**
Stiff (*Puccinellia rupestris*) .... **Gweunwellt Anhyblyg**
Saltwort, Prickly (*Salsola kali* subsp. *kali*) .... **Helys Ysbigog**
Spineless (*Salsola kali* subsp. *ruthenica*) .... **Helys Dibigog**
Samphire, Rock (*Crithmum maritimum*) .... **Corn Carw'r Môr**
Sand-grass, Early (*Mibora minima*) .... **Eiddil-welltyn Cynnar**
Sandwort, Arctic (*Arenaria norvegica* subsp. *norvegica*) ...... **Tywodlys y Gogledd**
English (*Arenaria norvegica* subsp. *anglica*) .... **Tywodlys Seisnig**
Fine-leaved (*Minuartia hybrida*) .... **Tywodlys Deilfain**
Fringed (*Arenaria ciliata* subsp. *hibernica*) .... **Tywodlys Gwyddelig**
Mossy (*Arenaria balearica*) .... **Tywodlys Meindwf**
Mountain (*Minuartia rubella*) .... **Tywodlys Bach Coch**
Recurved (*Minuartia recurva*) .... **Tywodlys Atro**
Sea (*Honkenya peploides*) .... **Tywodlys Arfor**
Slender (*Arenaria serpyllifolia* subsp. *leptoclados*) .... **Tywodlys Main**
Spring (*Minuartia verna*) .... **Tywodlys y Gwanwyn**
Teesdale (*Minuartia stricta*) .... **Tywodlys y Fignen**
Three-nerved (*Moehringia trinervia*) .... **Tywodlys Trinerf**
Thyme-leaved (*Arenaria serpyllifolia*) .... **Tywodwlydd Gruwddail**
Sanicle (*Sanicula europaea*) .... **Clust yr Arth**
Savory, Summer (*Satureja hortensis*) .... **Safri Fach Flynyddol**
Winter (*Satureja montana*) .... **Safri Fach**
Saw-wort (*Serratula tinctoria*) .... **Dant y Pysgodyn**
Alpine (*Saussurea alpina*) .... **Lliflys Mynyddig**
Saxifrage, Alpine (*Saxifraga nivalis*) .... **Tormaen yr Eira**
Celandine (*Saxifraga cymbalaria*) .... **Tormaen Deilaren**
Drooping (*Saxifraga cernua*) .... **Tormaen Crwn Gogwyddol**
Highland (*Saxifraga rivularis*) .... **Tormaen Mynyddig y Ffrwd**
Irish (*Saxifraga rosacea*) .... **Tormaen Crymddail**
Kidney (*Saxifraga hirsuta*) .... **Tormaen Elwlenddail**
Marsh (*Saxifraga hirculus*) .... **Tormaen Melyn y Gors**
Meadow (*Saxifraga granulata*) .... **Tormaen Gwyn y Gweunydd**
Mossy (*Saxifraga hypnoides*) .... **Tormaen Llydandroed**

Purple (*Saxifraga oppositifolia*) .... **Tormaen Cyferbynddail**
Pyrenean (*Saxifraga umbrosa*) .... **Tormaen Pyreneaidd**
Rue-leaved (*Saxifraga tridactylites*) .... **Tormaen Tribys**
Starry (*Saxifraga stellaris*) .... **Tormaen Serennog**
Tufted (*Saxifraga cespitosa*) .... **Tormaen Siobynnog**
Yellow (*Saxifraga aizoides*) .... **Tormaen Melyn Mynyddig**
Scabious, Devil's-bit (*Succisa pratensis*) .... **Tamaid y Cythraul**
Field (*Knautia arvensis*) .... **Clafrllys**
Small (*Scabiosa columbaria*) .... **Clafrllys Bychan**
Sweet (*Scabiosa atropurpurea*) .... **Clafrllys yr Ardd**
Scurvygrass, Common (*Cochlearia officinalis*) .... **Llwylys Cyffredin**
Danish (*Cochlearia danica*) .... **Llwylys Denmarc**
English (*Cochlearia anglica*) .... **Llwylys Lloegr**
Mountain (*Cochlearia micacea*) .... **Llwylys Mynyddig**
Pyrenean (*Cochlearia pyrenaica*) .... **Llwylys Pyreneaidd**
Sea-blite, Annual (*Suaeda maritima*) .... **Helys Unflwydd**
Shrubby (*Suaeda vera*) .... **Llwynhelys**
Sea-buckthorn (*Hippophae rhamnoides*) .... **Rhafnwydd y Môr**
Sea-heath (*Frankenia laevis*) .... **Grugeilyn Llyfn**
Sea-holly (*Eryngium maritimum*) .... **Celyn y Môr**
Sea-kale (*Crambe maritima*) .... **Ysgedd**
Sea-lavender, Alderney (*Limonium normannicum*) .... **Lafant Alderney**
[British] (*Limonium britannicum*) .... **Lafant Prydeinig**
Common (*Limonium vulgare*) .... **Lafant y Môr**
Jersey (*Limonium auriculae-ursifolium*) .... **Lafant Jersey**
Lax-flowered (*Limonium humile*) .... **Lafant Blodau Rhydd**
Matted (*Limonium bellidifolium*) .... **Lafant Matiog**
[Pembroke] (*Limonium parvum*) .... **Corlafant Penfro**
Rock (*Limonium binervosum*) .... **Lafant y Morgreigiau**
[St David's] (*Limonium paradoxum*) .... **Lafant Tyddewi**
[Tenby] (*Limonium transwallianum*) .... **Lafant Penfro**
Sea-milkwort (*Glaux maritima*) .... **Glas yr Heli**
Sea-purslane (*Atriplex portulacoides*) .... **Helys Can**
Sea-spurrey, Greater (*Spergularia media*) .... **Troellys Mawr**
Greek (*Spergularia bocconii*) .... **Troellys Boccone**
Lesser (*Spergularia marina*) .... **Troellys Bach**
Rock (*Spergularia rupicola*) .... **Troellys y Morgreigiau**
Sedge, Bird's-foot (*Carex ornithopoda*) .... **Hesgen Droediar**
Bottle (*Carex rostrata*) .... **Hesgen Ylfinfain**
Bristle (*Carex microglochin*) .... **Hesgen Wrychog**
Brown (*Carex disticha*) .... **Hesgen Lygliw Benblydd**
Carnation (*Carex panicea*) .... **Hesgen Benigen-ddail**
Club (*Carex buxbaumii*) .... **Hesgen Buxbaum**
Common (*Carex nigra*) .... **Swp-hesgen y Fawnog**
Curved (*Carex maritima*) .... **Hesgen Ddeilgrwm**
Cyperus (*Carex pseudocyperus*) .... **Hesgen Hopysaidd**
Dioecious (*Carex dioica*) .... **Hesgen Ysgar**
Distant (*Carex distans*) .... **Hesgen Bell**
Divided (*Carex divisa*) .... **Hesgen Ranedig**
Dotted (*Carex punctata*) .... **Hesgen Bigiad**
Downy-fruited (*Carex filiformis*) .... **Hesgen Feindwf**
Dwarf (*Carex humilis*) .... **Corhesgen**
Elongated (*Carex elongata*) .... **Hesgen Hir**
Estuarine (*Carex recta*) .... **Hesgen yr Aber**
False (*Kobresia simpliciuscula*) .... **Ffug-hesgen**
Few-flowered (*Carex pauciflora*) .... **Hesgen Brin-flodeuog**
Fingered (*Carex digitata*) .... **Hesgen Fyseddog**
Flea (*Carex pulicaris*) .... **Chwein-hesgen**
Glaucous (*Carex flacca*) .... **Hesgen Oleulas**
Green-ribbed (*Carex binervis*) .... **Hesgen Ddeulasnod**
Grey (*Carex divulsa* subsp. *divulsa*) .... **Hesgen Lwydlas**
Hair (*Carex capillaris*) .... **Hesgen Lechwedd y Mynydd**
Hairy (*Carex hirta*) .... **Hesgen Flewog**
Hare's-foot (*Carex lachenalii*) .... **Hesgen Droed-sgwarnog**
Long-bracted (*Carex extensa*) .... **Hesgen Hirian**
[Many-leaved] (*Carex divulsa* subsp. *leersii*) .... **Hesgen Felen-werdd y Calch**
Oval (*Carex ovalis*) .... **Hesgen Hirgrwn**
Pale (*Carex pallescens*) .... **Hesgen Welwlas**

Pendulous (*Carex pendula*) .... Hesgen Bendrymus
Pill (*Carex pilulifera*) .... Hesgen Bengron
Remote (*Carex remota*) .... Hesgen Anghyfagos
Rock (*Carex rupestris*) .... Hesgen y Graig
Russet (*Carex saxatilis*) .... Hesgen Lwytgoch
Sand (*Carex arenaria*) .... Hesgen Arfor
Sheathed (*Carex vaginata*) .... Gwain-hesgen
Slender (*Carex lasiocarpa*) .... Hesgen Fain
Smooth-stalked (*Carex laevigata*) .... Hesgen Ylfinog Lefn
Soft-leaved (*Carex montana*) .... Hesgen Feddal
Spiked (*Carex spicata*) .... Hesgen Dywysennog Borffor
Star (*Carex echinata*) .... Hesgen Seraidd
Stiff (*Carex bigelowii*) .... Hesgen Ddu
String (*Carex chordorrhiza*) .... Hesgen Linynnog
Tawny (*Carex hostiana*) .... Hesgen Dywyll-felen
Water (*Carex aquatilis*) .... Hesgen y Dŵr
White (*Carex curta*) .... Hesgen Benwen
Selfheal (*Prunella vulgaris*) .... Craith Unnos
Cut-leaved (*Prunella laciniata*) .... Craith Unnos Torddail
Service-tree (*Sorbus domestica*) .... Cerddinen Ddof
Wild (*Sorbus torminalis*) .... Cerddinen Folwst
Shallon (*Gaultheria shallon*) .... Sialon
Sheep's-bit (*Jasione montana*) .... Clefryn
Sheep's-fescue (*Festuca ovina*) .... Peisgwellt y Defaid
Fine-leaved (*Festuca filiformis*) .... Peisgwellt Manddail
Shepherd's-needle (*Scandix pecten-veneris*) .... Crib Gwener
Shepherd's-purse (*Capsella bursa-pastoris*) .... Pwrs y Bugail
Shield-fern, Hard (*Polystichum aculeatum*) .... Gwrychdredynen Galed
Soft (*Polystichum setiferum*) .... Gwrychredynen Feddal
Shoreweed (*Littorella uniflora*) .... Beistonnell
Sibbaldia (*Sibbaldia procumbens*) .... Pumbys yr Alban
Silky-bent, Dense (*Apera interrupta*) .... Maeswellt Sidanaidd Trwchus
Loose (*Apera spica-venti*) .... Maeswellt Sidanaidd
Silver-fir, European (*Abies alba*) .... Ffynidwydden Arian
Silverweed (*Potentilla anserina*) .... Dail Arian
Skullcap (*Scutellaria galericulata*) .... Cwcwll
Lesser (*Scutellaria minor*) .... Cwcwll Bach
Norfolk (*Scutellaria hastifolia*) .... Cwcwll y Coed
Somerset (*Scutellaria altissima*) .... Cwcwll Gwlad yr Haf
Small-reed, Narrow (*Calamagrostis stricta*) .... Mawnwellt Cul
Purple (*Calamagrostis canescens*) .... Mawnwellt Blewog
Scottish (*Calamagrostis scotica*) .... Mawnwellt yr Alban
Wood (*Calamagrostis epigejos*) .... Mawnwellt
Snapdragon (*Antirrhinum majus*) .... Safn y Llew
Lesser (*Misopates orontium*) .... Trwyn y Llo Bychan
Sneezewort (*Achillea ptarmica*) .... Distrewlys
Snowberry (*Symphoricarpos albus*) .... Llus Eira
Pink (*Symphoricarpos* × *chenaultii*) .... Llus Eira Pinc
Snowdrop (*Galanthus nivalis*) .... Eirlys
Snowflake, Spring (*Leucojum vernum*) .... Eiriaidd y Gwanwyn
Summer (*Leucojum aestivum*) .... Eiriaidd
Snow-in-summer (*Cerastium tomentosum*) .... Clust Llygoden y Felin
Soapwort (*Saponaria officinalis*) .... Sebonllys
Rock (*Saponaria ocymoides*) .... Sebonllys y Graig
Soft-brome (*Bromus hordeaceus* subsp. *hordeaceus*) .... Pawrwellt Masw
Least (*Bromus hordeaceus* subsp. *ferronii*) .... Pawrwellt Arfor
Lesser (*Bromus* × *pseudothominii*) .... Pawrwellt Minffordd
Slender (*Bromus lepidus*) .... Pawrwellt Gweirglodd
Soft-grass, Creeping (*Holcus mollis*) .... Maswellt Rhedegog
Soft-rush (*Juncus effusus*) .... Brwynen Babwyr
Great (*Juncus pallidus*) .... Pabwyren Fawr
Soldier, Gallant (*Galinsoga parviflora*) .... Galinsoga
Shaggy (*Galinsoga quadriradiata*) .... Galinsoga Blewog
Solomon's-seal (*Polygonatum multiflorum*) .... Dagrau Job
Angular (*Polygonatum odoratum*) .... Llysiau Solomon Persawrus
Whorled (*Polygonatum verticillatum*) .... Sêl Selyf Culddail
Sorrel, Common (*Rumex acetosa*) .... Suran y Cŵn
French (*Rumex scutatus*) .... Suran Ffrengig

Sunflower (*Helianthus annuus*) .... **Blodau'r Haul**
Sweet-briar (*Rosa rubiginosa*) .... **Drysen Bêr**
   Small-flowered (*Rosa micrantha*) .... **Rhoslwyn Pêr**
   Small-leaved (*Rosa agrestis*) .... **Miaren Gulddail**
Sweet-flag (*Acorus calamus*) .... **Gellesgen Bêr**
Sweet-grass, Floating (*Glyceria fluitans*) .... **Glaswellt y Dŵr**
   Hybrid (*Glyceria × pedicellata*) .... **Perwellt Croesryw**
   Plicate (*Glyceria notata*) .... **Perwellt Plygedig**
   Reed (*Glyceria maxima*) .... **Perwellt**
   Small (*Glyceria declinata*) .... **Perwellt Llwydlas**
Sweet-William (*Dianthus barbatus*) .... **Penigan Barfog**
Swine-cress (*Coronopus squamatus*) .... **Olbrain**
   Lesser (*Coronopus didymus*) .... **Olbrain Lleiaf**
Sycamore (*Acer pseudoplatanus*) .... **Masarnen**
Tamarisk (*Tamarix gallica*) .... **Grugbren**
   African (*Tamarix africana*) .... **Grugbren Affrica**
Tansy (*Tanacetum vulgare*) .... **Tanclys**
Tapegrass (*Vallisneria spiralis*) .... **Ruban y Dŵr**
Tare, Hairy (*Vicia hirsuta*) .... **Corbysen Flewog**
   Slender (*Vicia parviflora*) .... **Corbysen Fain**
   Smooth (*Vicia tetrasperma*) .... **Corbysen Lefn Ronynnog**
Tarragon (*Artemisia dracunculus*) .... **Ancwyn**
Tasselweed, Beaked (*Ruppia maritima*) .... **Tusw Dyfrllys**
   Spiral (*Ruppia cirrhosa*) .... **Tusw Troellog**
Teaplant, China (*Lycium chinense*) .... **Ysbeinwydd**
   Duke of Argyll's (*Lycium barbarum*) .... **Ysbeinwydd Hardd**
Tear-thumb, American (*Persicaria sagittata*) .... **Costog Bigog**
Teasel (*Dipsacus fullonum*) .... **Crib y Pannwr**
   Fuller's (*Dipsacus sativus*) .... **Crib Bachog**
   Small (*Dipsacus pilosus*) .... **Ffon y Bugail**
   Yellow-flowered (*Dipsacus strigosus*) .... **Crib Melyn**
Thistle, Cabbage (*Cirsium oleraceum*) .... **Ysgallen Fwytadwy**
   Carline (*Carlina vulgaris*) .... **Ysgallen Siarl**
   Cotton (*Onopordum acanthium*) .... **Ysgallen Gotymog**
   Creeping (*Cirsium arvense*) .... **Ysgallen Gyffredin**
   Dwarf (*Cirsium acaule*) .... **Ysgallen Ddigoes**
   Marsh (*Cirsium palustre*) .... **Ysgallen y Gors**
   Meadow (*Cirsium dissectum*) .... **Ysgallen Gorswaun**
   Melancholy (*Cirsium heterophyllum*) .... **Ysgallen Fwyth**
   Milk (*Silybum marianum*) .... **Ysgallen Fair**
   Musk (*Carduus nutans*) .... **Ysgallen Ogwydd**
   Plymouth (*Carduus pycnocephalus*) .... **Ysgallen Bengryno**
   Slender (*Carduus tenuiflorus*) .... **Ysgallen Flodfain**
   Spear (*Cirsium vulgare*) .... **Marchysgallen**
   Tuberous (*Cirsium tuberosum*) .... **Ysgallen Oddfynog**
   Welted (*Carduus acanthoides*) .... **Ysgallen Grych**
   Woolly (*Cirsium eriophorum*) .... **Ysgallen Benwlanog**
Thorn-apple (*Datura stramonium*) .... **Meiwyn**
Thorow-wax (*Bupleurum rotundifolium*) .... **Paladr Trwyddo**
   False (*Bupleurum subovatum*) .... **Ffugbaladr Trwyddo**
Thrift (*Armeria maritima* subsp. *maritima*) .... **Clustog Fair**
   Jersey (*Armeria arenaria*) .... **Clustog Fair Jersey**
   Tall (*Armeria maritima* subsp. *elongata*) .... **Clustog Fair Hir**
Thyme (*Thymus vulgaris*) .... **Gruw**
   Basil (*Clinopodium acinos*) .... **Brenhinllys**
   Breckland (*Thymus serpyllum*) .... **Gruw Breckland**
   Large (*Thymus pulegioides*) .... **Gruwlys Gwyllt Mwyaf**
   Lemon (*Thymus × citriodorus*) .... **Gruw Lemwn**
   Wild (*Thymus polytrichus*) .... **Gruw Gwyllt**
Timothy (*Phleum pratense*) .... **Rhonwellt**
Toadflax, Common (*Linaria vulgaris*) .... **Llin y Llyffant**
   Italian (*Cymbalaria pallida*) .... **Llin y Fagwyr Mwyaf**
   Ivy-leaved (*Cymbalaria muralis*) .... **Llin y Fagwyr**
   Jersey (*Linaria pelisseriana*) .... **Gingroen Hirsbardun**
   Pale (*Linaria repens*) .... **Gingroen Gwelw**
   Prostrate (*Linaria supina*) .... **Gingroen Gorweddol**
   Purple (*Linaria purpurea*) .... **Gingroen Cochlas**
   Sand (*Linaria arenaria*) .... **Gingroen y Tywod**

Small (*Chaenorhinum minus*) .... Gingroen Bychan
Tobacco (*Nicotiana tabacum*) .... Mwglys
Tomato (*Lycopersicon esculentum*) .... Tomato
Toothwort (*Lathraea squamaria*) .... Dantlys
Purple (*Lathraea clandestina*) .... Dantlys Porffor
Tor-grass (*Brachypodium pinnatum*) .... Breichwellt y Tŵr
Tormentil (*Potentilla erecta*) .... Tresgl y Moch
Trailing (*Potentilla anglica*) .... Tresgl Ymlusgol
Traveller's-joy (*Clematis vitalba*) .... Barf yr Hen Ŵr
Tree-mallow (*Lavatera arborea*) .... Hocyswydden
Smaller (*Lavatera cretica*) .... Môr-hocysen Fychan
Tree-of-Heaven (*Ailanthus altissima*) .... Pren y Nef
Trefoil, Hop (*Trifolium campestre*) .... Meillionen Hopys
Large (*Trifolium aureum*) .... Meillionen Fawr
Lesser (*Trifolium dubium*) .... Meillionen Felen Fechan
Slender (*Trifolium micranthum*) .... Meillionen Felen Eiddil
Trumpets (*Sarracenia flava*) .... Ffiolys Melyn
Tufted-sedge (*Carex elata*) .... Hesgen Oleulas Sythddail
Slender (*Carex acuta*) .... Hesgen Eiddil Dywysennog
Tulip, Wild (*Tulipa sylvestris*) .... Tiwlip Gwyllt
Tunic-flower (*Petrorhagia saxifraga*) .... Penigan Tormaen
Turnip, Wild (*Brassica rapa*) .... Erfinen Wyllt
Tussac-grass (*Poa flabellata*) .... Gweunwellt Twmpathog
Tussock-sedge, Fibrous (*Carex appropinquata*) .... Hesgen Fanedafedd
Greater (*Carex paniculata*) .... Hesgen Rafunog Fwyaf
Lesser (*Carex diandra*) .... Hesgen Rafunog Leiaf
Tutsan (*Hypericum androsaemum*) .... Dail y Beiblau
Stinking (*Hypericum hircinum*) .... Eurinllys Drewllyd
Tall (*Hypericum × inodorum*) .... Eurinllys Tal
Twayblade, Common (*Listera ovata*) .... Ceineirian
Lesser (*Listera cordata*) .... Ceineirian Bach
Twinflower (*Linnaea borealis*) .... Gefellflodyn
Valerian, Common (*Valeriana officinalis*) .... Triaglog
Marsh (*Valeriana dioica*) .... Triaglog y Gors
Pyrenean (*Valeriana pyrenaica*) .... Triaglog Pyreneaidd
Red (*Centranthus ruber*) .... Triaglog Coch
Venus's-looking-glass (*Legousia hybrida*) .... Drych Gwener
Vernal-grass, Annual (*Anthoxanthum aristatum*) .... Perwellt Barfog
Sweet (*Anthoxanthum odoratum*) .... Perwellt y Gwanwyn
Veronica, Hedge (*Hebe × franciscana*) .... Hebe'r Gwrych
Vervain (*Verbena officinalis*) .... Briw'r March
Vetch, Bithynian (*Vicia bithynica*) .... Ffugbysen Ruddlas Arw-godog
Bush (*Vicia sepium*) .... Ffugbysen y Cloddiau
Common (*Vicia sativa* subsp. *sativa*) .... Ffugbysen Faethol
Crown (*Coronilla varia*) .... Ffugbysen Goronog
Danzig (*Vicia cassubica*) .... Ffugbysen Fer-godog
Fine-leaved (*Vicia tenuifolia*) .... Ffugbysen Feinddail
Fodder (*Vicia villosa*) .... Ffugbysen yr Âr
Horseshoe (*Hippocrepis comosa*) .... Pedol y March
Kidney (*Anthyllis vulneraria*) .... Plucen Felen
Narrow-leaved (*Vicia sativa* subsp. *nigra*) .... Ffugbysen Gulddail Ruddog
Spring (*Vicia lathyroides*) .... Ffugbysen y Gwanwyn
Tufted (*Vicia cracca*) .... Tagwyg Bysen
Wood (*Vicia sylvatica*) .... Ffugbysen y Wig
Vetchling, Grass (*Lathyrus nissolia*) .... Ytbysen Goch
Hairy (*Lathyrus hirsutus*) .... Ytbysen Flewgodog
Meadow (*Lathyrus pratensis*) .... Ytbysen y Ddôl
Yellow (*Lathyrus aphaca*) .... Ytbysen Felen
Viburnum, Wrinkled (*Viburnum rhytidophyllum*) .... Gwifwrnwydden Grychog
Violet, Fen (*Viola persicifolia*) .... Fioled y Fignen
Hairy (*Viola hirta*) .... Gwiolydd Flewog
Marsh (*Viola palustris*) .... Fioled y Gors
Sweet (*Viola odorata*) .... Fioled Bêr
Teesdale (*Viola rupestris*) .... Fioled y Graig
Violet-willow, European (*Salix daphnoides*) .... Helygen Borffor
Viper's-bugloss (*Echium vulgare*) .... Glas y Graean
Purple (*Echium plantagineum*) .... Gwiberlys Porffor
Viper's-grass (*Scorzonera humilis*) .... Llys y Wiber

Virginia-creeper (*Parthenocissus quinquefolia*) .... Dringwr Fflamgoch
    False (*Parthenocissus inserta*) .... Dringwr Fflamgoch Ffug
Wallflower (*Erysimum cheiri*) .... Blodyn y Fagwyr
Wall-rocket, Annual (*Diplotaxis muralis*) .... Cedw y Tywod
    Perennial (*Diplotaxis tenuifolia*) .... Cedw Meindwf y Tywod
Wall-rue (*Asplenium ruta-muraria*) .... Duegredynen y Muriau
Walnut (*Juglans regia*) .... Coeden Cnau Ffrengig
Warty-cabbage (*Bunias orientalis*) .... Bresych Dafadennog
    Southern (*Bunias erucago*) .... Bresych Dafadennog y De
Water-cress (*Rorippa nasturtium-aquaticum*) .... Berwr y Dŵr
    Fool's (*Apium nodiflorum*) .... Dyfrfforonen Sypflodeuog
    Hybrid (*Rorippa* × *sterilis*) .... Berwr Dŵr Croesryw
    Narrow-fruited (*Rorippa microphylla*) .... Berwr Dŵr Lleiaf
Water-crowfoot, Brackish (*Ranunculus baudotii*) .... Egyllt y Mordir
    Common (*Ranunculus aquatilis*) .... Crafanc y Dŵr
    Fan-leaved (*Ranunculus circinatus*) .... Egyllt Cylchol-ddail
    Pond (*Ranunculus peltatus*) .... Crafanc y Llyn
    River (*Ranunculus fluitans*) .... Crafanc Hirddail
    Stream (*Ranunculus penicillatus*) .... Crafanc y Nant
    Thread-leaved (*Ranunculus trichophyllus*) .... Egyllt Dail Edafaidd
Water-dropwort, Corky-fruited (*Oenanthe pimpinelloides*) ...... Cegid Mynwy
    Fine-leaved (*Oenanthe aquatica*) .... Cegid Manddail y Dŵr
    Hemlock (*Oenanthe crocata*) .... Cegid y Dŵr
    Narrow-leaved (*Oenanthe silaifolia*) .... Cegid Culddail
    Parsley (*Oenanthe lachenalii*) .... Dibynlor Perllysddail
    River (*Oenanthe fluviatilis*) .... Cegid y Nant
    Tubular (*Oenanthe fistulosa*) .... Dibynlor Pibellaidd
Water-lily, Fringed (*Nymphoides peltata*) .... Ffaen Gors Eddïog
    Hybrid (*Nuphar* × *spenneriana*) .... Lili Ddŵr Groesryw
    Least (*Nuphar pumila*) .... Bwltys Lleiaf
    White (*Nymphaea alba*) .... Lili Ddŵr Wen
    Yellow (*Nuphar lutea*) .... Lili Ddŵr Felen
Water-milfoil, Alternate (*Myriophyllum alterniflorum*) .... Myrddail Bob yn Ail
    Spiked (*Myriophyllum spicatum*) .... Myrddail Tywysennaidd
    Whorled (*Myriophyllum verticillatum*) .... Myrddail Troellog
Water-parsnip, Greater (*Sium latifolium*) .... Pannas y Dŵr Llydanddail
    Lesser (*Berula erecta*) .... Pannas y Dŵr
Water-pepper (*Persicaria hydropiper*) .... Tinboeth
    Small (*Persicaria minor*) .... Clymog Bychan
    Tasteless (*Persicaria laxiflora*) .... Penboeth Diflas
Water-plantain (*Alisma plantago-aquatica*) .... Dŵr-lyriad
    Floating (*Luronium natans*) .... Dŵr-lyriad Nofiadwy
    Lesser (*Baldellia ranunculoides*) .... Llyren Fechan
    Narrow-leaved (*Alisma lanceolatum*) .... Dŵr-lyriad Culddail
    Ribbon-leaved (*Alisma gramineum*) .... Dŵr-lyriad Hirfain
Water-purslane (*Lythrum portula*) .... Troed y Gywen
Water-soldier (*Stratiotes aloides*) .... Alaw Diosgo
Water-speedwell, Blue (*Veronica anagallis-aquatica*) .... Graeanllys y Dŵr
    Pink (*Veronica catenata*) .... Graeanllys y Dŵr Rhuddgoch
Water-starwort, Autumnal (*Callitriche hermaphroditica*) .... Brigwlydd Cynaeafol
    Blunt-fruited (*Callitriche obtusangula*) .... Brigwlydd Ffrwyth-aflem
    Common (*Callitriche stagnalis*) .... Brigwlydd y Dŵr
    Intermediate (*Callitriche hamulata*) .... Brigwlydd Cyfryngol
    Pedunculate (*Callitriche brutia*) .... Brigwlydd Coesog
    Short-leaved (*Callitriche truncata*) .... Brigwlydd Byrddail
    Various-leaved (*Callitriche platycarpa*) .... Brigwlydd y Gwanwyn
Water-violet (*Hottonia palustris*) .... Pluddalen
Waterweed, Canadian (*Elodea canadensis*) .... Alaw Canada
    Curly (*Lagarosiphon major*) .... Pib-flodyn Crych
    Large-flowered (*Egeria densa*) .... Alaw Prin-flodeuog
    Nuttall's (*Elodea nuttallii*) .... Alaw Nuttall
    South American (*Elodea callitrichoides*) .... Alaw De America
Waterwort, Eight-stamened (*Elatine hydropiper*) .... Gwybybyr Wyth Brigerog
    Six-stamened (*Elatine hexandra*) .... Gwybybyr Chwe Brigerog
Wayfaring-tree (*Viburnum lantana*) .... Gwifwrnwydden
Weld (*Reseda luteola*) .... Melengu
Wellingtonia (*Sequoiadendron giganteum*) .... Cochwydden Sierra
Wheat, Bread (*Triticum aestivum*) .... Gwenith

Rivet (*Triticum turgidum*) .... Gwenith Barfog
Whin, Petty (*Genista anglica*) .... Cracheithin
Whitebeam, Broad-leaved (*Sorbus latifolia*) .... Cerddinen Lydanddail
    Common (*Sorbus aria*) .... Cerddinen Wen
    [English] (*Sorbus anglica*) .... Cerddinen Seisnig
    [Lesser] (*Sorbus minima*) .... Cerddinen Wen Leiaf
    [Ley's] (*Sorbus leyana*) .... Cerddinen Darren Fach
    Rock (*Sorbus rupicola*) .... Cerddinen y Graig
    [Spreading] (*Sorbus porrigentiformis*) .... Cerddinen Ymledol
    Swedish (*Sorbus intermedia*) .... Cerddinen Dramor
    [Welsh] (*Sorbus leptophylla*) .... Cerddinen Gymreig
    [Wye Valley] (*Sorbus eminens*) .... Cerddinen Mynwy
White-cedar, Northern (*Thuja occidentalis*) .... Cedrwydden Wen
Whitlowgrass, Common (*Erophila verna*) .... Llys y Bystwn
    Glabrous (*Erophila glabrescens*) .... Bystwn Llyfn
    Hairy (*Erophila majuscula*) .... Bystwn Blewog
    Hoary (*Draba incana*) .... Llwydlys y Bystwn
    Rock (*Draba norvegica*) .... Bystwn y Graig
    Wall (*Draba muralis*) .... Bystwn y Fagwyr
    Yellow (*Draba aizoides*) .... Llysiau Melyn y Bystwn
Whorl-grass (*Catabrosa aquatica*) .... Brigwellt Dyfrdrig
Wild-oat (*Avena fatua*) .... Ceirchwellt Gwyllt y Gwanwyn
    Winter (*Avena sterilis*) .... Ceirchwellt Gwyllt yr Hydref
Willow, Almond (*Salix triandra*) .... Helygen Drigwryw
    Bay (*Salix pentandra*) .... Helygen Beraroglaidd
    Bedford (*Salix fragilis* var. *russelliana*) .... Helygen y Dug
    Crack (*Salix fragilis* var. *fragilis*) .... Helygen Frau
    Creeping (*Salix repens*) .... Corhelygen
    Cricket-bat (*Salix alba* var. *caerulea*) .... Helygen Las
    Dark-leaved (*Salix myrsinifolia*) .... Helygen Dywyll
    Downy (*Salix lapponum*) .... Helygen Wlanog Hirddail
    Dwarf (*Salix herbacea*) .... Helygen Leiaf
    Eared (*Salix aurita*) .... Helygen Grynglustiog
    Goat (*Salix caprea*) .... Helygen Grynddail Fwyaf
    Golden (*Salix alba* var. *vitellina*) .... Helygen Aur
    Green-leaved (*Salix × rubra*) .... Helygen Werdd
    Grey (*Salix cinerea* subsp. *cinerea*) .... Helygen Lwyd
    Mountain (*Salix arbuscula*) .... Helygen Fach y Mynydd
    Net-leaved (*Salix reticulata*) .... Helygen Rwydog
    Purple (*Salix purpurea*) .... Helygen Gochlas
    Rusty (*Salix cinerea* subsp. *oleifolia*) .... Helygen Olewydd-ddail
    Tea-leaved (*Salix phylicifolia*) .... Helygen Dail-te
    Welsh (*Salix fragilis* var. *decipiens*) .... Helygen Gymreig
    White (*Salix alba*) .... Helygen Wen
    Whortle-leaved (*Salix myrsinites*) .... Helygen Fyrtwydd
    Woolly (*Salix lanata*) .... Helygen Wlanog
Willowherb, Alpine (*Epilobium anagallidifolium*) .... Helyglys Mynyddig
    American (*Epilobium ciliatum*) .... Helyglys Americanaidd
    Broad-leaved (*Epilobium montanum*) .... Helyglys Llydanddail
    Chickweed (*Epilobium alsinifolium*) .... Helyglys Gwlyddyn-ddail
    Great (*Epilobium hirsutum*) .... Helyglys Pêr
    Hoary (*Epilobium parviflorum*) .... Helyglys Lledlwyd
    Marsh (*Epilobium palustre*) .... Helyglys Culddail
    New Zealand (*Epilobium brunnescens*) .... Helyglys Gorweddol
    Pale (*Epilobium roseum*) .... Helyglys Coesig
    Rosebay (*Chamerion angustifolium*) .... Helyglys Hardd
    Short-fruited (*Epilobium obscurum*) .... Helyglys Rhedegydd Tenau
    Spear-leaved (*Epilobium lanceolatum*) .... Helyglys Gwayw-ddail
    Square-stalked (*Epilobium tetragonum*) .... Helyglys Pedronglog
Wineberry, Japanese (*Rubus phoenicolasius*) .... Mafonen Flewgoch
Winter-cress (*Barbarea vulgaris*) .... Berwr y Gaeaf
    American (*Barbarea verna*) .... Berwr Tir
    Medium-flowered (*Barbarea intermedia*) .... Berwr Cyfryngol
    Small-flowered (*Barbarea stricta*) .... Berwr Talsyth
Wintergreen, Chickweed (*Trientalis europaea*) .... Gwerddig
    Common (*Pyrola minor*) .... Coedwyrdd Bychan
    Intermediate (*Pyrola media*) .... Coedwyrdd Cyfryngol
    One-flowered (*Moneses uniflora*) .... Coedwyrdd Unblodeuyn

Round-leaved (*Pyrola rotundifolia*) .... **Coedwyrdd Crynddail**
Serrated (*Orthilia secunda*) .... **Coedwyrdd Bylchog**
Wireplant (*Muehlenbeckia complexa*) .... **Llys y Gwifrau**
Woad (*Isatis tinctoria*) .... **Llysiau'r Lliw**
Woodruff (*Galium odoratum*) .... **Briwydden Bêr**
  Blue (*Asperula arvensis*) .... **Briwydden Las**
  Pink (*Asperula taurina*) .... **Briwydden Binc**
Wood-rush, Curved (*Luzula arcuata*) .... **Coedfrwynen Grom**
  Fen (*Luzula pallidula*) .... **Coedfrwynen Welw**
  Field (*Luzula campestris*) .... **Coedfrwynen y Maes**
  Great (*Luzula sylvatica*) .... **Coedfrwynen Fawr**
  Hairy (*Luzula pilosa*) .... **Coedfrwynen Flewog**
  Heath (*Luzula multiflora*) .... **Coedfrwynen Luosben**
  Snow-white (*Luzula nivea*) .... **Coedfrwynen Eirwen**
  Southern (*Luzula forsteri*) .... **Coedfrwynen Gulddail**
  Spiked (*Luzula spicata*) .... **Coedfrwynen Sbigog**
  White (*Luzula luzuloides*) .... **Coedfrwynen Wen**
Wood-sedge (*Carex sylvatica*) .... **Hesgen y Coed**
  Starved (*Carex depauperata*) .... **Hesgen Lom**
  Thin-spiked (*Carex strigosa*) .... **Hesgen Ysbigog Denau**
Woodsia, Alpine (*Woodsia alpina*) .... **Coredynen Alpaidd**
  Oblong (*Woodsia ilvensis*) .... **Coredynen Hirgul**
Wood-sorrel (*Oxalis acetosella*) .... **Suran y Coed**
Wormwood (*Artemisia absinthium*) .... **Wermod Lwyd**
  Field (*Artemisia campestris*) .... **Llysiau'r Corff**
  Roman (*Artemisia pontica*) .... **Wermod Dramor**
  Sea (*Seriphidium maritimum*) .... **Wermod y Môr**
Woundwort, Downy (*Stachys germanica*) .... **Briwlys Tewbannog**
  Field (*Stachys arvensis*) .... **Briwlys yr Ŷd**
  Hedge (*Stachys sylvatica*) .... **Briwlys y Gwrych**
  Hybrid (*Stachys × ambigua*) .... **Briwlys Croesryw**
  Limestone (*Stachys alpina*) .... **Briwlys y Calchfaen**
  Marsh (*Stachys palustris*) .... **Briwlys y Gors**
Yarrow (*Achillea millefolium*) .... **Milddail**
Yellow-cress, Austrian (*Rorippa austriaca*) .... **Berwr Melyn Awstria**
  Creeping (*Rorippa sylvestris*) .... **Berwr Melyn Ymlusgol y Dŵr**
  Great (*Rorippa amphibia*) .... **Berwr Melyn Mwyaf y Dŵr**
  Marsh (*Rorippa palustris*) .... **Berwr Melyn y Gors**
  Northern (*Rorippa islandica*) .... **Berwr Melyn y Gogledd**
Yellow-eyed-grass (*Sisyrinchium californicum*) .... **Glaswellt Melynlygad**
Yellow-pine, Western (*Pinus ponderosa*) .... **Pinwydden Gochfrig**
Yellow-rattle (*Rhinanthus minor*) .... **Cribell Felen**
  Greater (*Rhinanthus angustifolius*) .... **Cribell Felen Fawr**
Yellow-sedge, Common (*Carex viridula* subsp. *oedocarpa*) ..... **Hesgen Felen**
  Large (*Carex flava*) .... **Hesgen Felen Fawr**
  Long-stalked (*Carex viridula* subsp. *brachyrrhyncha*) .... **Hesgen Felen Baladr Hir**
  Small-fruited (*Carex viridula* subsp. *viridula*) .... **Hesgen Felen Gorraidd**
Yellow-sorrel, Least (*Oxalis exilis*) .... **Suran Felen Leiaf**
  Procumbent (*Oxalis corniculata*) .... **Suran Felen Orweddol**
  Upright (*Oxalis stricta*) .... **Suran Felen Unionsyth**
Yellow-vetch (*Vicia lutea*) .... **Ffugbysen Felen Arw-godog**
  Hairy (*Vicia hybrida*) .... **Ffugbysen Felen Flewog**
Yellow-wort (*Blackstonia perfoliata*) .... **Canri Felen**
Yellow-woundwort, Annual (*Stachys annua*) .... **Briwlys-melyn Blynyddol**
  Perennial (*Stachys recta*) .... **Briwlys-melyn Bythol**
Yew (*Taxus baccata*) .... **Ywen**
Yorkshire-fog (*Holcus lanatus*) .... **Maswellt**